JN179599

動画制作必須の2大アプリを
これ1冊でしっかりマスター!

阿部信行

技術評論社

● **サンプルファイルのダウンロードについて**

本書の解説に使用している動画ファイルは、下記のページよりダウンロードできます。ダウンロード時は圧縮ファイルの状態なので、展開してから使用してください。

https://gihyo.jp/book/2023/978-4-297-13376-4/support

はじめに

本書は、アドビの動画を編集する『Adobe Premiere Pro』とモーショングラフィックスや合成などを行う『Adobe After Effects』の基本操作を、はじめて利用するユーザー向けにわかりやすく解説したガイドブックです。

ところで、動画の編集って何だと思いますか？
一言でいえば、「動画の作品を作ること」といえます。
でも、たとえばスマホで撮った動画をそのままYouTubeなどで公開するのであれば、
いちいち編集など面倒なことをして作らなくてもよいのでは、
と思いますよね。

たとえていえば、スマホで撮った動画は、道端の「石ころ」みたいなものです。
あ、最近はどこも舗装されているから石ころなんかないですかね（笑）。
じゃあ、河原の石ころかな。

石ころは、そのままではただの石ころです。
でも、この石ころを装飾台の上に置いたり、石ころにペイントして絵を描いたりすると、
それだけでアートになりませんか？

動画も同じです。スマホで撮った動画は、そのままでは動画データです。
でも、複数の動画データを組み合わせることで、
こんなことを伝えたい、あんなことを伝えたい、
と、「自分の伝えたいことを、相手に伝えることができる」ようになるのです。
それが、動画の作品を作るということであり、動画編集の目的だと思うのです。

自分の伝えたいことを、伝えたい人に、きちんと伝える。
それが動画の編集です。
そして、そのためには基本的な編集テクニックを知っておく必要があります。
高度なテクニックは必要ありません。まずは、基本的なテクニックです。
これをマスターできれば、とりあえず伝えたいことを伝える動画作品は、
作成できるようになります。

さらにカッコよく表現したい場合は、他のガイドブックなどを利用してください。
でも、それらを理解するには、やっぱり基本操作を覚えておく必要があります。

まずは本書で2つのソフトの基本操作を覚えてください。
そして、自分の作品を作ってください。
本書でそのお手伝いができれば、筆者としては幸いです。

2023年冬　阿部信行

Contents 目次

▶基本編

Chapter 01
動画編集の基本を知る

▶Premiere Pro編

Chapter 02
Premiere Proの基本を知る

Chapter 03

トランジションとエフェクトで動画を演出する

Chapter 04

テロップ・BGMを設定する

Chapter 05

オーディオを編集する

Chapter 06

Premiere Proから出力する

▶ After Effects編

Chapter 07

After Effectsの基本を知る

Contents

Chapter 08

テキストアニメーションを作成する

Chapter 09

シェイプとマスクを利用したアニメーションを作成する

Chapter 10

レイヤー・エフェクトを活用する

Chapter 11

After Effectsから出力する

▶Premiere Pro & After Effects連携編

Chapter 12

Premiere ProとAfter Effectsを連携させる

基本 編

Chapter 1

動画編集の基本を知る

動画は写真のアニメーション

映像が動く動画は、どのようなしくみになっているのでしょうか？　ここでは、動画編集に必要な3つの用語とプラスワンの用語を学ぶことで、動画のしくみを理解しましょう。

▶ フレームとフレームレート

最初に、「フレーム」と「フレームレート」について覚えましょう。動画データが動きを表現するしくみを理解するには、この2つの用語を知ることがとても重要です。動画の基本は、「パラパラ漫画」です。昔、教科書の隅などに絵を描いて、ページをパラパラとめくってアニメーションを作ったことはありませんか？　実際のアニメーションのしくみも、基本的にはこれと同じです。「セル画」と呼ばれる静止画像を何枚も描き、それを1枚ずつフィルムに撮影して動きを表現しています（現在では、セル画をデジタルで描いているので撮影はしませんが…）。

動画データも、基本的なしくみはアニメーションと同じです。静止画像、すなわち写真を連続して撮影し、これを高速に切り替えて表示することで動きを表現します。この静止画像のことを、動画編集では「フレーム」と呼んでいます。そして、1秒間に何枚のフレームを表示するかを「フレームレート」といいます。

ビデオカメラ映像やテレビ映像などの一般的な動画では、1秒間に約30枚のフレームを切り替えて表示しています。この時のフレームレートを「30フレームレート」といいます。カタログなどでは、このフレームレートを「fps」（frames per second）という単位で表記し、「30フレームレート」は「30fps」と表記されます。

なお、最近の動画には「29.97fps」と表記されています。これは、テレビがモノクロだった時代は30fpsでよかったのですが、カラー放送が始まると、カラー信号も同時に伝送するために29.97fpsが最適だったからです。

フレーム（静止画像）を高速に切り替えることで、動きを表現している。

▶ タイムコード

3つ目の用語が、「タイムコード」です。1秒間に30枚ものフレーム、すなわち静止画像を扱うとなると、特定のフレームを指定するのもたいへんです。たとえば30fpsの場合、先頭から10秒後のフレームは、30×10で300フレーム目になります。これが、10分後、1時間後となると、数値が大変な桁数になってしまいます。

そのため、ビデオ編集で特定のフレームを指定する場合は、「タイムコード」というものを利用します。タイムコードでは、ある特定のフレームを指定するのに次のような表記を行います。

00;02;14;26

時　分　秒　フレーム数

上の図で指定しているフレームは、先頭から「2分14秒26フレーム目のフレーム」になります。なお、30fpsの場合の最後のフレーム数は30ですので、「00;02;14;29」の次のフレームは「00;02;15;00」というように、1秒繰り上がることになります。

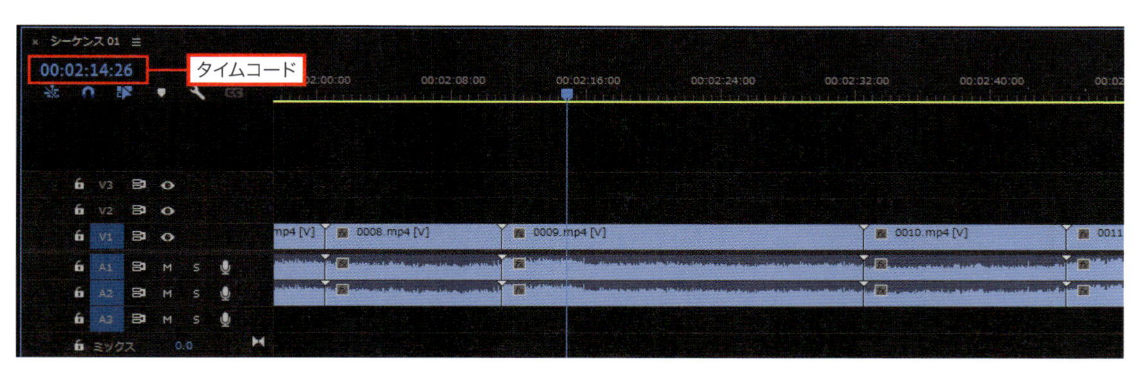

Premiere Proでのタイムコードの表示。

▶ アスペクト比

3つの用語に加えて知っておきたいのが、「アスペクト比」です。動画で利用するフレームは縦横の比率が決まっています。現在の主流となっているハイビジョン映像は、縦横の比率が「16（横）：9（縦）」です。この縦横比のことを「アスペクト比」といいます。

なお、ハイビジョンが主流となる前に利用されていた「標準映像」と呼ばれる動画データは、アスペクト比が「4（横）：3（縦）」でした。動画の編集を行う場合、どのアスペクト比で編集するかが重要なポイントになります。用語の意味をしっかりと覚えておいてください。

4:3　　16:9

標準のアスペクト比は4:3、ハイビジョンのアスペクト比は16:9。

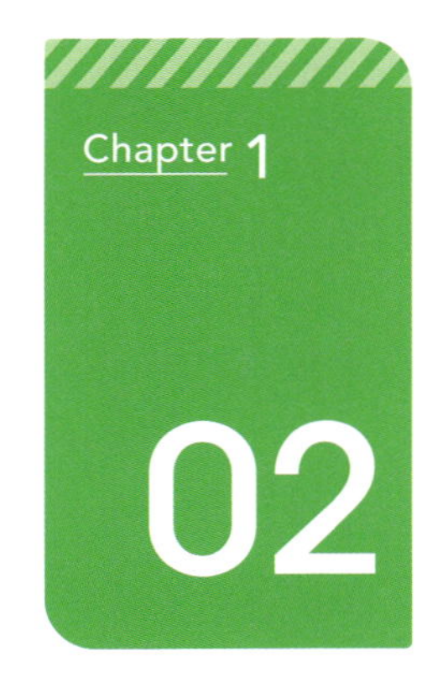

動画のファイル形式とコーデック

動画データのファイル形式には、MTS形式やMP4形式など、さまざまなものがあります。ただし、これらのファイル形式は動画ファイルそれ自体ではなく、動画ファイルを運ぶための「コンテナ」の形式になります。

▶ コンテナとコーデック

動画データを編集する際、「シーケンス」と呼ばれるパネルのトラックに動画データを配置すると、映像と音声の2種類のデータが配置されます。本書のサンプルの動画データは、MP4形式というファイル形式を利用していますが、これも同じように2種類のデータが配置されます。

これは、「MP4」というデータを運ぶための「コンテナ」に動画データと音声データの2つのデータが格納されており、コンテナを配置することによって、動画と音声の2種類のデータがトラックに配置されるからです。

映像内の動画データは、編集を終えると「圧縮」という作業を行って出力されます。この圧縮に利用するプログラムを「コーデック」といい、コーデックは「圧縮作業」（エンコード）と圧縮したデータを元に戻す「伸張作業」（デコード）の両方を担当します。コーデックの中でもっとも一般的なのが、「H.264」（えいちどっとにーろくよん）と呼ばれるコーデックです。H.264で圧縮された動画データは、「MP4」と呼ばれるコンテナに保存されます。

同様に映像内の音声データも、音声圧縮専用のコーデックによって圧縮され、コンテナであるMP4に保存されます。MP4の場合、音声データの圧縮にはAAC（Advanced Audio Coding）というコーデックが利用されています。

動画データを配置すると、映像と音声の2種類のデータが配置される。

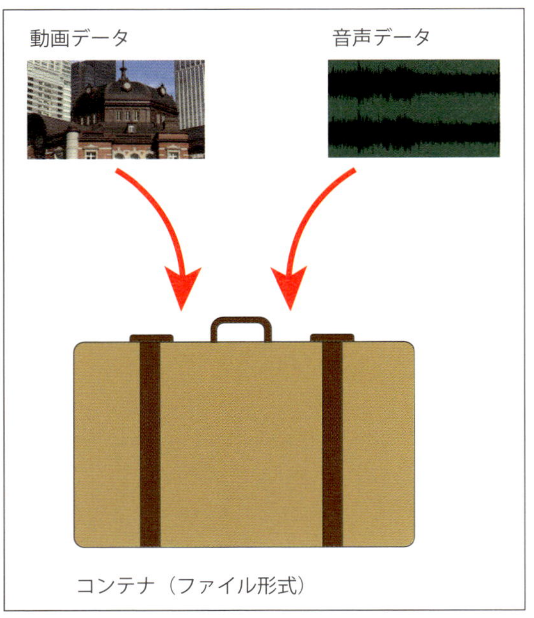

圧縮された動画データと音声データがコンテナに保存される。

▶ MP4なのに再生できない

MP4のコンテナには、H.264だけでなく、他のコーデックで圧縮した動画データも保存することができます。たとえば、次世代コーデックと呼ばれている「H.265」によって圧縮されたデータも、MP4のコンテナとして保存することができます。

皆さんの中には、MP4形式の動画データを再生しようとしたら再生できなかった。でも、Premiere Proに読み込んだら再生も編集もできたという経験をされた方はいないでしょうか？　これは、再生環境にH.265のコーデックが入っていなかったことが原因です。コーデックで圧縮した動画データは、再生する際にもコーデックが必要になります。たとえばH.265の場合、WindowsがH.265というコーデックを持っていないため、H.265で圧縮した動画データは再生できないケースが多いのです。しかし、Premiere ProにはH.265のコーデックが搭載されているので、編集も再生もできるというわけです。

MP4形式の動画データの場合、H.264で圧縮してもH.265で圧縮しても、ファイルの拡張子は「.mp4」になります。どちらも同じ拡張子が利用されるので、紛らわしいですね。なお、WindowsでもH.265のコーデックを購入すれば、再生することができます。

MP4形式の動画データ。

コーデックがないので動画データを再生できない。

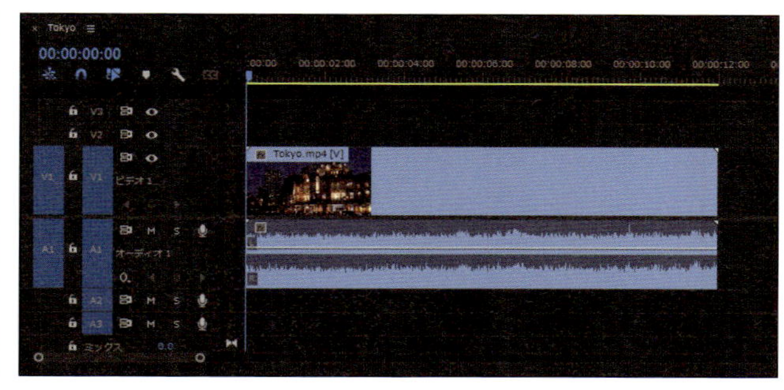

Premiere Proを使うと再生も編集もできる。

Chapter 1

03

ハイビジョンと解像度の基礎知識

ここでは、現在主流のハイビジョン映像についての基本的な用語やしくみと、解像度について解説します。特にAVCHD形式を中心に、4Kや8Kなどについても解説しています。

ハイビジョンとAVCHD

ハイビジョンとは、NHKが開発した「高精細度テレビジョン」(High Definition Television)というテクノロジーの呼称です。一般的に「HD」という略称で利用されます。HDは「High Definition」の頭文字で、「高解像度・高精細」という意味です。このHDと呼ばれるハイビジョンに対して、従来の映像は「Standard Definition Television」(標準画質)、略して「SD」と呼ばれています。
現在販売されているビデオカメラやスマートフォン、デジタルカメラは、そのほとんどがハイビジョンに対応しています。本書で利用しているサンプル映像も、ハイビジョン対応のビデオカメラで撮影したものです。

ハイビジョン対応ビデオカメラでは、「AVCHD規格」という規格が利用されています。これは、ハイビジョン映像をDVDやHDD、SDメモリーといったメディアに記録するための規格で、ソニーとパナソニックの2社によって策定されたものです。
AVCHDでは、撮影した映像を記録する際、圧縮方法(コーデック)として「MPEG-4 AVC/H.264方式」を利用しています(P.161)。AVCHD規格では、映像データを「動画ファイル」としてメディアに記録し、この動画ファイルをパソコンに読み込むことで、かんたんに編集ができるという特徴があります。

キヤノンのAVCHD 対応ビデオカメラ「iVIS HF G40」

ハイビジョンの解像度とアスペクト比

映像の画質は、「解像度」すなわち画素の数で表現されます。画素の数が大きい方が、より精緻な画質で映像を表現することができます。現在のハイビジョンは「フルハイビジョン」（フルHD）と呼ばれる解像度が主流で、「1920（縦）×1080（横）」のピクセル（画素）によって構成されます。従来の標準画質「SD」の解像度は「720×480」ですから、フルハイビジョンは標準画質の4倍の解像度があるということになります。

また、ハイビジョンと標準画質とではアスペクト比も異なります。標準画質ではアスペクト比が「4:3」であるのに対し、ハイビジョンでは「16:9」というワイドな比率が利用されています。

アスペクト比「16:9」の映像（ハイビジョン）。

アスペクト比「4:3」の映像（標準画質）。

2K、4Kについて

現在のハイビジョンでは、4K（よんけい）と呼ばれる解像度の利用が普及しつつあります。「K」は、一般的には1000を意味する単位の「キロ」（Kilo）の頭文字ですが、映像の世界ではハイビジョンのことを指しています。現在のハイビジョン（1920×1080）は横幅が約2000なので、「2K」と表現されます。現在主流となりつつある4Kは、2Kの約4倍となる「4096×2160」や「3840×2160」といった解像度を持っています。

4K解像度の規格には複数の種類があり、規格によって解像度が異なります。これを先の解像度の画像と比較してみると、以下の図のようになります。2021年の東京オリンピックでは、「スーパーハイビジョン」と呼ばれる8K（7680×4320）で開会式やいくつかの競技が放送されたそうです。

SD：720×480

フルHD：1920×1080

4K：3840×2160

SD、フルHD、4Kの解像度の比較。

Premiere ProとAfter Effectsの映像編集ワークフロー

ここでは、Premiere ProとAfter Effectsのワークフローについて解説します。作業手順の流れと、使い方のポイントを理解してください。

▶ 映像編集のワークフローを理解する

アプリケーションの使い方をマスターするには、作業手順の流れを理解することが重要です。以下に、Premiere ProとAfter Effectsを使った映像編集のワークフローをまとめてみました。実際の制作に入る前に、全体の流れを把握しておきましょう。

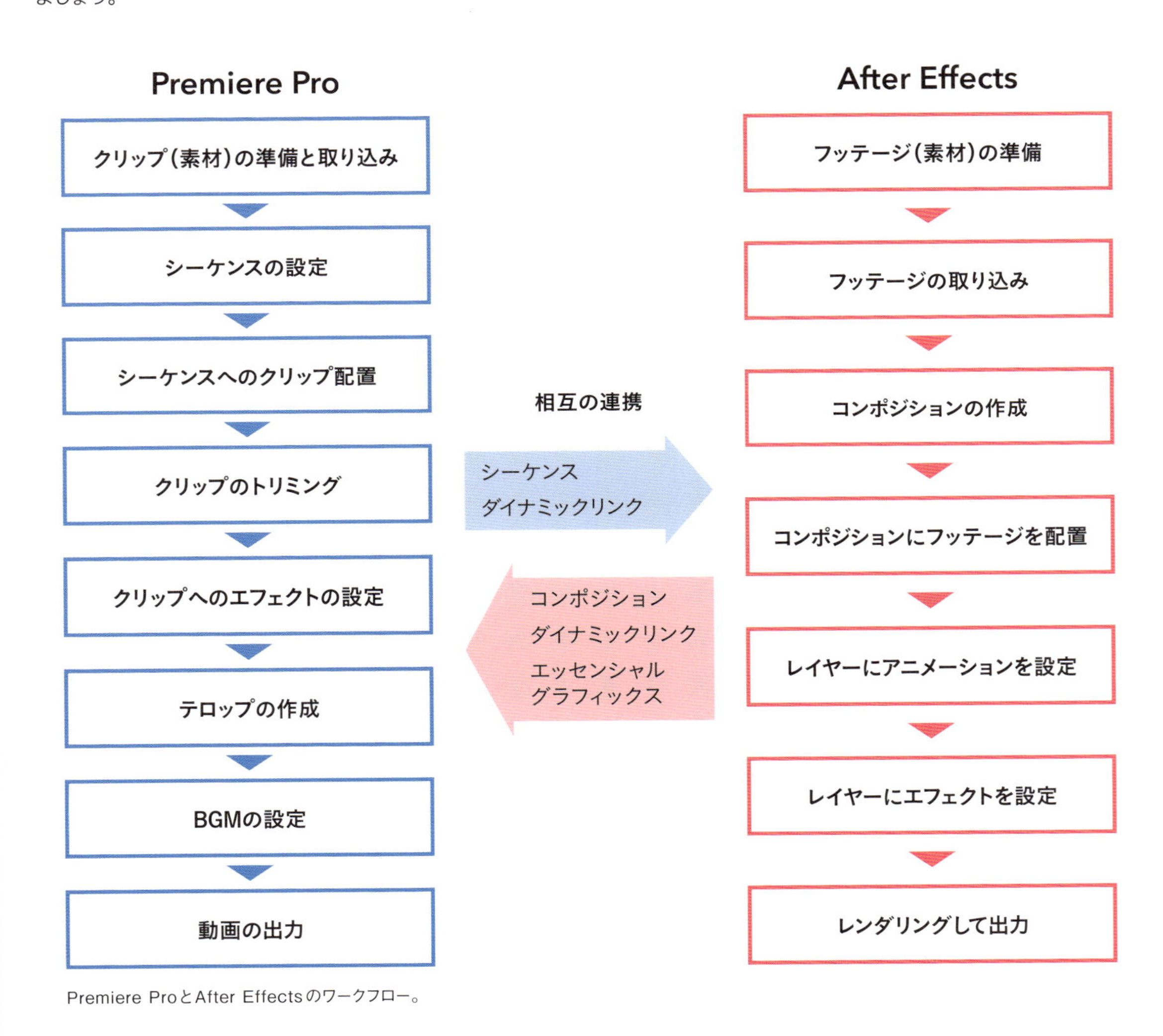

Premiere ProとAfter Effectsのワークフロー。

Premiere Pro 編

Chapter 2

Premiere Proの基本を知る

Premiere Proの編集画面の役割

Premiere Proは、1つのホーム画面と、3つの編集画面で構成されています。ここでは、それぞれの画面の役割について解説します。作業目的に応じて、切り替えて利用してください。

▶ ホーム画面（P.20）

「ホーム」画面は、はじめてプロジェクトを作成する、あるいは既存のプロジェクトを再編集するときに、プロジェクトファイルを選択する画面です。ホーム画面の操作方法については、この後のP.20で解説しています。

▶ 読み込み画面（P.22）

「読み込み」画面は、これから作成するプロジェクトの設定や、利用する素材データの選択を行う画面です。

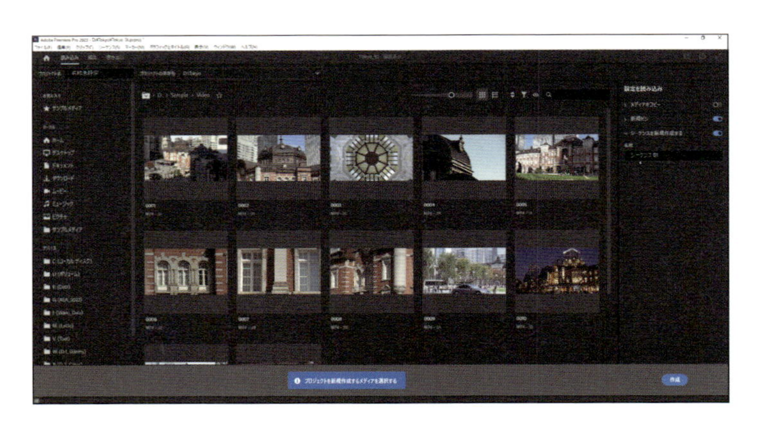

▶ 編集画面（P.30）

「編集」画面は、「読み込み」画面で選択した素材データの編集を行う画面です。いわばPremiere Proのメイン画面です。素材の配置、トリミング、エフェクトの設定、タイトルの設定、BGMの設定など、すべての編集作業をここで行います。

なお、編集画面はワークスペースと呼ばれ、複数のパネルで構成されています。このワークスペースは、作業内容に応じて利用しやすいデザインに切り替えられます。

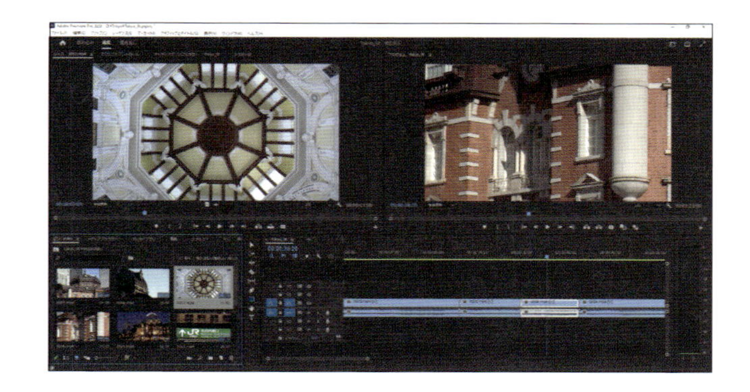

▶ 書き出し画面（P.160）

「書き出し」画面は、「編集」画面で編集を終えたプロジェクトを動画ファイルとして出力したり、YouTubeなどのSNSにアップロードしたりするための画面です。なお、動画ファイルの出力は「編集」画面から「クイック書き出し」(P.158)を利用して行うこともできます。

▶ Media Encoder（P.163）

動画ファイルの出力は、Premiere Proから行うのではなく、「Media Encoder」という動画ファイル出力専用プログラムを利用して行うのがおすすめです。Media Encoderを利用すると、動画ファイルの出力中にPremiere Proでの編集作業を行うことができます。

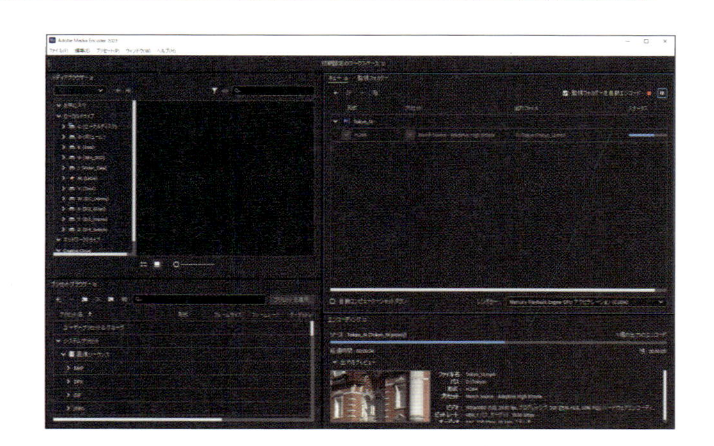

「ホーム」画面で最初に行うこと

「ホーム」画面では、これから新しいプロジェクトを作成するのか、あるいは既存のプロジェクトを再編集するのかによって操作の内容が異なります。「ホーム」画面でできることを知っておきましょう。

▶ 新しくプロジェクトを作成する

Premiere Proをインストールして Premiere Proを起動すると、最初に「ホーム」画面が表示されます。これから新しいプロジェクト、つまり新しい動画の編集を始める場合は、左上にある「新規プロジェクト」をクリックします❶。画面中央の「新規ファイル」❷をクリックしても同じですが、このボタンは最初の起動時しか表示されません。次回からは表示されなくなるので、必ず左上の「新規プロジェクト」をクリックするようにしてください。

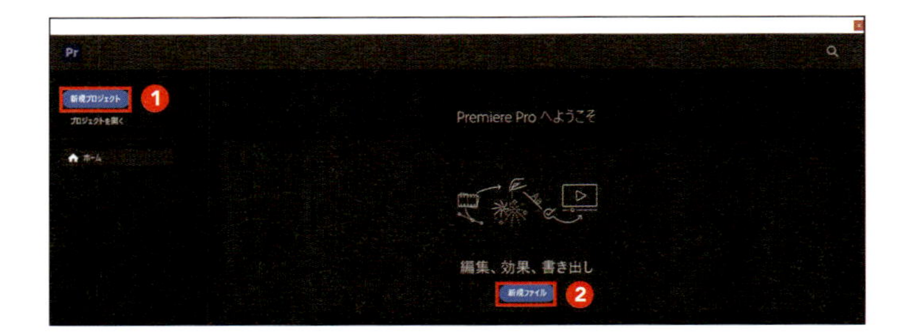

▶ 既存のプロジェクトを再編集する

すでにPremiere Proでの編集を行っている場合は、「ホーム」画面にプロジェクトファイルの一覧が表示されます❶。ここで、再編集を行いたいプロジェクトファイル名をクリックしてください❷。前回中断した箇所から、編集を再開できます。

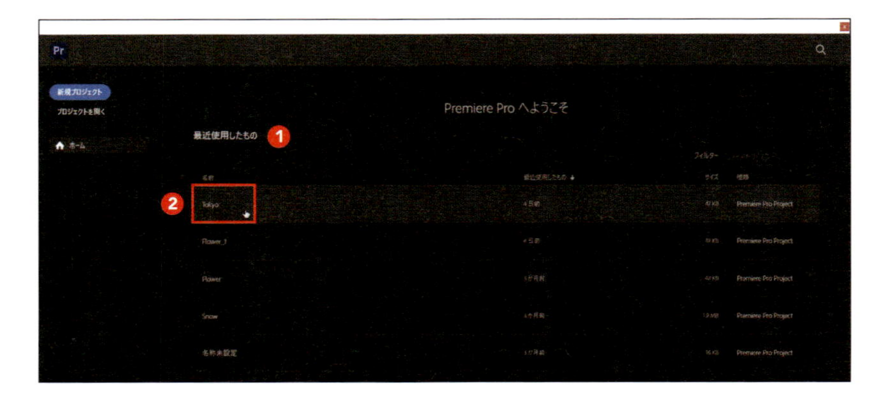

▶ プロジェクトファイル名が表示されない

プロジェクトファイルの一覧に目的のプロジェクト名が表示されない場合は、左上の「プロジェクトを開く」❶をクリックしてください。「プロジェクトを開く」ウィンドウが表示され、プロジェクトファイルを選択できます❷。

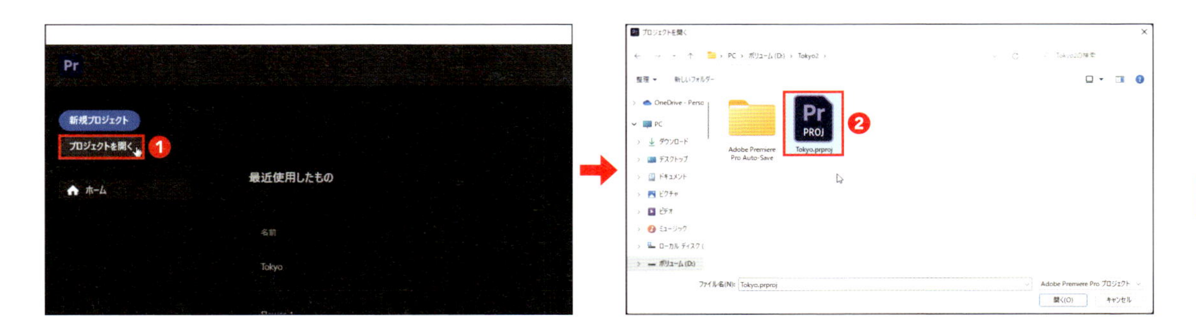

▶ Premiere Rushプロジェクトを開く

「ホーム」画面左下の「Premiere Rushプロジェクトを開く」をクリックすると、スマートフォンやタブレット用のビデオ編集ソフト「Premiere Rush」で編集したプロジェクトが表示されます。サムネイルをクリックすると、Premiere Proでプロジェクトを編集することができます。なお、「Premiere Rushプロジェクトを開く」からプロジェクトを開くには、Premiere Rushでの保存時に「同期をオン」に設定し、Creative Cloudライブラリーに保存されている必要があります。

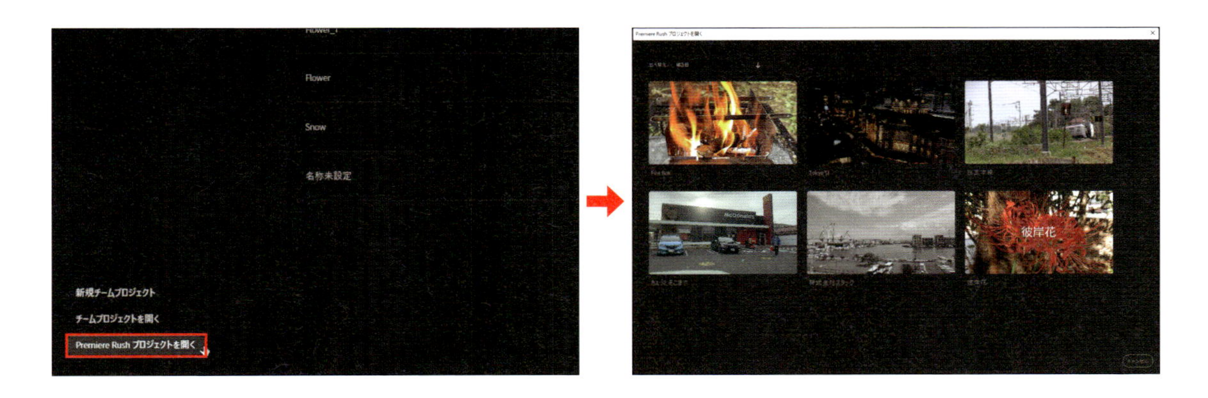

Chapter 2 Premiere Proの基本を知る

Premiere Pro

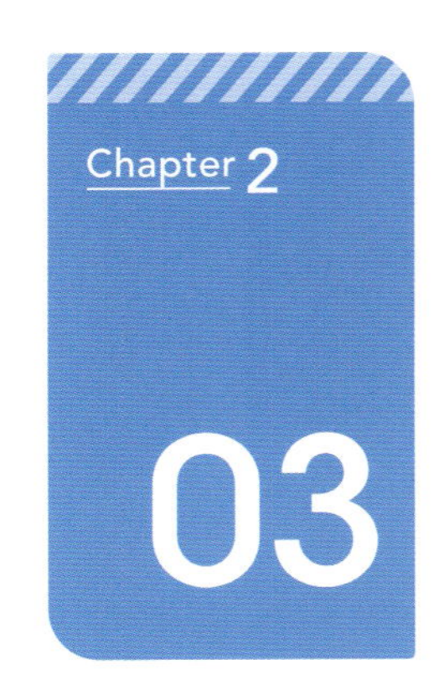

「読み込み」画面での設定

「読み込み」画面では、動画素材の表示や、これから作成するプロジェクトの基本設定を行います。ここでは、それぞれの操作方法について解説します。

動画素材を表示する

Premiere Proのインストール後、最初に「読み込み」画面を表示すると、初期設定でサンプルメディアが表示されます。ここで、利用したい動画素材が保存されているフォルダに表示を切り替えます。

1 サンプルメディアが表示される

初期設定では、「読み込み」画面にはサンプルメディアが表示されています。

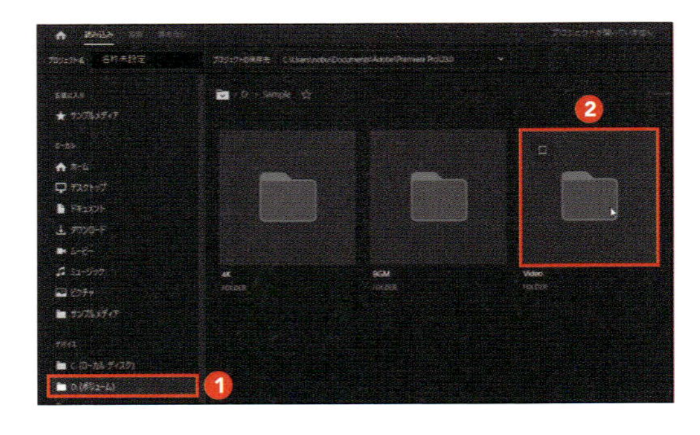

2 フォルダーを選択する

編集したいファイルが保存されているドライブ❶を選択します。さらに、動画ファイルが保存されているフォルダーをダブルクリックして開きます❷。1回クリックしただけだと、フォルダーが選択状態になり読み込み対象になるので、注意してください。

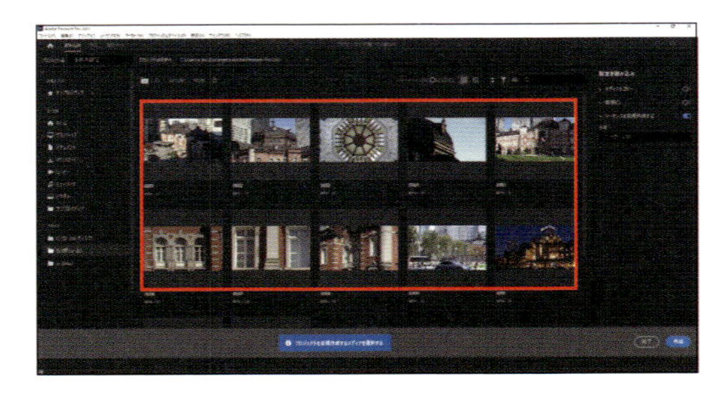

3 サムネイルが表示される

フォルダーに保存されている動画ファイルのサムネイルが表示されます。

POINT ワンクリックに注意

フォルダーを開くときは、ダブルクリックして開くようにしてください。ワンクリックだとフォルダーが選択された状態になり、さらにダブルクリックしても、フォルダーが選択された状態のままになってしまいます。フォルダーが選択された状態で読み込みの操作を行うと、フォルダー内のすべての動画ファイルが読み込まれてしまうので注意が必要です。

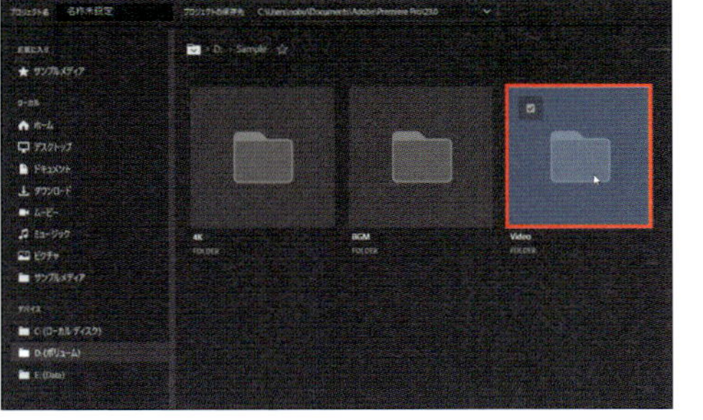
フォルダーが選択された状態。

プロジェクトの設定

利用する動画素材を選択する前に、プロジェクトの設定を行いましょう。プロジェクトの設定を後回しにすると、デフォルトのまま作業を始めてしまう可能性があるので注意が必要です。

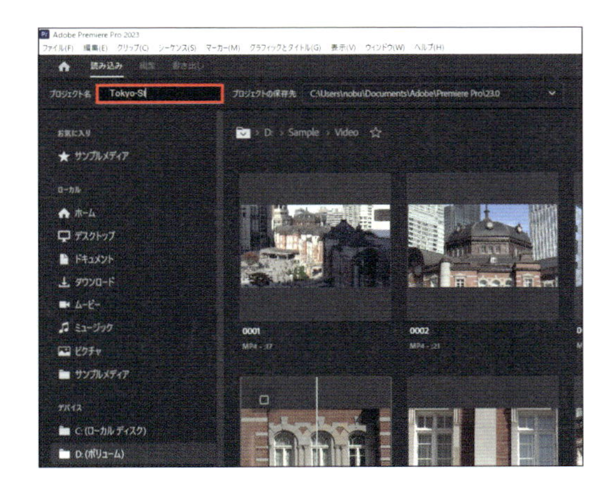

1 プロジェクト名を設定する

最初に、プロジェクト名を設定します。ここで設定した名前で、プロジェクトファイルが保存されます。漢字等を利用してもかまいませんが、文字化けすることもあるので、なるべく英数字を利用します。

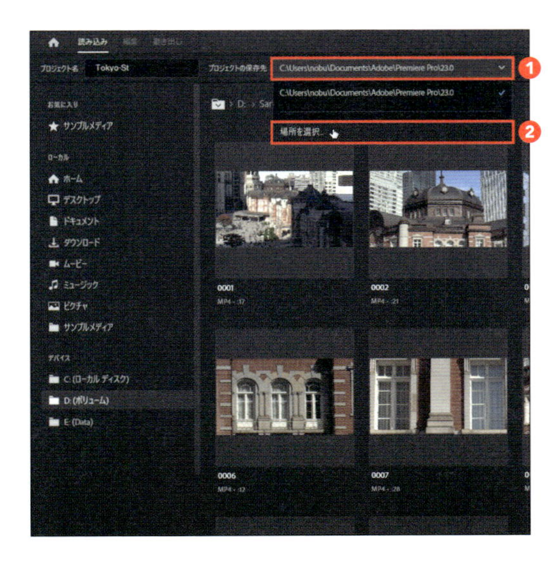

2 「場所を選択」をクリックする

次に、プロジェクトファイルの保存場所を設定します。「プロジェクトの保存先」の「V」をクリックし❶、「場所を選択」をクリックします❷。

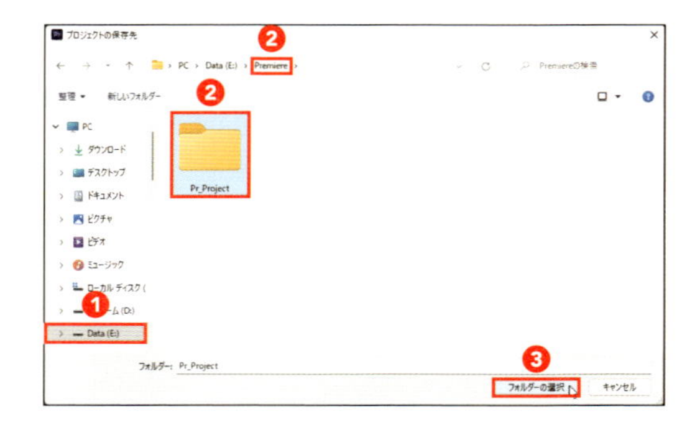

3 保存先を設定する

「プロジェクトの保存先」ウィンドウが表示されるので、プロジェクトファイルを保存するドライブ❶とフォルダー❷を選んで、「フォルダーの選択」❸をクリックします。

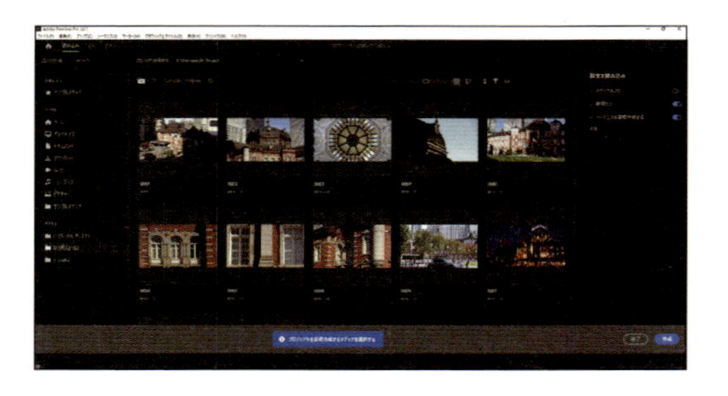

4 保存先が設定される

これで保存先が登録されます。

POINT 保存先は動画素材とは別のドライブ、フォルダーを選ぶ

プロジェクトファイルの保存先は、可能であれば動画素材のファイルとは別のドライブを選ぶのがよいでしょう。なぜなら、どちらかのドライブが破損した場合に、素材ファイルとプロジェクトファイルのどちらかのデータは残るからです。同じドライブに保存する場合は、フォルダーを別にしましょう。

▶「設定を読み込み」パネルの設定

「読み込み」画面の右側に、「設定を読み込み」というパネルがあります。このパネルでは、動画素材の読み込みに関する設定を行います。なお、「メディアをコピー」はオフに設定して利用します。

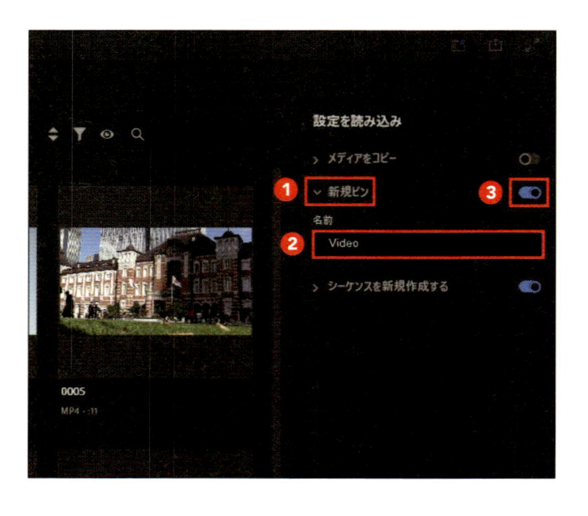

1 「新規ビン」を設定する

「新規ビン」の先頭にある「V」をクリック❶して展開し、「名前」❷に動画ファイルを保存するフォルダー名を入力します。ここでは、「Video」と入力しています。なお、「新規ビン」のボタンがオフの場合は、オンにしてから設定してください❸。

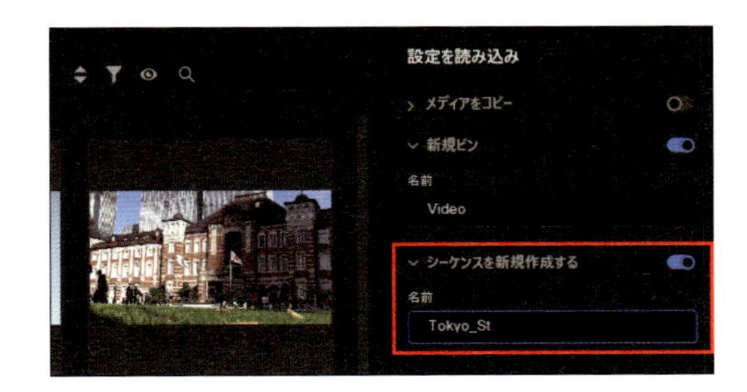

2 シーケンス名を設定する

続いて、シーケンス名を設定します。ここでは、「Tokyo_St」と入力しています。シーケンスについて、詳しくはP.37で解説しています。なお、Premiere Proでは「シーケンスを新規作成する」がデフォルトでオンになっています。慣れてきたら、オフに設定して利用しましょう。

POINT 「ビン」について

Premiere Proでは、動画素材などを保存するフォルダーのことを「ビン」と呼んでいます。かつて、アナログデータの編集時代、ハサミで切ったフィルムをバケツのような入れ物に放り込んでいたそうです。このときのバケツを「ビン」と呼んでいた慣習で、フォルダーのことをビンと呼んでいます。

▶ 動画素材のプレビュー

プロジェクトの設定ができたら、サムネイル一覧から利用する動画素材を選択します。すべてのファイルを選んでもかまいませんが、後の編集が大変になります。必要な動画ファイルだけを選択しましょう。サムネイルから動画を選ぶときは、「プレビュー」を利用して動画の内容をザックリと確認することができます。「読み込み」画面でサムネイルの左端にマウスを合わせると、白いラインが表示されます。その状態で右にドラッグすると、動画の内容を確認できます。このようなプレビュー方法を、「スクラブ」といいます。動画ファイルの再生時間（デュレーション）に関係なく、サムネイルの左端がスタート、右端がエンドになります。

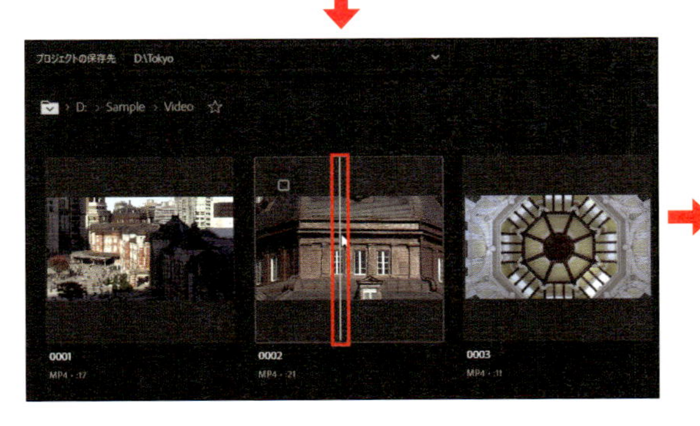

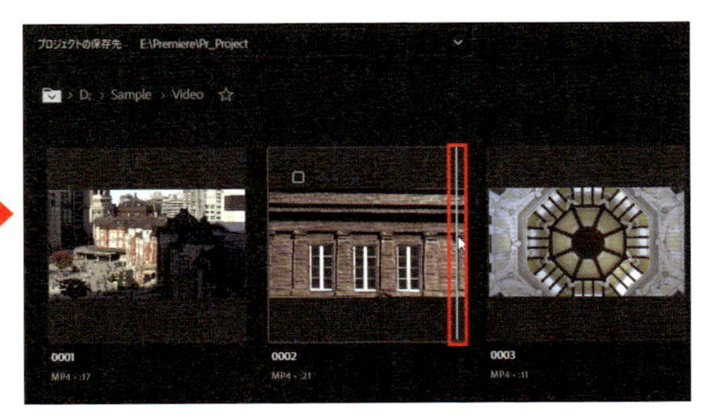

▶ 動画素材を選択する

最後に、「読み込み」画面で利用する動画を選択し、編集できる状態にまで持っていきましょう。

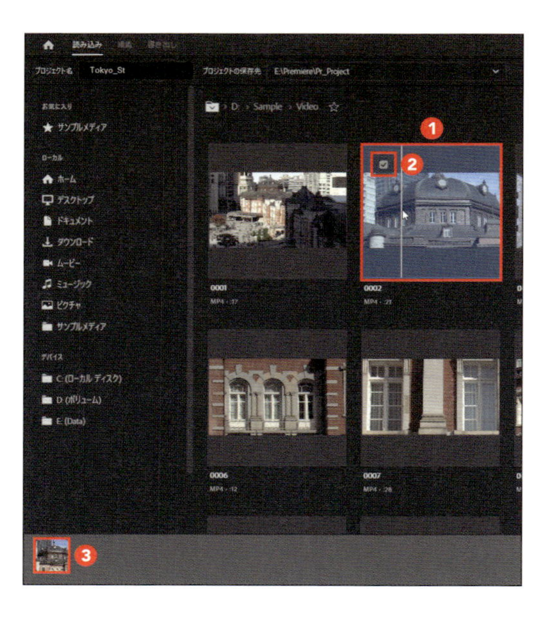

1 サムネイルをクリックする

利用したい動画のサムネイルをクリック❶します。左上のチェックボックスに、チェックマークが表示されます❷。画面下のグレーの領域に、サムネイルのアイコンが表示されます❸。

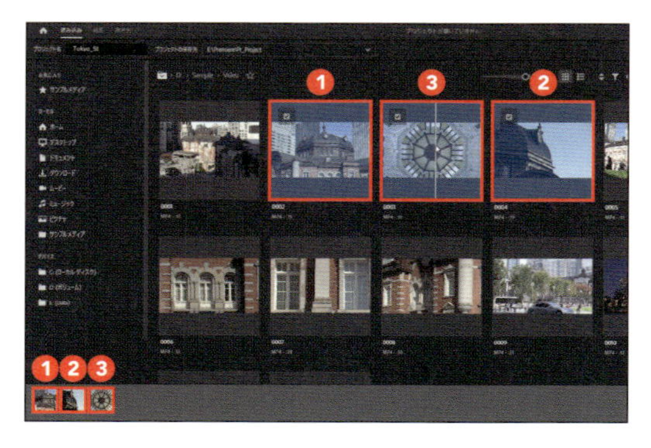

2 選んだ順に登録される

順番に、利用したい動画のサムネイルをクリックしていきます。サムネイルは、選択した順に画面下部にアイコンとして登録されていきます。画面では、「0002」❶→「0004」❷→「0003」❸という順番でサムネイルをクリックしたので、その順にアイコンが登録されています。

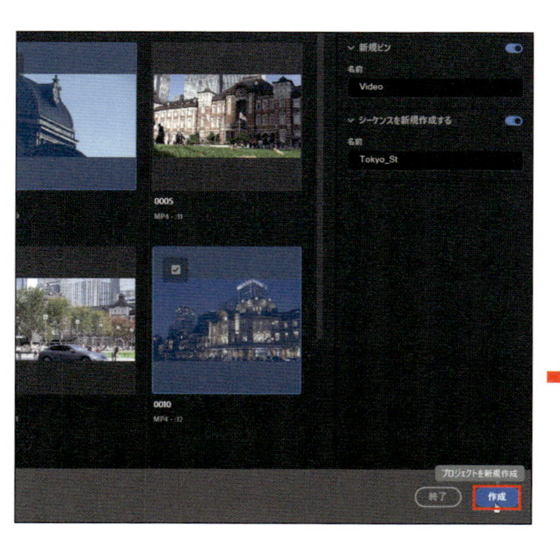

3 「作成」をクリックする

必要な動画素材を選択できたら、右下の「作成」をクリックします。「編集」画面に切り替わります。

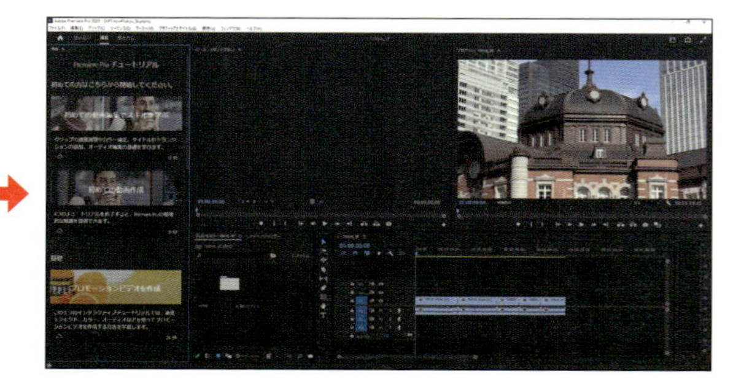

「編集」画面が表示される

「編集」は、動画を編集するためのメイン画面です。この画面全体を「ワークスペース」と呼びます。ワークスペースは、複数の小さな「パネル」と呼ばれるウィンドウで構成されています。

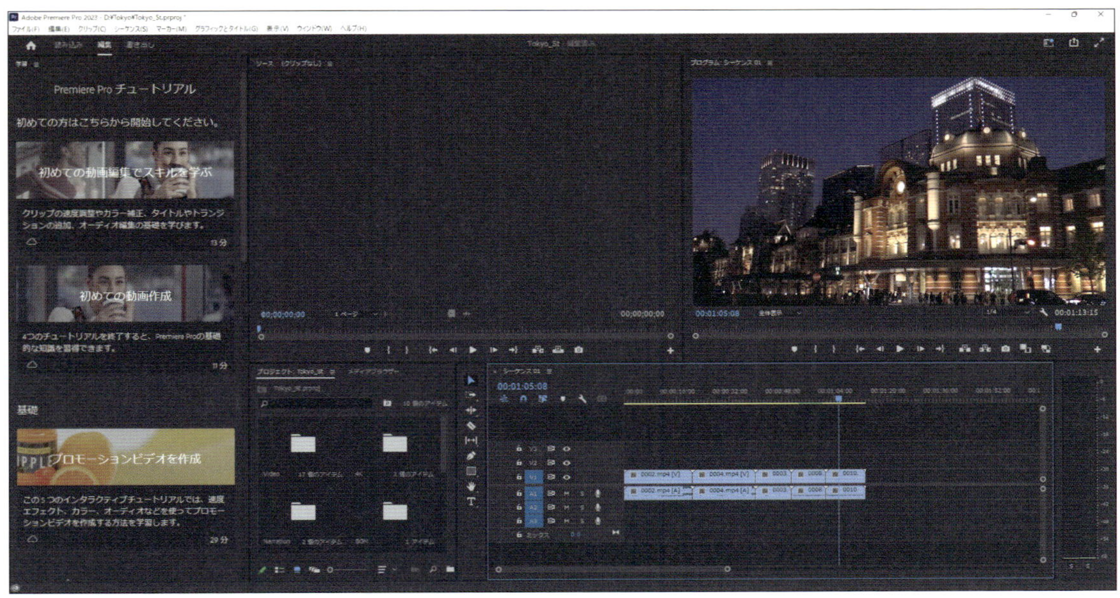

「編集」画面は「ワークスペース」と呼ばれる。

ワークスペースは、どのようなパネルで構成されるかによって作業効率が変わってきます。はじめてPremiere Proを起動して表示されるワークスペースには「学習」という名前が設定されていて、Premiere Proを勉強するためのメニューやパネルで構成されています。

ワークスペースは、作業内容に応じて、使いやすいパネルで構成されたワークスペースに切り替えて利用します。ワークスペースは、画面右上の「ワークスペース」から切り替えることができます。

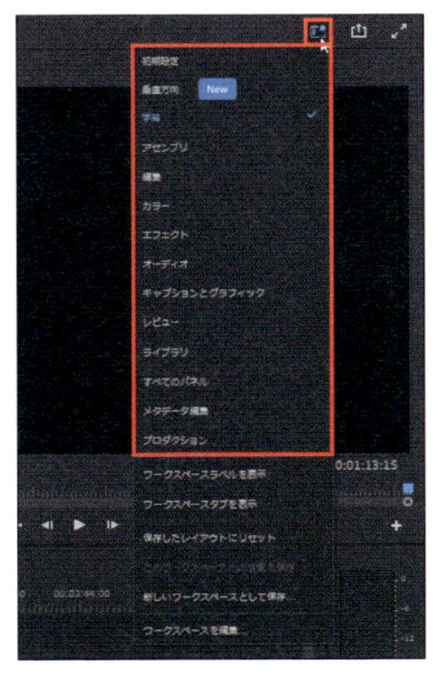

画面右上の「ワークスペース」から
ワークスペースを切り替える。

POINT 数多く読み込まない

「読み込み」画面で読み込む動画ファイルを選択する場合、利用するものすべてを選択するのはおすすめしません。理由は、読み込んだ後の編集作業に手間が掛かるからです。おすすめは、2～3個の動画ファイルを選択して「編集」画面を表示し、後から必要な動画ファイルを追加で読み込むという方法です。

ワークスペースの切り替え

「編集」画面はワークスペースと呼ばれ、複数のパネルによって構成されています。ワークスペースは、作業目的に応じて切り替えることができます。

▶ ワークスペースの切り替え

ワークスペースは、複数のパネルによって構成されています。ワークスペースの構成は、以下の方法で利用しやすいように変更することができます。

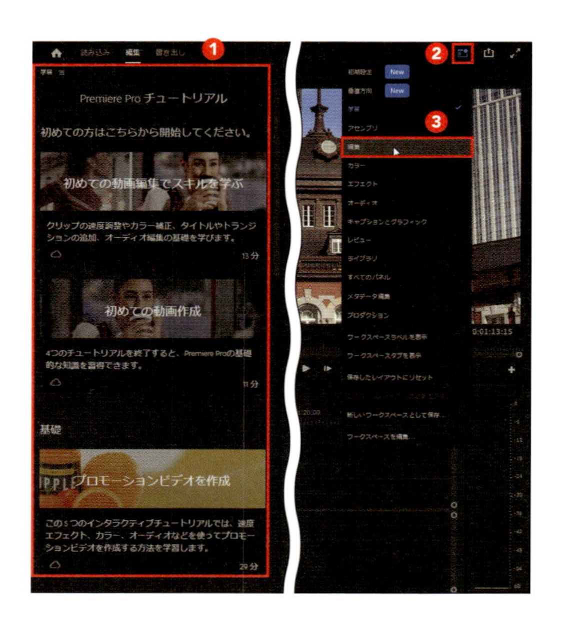

1 「学習」から「編集」に切り替える

最初にPremiere Proを起動すると、「学習」という名前のワークスペースが表示されます❶。このワークスペースでは、左端に「Premiere Pro チュートリアル」というパネルがあり、Premiere Proの操作などを学ぶ動画を利用できます。この画面では編集作業がしづらいので、「編集」というワークスペースに切り替えます。画面右上の「ワークスペース」❷をクリックし、表示されたプルダウンメニューから「編集」❸をクリックします。

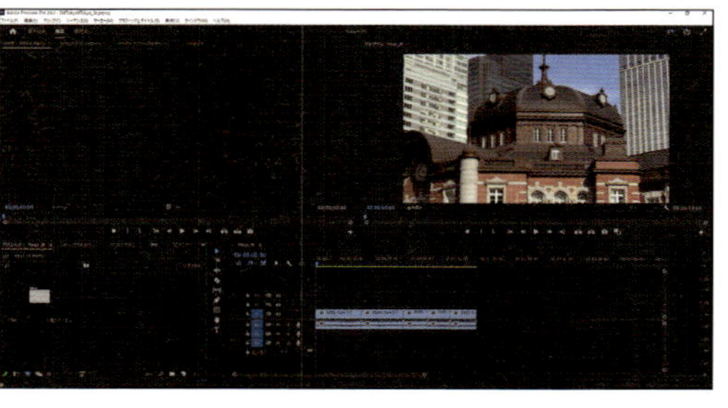

2 「編集」ワークスペースに切り替わる

ワークスペースが「編集」に切り替わります。これが、編集作業で利用する基本のワークスペースになります。

▶ ワークスペースの変更とリセット

ワークスペースのパネルとパネルの接合部分にマウスを合わせると、パネルのサイズを変更できます。また、パネルの名前部分（タブ）をドラッグすると、パネルの表示位置を移動できます。元に戻したくなった場合は、リセットを実行します。

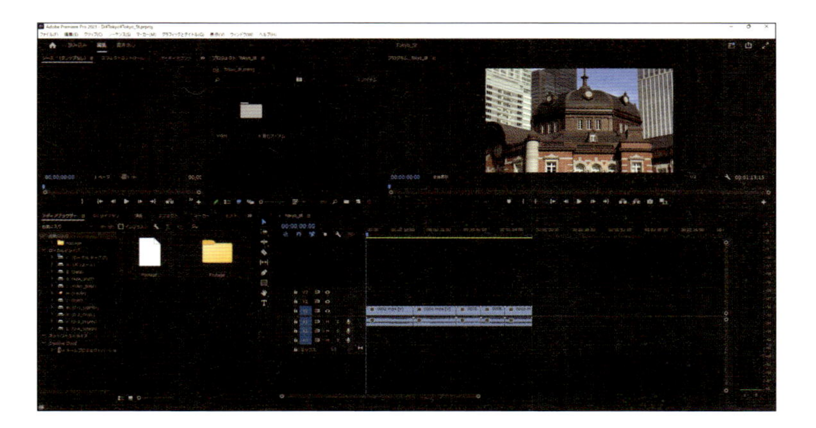

1 ワークスペースのデザインを変更する

パネルとパネルの接合部分をドラッグして、パネルの表示サイズを変更しました。また、パネルの名前部分をドラッグして、パネルの表示位置を移動しています。

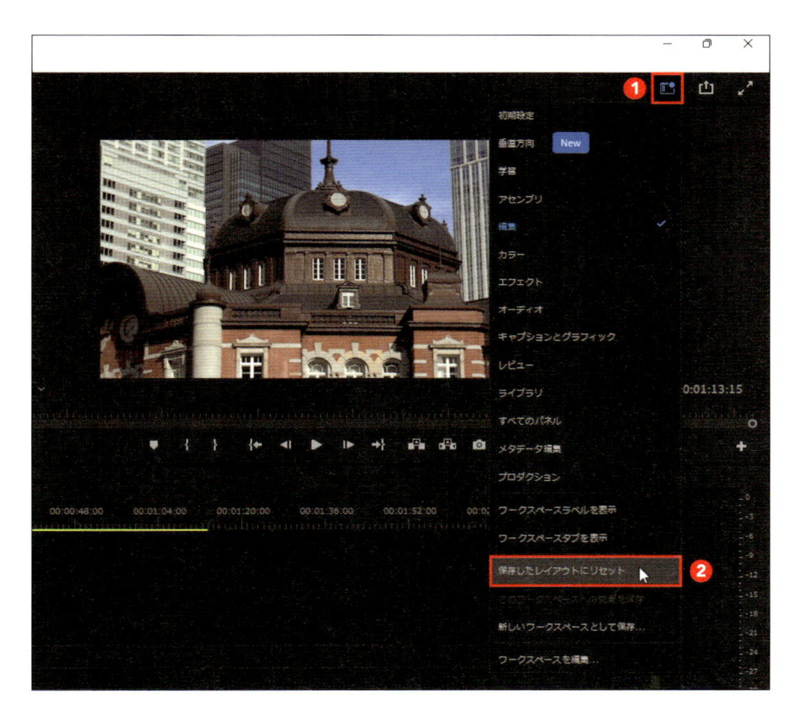

2 リセットで元に戻す

パネルの表示を元に戻すには、「ワークスペース」❶のプルダウンメニューから、「保存したレイアウトにリセット」❷をクリックします。これで、デフォルトの状態に戻すことができます。

POINT ワークスペースを保存

各パネルを移動したりサイズを変更したりして使いやすいデザインができあがったら、「ワークスペース」から「新しいワークスペースとして保存」を選択してください。これで、変更したワークスペースを保存することができます。

Premiere Proの編集画面

ここでは、Premiere Proの編集画面を構成するパネルと、パネルの表示操作、切り替え方法を解説します。

▶ Premiere Proの画面構成

Premiere Proの編集画面は、「パネル」と呼ばれる複数のウィンドウによって構成されています。また、複数のパネルが集まってグループを構成しているものもあります。Windows版、macOS（Mac）版とも、基本的な画面構成は同じです。

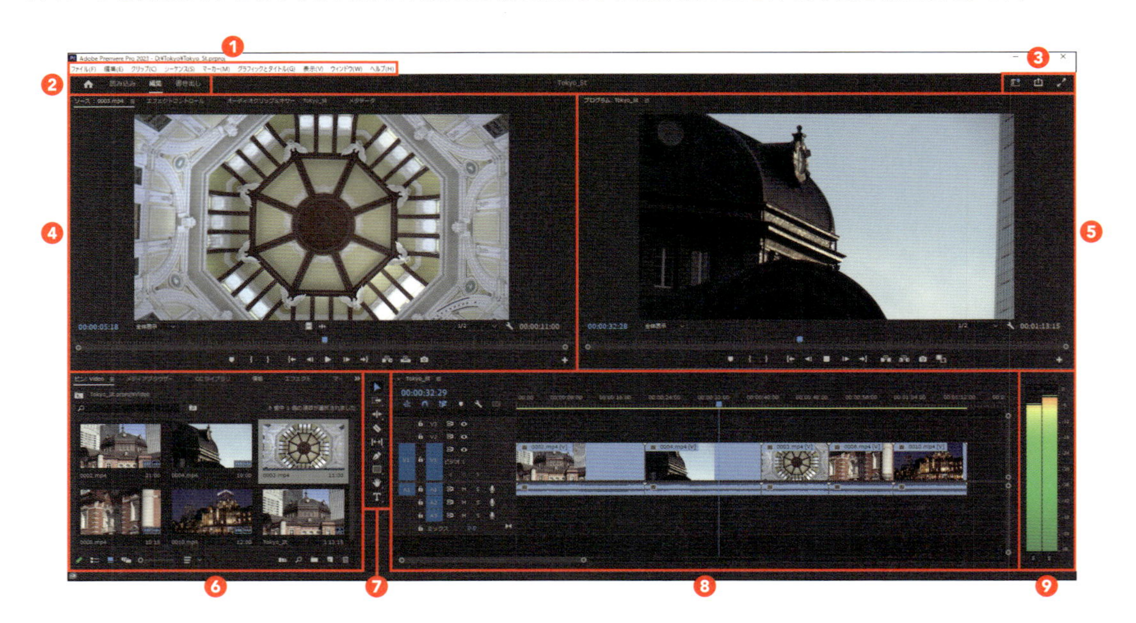

❶ **メニューバー**
Premiere Proのコマンドを表示し、選択／実行します。

❷ **画面切り替え**
「ホーム」「読み込み」「編集」「書き出し」の各編集画面に切り替えるボタンです。

❸ **アクションボタン**
「ワークスペース」「クイック書き出し」「フルスクリーンビデオ」を実行するためのボタンです。

❹ **「ソース」モニターなどのパネルグループ**
クリップの内容を表示／再生する「ソース」モニターや、クリップに設定したエフェクトを操作する「エフェクトコントロール」パネルなどが含まれたグループです。

❺ **「プログラム」モニター**
編集中のクリップの状態を確認／再生するためのパネルです。

❻ **「プロジェクト」パネルなどのグループ**
編集中の素材データを管理する「プロジェクト」パネルや、素材に設定するエフェクトを選択する「エフェクト」パネルなどが含まれたグループです。

❼ **「ツール」パネル**
クリップを編集するための各種ツールが配置されたパネルです。

❽ **「タイムライン」パネル**
クリップを編集する「シーケンス」パネルを表示するためのパネルです。

❾ **オーディオマスターメーター**
クリップのオーディオ音量の状態をグラフで表示します。

パネルグループの操作

パネルの切り替え

複数のパネルがグループ化されたウィンドウでは、目的に応じてパネルを切り替えて編集作業を行います。たとえば「プロジェクト」パネルを含むグループでは、次のように操作を行います。

STEP 1 現在表示されているパネルのタブを確認します。画面では「プロジェクト」タブが選択されています。

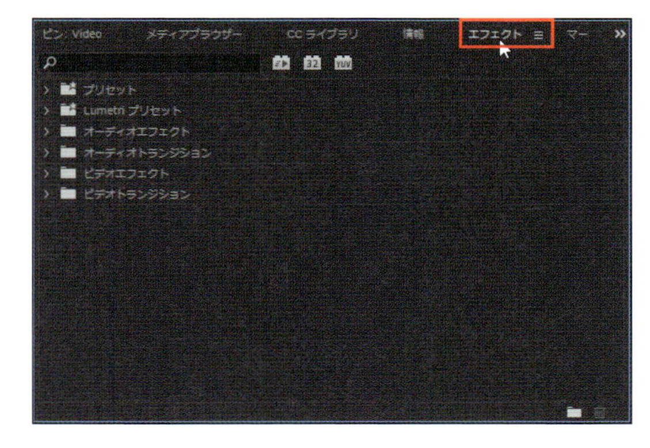

STEP 2 「エフェクト」タブをクリックします。すると、「エフェクト」パネルに切り替わります。

隠れているタブを表示する

グループ化されているパネルの数が多い場合、すべてのタブが表示されていない場合があります。そのような場合は、「パネルメニュー」からタブを選択して表示します。

STEP 1 パネルグループの右上にある「>>」をクリックすると、パネルメニューが表示されます。この中から、利用したいタブ名を選択します。なおCC 2014以前のバージョンでは、タブの上の細いスライダーをドラッグして隠れているタブを表示していました。

STEP 2 選択したタブ名のパネルが表示されます。

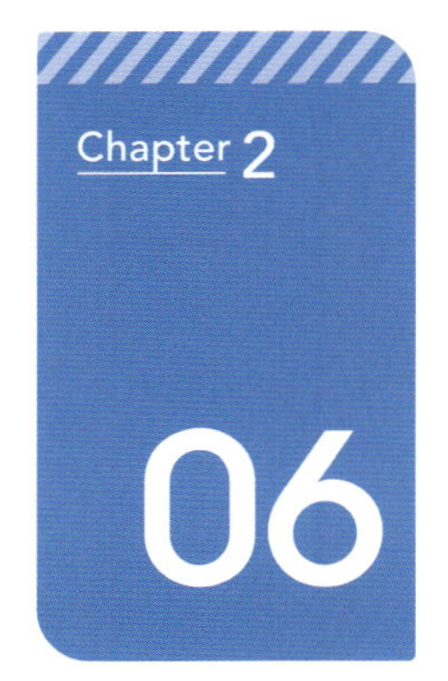

Premiere Proの環境設定を行う

Premiere Proを快適に利用するには、環境設定が重要です。ここでは「ビン」フォルダーの表示と、「自動保存」に関する設定について解説します。

▶「ビン」フォルダーの表示方法を変更する

「プロジェクト」パネルのビンを開く方法には、次の3種類があります。それぞれの表示方法によって、開かれた時の状態が異なります。

- **新規タブで開く**：新しいタブとして表示されます。
- **同じ場所で開く**：「プロジェクト」パネルと同じ場所に表示されます。
- **新規ウィンドウで開く**：新しいウィンドウとしてフロート状態で表示されます。

たとえばビンをダブルクリックした時に「同じ場所で開く」ように設定を変更すると、新しいタブとして表示されるのではなく、タブがビンの名前に切り替わって表示されます。

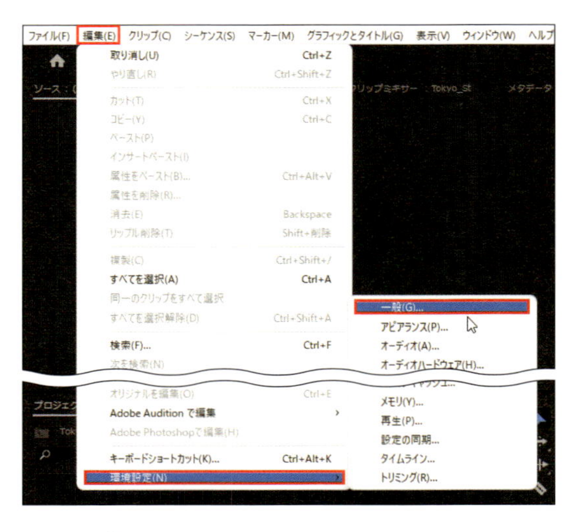

STEP 1 メニューバーから、「編集」→「環境設定」→「一般」の順にクリックします。macOSの場合は、「Premiere Pro」→「環境設定」→「一般」の順にクリックします。

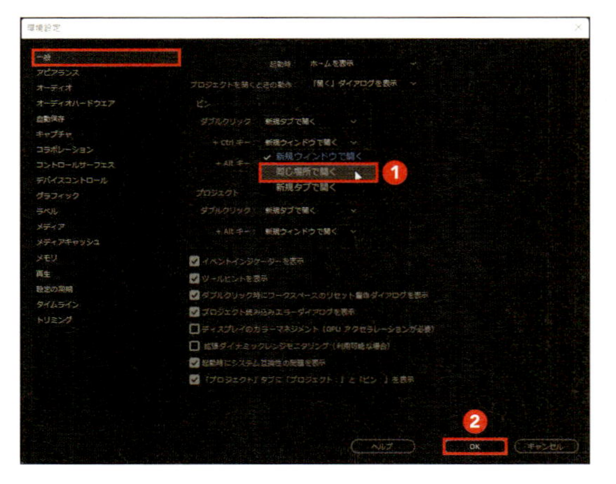

STEP 2 「一般」にある「ビン」→「ダブルクリック」の「V」をクリックし、表示方法を選択します。ここでは、「同じ場所で開く」を選択します❶。「OK」をクリックします❷。

▶「自動保存」の間隔を変更する

ビデオ編集の作業は、ハードウェアの機能を最大限に利用して処理を行います。そのため、時にはハングアップしたり、突然シャットダウンしたりといった事故が起こりかねません。そのような事態に備えて小まめにプロジェクトを保存すればよいのですが、忘れてしまうこともあります。ここでは、そのような時のためにプロジェクトを自動保存する設定を行います。たとえばプロジェクトの自動保存時間の間隔を５分に設定しておくと、最悪の場合でも５分前の状態に戻すことができます。

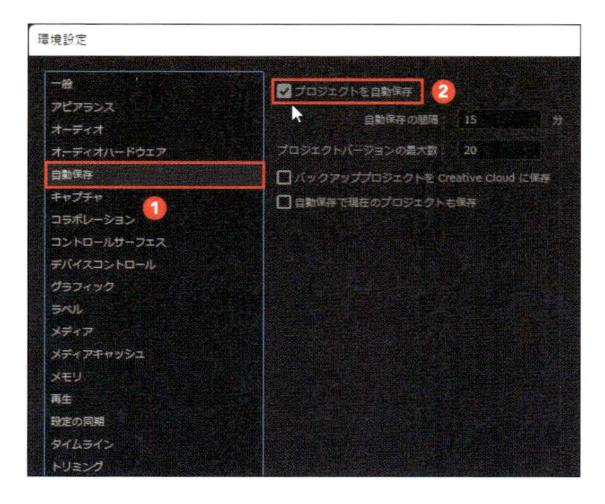

STEP 1 環境設定のウィンドウで「自動保存」をクリックします❶。「プロジェクトを自動保存」のチェックはデフォルトでオンになっていますが、オフになっている場合は、ここをクリックしてチェックを入れ、オンにします❷。

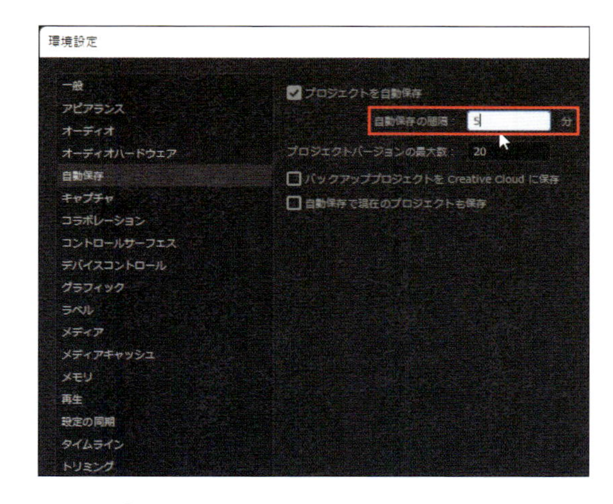

STEP 2 「自動保存の間隔」は、デフォルトで15分に設定されています。ビデオ編集に慣れるまでは、この間隔を５分程度に変更しておきましょう。

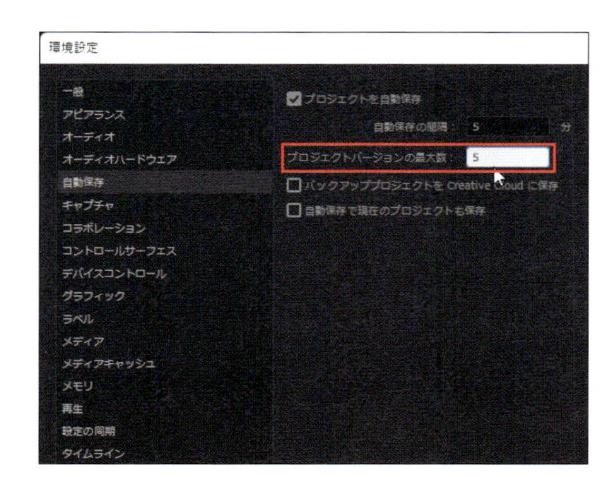

STEP 3 「プロジェクトバージョンの最大数」は、「5」に設定します。新しいプロジェクトファイルが自動保存されると、一番古いプロジェクトファイルは自動的に削除され、常時５個のプロジェクトファイルが自動保存された状態で利用できます。

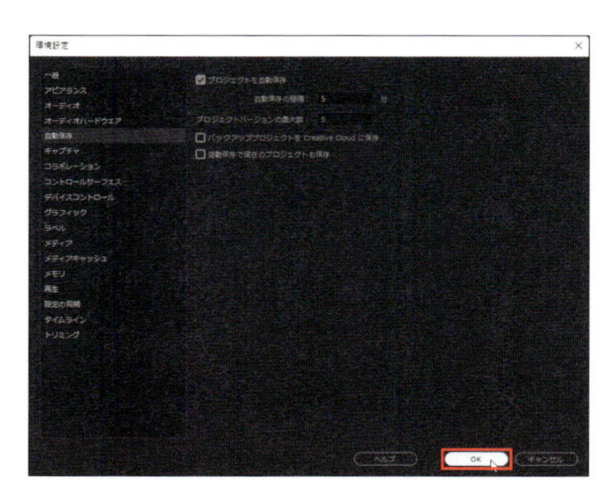

STEP 4 設定が完了したら、「OK」をクリックします。自動保存されたプロジェクトファイルは、P.23でプロジェクトファイルの保存先として設定したフォルダー内の、「Adobe Premiere Pro Auto-Save」というフォルダーに保存されています。

「編集」画面から素材を追加で読み込む

「編集」画面で編集を始めたが、別のデータを取り込みたいということはよくあります。たとえば、同じファイル形式のデータを追加したい、あるいは別のファイル形式のデータを読み込みたいなどです。

▶ 同じ形式の動画データを追加で読み込む

「編集」画面から、同じ形式の動画データを追加で読み込んでみましょう。

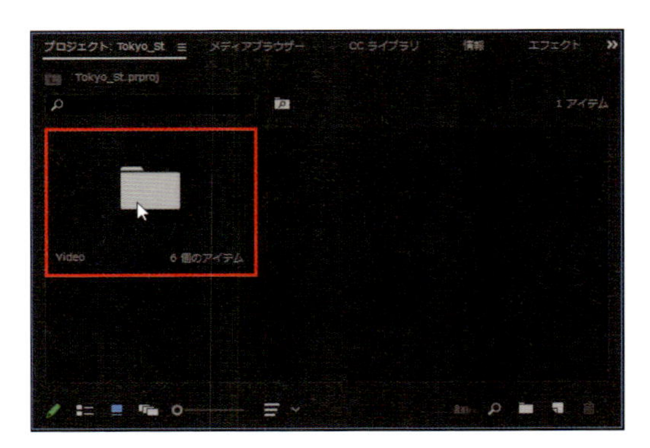

1 ビンを開く

「読み込み」画面で選択した素材データは、「プロジェクト」パネルの「Video」というビンの中に読み込まれています。これをダブルクリックして開きます。

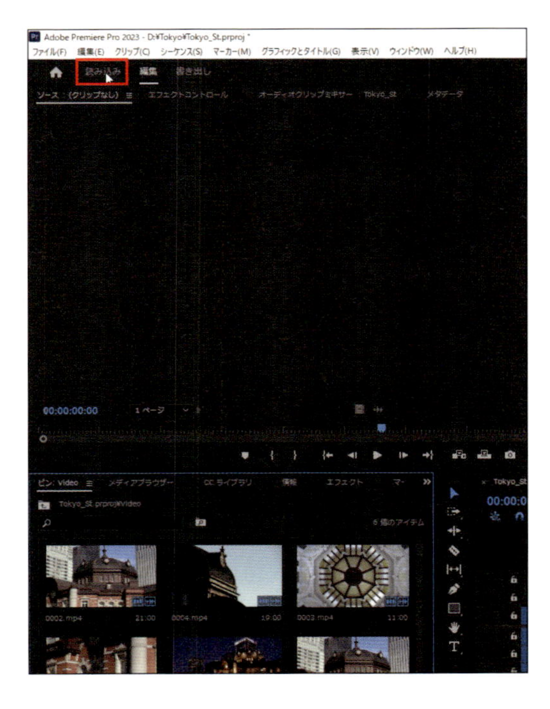

2 「読み込み」画面に切り替える

編集画面左上の「読み込み」をクリックし、画面を切り替えます。

3 素材を選択する

素材が保存されているフォルダーを開き、読み込みたい動画をクリックして選択します。

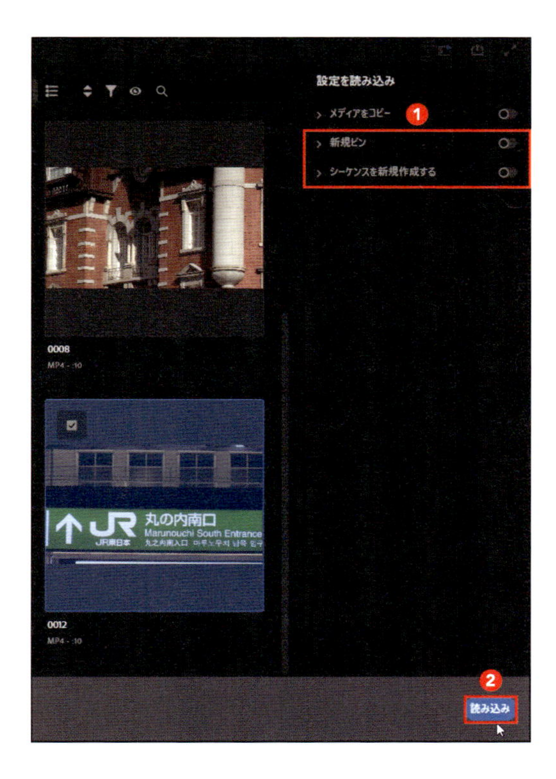

4 「設定を読み込み」を設定する

「設定を読み込み」では、「新規ビン」と「シーケンスを新規作成する」を必ずオフに設定します❶。設定できたら、「読み込み」をクリックします❷。

5 追加で読み込まれる

最初に読み込んだ素材と同じビンに、データが読み込まれました。

▶ 異なる形式の動画データを追加で読み込む

「編集」画面から、異なる形式の動画データを読み込んでみましょう。ここでは、4Kの動画データを読み込んでみます。この場合、先に読み込んだハイビジョン形式のデータとはフレームサイズが異なるので、シーケンスも別に作成する必要があります。

1 トップに戻る

プロジェクトパネルの左上にある「トップに戻る」をクリックし、パネルのトップに戻ります。

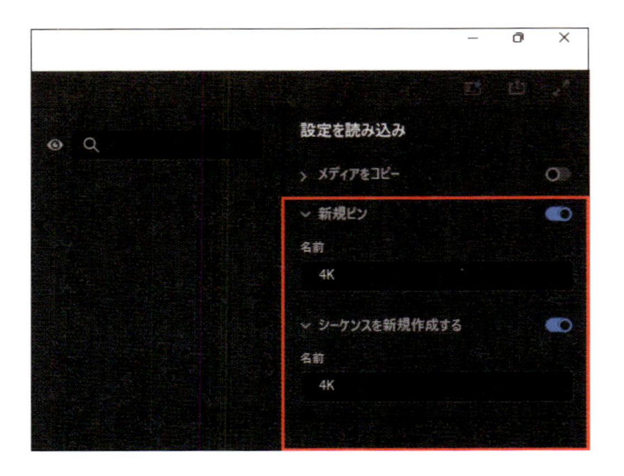

2 ファイルを選択して設定する

「編集」画面左上の「読み込み」をクリックして画面を切り替え、4Kの素材データを選択します。「設定を読み込み」では、「新規ビン」と「シーケンスを新規作成する」の2つを「オン」に設定し、名前を入力します。設定したら、「読み込み」画面右下の「読み込み」をクリックします。

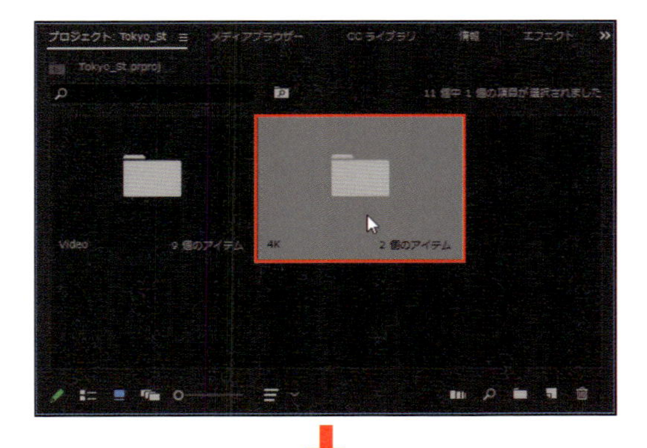

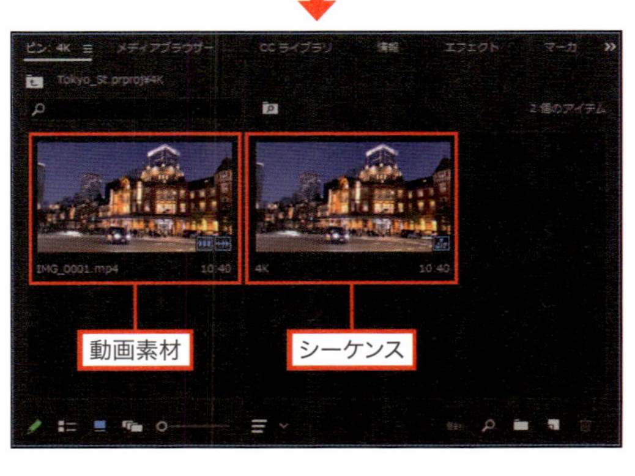

3 新しいビンと新しいシーケンスが保存される

「編集」画面に戻ると、指定したビンの中に4Kの素材とシーケンスが保存されています。素材は、左が動画素材、右がシーケンスです。また、シーケンスも表示されます。

Chapter 2

08

シーケンスを操作する

Premiere Proでのビデオ編集は、シーケンスの特徴を理解することが重要です。その特徴を理解できれば、Premiere Proを使いこなすこともそれほど難しくありません。ここでは、シーケンスの基本について解説します。

プロジェクトパネルの素材について

シーケンスを理解するためには、プロジェクトパネルについて知っておくことが重要です。シーケンスとプロジェクトパネルは、とても密接な関係にあるからです。プロジェクトパネルに読み込んだ素材は「クリップ」とも呼ばれ、あらかじめシーケンスに配置された状態で読み込まれています。このとき、シーケンスに配置されているかいないかによって、サムネイルの右下に表示されるアイコンが変わります。また、シーケンス自体のサムネイルも一緒に登録されています。

シーケンスに配置されているクリップ

クリップがシーケンスに配置されている場合、サムネイルの右下には映像と音声のアイコンが青色で表示されています。

シーケンスに配置されていないクリップ

クリップがシーケンスに配置されていない場合、サムネイル右下には音声のアイコンだけが白色で表示されます。

シーケンス自身のサムネイル

シーケンスが作成されると、シーケンス用のサムネイルが登録されます。また、右下にはシーケンスであることを示すアイコンが表示されています。

POINT サムネイルの情報表示

サムネイルには、クリップの情報が表示されています。デュレーションとは、再生時間、映像や音声の長さのことです。

▶ ビデオクリップをプレビューする

「読み込み」画面で行ったプレビューは、プロジェクトパネルでも行うことができます。

サムネイル上でマウスを動かす

「ビン」パネルのサムネイルの上にマウスポインターを合わせ、左から右へ動かします。サムネイルの左端が映像の始まり、右端が映像の終わりに該当し、この間でマウスを動かすことで内容を確認できます。

スライダーをドラッグする

「ビン」パネルのクリップをクリックすると、サムネイルの下にスライダーが表示されます。このスライダーをドラッグして、クリップの内容を確認できます。

「ソース」モニターを利用する

「ビン」パネルのクリップをダブルクリックすると❶、「ソース」モニターに映像が表示されます❷。ここでコントロールパネルのボタンを操作して、内容を確認できます。

また、メモリのようなタイムラインルーラーと呼ばれる時間スケールには、青色の再生ヘッドがあります。これをドラッグしても、プレビューできます。

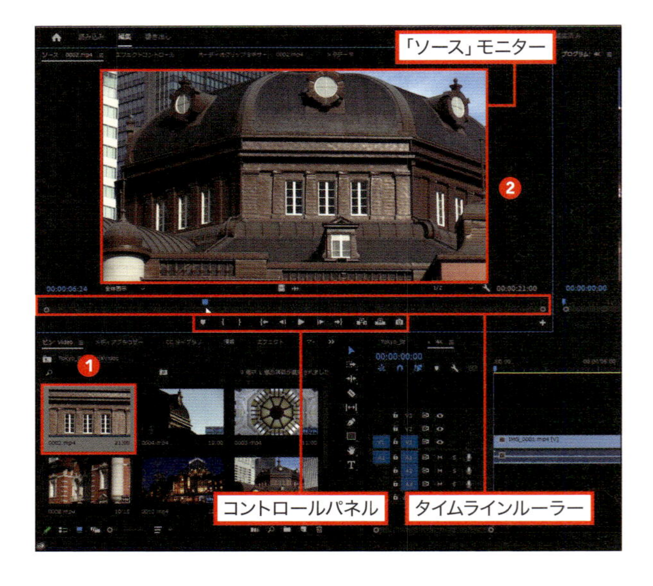

「シーケンス」パネルの名称と機能

「シーケンス」パネルは、映像を配置する「ビデオトラック」、音声データを配置する「オーディオトラック」、時間軸を示す「タイムライン」などによって構成されています。ここで、「シーケンス」パネルの機能と名称を確認しておきましょう。

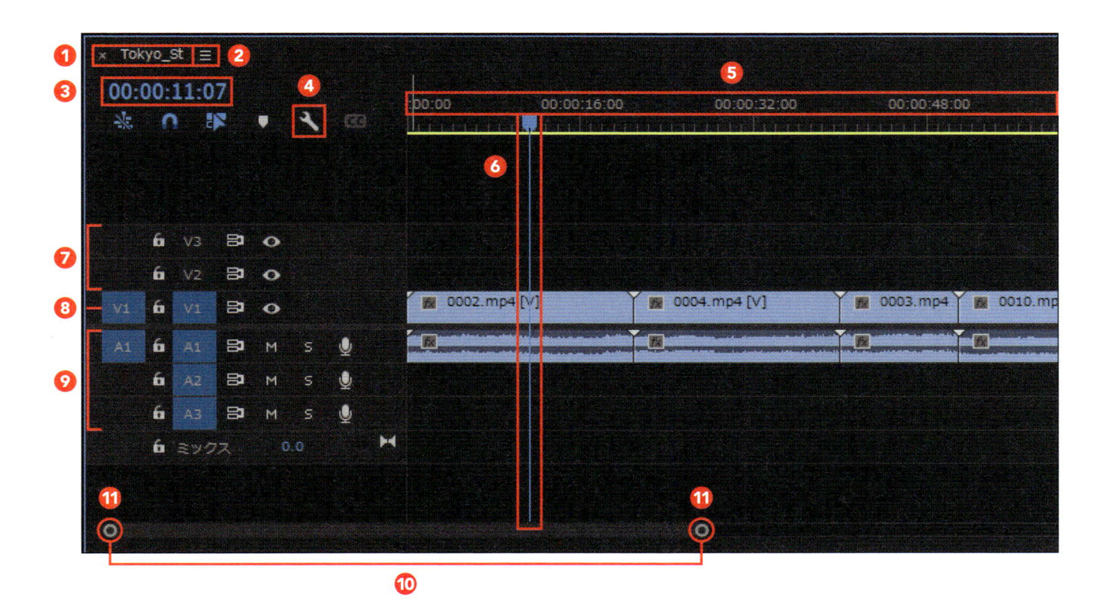

❶ **タブ**
シーケンス名が表示されています。複数のシーケンスを表示している場合は、タブをクリックしてシーケンスを切り替えます。

❷ **パネルメニュー**
クリックすると、シーケンスの機能に応じたパネルメニューの表示／非表示ができます。

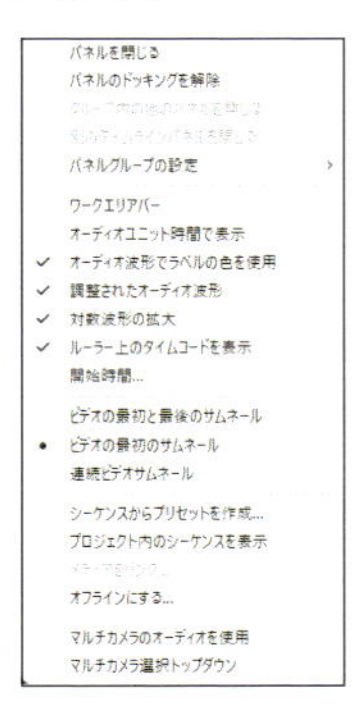

❸ **現在の時間表示**
編集ラインがある位置のタイムコードを表示します。

❹ **タイムライン表示設定**
シーケンスを構成する各属性の表示／非表示を選択するメニューを表示します。

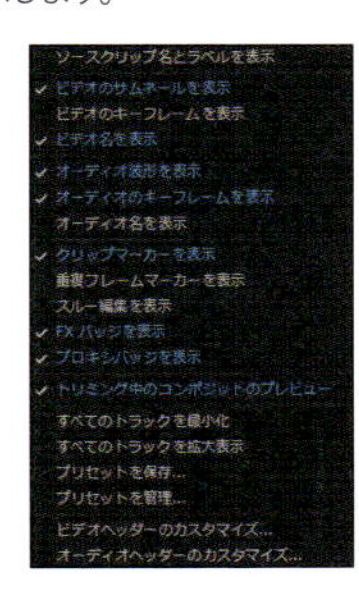

❺ **時間スケール**
シーケンスの時間を表示する時間軸です。ズームイン／ズームアウトによって、表示時間の単位を変更できます。なお、この時間スケールのことを「タイムラインルーラー」と呼びます。

❻ **再生ヘッドと編集ライン**
編集対象となっているフレームの位置を表示します。編集ラインのある位置のフレーム映像が、「プログラム」モニターに表示されます。

❼ **スーパーインポーズトラック**
基本となるクリップに合成するクリップを配置するためのトラックです。「V1」をメイントラック、「V2」「V3」以降をスーパーインポーズトラックやオーバーレイトラックといいます。クリップはメイントラックに配置し、そのクリップに合成したい素材は、スーパーインポーズトラックに配置します。

❽ **ビデオトラック**
編集の基本となるビデオトラックです。メイントラックと呼ばれ、「V1」と表示されます。このトラックにクリップを配置して編集します。「V1」トラックに配置したクリップと別のクリップを合成したい場合は、合成したいクリップをスーパーインポーズトラックに配置します。

❾ **オーディオトラック**
ビデオクリップ内の音声データが表示されるトラックです。BGMを追加したい場合は、ここにオーディオクリップを配置します。

❿ **スクロールバー**
スクロールバーをドラッグすると、タイムラインをスクロールできます。

⓫ **ズームハンドル**
スクロールバーの左右にある「○」がズームハンドルです。これをドラッグすると、タイムラインのズームイン／ズームアウトができます。

▶ シーケンスを拡大／縮小する

「シーケンス」パネルのタイムラインは、スクロールバーの左右にあるズームハンドルの操作で、表示の拡大／縮小が可能です。ズームハンドルを左右にドラッグして、タイムラインの表示をズームイン／ズームアウトできます。左右どちらのハンドルでも操作できますが、ズームイン／ズームアウトの結果はそれぞれ逆になります。

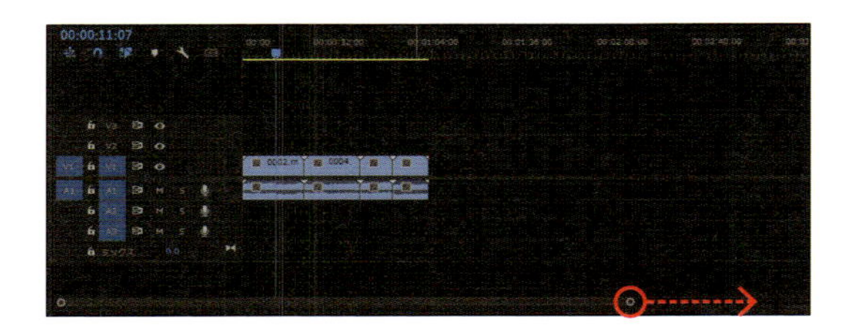

STEP 1 スライダーの右側にあるズームハンドルを右にドラッグすると、タイムラインをズームアウト（縮小）できます。

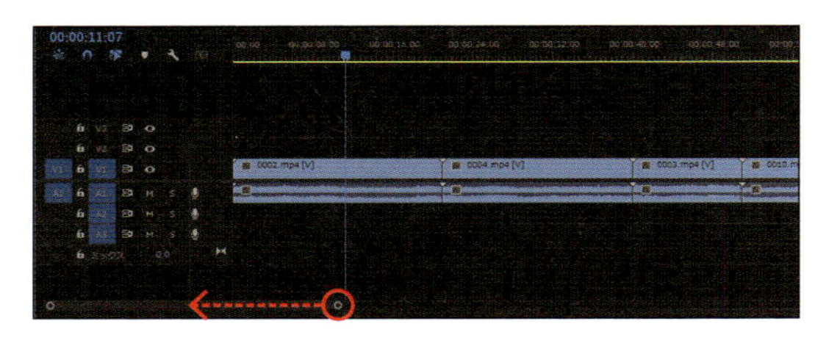

STEP 2 スライダーの右側にあるズームハンドルを左にドラッグすると、タイムラインをズームイン（拡大）できます。

▶ トラックの高さを調整する

トラックの高さは、トラックの先頭にあるトラックヘッダーと呼ばれる場所の何もない部分をダブルクリックすることで、拡大／縮小が可能です。

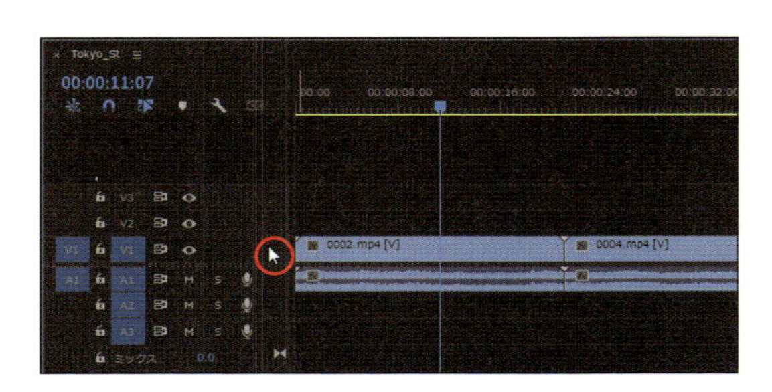

STEP 1 トラックヘッダーの何もない部分にマウスポインターを合わせ、ダブルクリックします。

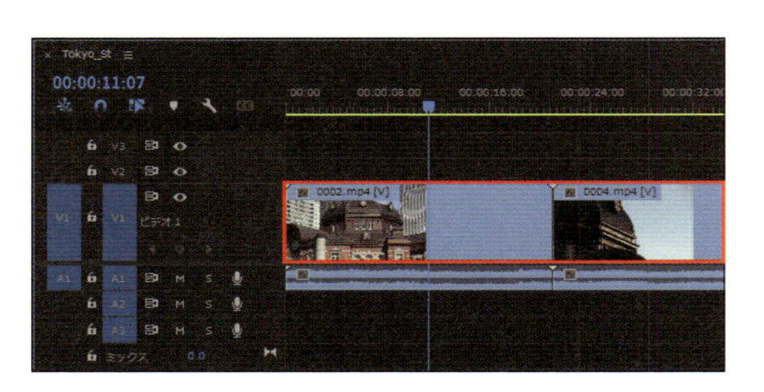

STEP 2 トラックの高さが変更され、拡大表示されます。もう一度ダブルクリックすると、元に戻ります。オーディオトラックでも、同様の操作が可能です。

POINT クリップのサムネイルを表示する

トラックの高さを変更すると、タイムライン上にクリップのサムネイルが表示されます。サムネイルが表示されない場合は、スパナの形をした「タイムライン表示設定」(P.39)をクリックし、「ビデオのサムネールを表示」を選択して表示をオンにしてください。

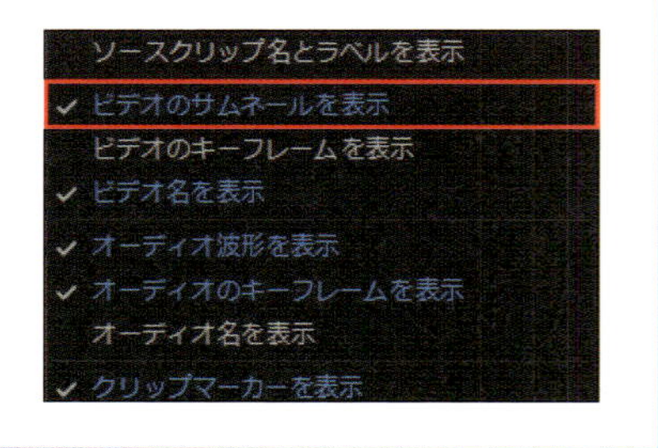

▶ 手動で新規シーケンスを作成する

シーケンスは、手動で新規作成することもできます。Premiere Proでの操作に慣れてきたら、「読み込み」画面でシーケンスの作成をオフにして起動することをおすすめします。

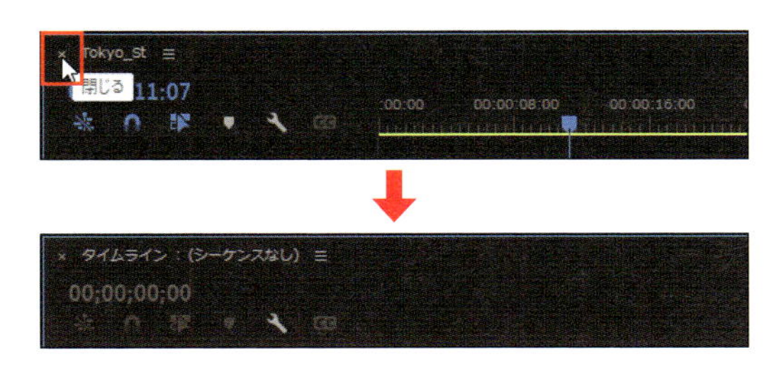

1 シーケンスを閉じる

シーケンスが表示されている場合は、閉じた方がわかりやすいので、シーケンス左上のシーケンス名にある「×」をクリックして閉じます。これで、「タイムライン：(シーケンスなし)」と表示されます。

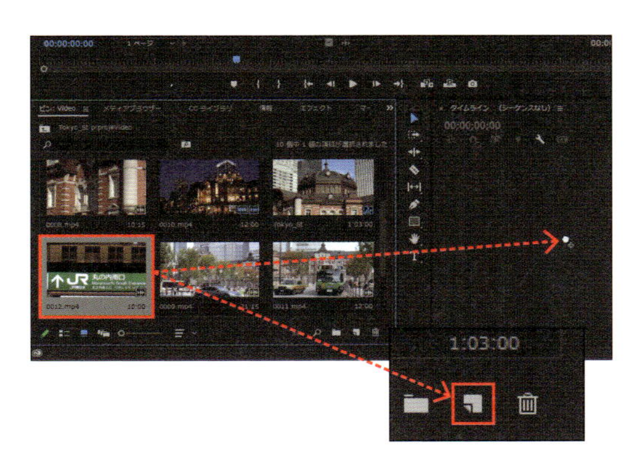

2 ドラッグ&ドロップする

プロジェクトパネルにあるクリップを、タイムラインパネルの上か、プロジェクトパネル右下にある「新規項目」アイコンの上にドラッグ&ドロップします。

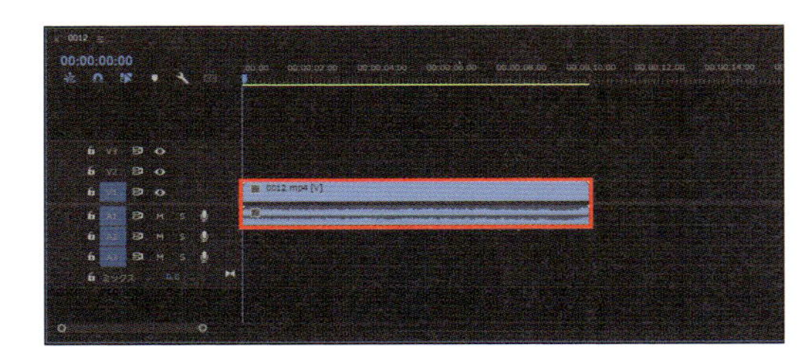

3 シーケンスが作成される

シーケンスが作成され、ドラッグ&ドロップしたクリップが配置されます。シーケンス名は、ドラッグ&ドロップしたファイル名が適用されています。

4 シーケンス名を変更する

作成されたシーケンスのサムネイルが、プロジェクトパネルに登録されます。このサムネイルの名前❶を変更すると、シーケンス名も変更❷されます。

シーケンスにクリップを配置する

編集で利用したいクリップは、「ビン」パネルから「シーケンス」パネルのビデオトラック「V1」に配置して、編集作業を行います。

1 クリップを選択する

「ビン」パネルを開き、編集に利用したいクリップをクリックして選択します。クリップの内容は、P.38の方法でプレビュー（事前確認）しておきます。

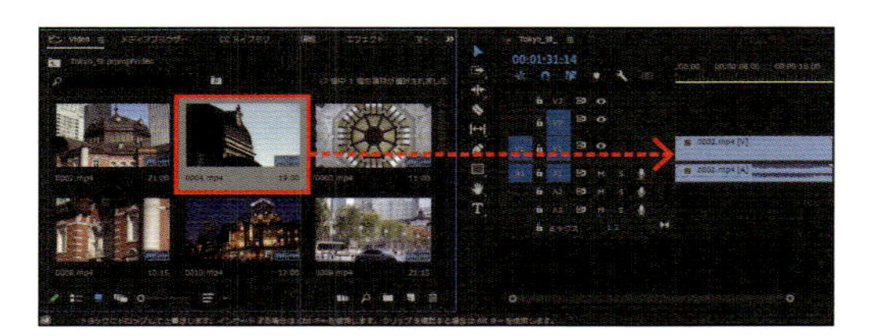

2 クリップを配置する

利用したいクリップを、「シーケンス」パネルのビデオトラック「V1」にドラッグ＆ドロップします。AVCHDなど一般的なビデオクリップは、映像と音声の2つのデータが1つにまとめられているので、ビデオトラックに付随するオーディオトラックも同時に配置されます。音声部分は「A1」に配置されます。

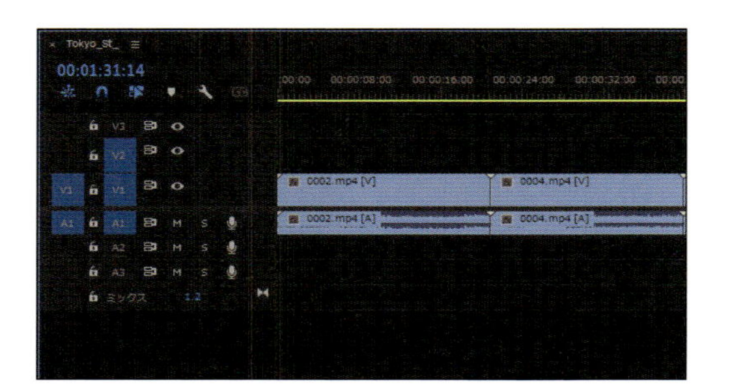

3 複数のクリップを配置する

同様の方法で、「シーケンス」パネルのビデオトラックに複数のクリップを配置します。スナップ機能がオンになっている場合（下記POINT参照）、クリップは前のクリップの終端に吸い付くように配置されます。

POINT スナップ機能を利用する

Premiere Proでは、デフォルトで「スナップ」機能がオンになっています。オンの場合、タイムコード下の「タイムラインをスナップイン」ボタンが青色で表示されます。オンでない場合（白色で表示）は、ボタンをクリックしてオンにしてください。

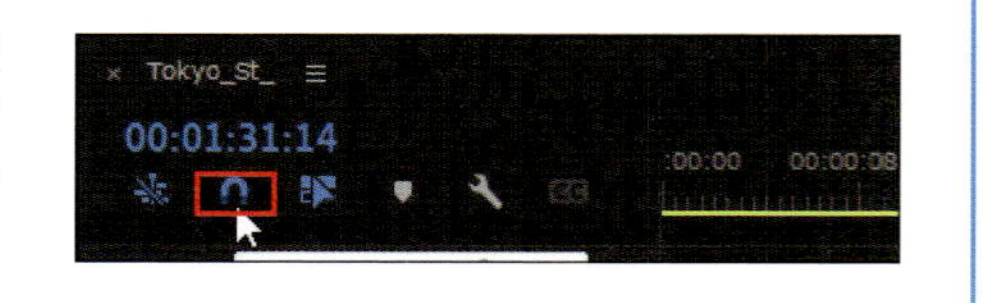

シーケンスを開く

P.41 手順 1 の方法で閉じたシーケンスは、プロジェクトパネル内のシーケンスサムネイルをダブルクリックして開くことができます。シーケンスが、タイムラインパネルに表示されます。

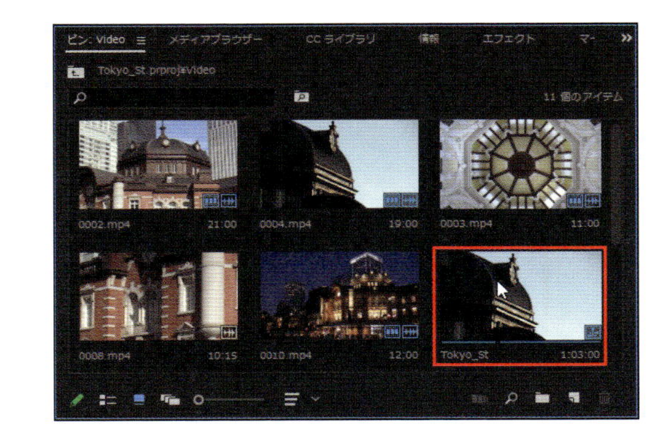

POINT シーケンスについて

シーケンスは、書籍に例えていえば「章」に該当します。本書の場合は「Chapter」ですね。プロジェクトパネルが１冊の本で、その中に複数の「章」、すなわちシーケンスを作成できるのです。シーケンスは、別のシーケンスにクリップとして配置することができます。以下の例では、「Tokyo_St」と「Color」という２つのシーケンスを作成していますが、これらを「Tokyo」というシーケンスに入れることもできます。この「Tokyo」シーケンスを出力すれば、複数のシーケンスを１本にまとめた動画として出力できます。

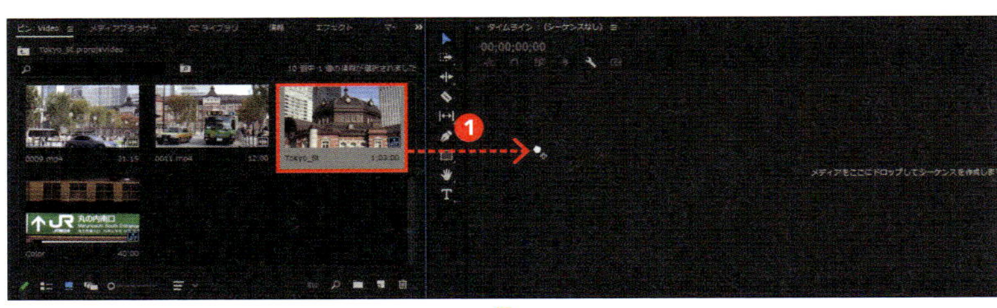

❶ クリップ「Tokyo_St」をタイムラインパネルにドラッグ&ドロップ

❷ シーケンスが作成される
❸ シーケンスのサムネイルが作成される

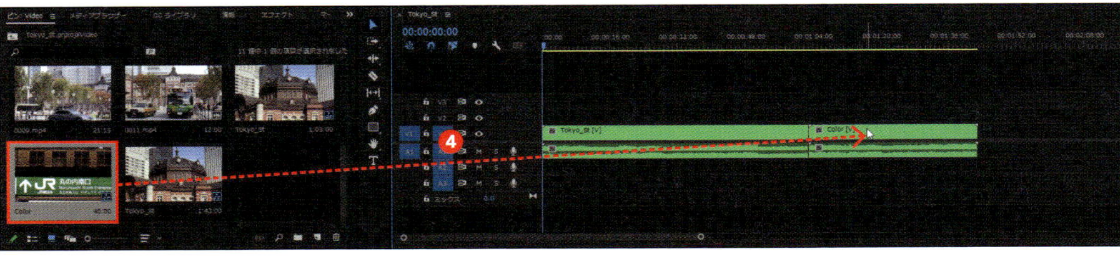

❹ 別のクリップ「Color」をドラッグ&ドロップで配置する

クリップを並べ替える

シーケンスに配置したクリップを動画ファイルとして出力すると、左のクリップから順に再生されます。再生順を変更する場合は、タイムラインでクリップの並び順を変更します。

▶ ドラッグ&ドロップで入れ換える

トラックに配置したクリップの順番を入れ換える場合は、移動させたいクリップを、移動先のクリップとクリップの接合している点（編集点）にドラッグ&ドロップします。このとき、単にドラッグ&ドロップすると、下のクリップが上書きされ、消えてしまいます。そのため、ショートカットキーを利用して入れ換えます。

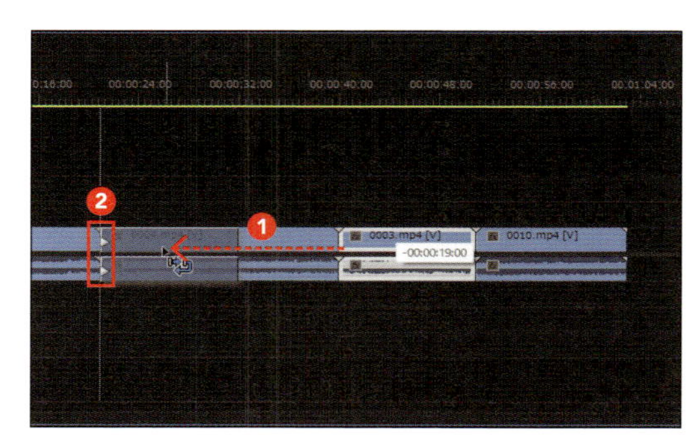

1 クリップをドラッグ&ドロップする

このファイルは、「読み込み」画面での選択時に「0002」「0004」「0003」という順番で選択したものです。「0003」を、「0002」と「0004」の間にドラッグします❶。このとき、Ctrl+Altキー（Mac：command+optionキー）を押しながらドラッグしてください。白い三角マーク❷が表示されます。

ショートカットキー
Win：Ctrl+Altキー
Mac：command+optionキー

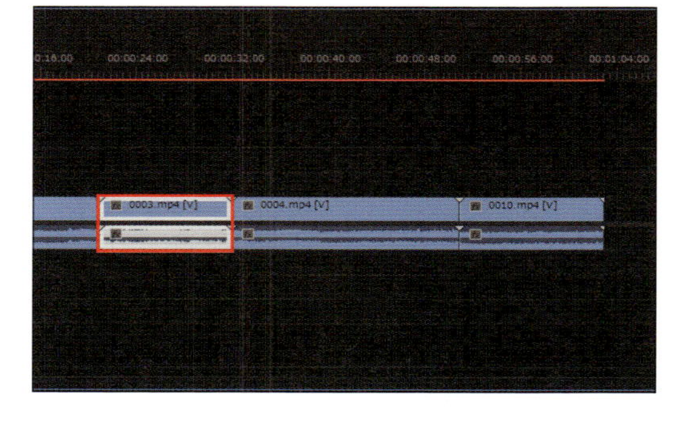

2 クリップが入れ換えられる

マウスのボタンを離すと、クリップが入れ換えられます。「0003」が、「0002」と「0004」の間に移動しました。

クリップを挿入する

タイムラインに配置したクリップとクリップの間に、別のクリップをプロジェクトパネルからドラッグ＆ドロップで配置してみましょう。このとき、上書きに注意してください。

▶ ショートカットキーを利用して挿入する

タイムラインに配置したクリップとクリップの間に、プロジェクトパネルから別のクリップをドラッグ＆ドロップで配置します。その場合は上書きしないように注意し、ショートカットキーを利用して挿入します。

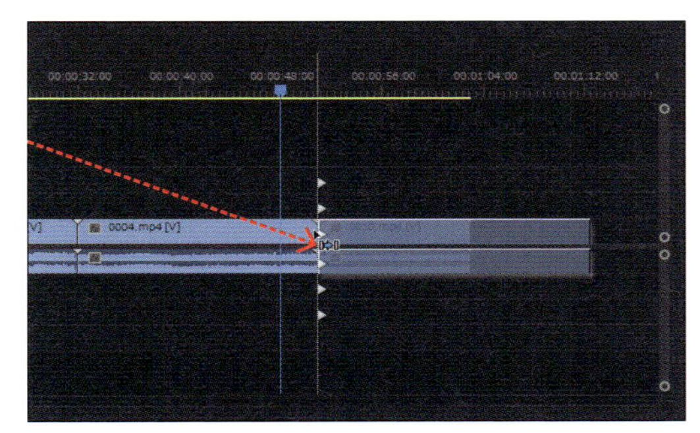

ショートカットキー
Win：Ctrl キー
Mac：command キー

1 クリップをドラッグ＆ドロップする

ここでは、プロジェクトパネルの「0009」をシーケンス上の「0004」と「0010」の間に挿入します。このとき、Ctrl（Mac：command）キーを押しながらドラッグ＆ドロップするようにします。ショートカットキーを押しながらドラッグすると、白い三角マークが表示されます。

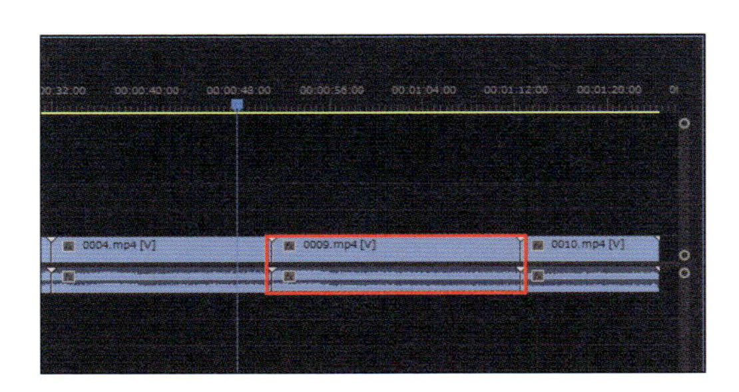

2 クリップが挿入される

クリップをドロップすると、クリップが挿入されます。ショートカットキーを使わないと、上書きされてしまいます。

上書きされた状態

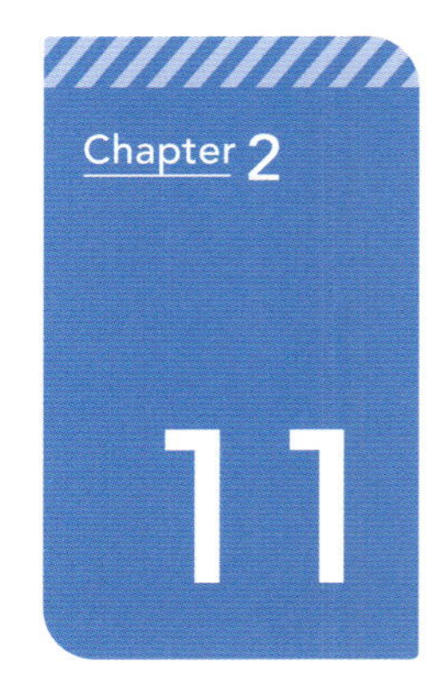

クリップの削除とギャップの削除

シーケンスのトラックに配置したクリップを削除する場合、ギャップが発生しないように注意が必要です。ギャップが発生した場合は削除しましょう。

ギャップに注意する

トラックの最後に配置したクリップは問題ないのですが、複数クリップの途中にあるクリップは、そのまま削除するとギャップが発生するため注意が必要です。ギャップとは、クリップのない空白域がトラックにできてしまうことで❶、ギャップがある箇所では映像が黒く表示されます❷。ギャップが発生しないように削除するか、発生した場合は確実に削除しなければなりません。

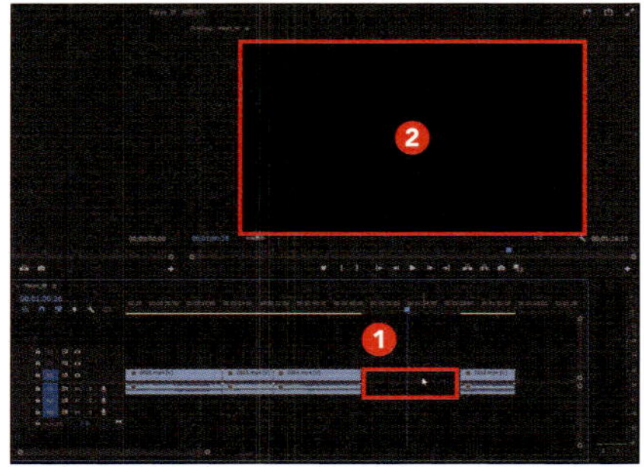

ギャップが発生すると映像が黒く表示される。

Shift キーを押しながら削除する

シーケンスのトラックに配置したクリップは、削除したいクリップを選択して Delete キーを押せば削除できます。しかし、この方法でクリップとクリップに挟まれたクリップを削除すると、ギャップができてしまいます。削除したいクリップを選択し❶、Shift キーを押しながら Delete キーを押すと、ギャップを発生させずに削除することができます❷。

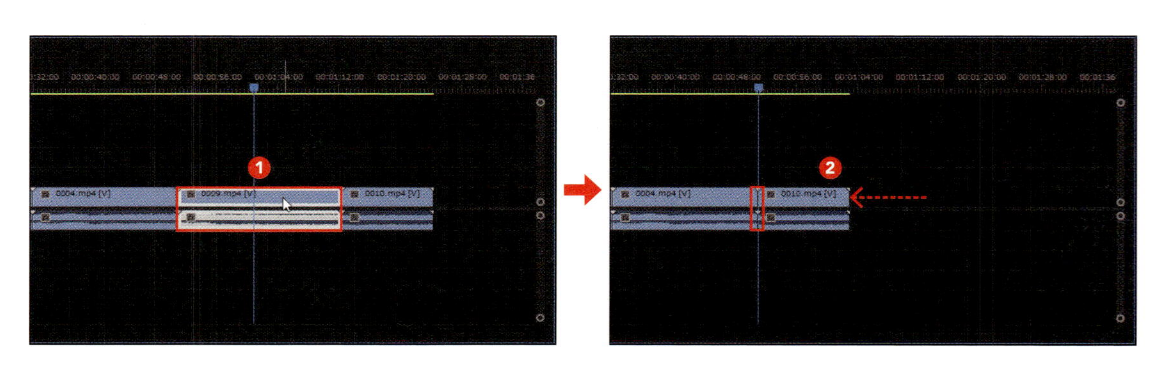

▶ ギャップを削除する

ギャップが発生した場合は、ギャップ部分をクリックすると白い選択状態に変わるので❶、Delete キーを押して削除します❷。また、選択されたギャップ上で右クリックし、「リップル削除」を選択しても削除できます。

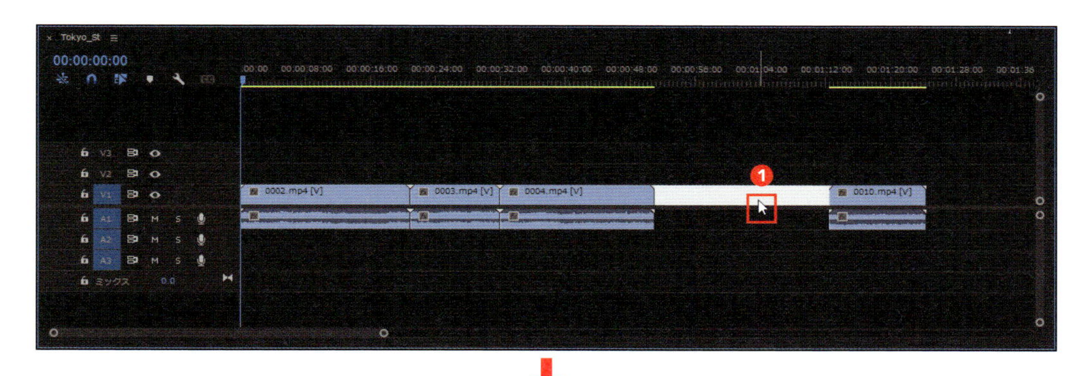

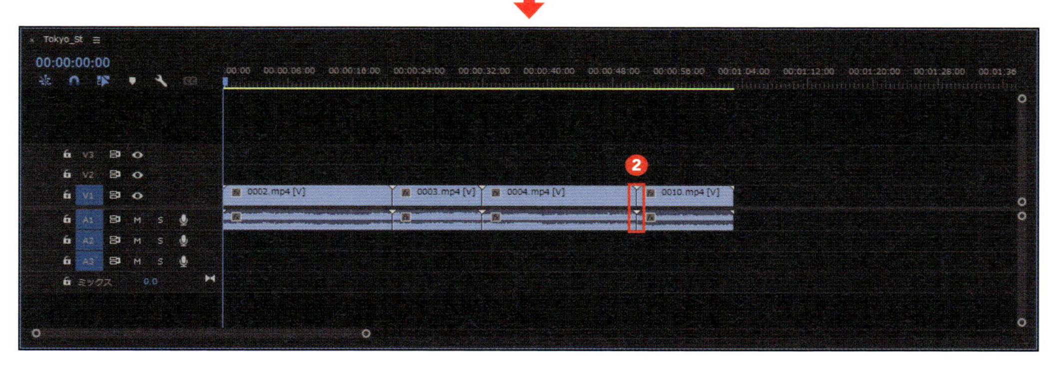

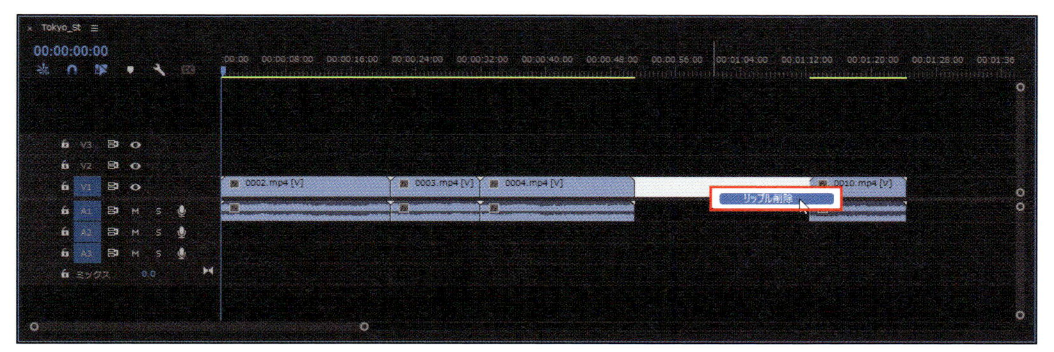

右クリックで削除する場合は「リップル削除」を選択する。

POINT ギャップをまとめて削除する

複数のギャップをまとめて削除する場合は、メニューバーから「シーケンス」→「ギャップを詰める」を選択してください。シーケンス内のすべてのギャップをまとめて削除することができます。ただし、シーケンスの一番左端にギャップがあった場合は削除できないので、手動で削除してください。

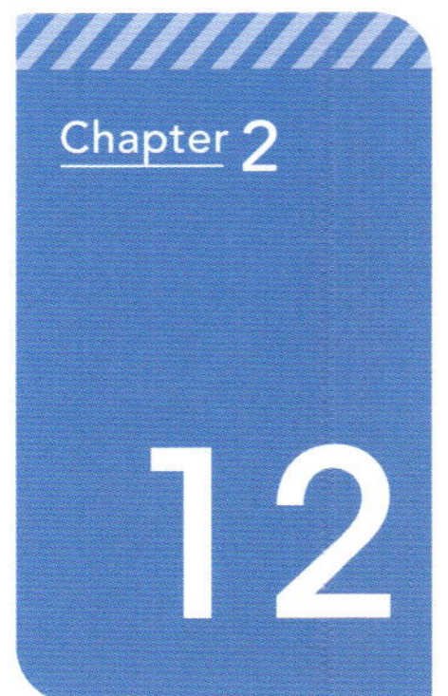

クリップをトリミングする

ビデオ編集での「トリミング」には、2つの目的があります。1つは不要な部分をカットし、必要な部分を残すこと。もう1つが、再生時間の調整です。

▶ クリップをトリミングする

「トリミング」とは、クリップの中から不要な部分を切り取って、必要な長さ（「デュレーション」といいます）の動画だけを残すように調整する作業のことです。略して「トリム」とも呼ばれます。トリミングの基本は、クリップの先端や終端を、「選択」ツールでドラッグすることです。ドラッグする先によって、残される動画の先頭位置、終端位置が決まります。

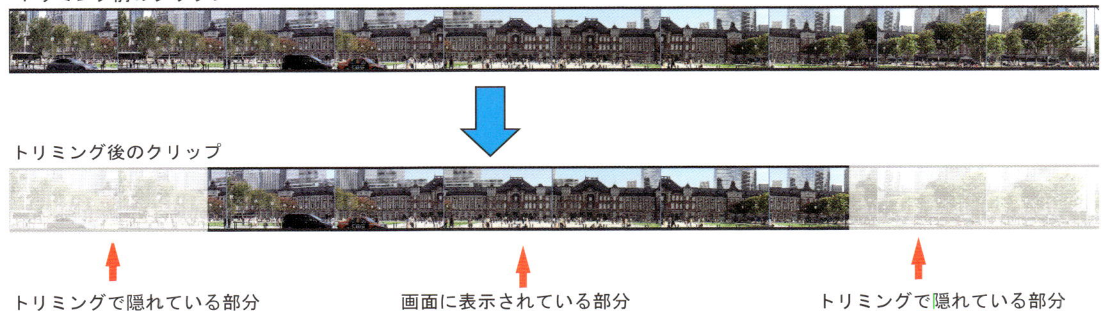

クリップのトリミングには、次の2つの目的があります。

❶必要な部分を残し、不要な部分をカットする

❷クリップのデュレーション（再生時間）を調整する

なお、動画を切り取るといっても、クリップから削除してしまうのではなく、一時的に見えなくするだけです。そのため、いつでも元に戻すことができます。

1 「選択」ツールを選択する

「ツール」パネルで、「選択」ツールをクリックします。選択したツールは、青色で表示されます。

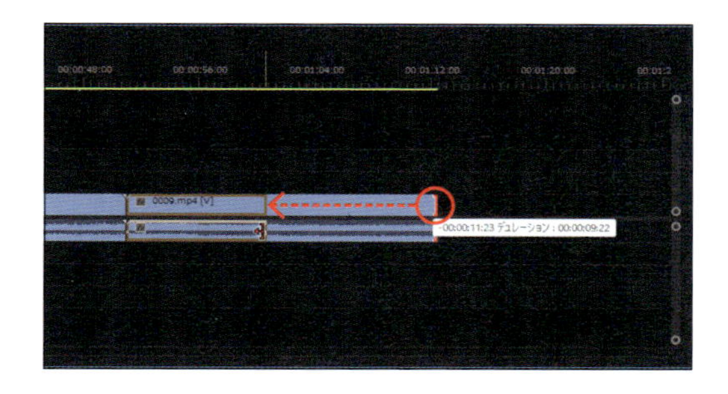

2 クリップの終端をドラッグする

シーケンスに配置したクリップの終端にマウスポインターを合わせ、クリップの終端をドラッグします。すると、クリップの長さが変わります。ドラッグ中は、マウスポインターのある終端位置のフレーム映像が「プログラム」モニターに表示されます。これを確認して、必要な映像の範囲を確認します。

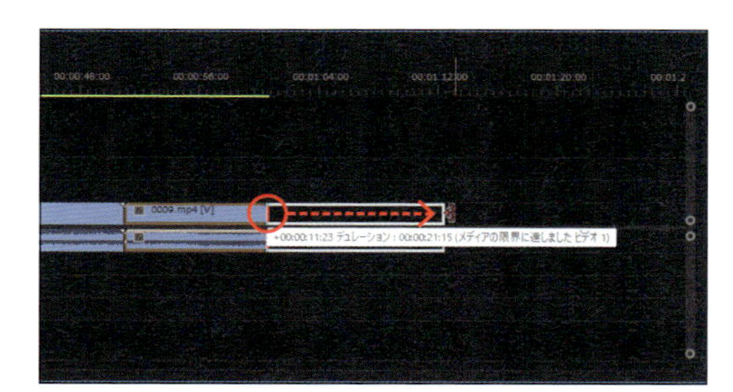

3 終端位置を再度変更する

トリミングで変更した終端位置は、再度ドラッグして変更できます。左の画面では、終端位置にマウスポインターを合わせ、右側にドラッグしています。クリップの先頭位置も、同様の方法でトリミングできます。

▶「リップル」ツールによるトリミング

シーケンスに複数のクリップが配置されている場合、トリミングを行うとギャップが発生する場合があります。ギャップはP.46の方法で削除できますが、そもそもギャップを発生させないトリミング方法があります。それが「リップル」ツールによるトリミングです。

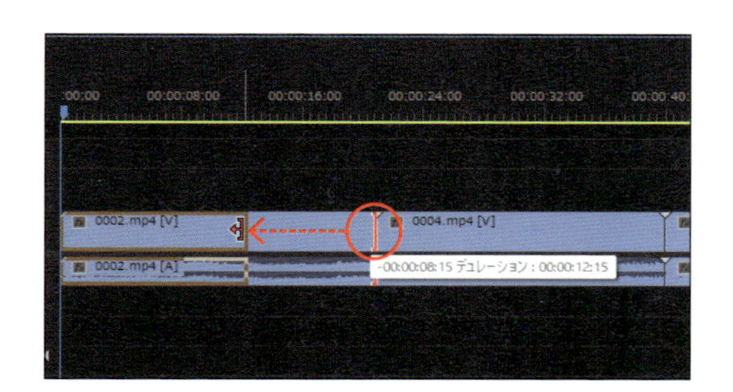

1 クリップをトリミングする

複数のクリップが並んでいる中で、トリミングを行います。画面では、「選択」ツールを利用して先頭から2つ目のクリップの終端をトリミングしています。

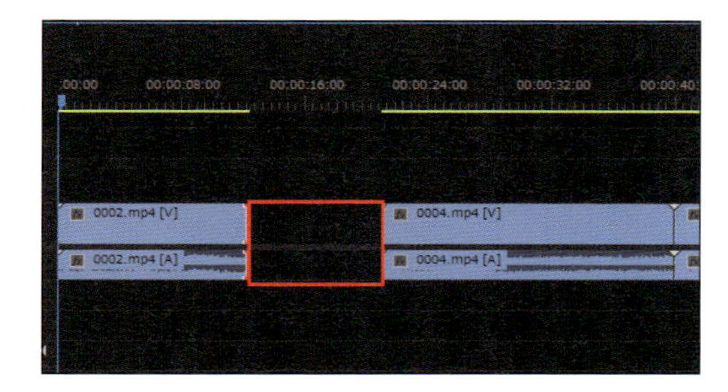

2 ギャップが発生する

トリミングによって、ギャップが発生してしまいました。ギャップはP.46の方法で削除できますが、クリップの数が多くなると作業もたいへんです。

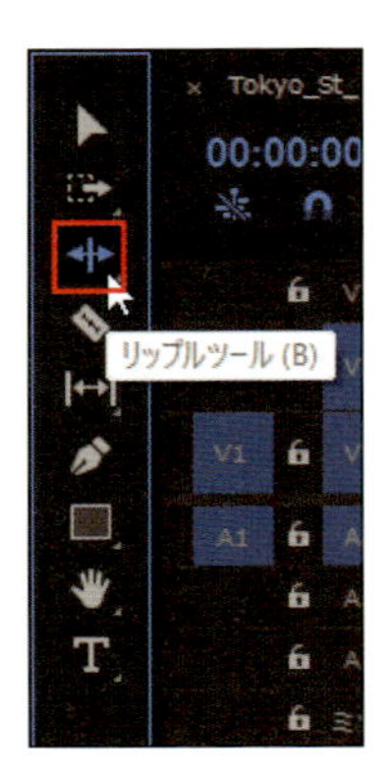

3 「リップル」ツールを選択する

「リップル」ツールを利用すると、ギャップを発生させずにトリミングできます。「ツール」パネルで、「リップル」ツールをクリックします。なお、「選択」ツールでトリミングする時に Ctrl キー（Mac：command キー）を押すと、一時的に「リップル」ツールに切り替わります。こうしたショートカットキーを覚えておくと便利です。

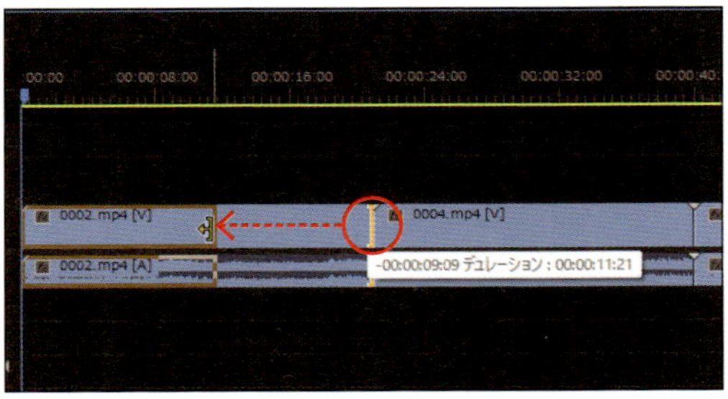

4 「リップル」ツールでトリミングする

「リップル」ツールを選択した状態で、クリップの先端にマウスポインターを合わせます。すると、マウスポインターの色が黄色に変わります。この状態で、クリップの先端をドラッグし、トリミングします。

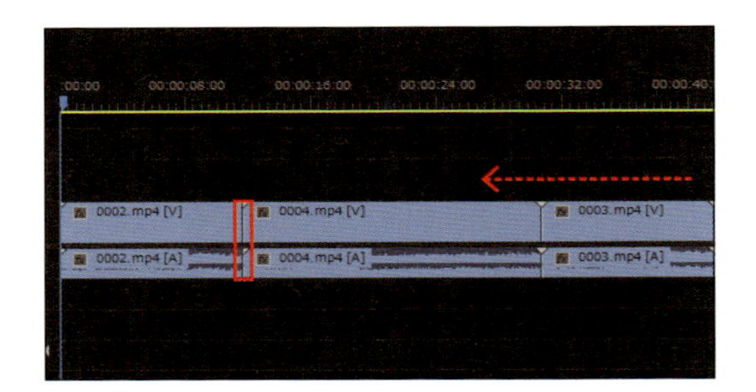

5 ギャップを発生させずにトリミングできた

今度はギャップを発生させずに、自動的に空きが詰められました。たくさんのクリップをトリミングする時におすすめの機能です。

トラックを追加／削除する

クリップの配置だけでなく、クリップの合成やタイトル設定、BGMやナレーションの追加などを行っていると、ビデオやオーディオのトラック数が足りなくなってきます。そのような場合は、トラックを追加します。

▶ 複数のトラックを追加／削除する

Premiere Proでは、ビデオトラック、オーディオトラックともに、追加できるトラック数に制限はありません。ユーザーが必要なだけ追加できます。また、不要になったトラックはシーケンスから削除できます。追加／削除するトラックの数は、ダイアログボックスで指定します。

複数のトラックを追加する

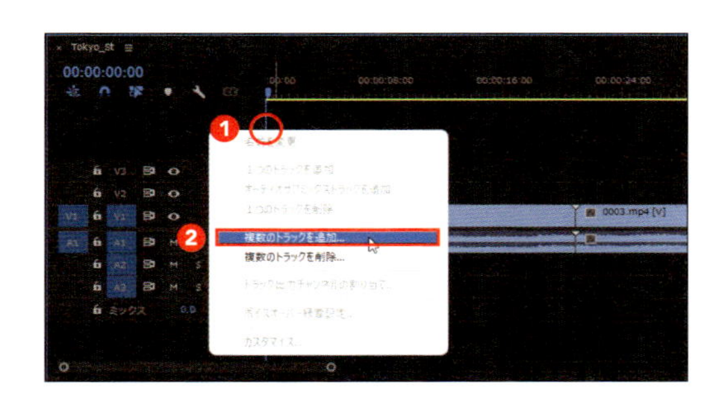

1 「複数のトラックを追加」を選択する

トラックヘッダー部分で右クリックし❶、表示されたメニューから「複数のトラックを追加」をクリックします❷。

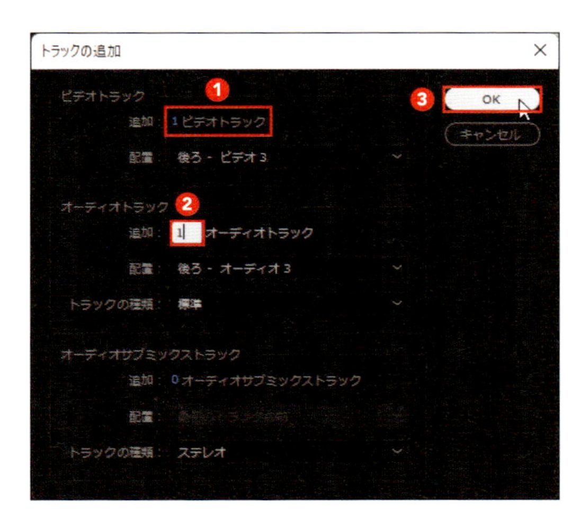

2 追加するトラック数を指定する

「トラックの追加」ダイアログボックスが表示されます。「追加」で、追加したいビデオトラックの数❶、オーディオトラックの数❷を設定し、「OK」をクリックします❸。指定した数だけ、ビデオトラックとオーディオトラックが追加されます。

複数のトラックを削除する

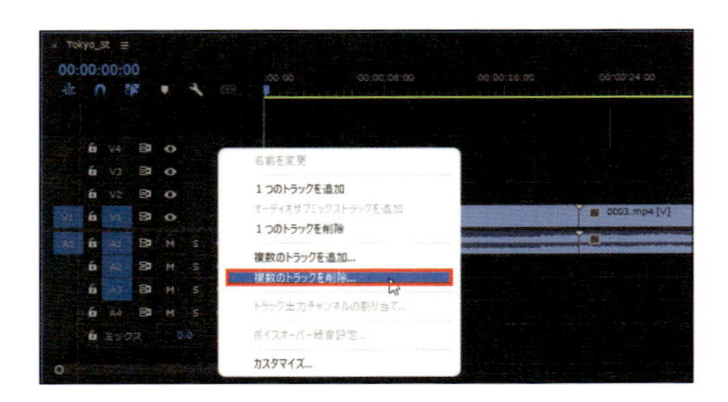

1 「複数のトラックを削除」を選択する

トラックヘッダー部分で右クリックし、表示されたメニューから「複数のトラックを削除」をクリックします。

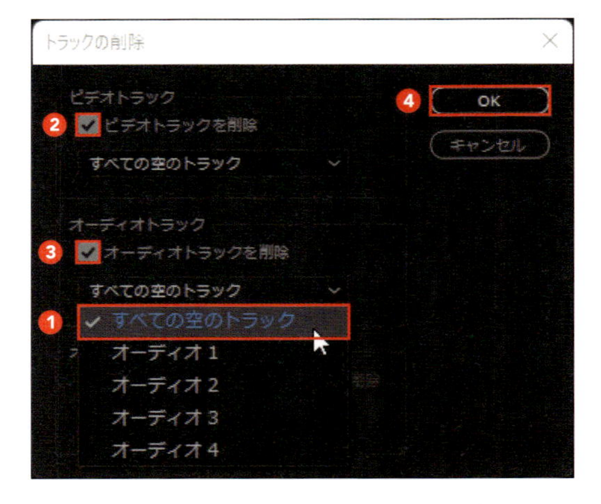

2 削除するトラックを指定する

ここでは、空のビデオトラックと空のオーディオトラックを削除します。「すべての空のトラック」を選択し❶、「ビデオトラックを削除」❷、「オーディオトラックを削除」のチェックをオンにします❸。なお空のトラックのほか、削除するトラックを個別に指定することもできます。指定できたら、「OK」をクリックします❹。

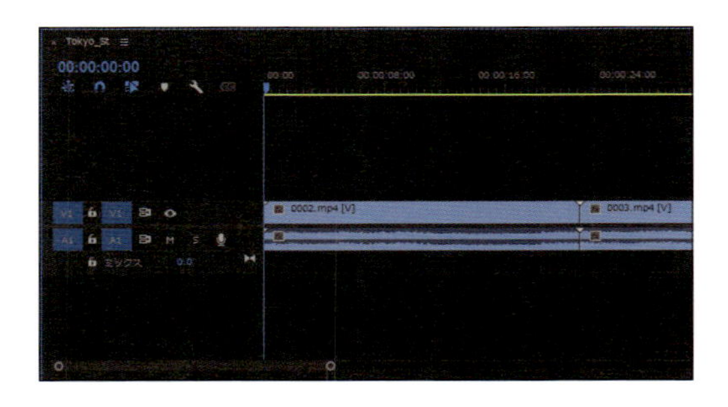

3 トラックが削除される

空のトラックが削除されます。なお「すべての空のトラック」を削除する場合、デフォルトで表示されていたトラックも、クリップが配置されていない場合は削除されます。

POINT 「シーケンス」メニューからもトラックの追加／削除ができる

「トラックの追加」「トラックの削除」は、メニューバーの「シーケンス」メニューからも実行できます。

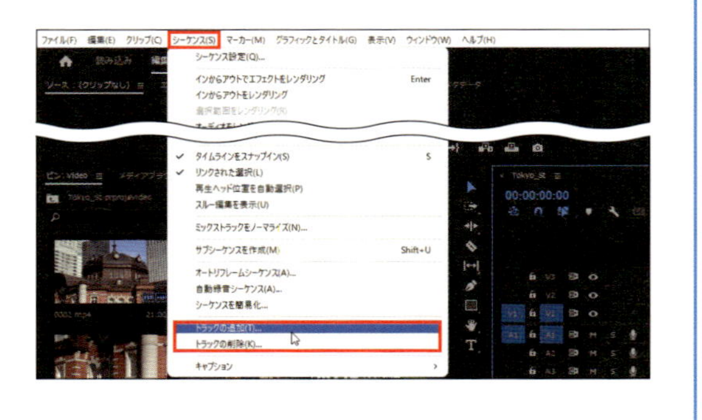

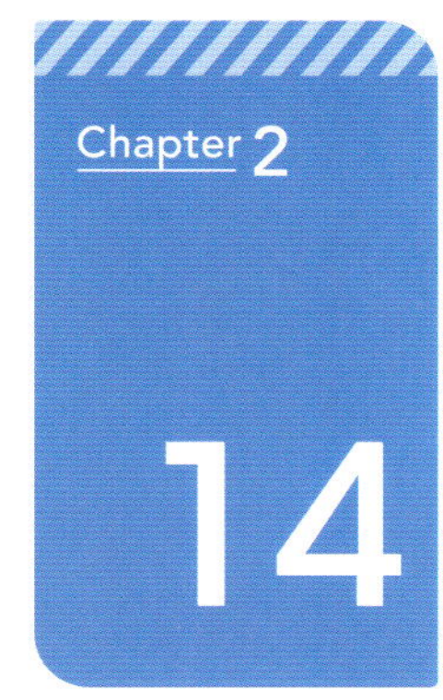

Chapter 2

14

4K動画の設定と編集

4Kの動画データを編集する場合、「インジェスト設定」を利用すると、ハイスペックなPCでなくても4Kの動画データを編集することができます。ここでは、4K動画の編集ポイントについて解説します。

▶ インジェスト設定とプロキシファイル

4Kの動画データは、P.15で解説したように解像度が大きいことが特徴です。それだけに、フルサイズで編集するにはPCにハイスペックが要求されます。しかし「インジェスト設定」を利用すると、フルハイビジョン映像を編集できるスペックがあれば、4K動画も問題なく編集できるようになります。そのしくみは、「プロキシファイル」にあります。

下の図にあるように、インジェスト設定を有効にすると、4K動画を元にしてハイビジョンサイズなどフレームサイズの小さい「プロキシファイル」と呼ばれる編集用の動画データが生成されます。このプロキシファイルを利用して編集作業を行い、最終的に出力する時には、4K動画から出力するというしくみです。これによって、4K動画をそのまま編集した時とまったく同じ結果を得ることができます。

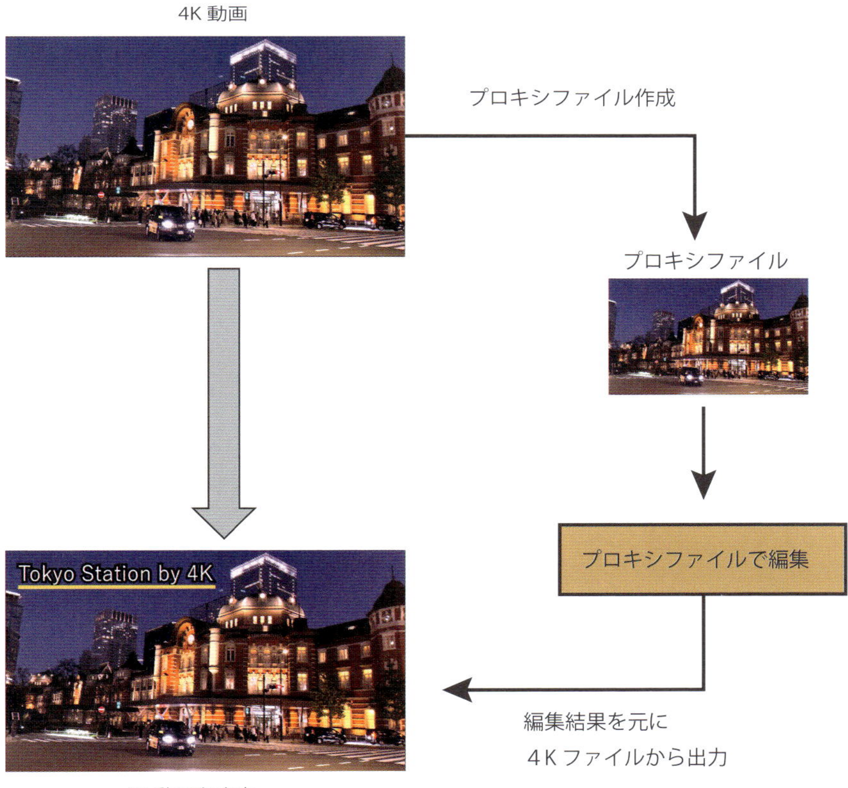

▶ プロジェクト設定後にプロキシファイルを作成する

Premiere Pro 2023では、4K動画データの読み込みとプロジェクトファイルの作成が同時に行われます。本来であれば動画データを読み込む前にインジェスト設定を行いたいのですが、その前に4K動画データが読み込まれてしまいます。その場合、次の方法でプロキシファイルを作成します。

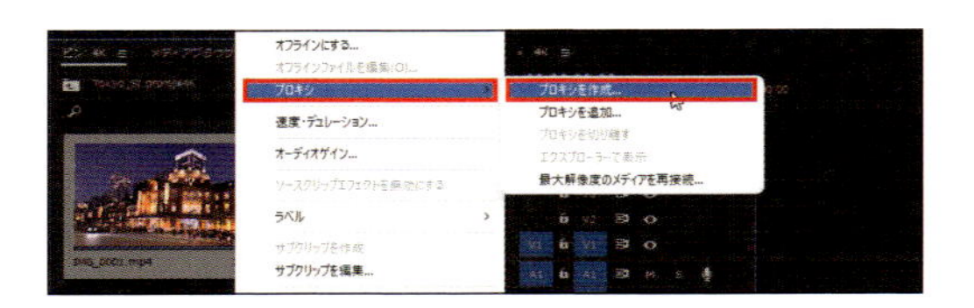

1 「プロキシを作成」を選択する

すでに読み込んである4K動画データを右クリックし、「プロキシ」→「プロキシを作成」を選択します。

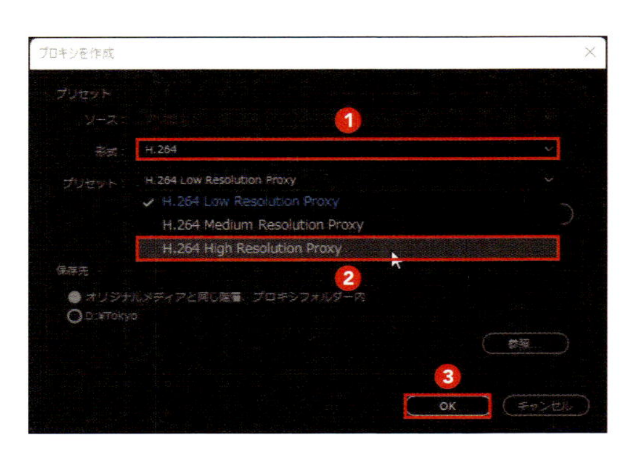

2 プリセットを設定する

「プロキシを作成」ダイアログボックスが表示されるので、「形式」でコーデック❶、「プリセット」で画質❷を選択します。形式は、「H.264」がおすすめです。設定できたら、「OK」をクリックしてください❸。Media Encoderという動画ファイル作成専用プログラムが起動し、プロキシファイルが作成されます。

▶ インジェストを有効にする

インジェスト設定でプロキシファイルの作成を有効にしておくと、「プロジェクト」パネルに後から4Kデータを取り込んだ際、自動的にプロキシファイルが作成されます。

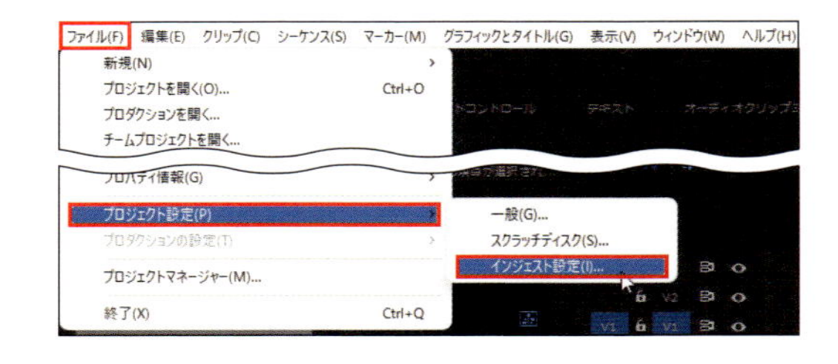

1 「インジェスト設定」を選択する

「ファイル」→「プロジェクト設定」→「インジェスト設定」を選択します。

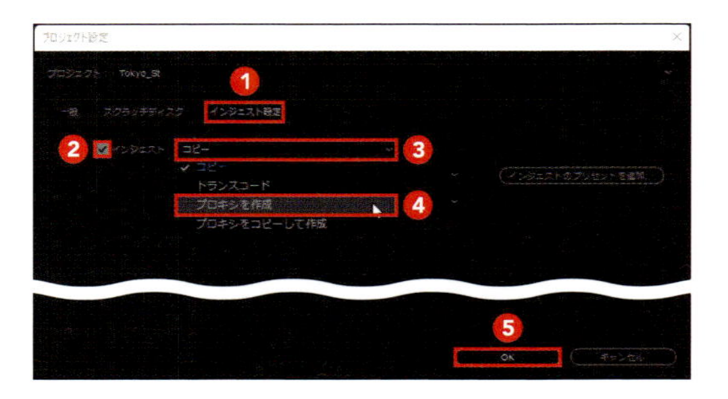

2 プリセットを設定する

「プロジェクト設定」ダイアログボックスが表示されるので、インジェスト設定タブ❶をクリックして、「インジェスト」のチェックボックスをオンにします❷。次に、「インジェスト」右側の「V」をクリックし❸、「プロキシを作成」❹を選択します。この後、「OK」をクリックしてください❺。

「インジェスト」の設定項目は、それぞれ次のような機能があります。必要に応じて選択してください。

● コピー

4K動画を指定したフォルダーにそのままコピーする。

● トランスコード

4K動画を指定したファイル形式に変換（トランスコード）しながら、指定したフォルダーにファイルを作成する。

● プロキシを作成

指定したフォルダーにプロキシファイルを作成する。

● プロキシをコピーして作成

4K動画を指定したフォルダーにコピーし、さらに指定したフォルダーにプロキシファイルを作成する。

POINT 4K動画データ編集のポイント

プロキシファイルを利用して4K動画データを編集する場合、「読み込み」画面ではファイルを選択せずにプロジェクトを作成することをおすすめします。その後、インジェストを有効にすれば、自動的にプロキシファイルが作成されます。

▶ 編集モードを切り替える

4K動画の編集でプロキシファイルを利用するには、環境設定で編集モードの切り替えが必要です。頻繁に切り替える場合は、モード切り替えボタンの利用がおすすめです。

モードの切り替えボタンを利用する

Premiere Proの現行バージョンでは、モードの切り替えボタンが「プログラム」モニターに登録されています。モードの切り替えボタンを手動で登録するには、「プログラム」モニターのボタンエディターをクリック❶します。ボタン一覧が表示されるので、「プロキシの切り替え」ボタンをドラッグして登録❷し、「OK」をクリック❸します。登録したボタンが有効（青色）になっていれば、プロキシファイルでの編集を行えます。なお、4Kのプロキシファイルではなく、ノーマルデータのまま編集する場合は、オフ（白色）の状態で編集してください。

プロキシファイルでの編集モードが有効。

プロキシファイルでの編集モードが無効。

環境設定で編集モードを切り替える

編集モードの切り替えは、環境設定でも可能です。「環境設定」を表示し、「メディア」にある「プロキシを有効化」のチェックボックスをオン❶にして、「OK」をクリックします❷。編集モードを無効にする場合は、再度環境設定を開き、「プロキシを有効化」をオフにします。

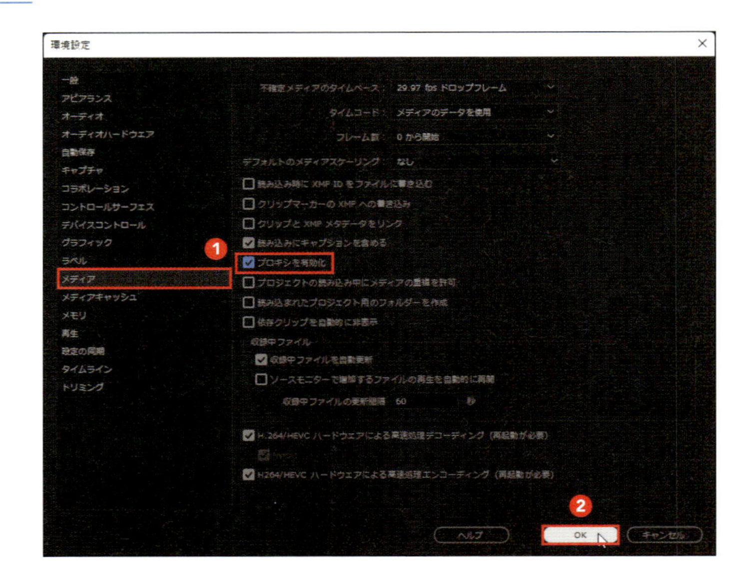

Premiere Pro 編

Chapter 3

トランジションとエフェクトで動画を演出する

トランジションを設定する

再生中のクリップから次のクリップへ映像が突然切り替わると、唐突な印象を与えます。しかし「トランジション」機能を利用すると、特殊な効果によってスムーズな場面転換を演出できます。

▶ トランジション

トランジションは、クリップとクリップが接続している編集点に設定する特殊効果です。トランジションを利用すると、映像が切り替わる際の唐突感を和らげてくれます。以下の画面は、「ページピール」というトランジションを設定した例です。

● トランジション無しの場合

● トランジションを設定した場合

▶ トランジションを設定する

トランジションは、「エフェクト」パネルで選択したトランジション効果を、クリップとクリップの間の編集点にドラッグ＆ドロップして設定します。ここでは、例として「ページピール」というトランジションを設定してみます。

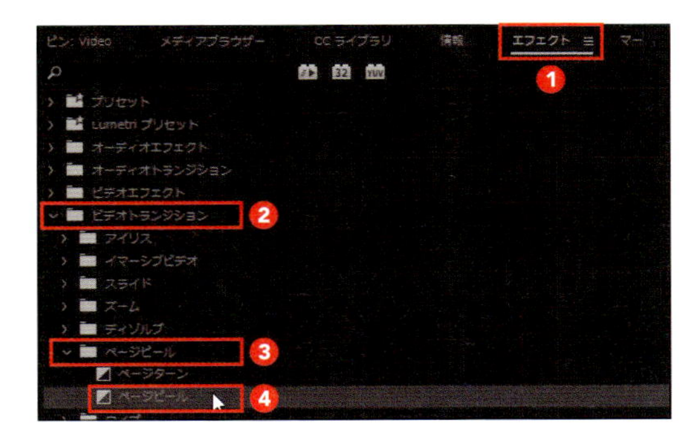

1 トランジションを選択する

「エフェクト」タブをクリックし❶、「ビデオトランジション」❷→「ページピール」❸→「ページピール」❹の順にクリックします。

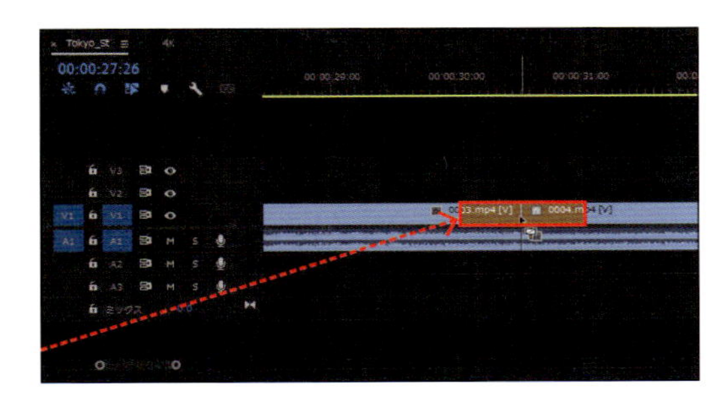

2 トランジションを ドラッグ＆ドロップする

選択したトランジションを、シーケンスのトラックに配置したクリップとクリップの間の編集点にドラッグ＆ドロップします。

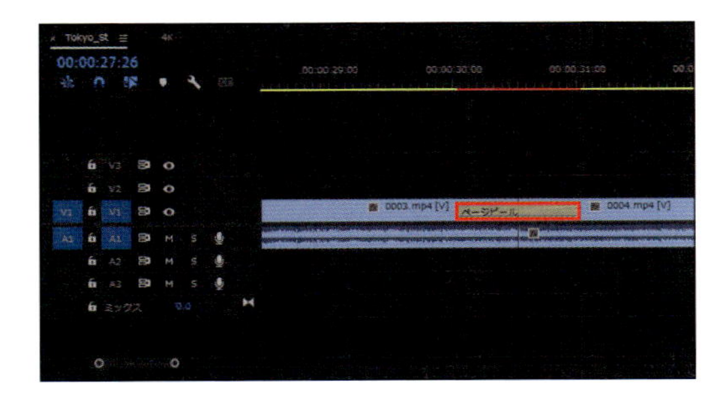

3 トランジションが設定される

トランジションが設定されます。

POINT トリミングしていないクリップにトランジションを設定する

トランジションは、トリミングによって隠れている部分のフレームを利用して設定されます。そのため、トリミングしていないクリップにトランジションを設定すると、「フレームを繰り返して対応します」という旨のメッセージが表示されます。このようにして設定したトランジションには「警告バー」と呼ばれる縞模様が表示されますが、問題はありません。なお、トリミングしていないクリップの先端と終端には三角のマークが表示されているので、見分けることができます。

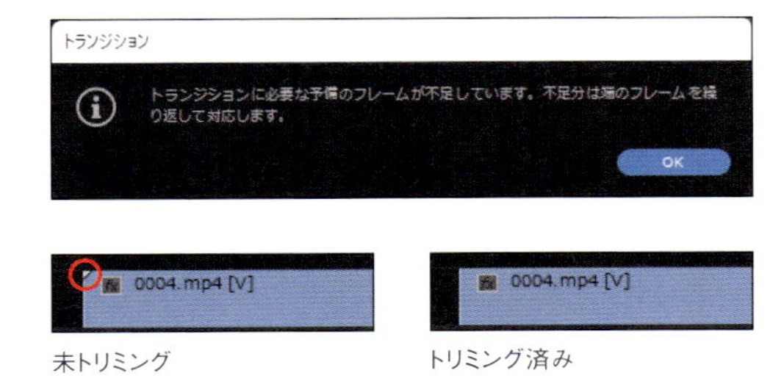

未トリミング　トリミング済み

トランジションを変更／削除する

編集点に設定したトランジションを、別のトランジションに変更したり、設定したトランジションを削除したりする方法について解説します。

▶ トランジションを変更する

クリップの編集点に設定したトランジションを別のトランジションに変更する場合は、既存のトランジションの上に新しいトランジションをドラッグ＆ドロップします。

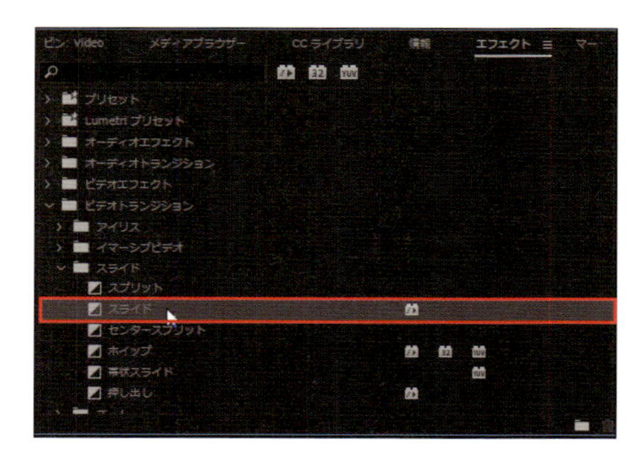

1 トランジションを選択する

新しく利用したいトランジションを選択します。

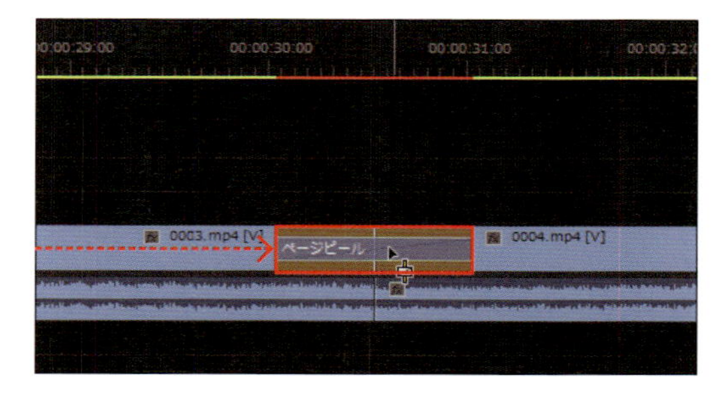

2 既存のトランジション上にドラッグ＆ドロップする

新しく利用したいトランジションを、すでに設定されている既存のトランジションの上にドラッグ＆ドロップします。

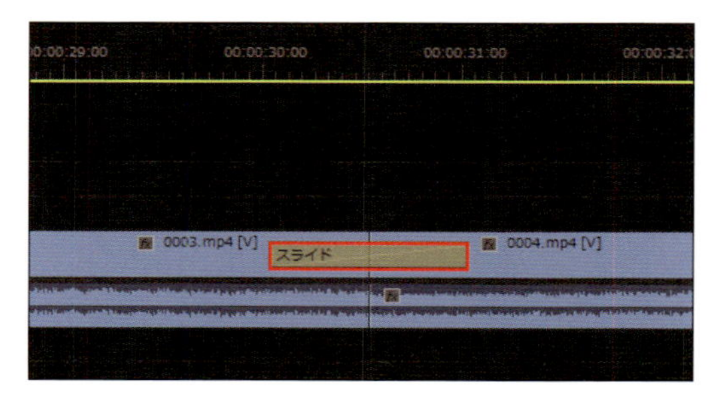

3 トランジションが変更される

これで、トランジションが変更されます。

▶ トランジションを削除する

トランジションを削除する場合は、設定したトランジションをクリックして選択状態にし、Delete キーを押します。あるいは、トランジション上で右クリックし、表示されたメニューから「消去」を選択しても削除できます。

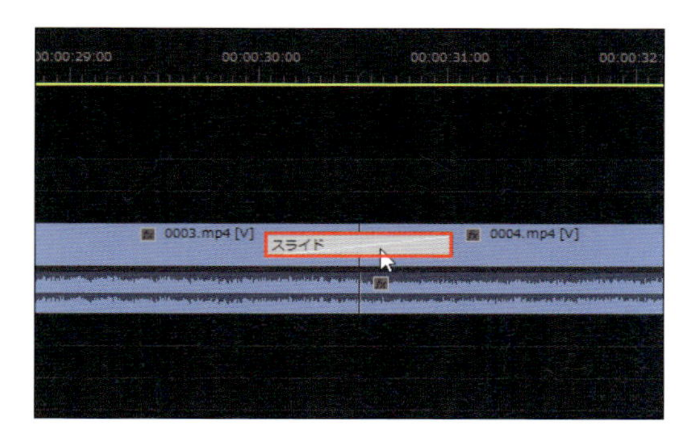

1 トランジションを選択する

削除したいトランジションを、クリックして選択します。

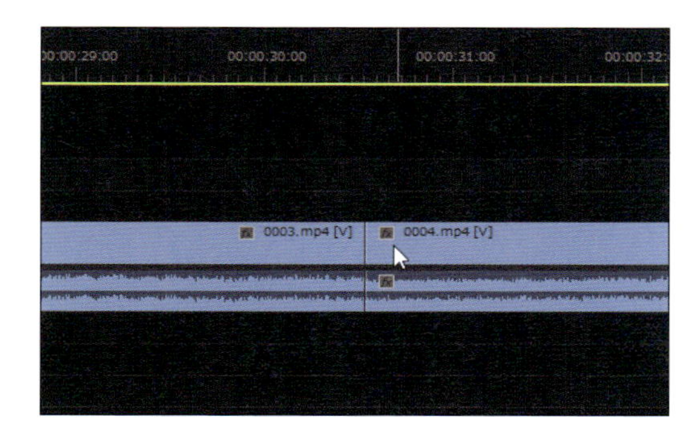

2 トランジションを削除する

Delete キーを押して、トランジションを削除します。

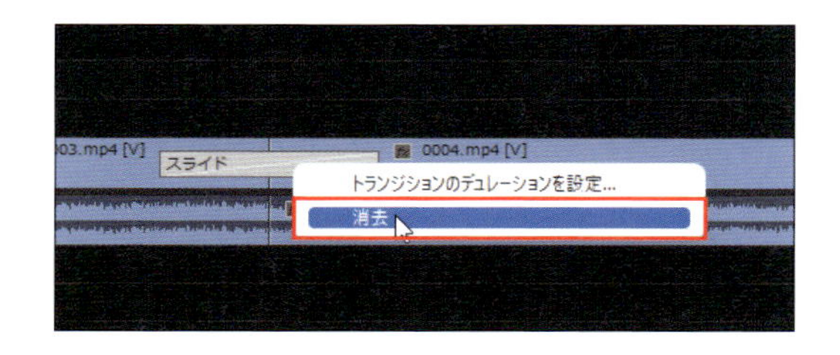

3 右クリックから削除する

トランジションを右クリックし、「消去」を選択しても削除できます。

POINT 操作を取り消す

トランジションを変更してみたけれど、やっぱり前の方がよかった。あるいは、トランジションを削除したけれど、やっぱりあった方がよかった。こうした時には、キーボードの Ctrl (macOSは Command) + Z キーを押すことで、直前の操作を取り消すことができます。続けて Ctrl (macOSは Command) + Z キーを押すと、さらに操作をさかのぼれます。
また、「ヒストリー」パネルを利用すると(「ウィンドウ」→「ヒストリー」)、任意の操作を指定して戻ることができます。

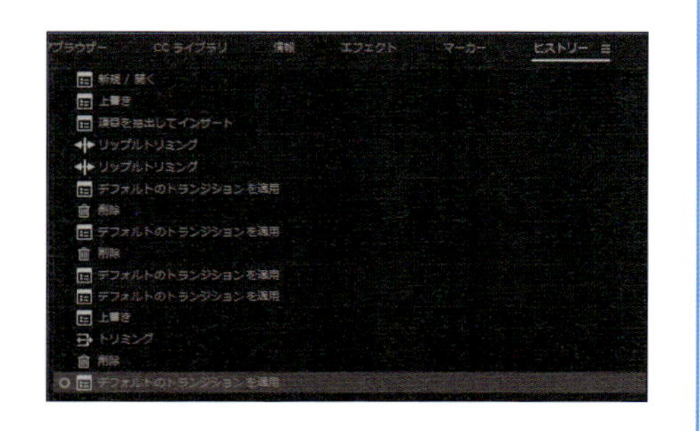

トランジションの表示時間を変更する

シーケンスのクリップに設定されたトランジションは、表示時間が「1秒」に設定されています。この表示時間を調整してみましょう。

▶ シーケンス上でデュレーションを変更する

ビデオ編集では、映像の表示時間のことを「デュレーション」と呼びます。トランジション効果の表示時間、すなわちデュレーションは、デフォルトで「1秒」に設定されています。この時間は、デュレーションの設定を変更することで調整できます。ここでは、シーケンス上でデュレーションを変更する2種類の方法を解説します。

数値でデュレーションを変更する

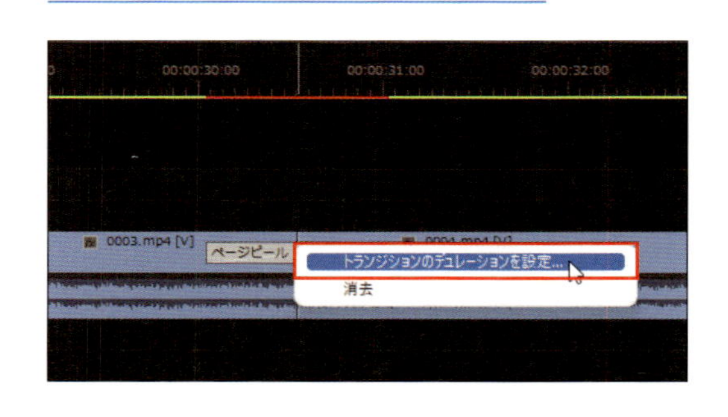

1 トランジションを右クリックする

シーケンスのクリップに設定したトランジション上で右クリックします。表示されるメニューで、「トランジションのデュレーションを設定」をクリックします。

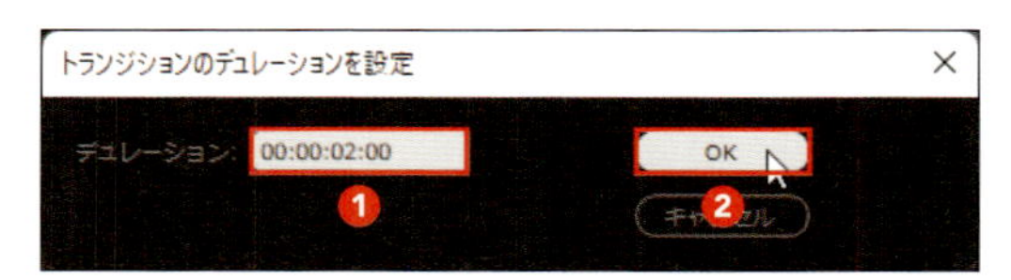

2 デュレーションを変更する

ダイアログボックスの「デュレーション」で、表示秒数を変更します。たとえばデュレーションを2秒に変更する場合は、「00;00;02;00」と設定します❶。変更したら、「OK」をクリックします❷。

POINT スクラブ操作で変更する

「デュレーション」の設定で、選択されていない状態の数値にマウスポインターを合わせると、マウスポインターが指の左右に矢印のある形に変わります。この状態でマウスを左右にドラッグすると、数値を変更できます。この操作方法を「スクラブ」といいます。

トリミングでデュレーションを変更する

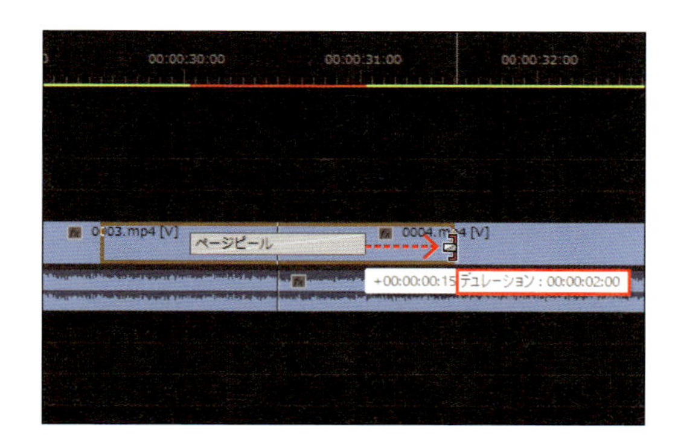

1 トランジションの先端か終端をドラッグする

シーケンスに設定したトランジションの先端または終端にマウスポインターを合わせると、形状が変わります。この状態でマウスをドラッグすると、バルーンヘルプにデュレーションが表示されます。左の画面では、元の状態に15フレームを足して、2秒と表示されています。

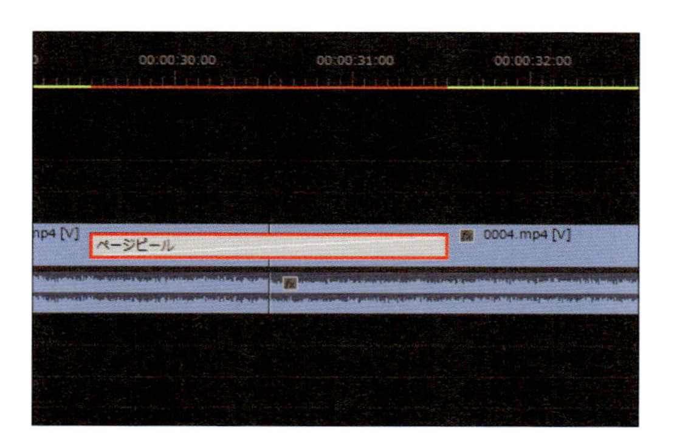

2 デュレーションが変更される

マウスのボタンから指を離すと、トランジションのデュレーションが変更されます。先端か終端のどちらかを変更すると、自動的にもう片方も変更されます。

POINT 「エフェクトコントロール」パネルでデュレーションを変更する

デュレーションは、「エフェクトコントロール」パネルでも変更できます。変更方法には、シーケンス上での方法と同じ、次の２種類があります。

❶数値による変更
❷トリミングによる変更

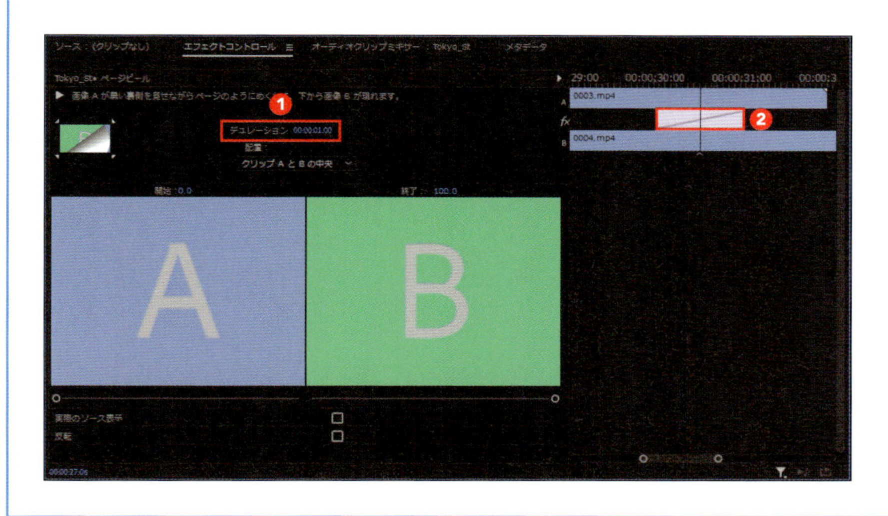

Chapter 3

04

トランジションをカスタマイズする

シーケンスのクリップに設定したトランジションは、効果をさまざまにカスタマイズできます。利用目的に応じてカスタマイズすることで、より効果的なトランジションが楽しめます。

トランジションをカスタマイズする

トランジションのカスタマイズは、「エフェクトコントロール」パネルで行います。カスタマイズの設定内容は、利用するトランジションの種類によって異なります。「エフェクトコントロール」パネルは、シーケンスに配置したトランジションをクリックして選択し、「エフェクトコントロール」タブをクリックすると表示できます。

サムネイルを表示する

「エフェクトコントロール」パネルで、「実際のソース表示」のチェックボックスにチェックを入れます。これで、前のクリップの終端フレームと、次のクリップの先端フレームのサムネイルが表示されます。このサムネイルを参考に、カスタマイズを行います。

効果の方向を変更する

動きのあるトランジションでは、動きの方向❶、デュレーション❷などを変更できます。

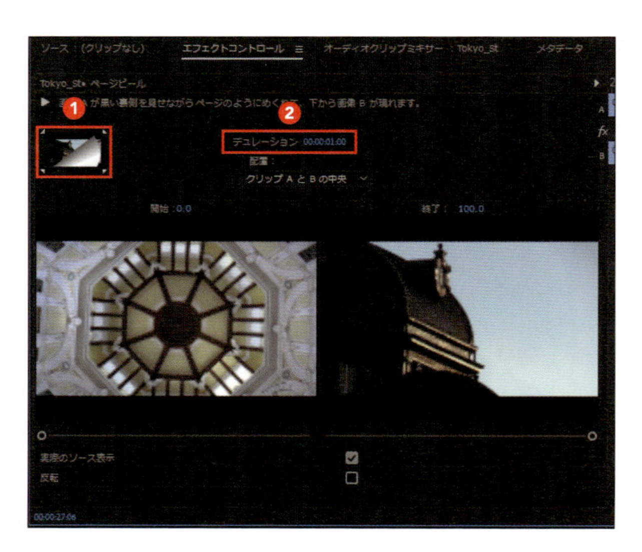

境界線の色と幅を変更する

オプションの「境界の幅」❶と「境界のカラー」❷を変更すると、効果をよりはっきりと目立たせることができます。

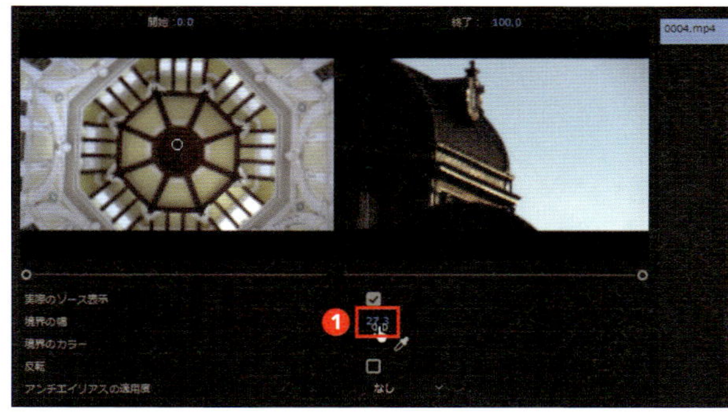

「境界の幅」を変更する。

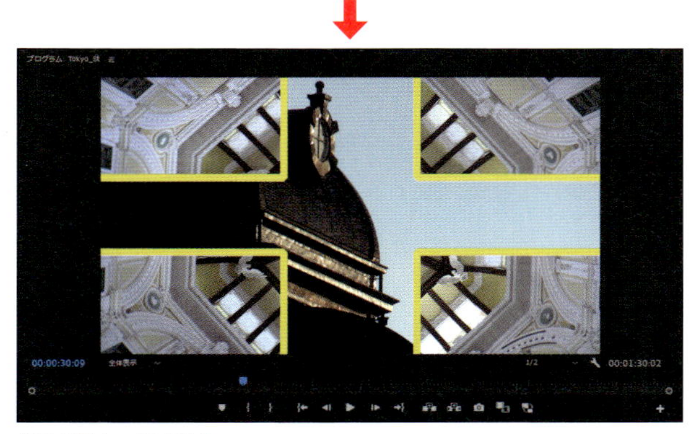

❶色を選択する
❷明るさを選択する
❸色を確認する
❹「OK」をクリックする

「境界のカラー」をカラーピッカーで選ぶ。

効果が目立つようになる。

タイミングを変更する

トランジションは、前のクリップ（A）と次のクリップ（B）の編集点に、トランジションの中央が配置されます。「配置」でこの位置を変更することによって、トランジションが開始されるタイミングを変更できます。

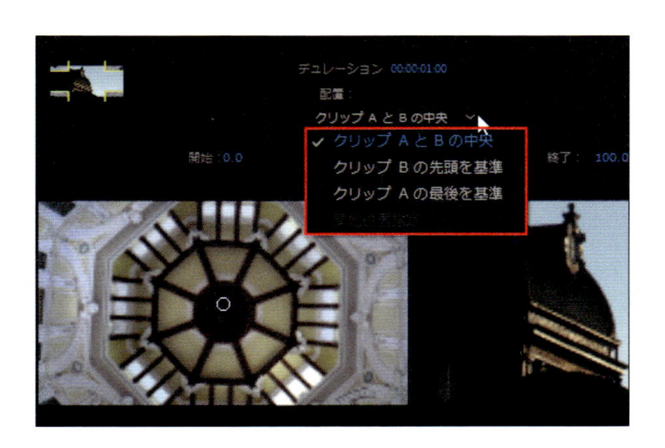

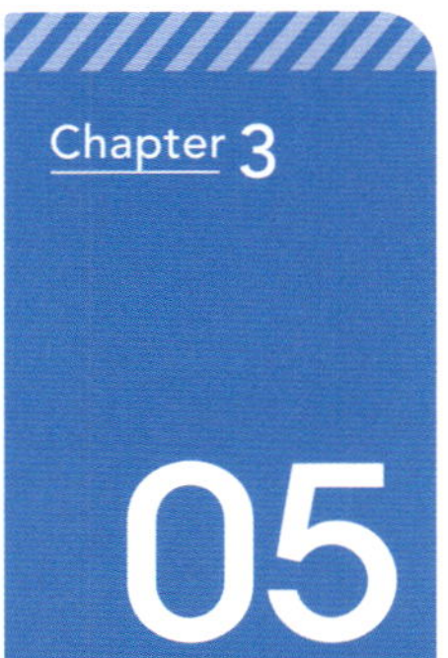

フェードイン／フェードアウトを設定する

トランジションをムービーの先頭や最後に適用すると、フェードインやフェードアウトといった効果を設定することができます。

フェードイン／フェードアウト

「フェードイン」は、映像が徐々に表示される効果、「フェードアウト」は、反対に映像が徐々に消えていく効果のことをいいます。ムービーの開始シーンや終了シーンに設定すると効果的です。トランジションを利用すると、この効果をかんたんに設定できます。

フェードイン（白い背景からフェードイン）

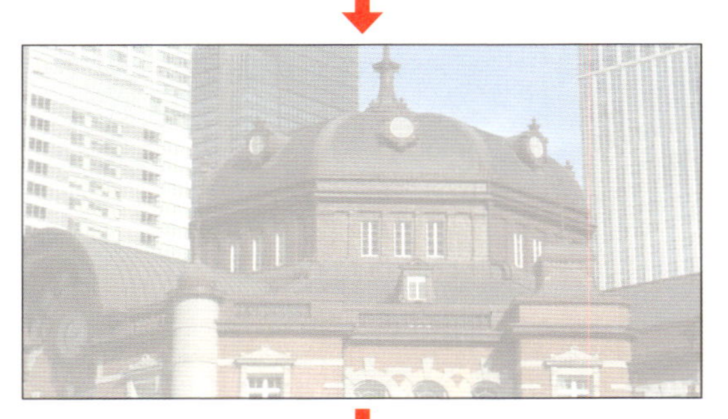

フェードアウト（黒い背景にフェードアウト）

▶ 黒い背景にフェードアウトする

ムービーの最後にフェードアウトを設定すると、映像が徐々に消えながらEndマークが出るなど、「終わり」を強く演出することができます。フェードアウトは、トランジションの「クロスディゾルブ」を利用して設定します。

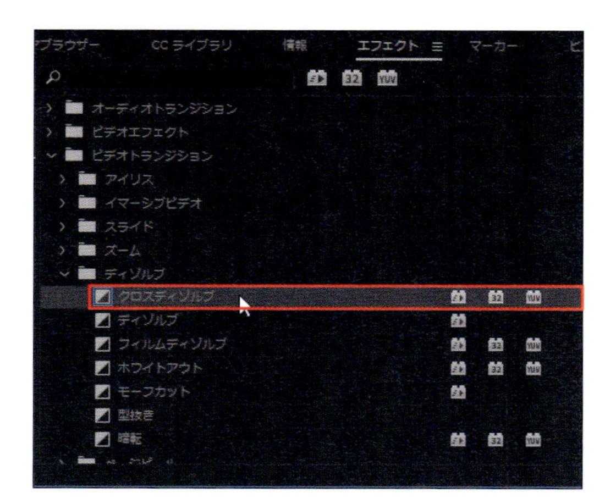

1 「クロスディゾルブ」を選択する

「エフェクト」パネルにある「ビデオトランジション」から、「ディゾルブ」→「クロスディゾルブ」をクリックします。

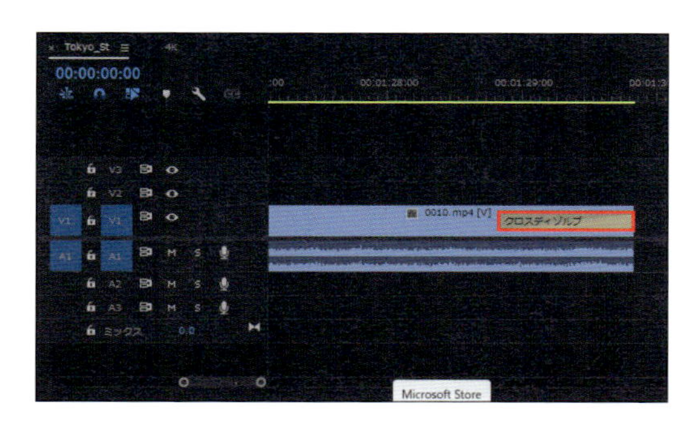

2 クロスディゾルブを適用する

選択した「クロスディゾルブ」を、シーケンスに配置したクリップのうち、一番最後のクリップの終端に設定します。これで、ムービーの最後にフェードアウトが設定できました。必要に応じて、デュレーションを調整します。

▶ 白い背景からフェードインする

白い背景から映像が徐々に現れてくるという効果は、「物語の始まり」という印象を強く与えます。これを実現するには、トランジションに加えて「カラーマット」を併用します。カラーマットは、単色の画像データです。「白」のカラーマットをシーケンスの先頭に挿入し、カラーマットとクリップの編集点に「クロスディゾルブ」というトランジションを設定することで、フェードインを実現します。

1 カラーマットを作成する

「プロジェクト」パネルの右下にある「新規項目」をクリックします❶。表示されたメニューで、「カラーマット」をクリックします❷。

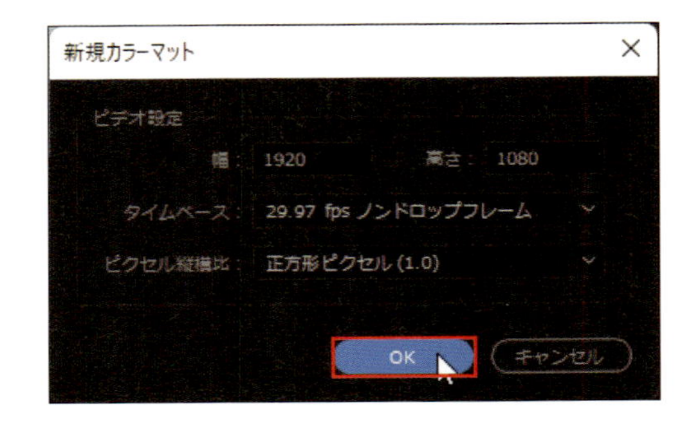

2 カラーマットの設定を確認する

「新規カラーマット」ダイアログボックスが表示されます。設定内容を確認して、「OK」をクリックします。この設定内容には、シーケンスの設定が反映されています。設定内容を変更する必要はありません。

3 カラーマットの色を選択する

「カラーピッカー」が表示されます。背景に利用したい色として白を選択し❶、「OK」をクリックします❷。

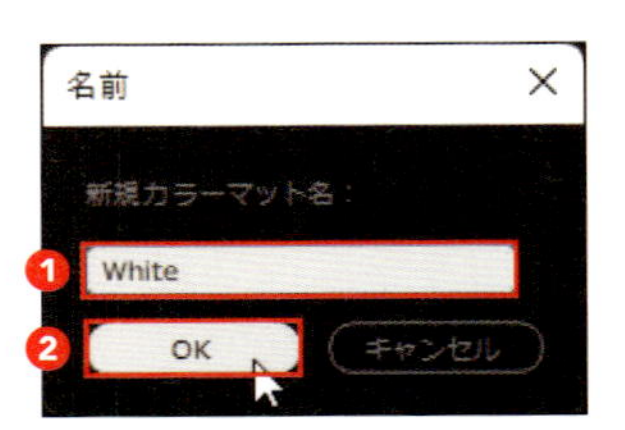

4 カラーマットの名前を設定する

カラーマットの名前を設定するダイアログボックスが表示されます。わかりやすい名前を入力して❶、「OK」をクリックします❷。

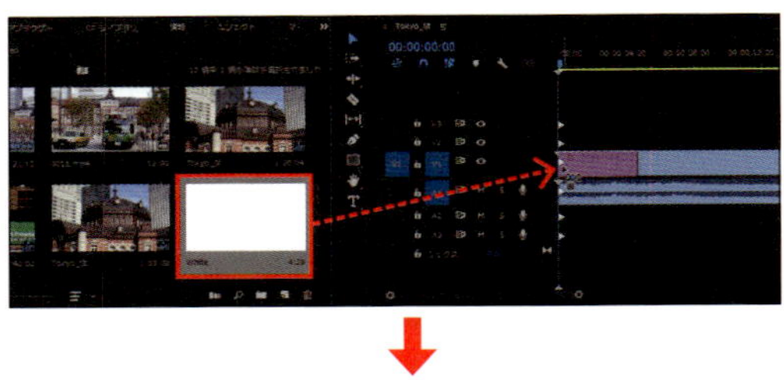

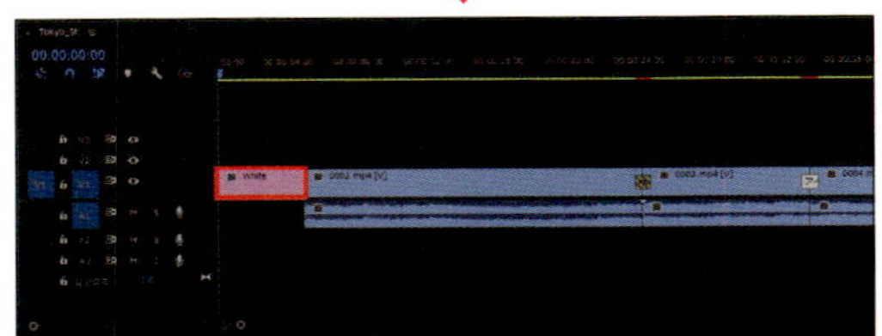

5 カラーマットを配置する

カラーマットが「プロジェクト」パネルに登録されます。Ctrl キーを押しながら、カラーマットのクリップをシーケンスの一番先頭にドラッグ&ドロップします。これで、ドロップした位置にカラーマットを挿入できます。カラーマットはイメージクリップなので、デフォルトのラベンダー色で表示されます。挿入したカラーマットは、5秒間の動画クリップとして配置されるので、作業をしやすいようにトラックをズームインして、トリミングを行います。

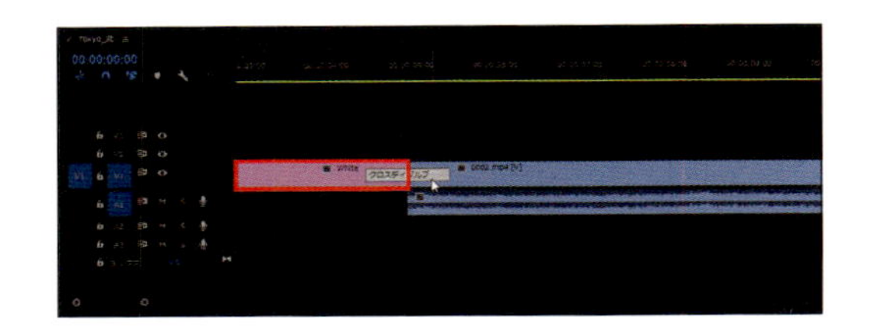

6 カラーマットにトランジションを設定する

ビデオクリップとカラーマットの編集点に、トランジションの「クロスディゾルブ」を配置します。これで、ムービーの最初にフェードインが設定できました。

Chapter 3

06

クリップにエフェクトを設定する

クリップ全体に設定する映像の特殊効果のことを、「ビデオエフェクト」や「エフェクト」といいます。エフェクトは、「エフェクト」パネルから選択して適用します。

▶ ビデオエフェクト

ビデオエフェクトは、クリップ全体に特殊効果を設定する機能です。トランジションはクリップとクリップが接合する編集点に設定するものでしたが、ビデオエフェクトは選択したクリップ全体に適用されるという点が異なります。設定したビデオエフェクトは、オプションのパラメーターを変更することで効果をカスタマイズできます。

ビデオエフェクトの適用方法には2種類ありますので、使いやすい方法を利用してください。以下の画面では、「ビデオエフェクト」の「描画」というカテゴリーにある、「レンズフレア」というエフェクトを設定しています。

クリップにエフェクト「レンズフレア」を設定した。

▶ドラッグ＆ドロップでエフェクトを適用する

基本的なエフェクトの設定方法は、「エフェクト」パネルで「ビデオエフェクト」を展開し、選択したエフェクトをシーケンスのクリップ上にドラッグ＆ドロップする方法です。適応するエフェクトによっては、P.72の方法でパラメーターの調整が必要なものがあります。

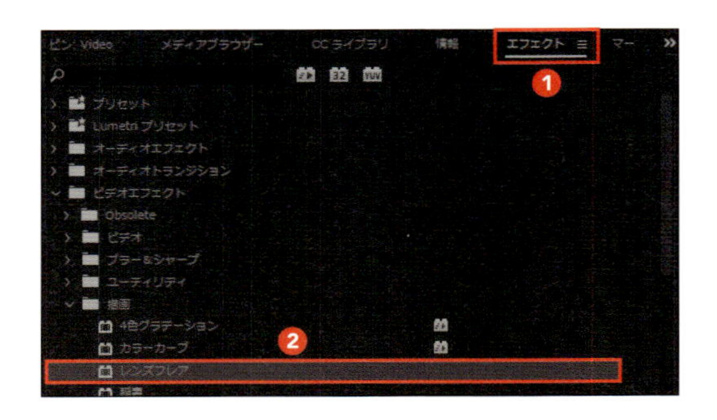

1 エフェクトを選択する

「エフェクト」タブをクリックして「エフェクト」パネルを表示し❶、「ビデオエフェクト」フォルダーを展開します。エフェクトのカテゴリーを開き、利用したいエフェクトを選択します❷。ここでは、「描画」の「レンズフレア」を選択しています。

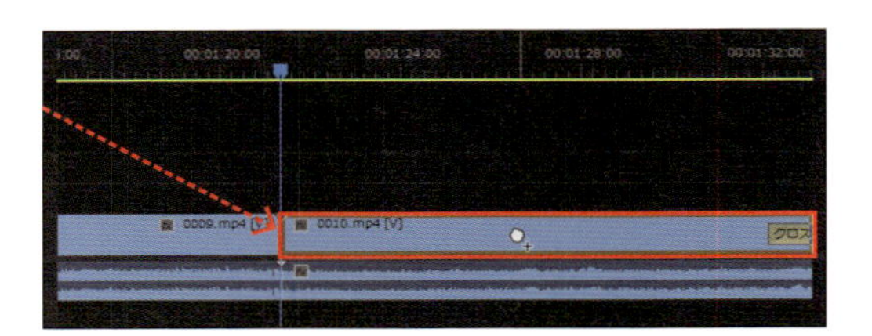

2 エフェクトをドラッグ＆ドロップする

選択したエフェクトを、シーケンス上のエフェクトを設定したいクリップの上にドラッグ＆ドロップします。エフェクトが適用されると、クリップ左上の「fx」マークが紫色に変わります。

▶ダブルクリックでエフェクトを適用する

もう1つの設定方法が、エフェクトを設定するクリップを事前に選択しておき、利用したいエフェクトをダブルクリックして適用する方法です。複数のクリップに一度にエフェクトを適用したい場合は、こちらの方法が便利です。

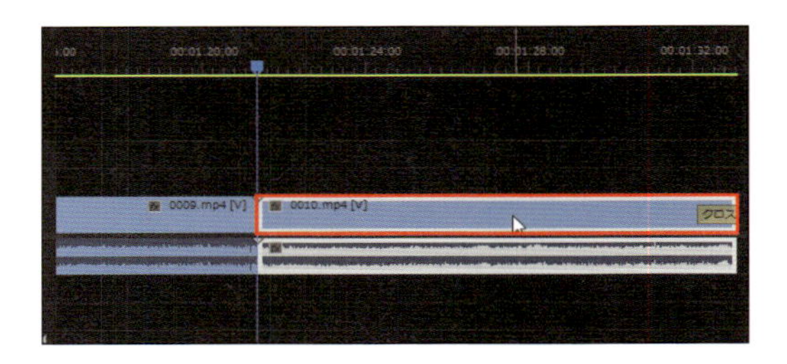

1 クリップを選択する

シーケンスに配置したクリップから、エフェクトを適用したいクリップを選択しておきます。複数のクリップにエフェクトを適用する場合は、Shift キーまたは Ctrl キーを押しながらクリップを順にクリックします。

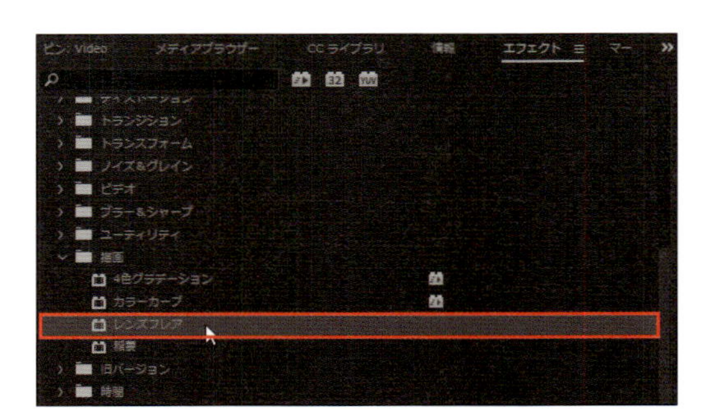

2 エフェクトをダブルクリックする

「エフェクト」パネルで利用したいエフェクトを選び、ダブルクリックします。手順1で選択したクリップに、エフェクトが適用されます。

▶ ビデオエフェクトの設定例

以下に、ビデオエフェクトの設定例を提示します。

「イメージコントロール」→「モノクロ」

「チャンネル」→「反転」

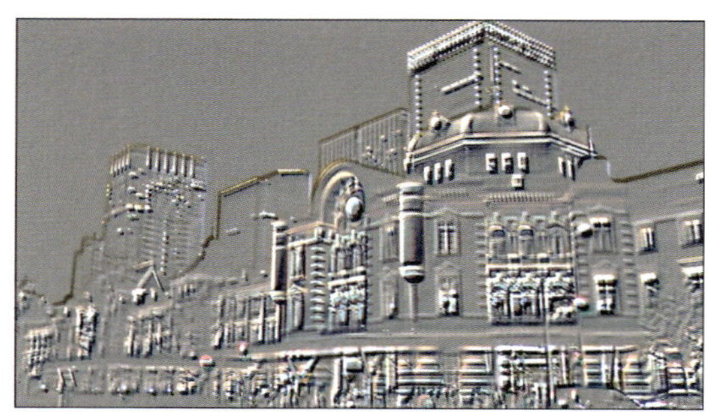
「旧バージョン」→「エンボス」

「ブラー&シャープ」→「ブラー（ガウス）」

「色調補正」→「プロセスアンプ」

「ノイズ&グレイン」→「ノイズ」

「ユーティリティ」→「Cineonコンバーター」

「ディストーション」→「タービュレントディスプレイス」

エフェクトをカスタマイズする

エフェクトは、「エフェクトコントロール」パネルでパラメーターを調整することで、その効果をアップさせることができます。

▶ エフェクトのオプションを調整する

エフェクトには効果のオプションがあり、「エフェクトコントロール」パネルで設定します。このオプションのパラメーターを調整することで、エフェクトを効果的に活用することができます。

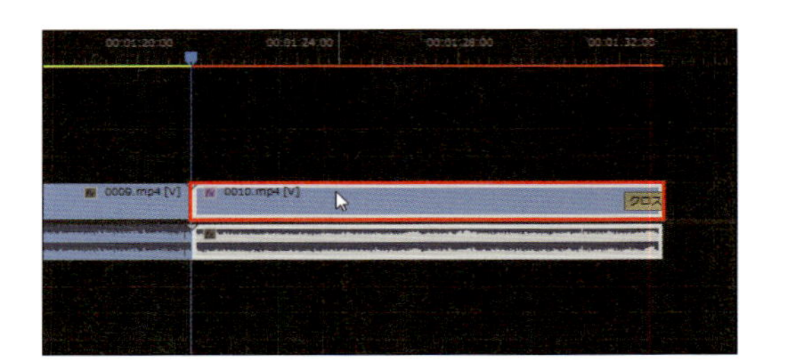

1 クリップを選択する

エフェクトを設定したクリップを、シーケンス上で選択します。選択したクリップは、白い枠で囲まれて表示されます。

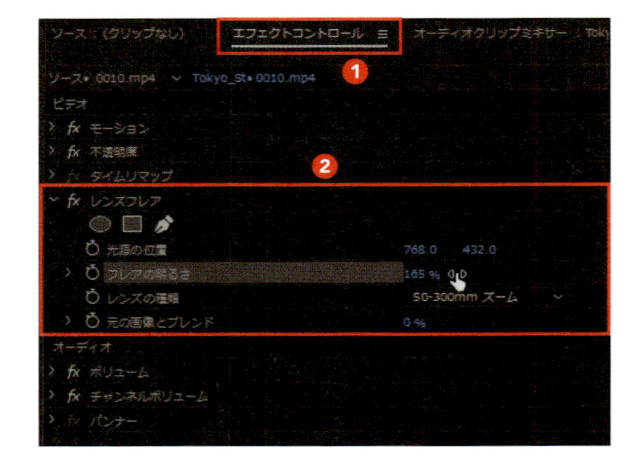

2 オプションを表示する

画面左上の「エフェクトコントロール」パネルを表示し❶、選択したクリップに適用したエフェクトが追加されていることを確認します。エフェクト名の先頭にある「>」をクリックして展開し、各オプションのパラメーターを表示します❷。左の画面は、「レンズフレア」の「フレアの明るさ」というパラメーターを表示した状態です。

3 パラメーターを調整する

「フレアの明るさ」のスライダーをドラッグして、数値を調整します。数値を大きくすると、明るさが増します。

エフェクトの効果をオフにする

設定したエフェクトの効果を一時的にオフにしたり、パラメーターを変更する前の初期状態に戻すには、「エフェクトコントロール」パネルで次のように操作します。

一時的にオフにする

エフェクト名の先頭にある「fx」をクリックすると、「fx」の文字に斜線が表示され、エフェクトが一時的にオフになります。エフェクトを一時的にオフにすると、エフェクトの設定前と設定後の違いを確認することができます。再度クリックすると、エフェクトを適用した状態に戻ります。

初期状態に戻す

エフェクトのパラメーターを変更前の初期状態に戻すには、リセットボタンを利用します。設定したエフェクト名の右にある渦巻き型の「エフェクトをリセット」をクリックすると、パラメーターの設定が初期状態に戻ります。

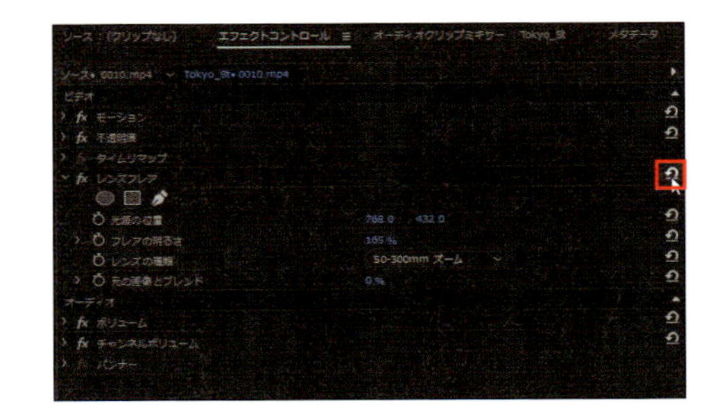

エフェクトを削除する

設定したエフェクトを削除したい場合は、「エフェクトコントロール」パネルで削除したいエフェクト名を右クリックし、メニューから「消去」をクリックします。またエフェクト名をクリックして選択し、Delete キーを押しても削除できます。

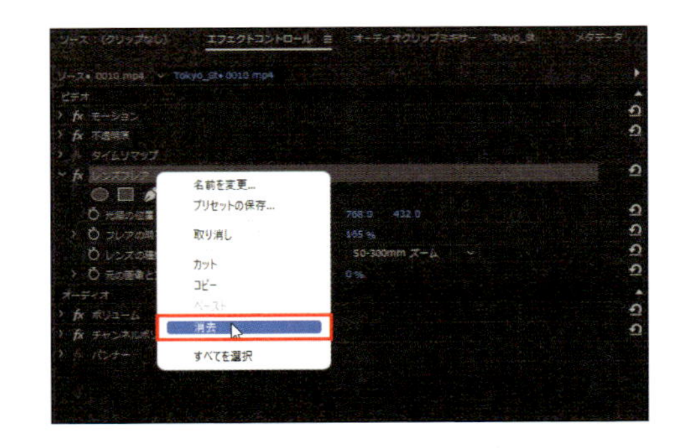

POINT デフォルトエフェクトについて

ビデオクリップには、最初から「モーション」「不透明度」「タイムリマップ」という３つのエフェクトが設定されています。これらのエフェクトは「デフォルトエフェクト」と呼ばれ、「エフェクトコントロール」パネルから削除することはできません。同じようにオーディオクリップにも、「ボリューム」「チャンネルボリューム」「パンナー」という３つのデフォルトエフェクトが設定されています。

Chapter 3

08

エフェクトをアニメーションさせる

クリップに設定するエフェクトは、時間の経過に応じてエフェクトの影響を変化させることができます。つまり、エフェクトの効果の具合をアニメーションできるということです。

▶ エフェクトの効果をアニメーションさせる

クリップに設定したエフェクトは、キーフレームを利用することでアニメーションさせることができます。これによって、ムービーのオリジナリティをグッとアップできます。以下の画面は、「レンズフレア」というビデオエフェクトのオプションを利用して、光源をアニメーションさせたものです。

なお、アニメーション作成に重要な要素を「アニメーション作成のための5つのポイント」として筆者からご提案しています。このポイントを抑えれば、必ずアニメーションが作成できます。詳しくはP.209を参照してください。

光源のアニメーションが開始する位置。

光源が移動する。

光源の明るさが増す。

光源が消える。

▶ 光源の位置をアニメーションさせる

ここでは、P.69で設定したエフェクト「レンズフレア」に対して、光源が移動するアニメーションを設定してみましょう。

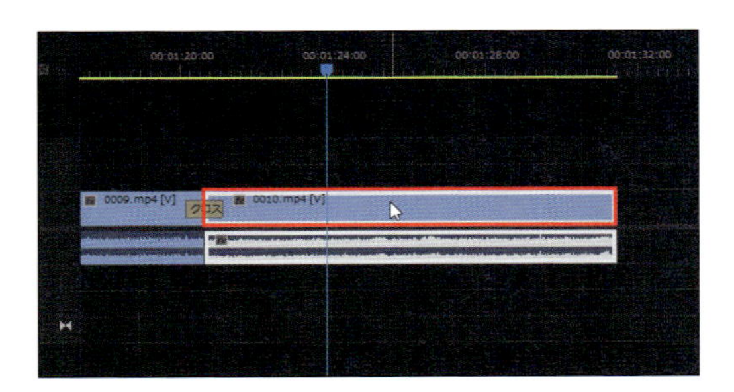

1 エフェクトを設定したクリップを選択する

エフェクト「レンズフレア」を設定したクリップをクリックして選択します。

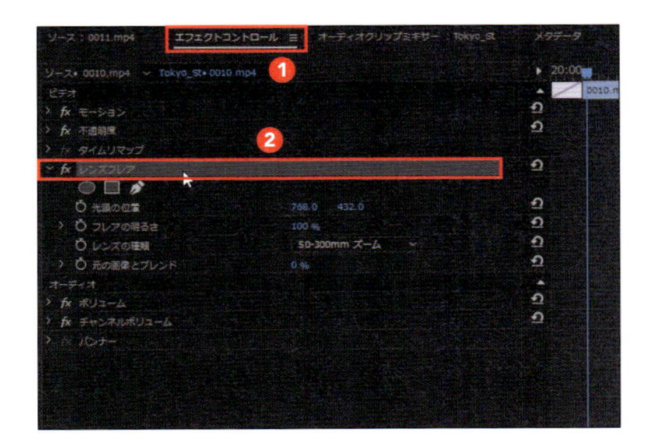

2 エフェクトを確認する

「エフェクトコントロール」パネルを表示し❶、設定したエフェクト「レンズフレア」を確認します❷。オプションの種類も確認しておきましょう。

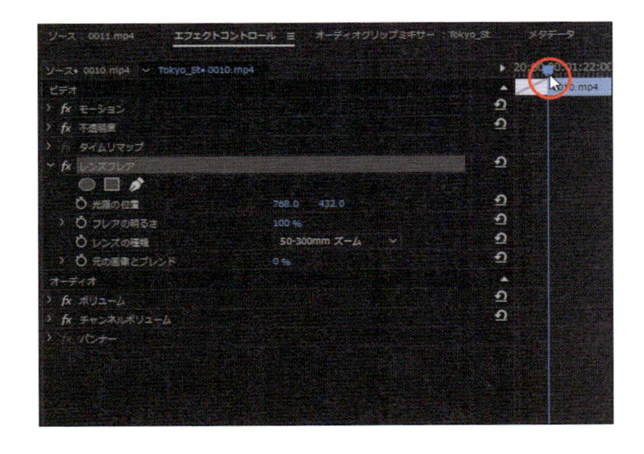

3 再生ヘッドを開始時間に移動する

「エフェクトコントロール」パネルにもタイムライン領域があるので、ここにある再生ヘッドを、タイムラインの左側にドラッグして合わせます。ここがアニメーションの開始時間になります。

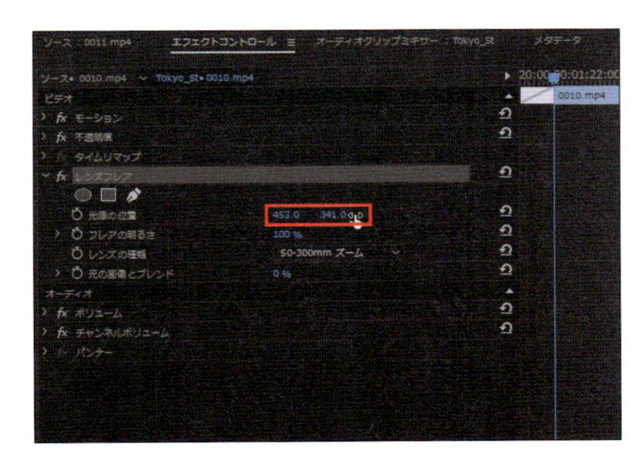

4 開始位置を設定する

プレビュー画面を見ながら「光源の位置」のパラメーターを変更して、光源が移動を開始するスタート位置を決定します。

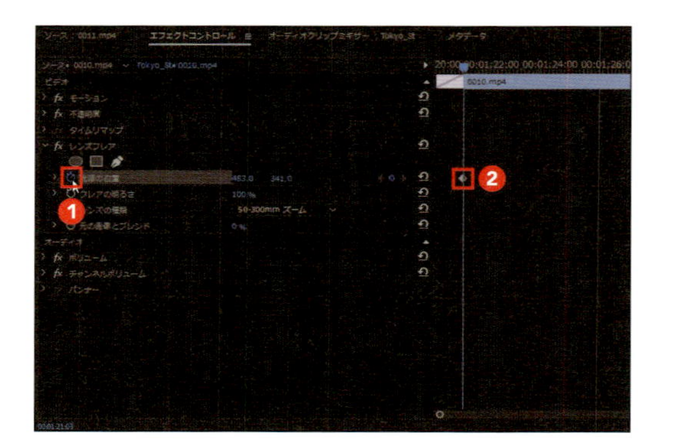

5 アニメーション機能をオンにする

「レンズフレア」のパラメーターのうち、「光源の位置」の左にあるストップウォッチをクリックします❶。ストップウォッチをオンにすると青く表示され、エフェクトのアニメーションが実行されるようになります。同時に、タイムラインの再生ヘッドのある位置に「キーフレーム」が設定されます❷。

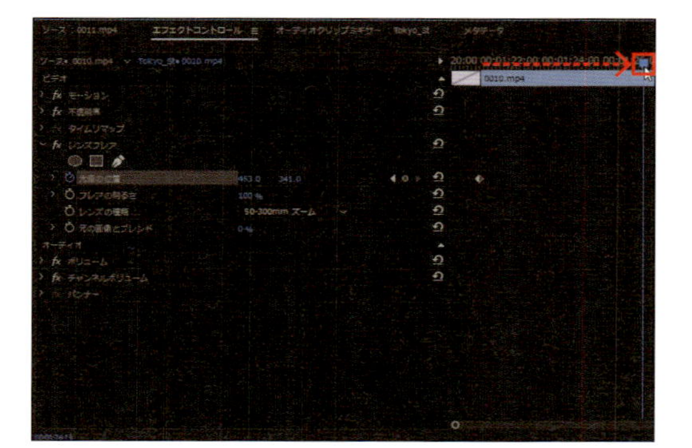

6 再生ヘッドを終了時間に移動する

タイムラインの再生ヘッドを、右側にドラッグして移動します。ここがアニメーションの終了時間になります。

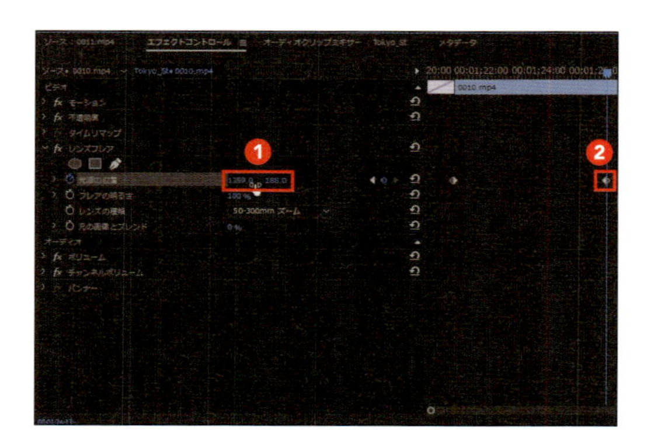

7 終了位置を設定する

「光源の位置」のパラメーターを変更し、光源の終了位置を決定します❶。この時、再生ヘッドの位置にキーフレームが自動的に設定されます❷。なお、キーフレームは「◇」(キーフレームの追加／削除) ボタンをクリックしても追加／削除できます。

8 アニメーションを確認する

「プログラム」モニターで再生し、光源が移動するアニメーションを確認します。

フレアの明るさをアニメーションさせる

「光源の位置」に加えて、「フレアの明るさ」（光源の明るさを変更するオプション）を利用して、光源が明るくなってから消えるアニメーションを設定してみましょう。

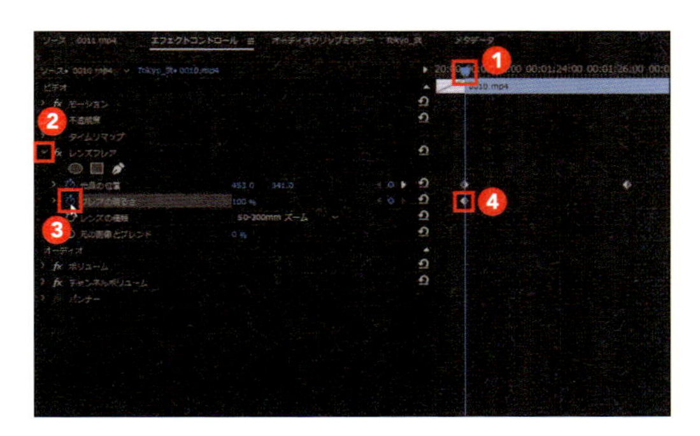

1 「フレアの明るさ」のキーフレーム設定する

「光源の位置」で設定したアニメーション開始キーフレームと同じ位置に、再生ヘッドを移動します❶。「レンズフレア」の先頭にある「>」をクリックしてパラメーターを表示し❷、「フレアの明るさ」のストップウォッチをクリックします❸。キーフレームが設定されます❹。

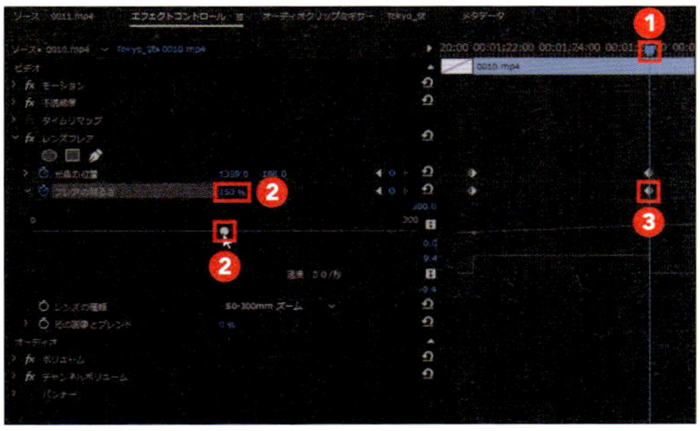

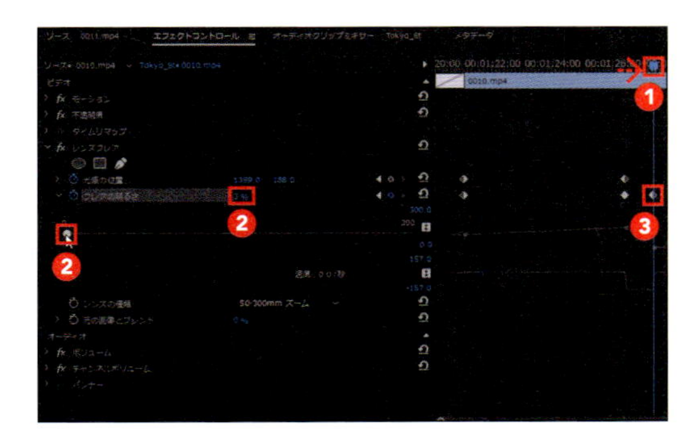

2 2つ目のキーフレームを設定する

「光源の位置」の終了位置にあるキーフレームと同じ位置に再生ヘッドを移動して❶、「フレアの明るさ」のパラメーターを調整します。明るさを明るくする（150%）❷と、キーフレームが自動的に設定されます❸。

3 3つ目のキーフレームを設定する

再生ヘッドを少しだけ右に移動して❶、「フレアの明るさ」のパラメーターを「0%」に設定すると❷、キーフレームが自動的に設定されます❸。これで光源が消えます。アニメーションを確認してみましょう。

POINT キーフレームについて

「キーフレーム」とは、アニメーションを開始／停止するマークを設定したフレームという意味です。タイムライン左側のキーフレームがアニメーションを開始するフレーム、右側のキーフレームがアニメーションを停止するフレームになります。パラメーターの画面にある「◇」（キーフレームの追加／削除）ボタンをクリックすると、手動でキーフレームの追加や削除ができます。

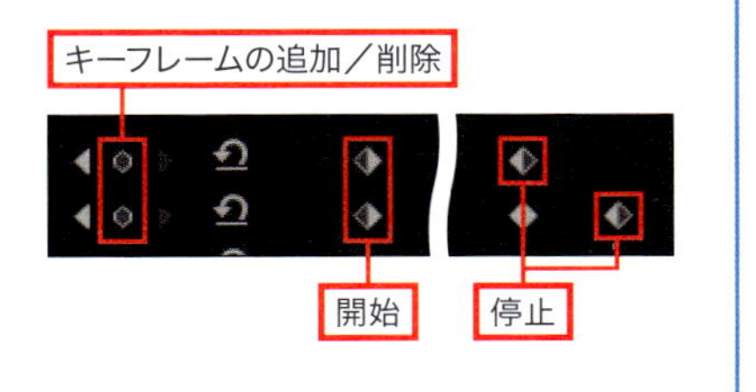

カラーをモノクロに変更する

Premiere Proの色補正機能を利用すると、カラーの映像をモノクロに変更することができます。

▶ ビデオエフェクトの「モノクロ」を利用する

Premiere Proでもっともかんたんにモノクロ映像を作成できるのが、エフェクトの「モノクロ」を利用する方法です。

● エフェクト設定前

● エフェクト設定後

1 クリップを選択する

シーケンスに配置したクリップから、モノクロに変更したいクリップを選択します。複数のクリップをモノクロにしたい場合は、Shift キーまたは Ctrl キーを押しながら複数のクリップをクリックします。

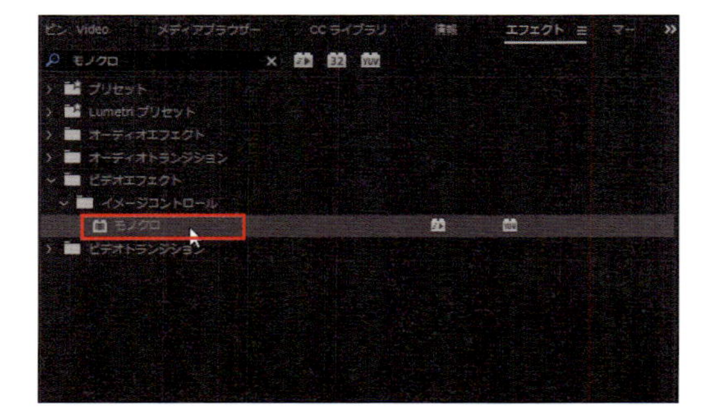

2 エフェクトの「モノクロ」を選択する

「エフェクト」パネルを表示し、「ビデオエフェクト」→「イメージコントロール」→「モノクロ」を選びます。クリップを選択した状態で選んだエフェクトをダブルクリックすると、クリップに適用されます。

▶ Lumetriカラーでモノクロ映像を作る

色は、色相（Hue）、彩度（Saturation）、明度（Lightness／Luminance または Intensity）という、3つの要素で構成されています。このうちの彩度を調整すると、かんたんにモノクロ映像が作成できます。

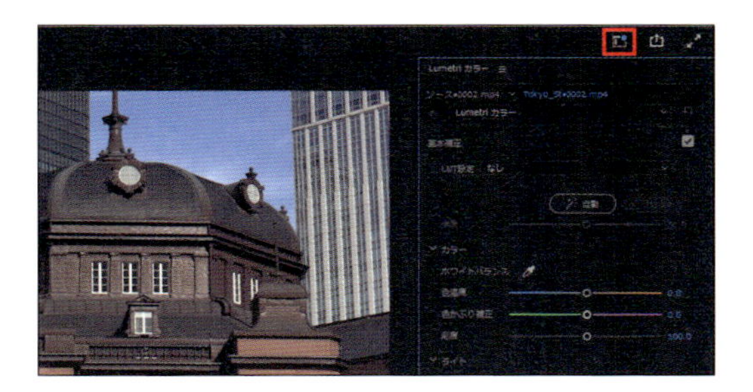

1 Lumetriカラーに切り替える

シーケンスでモノクロ化したいクリップを選択し、画面右上の「ワークスペース」から「カラー」を選択します。すると、Lumetriカラーのパネルが表示されます。メニューバーから、「ウィンドウ」→「Lumetriカラー」を選択しても表示できます。

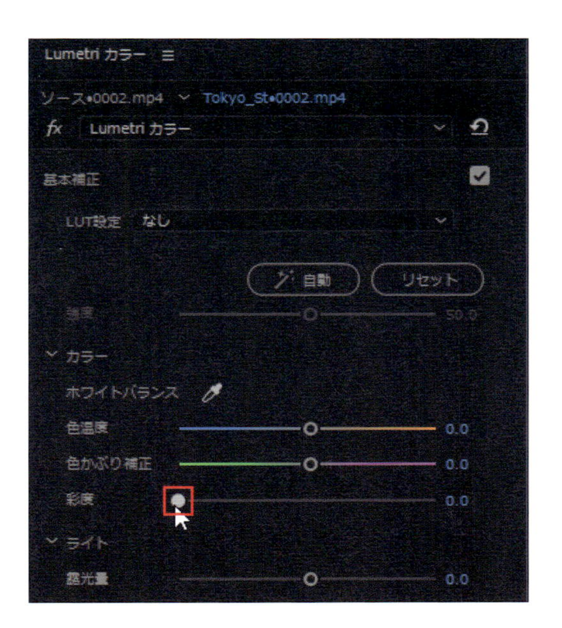

2 「基本補正」でオプションを設定する

パネルの「基本補正」をクリックして、オプションを表示します。「彩度」のスライダーを一番左端までドラッグして、「0.0」に設定します。

3 モノクロに設定される

選択したクリップが、モノクロになります。

Chapter 3

10

エフェクトを複数設定する

Premiere Proのエフェクトは、複数のエフェクトを重ねて利用することができます。ここでは、複数のエフェクトの設定方法と、利用時のポイントについて解説します。

▶ エフェクトを重ねて設定する

1つのエフェクトを設定したクリップに別のエフェクトを設定すると、複数のエフェクトが相乗効果となり、単独のエフェクトとは別の効果を発揮します。

モノクロとレンズフレアの2種類を設定した。

1 モノクロを設定する

エフェクトを設定したいクリップに、Lumetriカラーを利用して、モノクロに設定します（P.78）。

2 レンズフレアを設定する

モノクロを設定したクリップに、「ビデオエフェクト」→「描画」→「レンズフレア」を設定します。必要に応じて、オプションのパラメーターを調整します（P.75）。

▶ エフェクトの順番を入れ替える

左ページの方法で複数のエフェクトを設定したクリップの「エフェクトコントロール」パネルを表示すると、画面では設定したエフェクトが、上から「Lumetriカラー」「レンズフレア」と順に配置されています（このことから、Lumetriカラーはエフェクトの一種であることがわかります）。この順番を入れ替えてみましょう。なお「プログラム」モニターでは、モノクロ映像の上に「レンズフレア」が表示されています。このように、「エフェクトコントロール」パネルと「プログラム」モニターとでは逆の表示になるので注意が必要です。

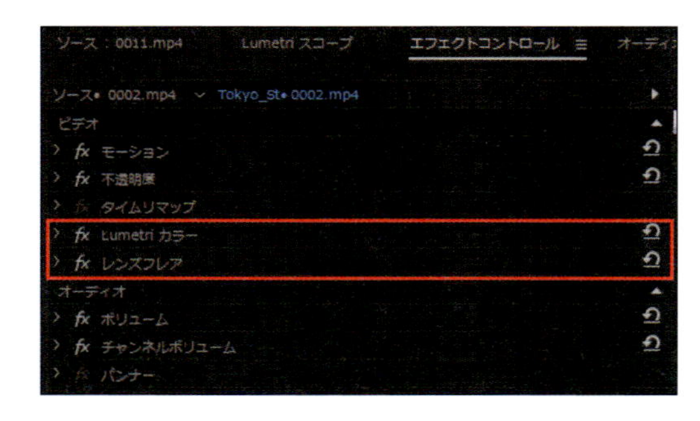

1 配置順を確認する

「エフェクトコントロール」パネルを表示し、エフェクトの配置順を確認します。画面では、「Lumetriカラー」の下に「レンズフレア」が配置されていることが確認できます。

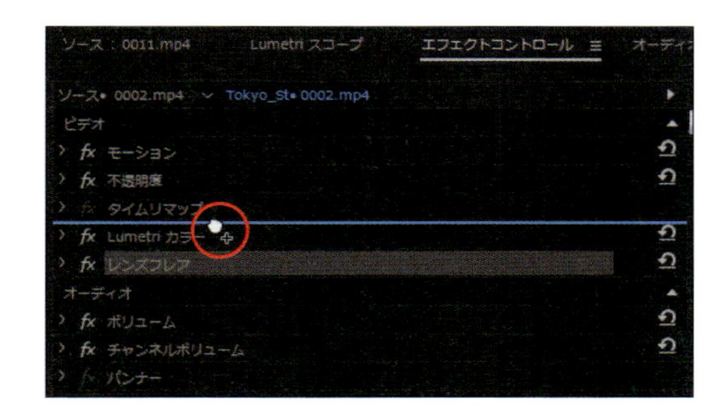

2 順番を変更する

「レンズフレア」を、「Lumetriカラー」の上にドラッグ&ドロップします。このとき、移動先には青いラインが表示されます。

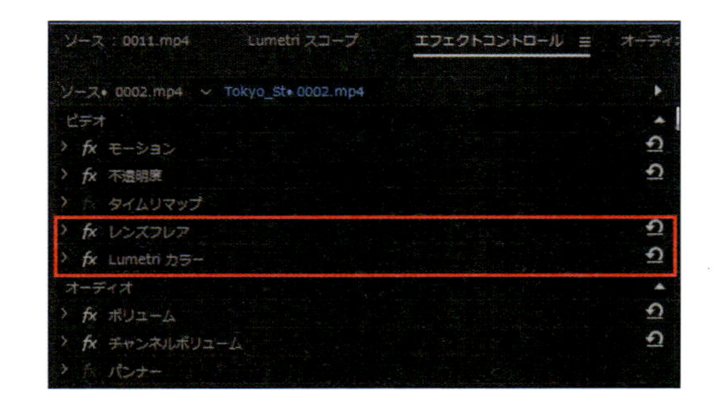

3 配置順が入れ替わる

エフェクトの配置順が入れ替わります。

4 効果が変わる

エフェクトの順番を入れ替えたことで、表示される効果も変わります。画面では、レンズフレアの色がなくなりました。

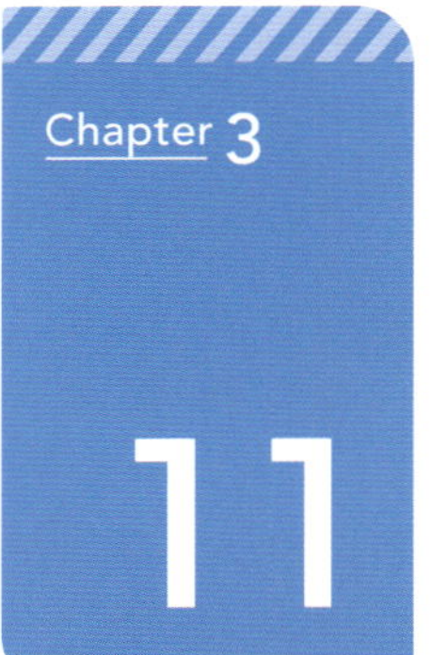

マスク&トラックを利用する

マスクを利用したエフェクト、「マスク&トラック」を利用してみましょう。この機能を使うと、たとえば動く被写体の一部にモザイクを設定し、設定した部分を追尾することができます。

▶ マスク&トラック

「マスク&トラック」は、映像の一部にマスクを設定し、その部分にエフェクトをかける機能です。映像の動きに合わせてエフェクトを設定した部分が自動的に移動し、サイズも調整されます。これをトラック機能（トラッキング）と呼び、マスク機能と合わせて「マスク&トラック」と呼ばれています。

たとえば、移動する車のナンバーにモザイクを設定すると、車の移動に応じてモザイク部分も移動するエフェクトを設定できます。ここでは、バスの行き先表示にモザイクを設定してみました。なお、マスクは1画面の中に複数箇所設定できます。

● マスク設定前

● マスク設定後

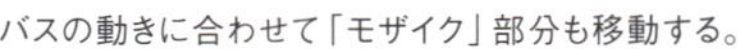
バスの動きに合わせて「モザイク」部分も移動する。

▶ 映像にマスク領域を設定する

「マスク&トラック」の利用では、クリップにエフェクトの「モザイク」を設定する操作から始めます。

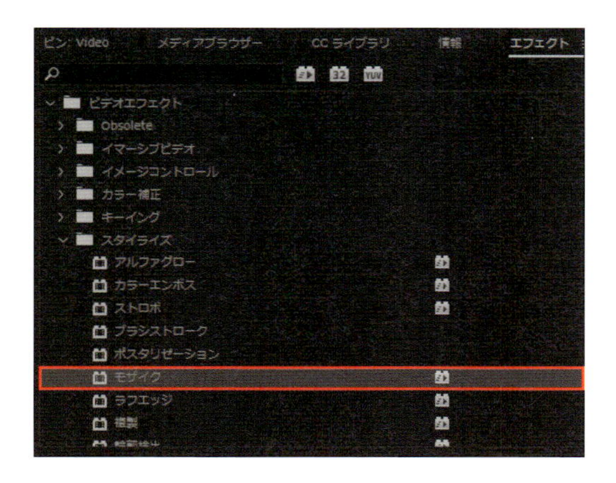

1 クリップとエフェクトを選択する

シーケンスでエフェクトを設定するクリップをクリックし、選択状態にします。ここではモザイクを利用したいので、「エフェクト」パネルで「ビデオエフェクト」→「スタイライズ」の順にクリックし、「モザイク」を選択します。

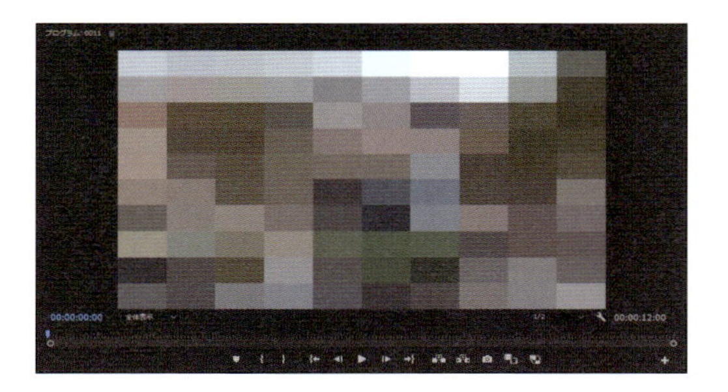

2 モザイクが設定される

エフェクトをダブルクリックするかドラッグ&ドロップして、エフェクトを設定します。モザイクの大きさや領域は指定していないので、この時点ではフレーム全体にモザイクが設定されています。

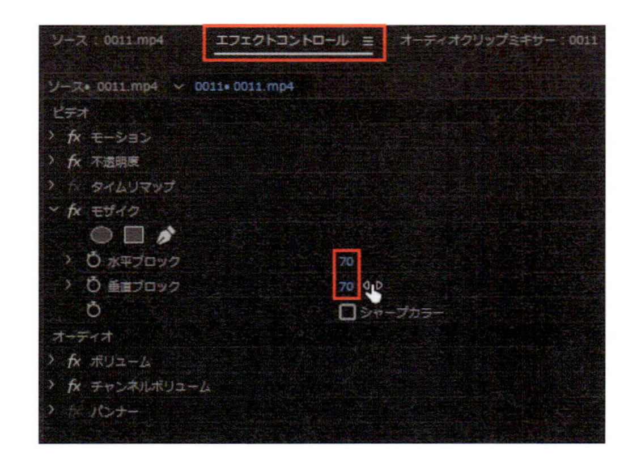

3 ブロックのサイズを調整する

「エフェクトコントロール」パネルで、「モザイク」オプションにある「水平ブロック」と「垂直ブロック」の数値を変更し、モザイクを構成するブロックのサイズを調整します。ここではそれぞれの数値を大きくして、モザイクのブロックのサイズを小さくしています。数値は「スクラブ」(P.62)でも変更できます。

4 ブロックのサイズが調整された

モザイクのブロックのサイズが調整されました。

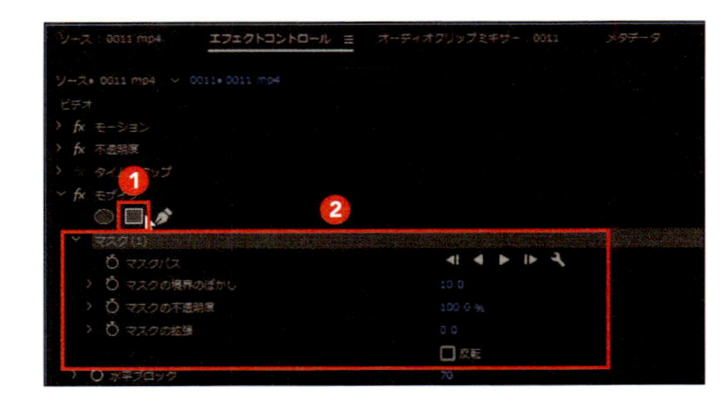

5 マスクのタイプを選択する

「エフェクトコントロール」パネルの「モザイク」オプションで、マスクのタイプを選択します。たとえば長方形で領域を設定したい場合は、「4点の長方形マスクの作成」をクリックします❶。クリックすると、「マスク（1）」というオプションが追加表示されます❷。

6 映像の再生位置を調整する

「プログラム」モニターの中央に、四角形でマスク領域が表示されます❶。マスクしたい映像が表示されるところまで、再生ヘッドをドラッグします❷。なお、この段階ではマスクの表示枠内にマスクしたい映像が合っていなくてもかまいません。このあと、マスクの表示位置を調整します。

7 マスクの表示位置を調整する

マスクの領域内をドラッグすると、マスクの表示位置を調整できます。モザイクをかけたい位置に合わせます。

8 マスク領域のサイズを変更する

マスクの四隅にある□のマーカーをドラッグすると、マスク領域のサイズを変更できます。また、マーカーにマウスポインターを合わせた際、マウスの形が円弧型に変わったところでドラッグすると、マスク領域を回転させることができます。

▶「ペン」ツールでマスク領域を指定する

「モザイク」のマスクを設定するパラメーターには、ペンの形をした「ペン」ツールもあります。これを利用すると、四角形や複雑な形など、任意の形のマスクを設定できます。

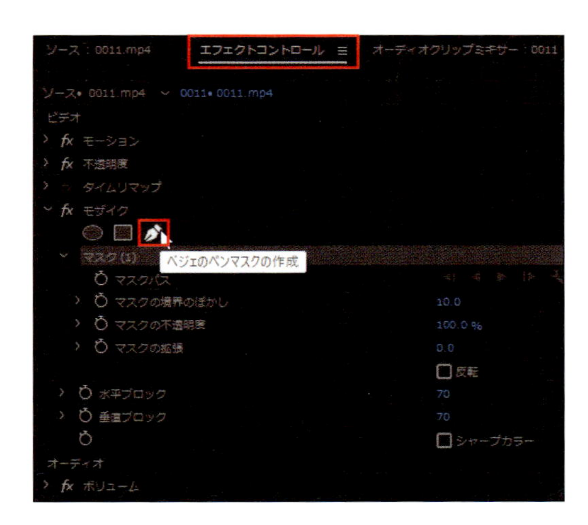

1 「ペン」ツールを利用する

P.83の手順4までの方法でクリップにエフェクトの「モザイク」を設定したら、「エフェクトコントロール」パネルの「モザイク」にある、「ベジェのペンマスクの作成」をクリックします。

2 マスク領域の開始点を指定する

「プログラム」モニター上で、マスクしたい領域の開始点をクリックします。

3 マスク領域を指定する

マウスのクリックを続けて、領域を指定していきます。

4 マスク領域を閉じる

クリックを始めた最初のマーカー上でもう一度クリックすると、領域が閉じられます。閉じられた内側にエフェクトが反映され、領域の外側にはエフェクトが反映されません。

▶ トラッキングを実行する

マスク領域の設定ができたら、続いてトラッキングを実行します。トラッキングによって、被写体の移動に応じて、設定したマスク領域も自動的に移動するように設定されます。クリップの途中からトラッキングを行う場合、時間が進む方向(順方向)と、反対に戻る方向(逆方向)の、両方へのトラッキングが可能です。

順方向トラッキング

最初に、先へ進む順方向トラッキングを実行してみましょう。トラッキングは、開始後途中で一時停止してマスクの位置を調整し、再開してトラッキングを進めることができます。

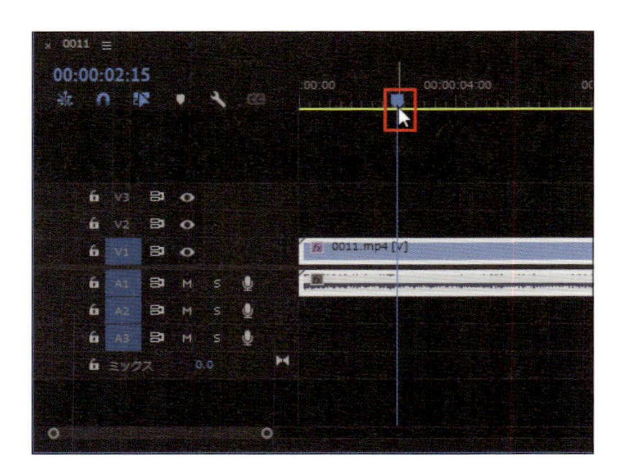

1 トラッキングの開始位置を確認する

シーケンスまたは「プログラム」モニターで、トラッキングを開始する再生位置を確認します。左の画面では、クリップの先頭から3分の1程度の位置に再生ヘッドが配置されています。

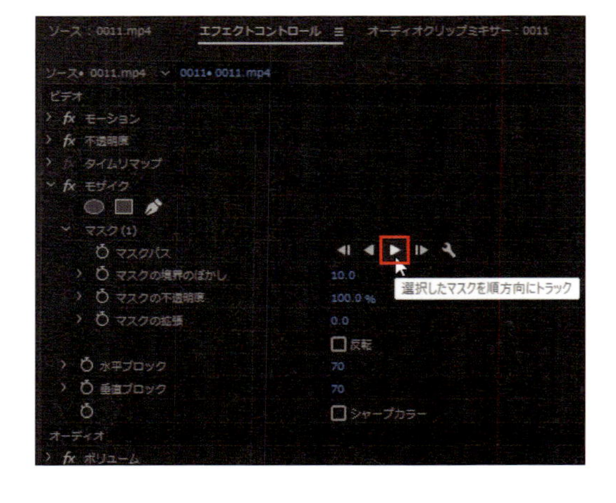

2 トラッキングを選択する

「エフェクトコントロール」パネルを表示し、「モザイク」の「マスク(1)」の「マスクパス」で、「選択したマスクを順方向にトラック」をクリックします。

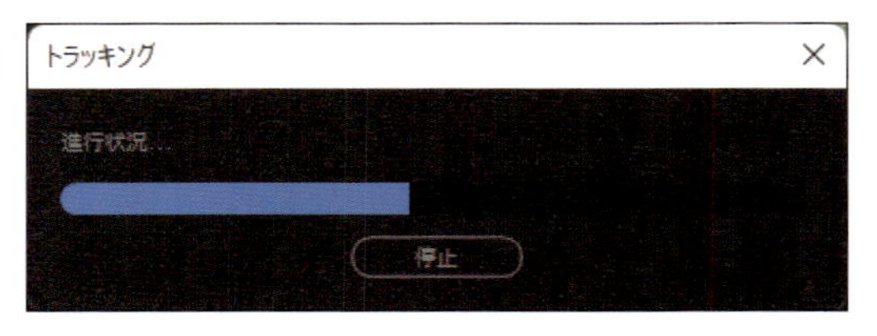

3 トラッキングが開始される

トラッキングが開始されます。「トラッキング」ダイアログボックスが表示され、「エフェクトコントロール」パネルのタイムラインには、キーフレームが自動的に設定されます。また「プログラム」モニターでは、映像の動きに応じてマスク領域も移動しています。「トラッキング」ダイアログボックスの「停止」をクリックすると、トラッキングが停止されます。

逆方向トラッキング

トラッキングを開始した最初の位置に再生ヘッドを戻し、今度は逆方向へのトラッキングを行ってみましょう。

1 再生ヘッドを移動する

トラッキングを開始した最初のキーフレームに、再生ヘッドを合わせます❶。移動ボタン❷を利用すると、スムーズに合わせられます。

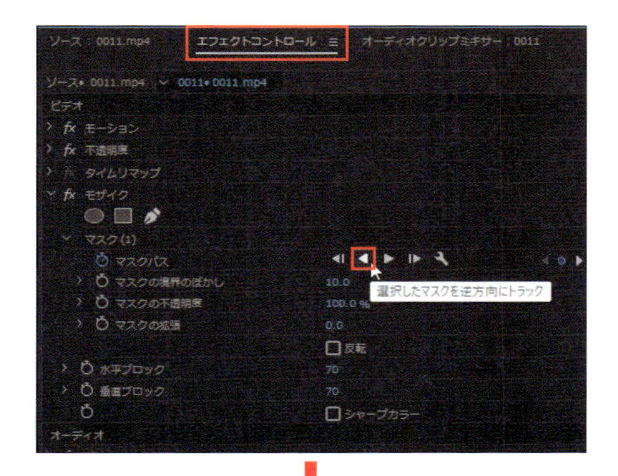

2 逆方向にトラックする

「エフェクトコントロール」パネルで、「モザイク」の「マスク(1)」の「マスクパス」で、「選択したマスクを逆方向にトラック」をクリックします。

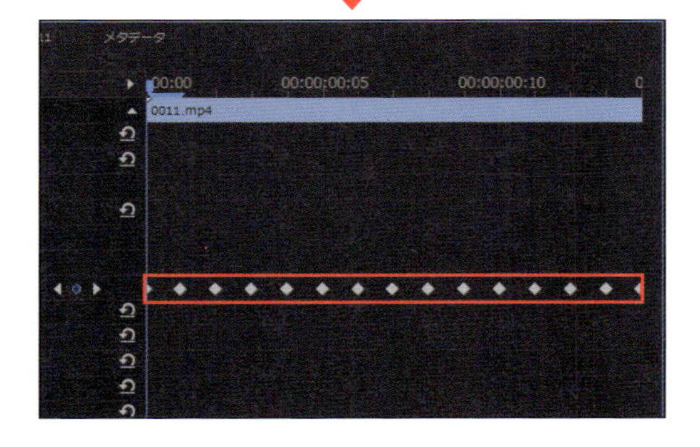

3 キーフレームを確認する

タイムラインのズームスライダーを操作してズームインすると、トラッキングを実行した「エフェクトコントロール」パネルのタイムラインに、1フレームごとにアニメーション用キーフレームが設定されていることがわかります。トラッキングが終了したら、クリップを再生してマスク＆トラックの効果を確認します。

POINT マスクの削除

設定したマスクを削除する場合は、「マスク(1)」などのマスク名を選択し、キーボードの Delete キーを押してください。設定したマスクを削除できます。

Chapter 3

12

ピクチャー・イン・ピクチャーを設定する

大きな画面の中に、小さな別の映像を表示する機能を、「ピクチャー・イン・ピクチャー」といいます。ピクチャー・イン・ピクチャーは、エフェクトを利用してかんたんに設定できます。

▶ ピクチャー・イン・ピクチャー

「ピクチャー・イン・ピクチャー」は、メインとなる映像の中に、小さな映像を合成させたものです。テレビでも、ワイドショーやバラエティー番組などで現場の映像にコメンテーターやゲストの顔の映像を入れて利用されています。Premiere Proでは、エフェクト機能を利用してかんたんにピクチャー・イン・ピクチャーが実現できます。またエフェクト機能を利用せず、手動で設定することも可能です。本書では、大きな画面を「親画面」、小さな画面を「子画面」と呼んで解説します。

メインの映像に小さな映像を合成させる機能を「ピクチャー・イン・ピクチャー」と呼ぶ。

▶ エフェクトを利用してピクチャー・イン・ピクチャーを設定する

Premiere Proには、エフェクトの「プリセット」カテゴリーに、ピクチャー・イン・ピクチャーがあらかじめ登録されています。これを利用して設定してみましょう。

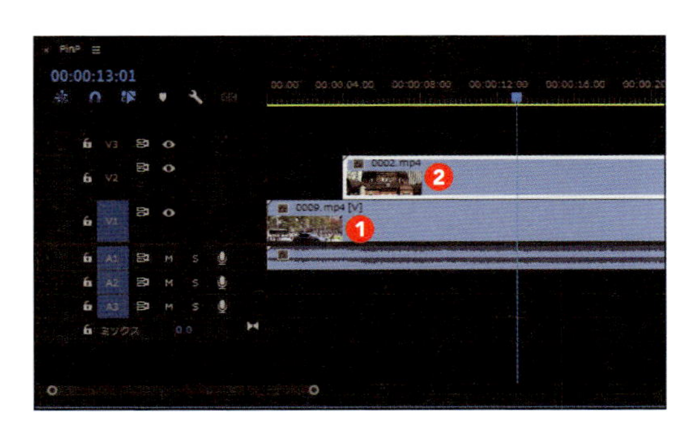

1 クリップを配置する

最初に、ピクチャー・イン・ピクチャーを設定するクリップをシーケンスに配置します。親画面となるクリップは「V1」トラックに配置し❶、子画面となるクリップは親画面の上にある「V2」トラックに配置します❷。子画面のクリップは、必ず親画面のトラックよりも上のトラックに配置してください。

2 ピクチャー・イン・ピクチャーのエフェクトを選択する

ピクチャー・イン・ピクチャーのエフェクトは、「プリセット」として「エフェクト」パネルにあらかじめ登録されています。たとえば親画面の左下に子画面を配置したい場合は、「プリセット」→「ピクチャインピクチャ」→「25%ピクチャインピクチャ」→「25%-左上」→「PiP 25%-左上」の順にクリックします。

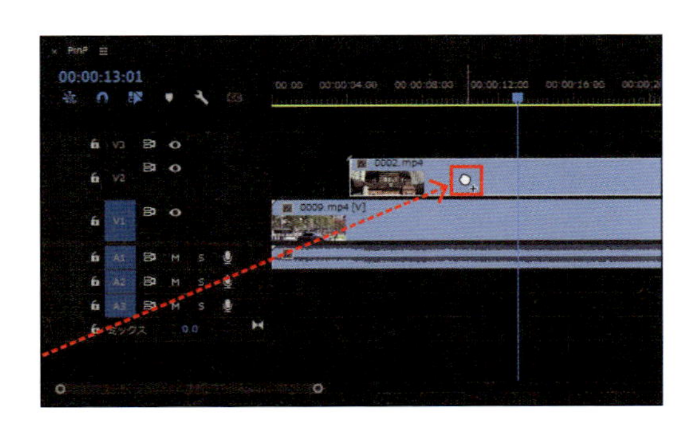

3 ピクチャー・イン・ピクチャーを適用する

選択した「25%・左下」を、「V2」トラックのクリップにドラッグ&ドロップします。なおピクチャー・イン・ピクチャーを含め、「プリセット」のエフェクトはダブルクリックでの適用ができません。

4 ピクチャー・イン・ピクチャーが配置される

ピクチャー・イン・ピクチャーが適用され、親画面に子画面が配置されます。「V2」トラックに配置したクリップのフレームサイズは、子画面のサイズに変更されて表示されます。なお、子画面の音声データの削除については、P.150を参照してください。

▶ 手動でピクチャー・イン・ピクチャーを設定する

ピクチャー・イン・ピクチャーは、手動で設定することもできます。この場合、操作は「プログラム」モニターの画面上で行います。

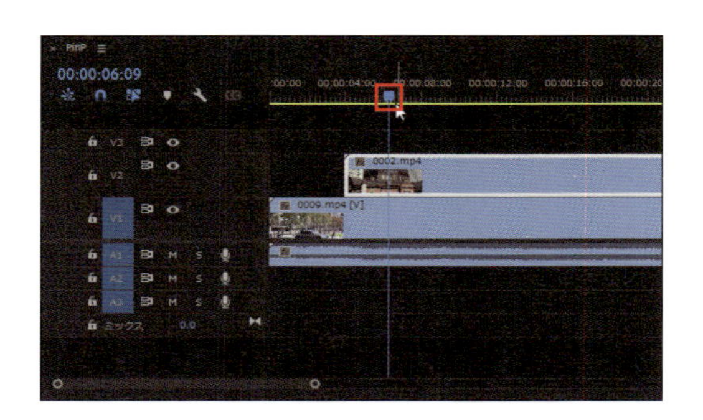

1 ピクチャー・イン・ピクチャーを配置する

エフェクトを利用する時と同様、親画面のクリップを「V1」トラックに、子画面のクリップを「V2」トラックに配置します。「V2」トラックに配置した子画面用のクリップに再生ヘッドを合わせ、「プログラム」モニターに子画面用の映像を表示します。

2 子画面を選択する

「プログラム」モニターの画面をダブルクリックし、選択状態にします。この時、フレーム映像の上下、左右、四隅に□のハンドルが表示されます。

3 フレームサイズを調整する

子画面のクリップのハンドルをドラッグすると、縦横の比率を保ったままフレームサイズを調整できます。サイズは、好みの大きさに設定してください。

4 子画面を移動する

子画面をドラッグすると、好みの位置に配置できます。なお、エフェクトを利用して設定した子画面も、ダブルクリックして選択状態にすれば、同様の方法でサイズや表示位置を変更することができます。

▶ ほかのエフェクトを併用して目立たせる

親画面に設定した子画面は、ほかのエフェクトを併用することで目立たせることができます。たとえばドロップシャドウを利用すると、子画面の背景に影を表示して目立たせることができます。

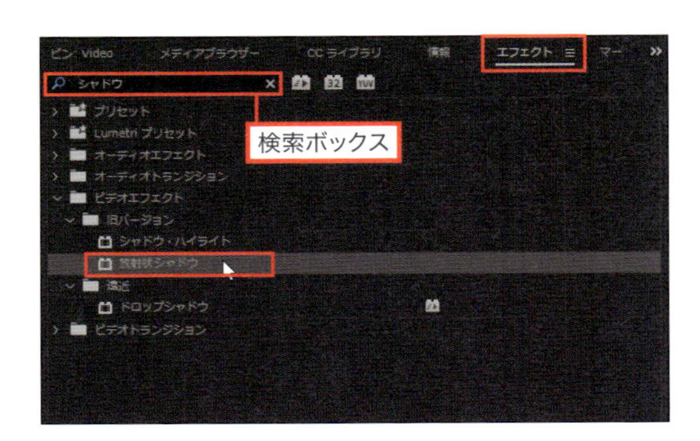

1 エフェクトを選択する

「エフェクト」パネルで、「ビデオエフェクト」のカテゴリー「旧バージョン」にある「放射状シャドウ」を選択します。なお、検索ボックスにキーワードを入力すると、かんたんにエフェクトを検索できます。

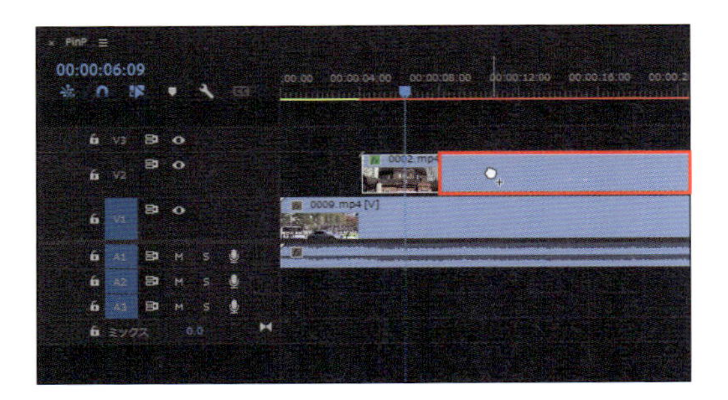

2 エフェクトを適用する

エフェクト「放射状シャドウ」を、「V2」トラックに配置した子画面のクリップに適用します。なお、通常のエフェクトはダブルクリックでも適用可能です。

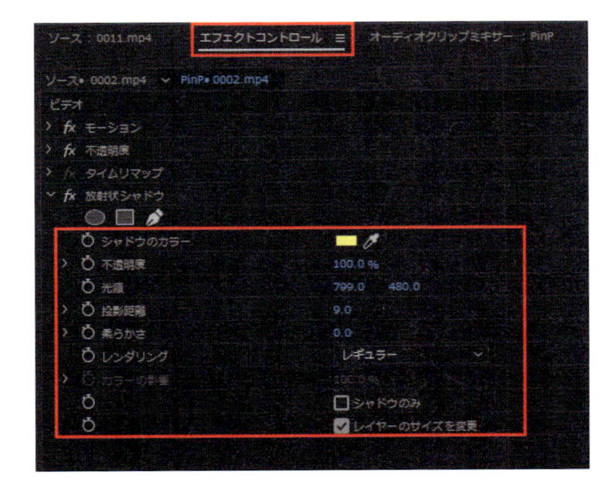

3 オプションを調整する

「エフェクトコントロール」パネルの「放射状シャドウ」で、「シャドウのカラー」や「不透明度」「光源」「投影距離」「柔らかさ」などのオプションのパラメーターを調整します。

4 放射状シャドウが適用される

放射状シャドウが適用され、子画面を目立たせることができました。

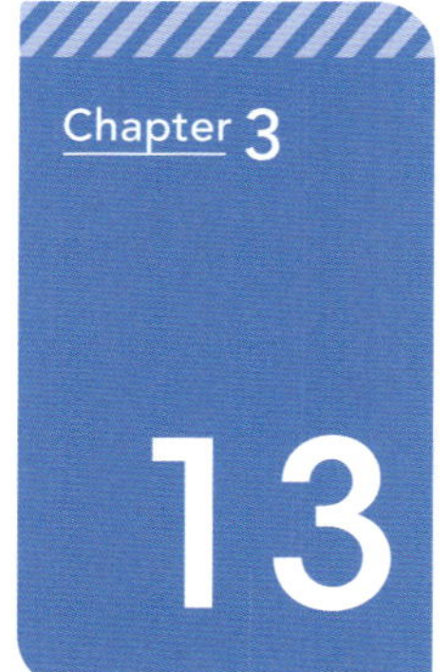

マスク機能を利用して合成する

エフェクトのマスク機能を利用すると、メインとなる映像をくり抜いた形の合成ができます。くり抜いた形の境界をぼかしたり、透明度をアニメーションすることなどができます。

▶ エフェクトのマスク機能による合成

Premiere Proの多くのエフェクトには、マスク機能が搭載されています。エフェクトのマスク機能を利用すると、映像の合成をとてもスムーズに行うことができます。たとえばデフォルトエフェクトの「不透明度」のマスク機能を利用すると、以下の画面のような合成がかんたんにできます。左は鋭角な境界で切り抜いたように合成したもので、右は境界をぼかして合成したものです。

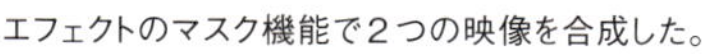

エフェクトのマスク機能で2つの映像を合成した。

▶ はっきりとした境界で切り抜いて合成する

最初に、マスクで指定した範囲の境界をぼかさずに合成する方法を解説します。

1 クリップを配置する

シーケンスにクリップを配置します。この時、マスクを設定しないクリップは「V1」トラックに配置し❶、マスクを設定するクリップは「V2」トラックに配置します❷。

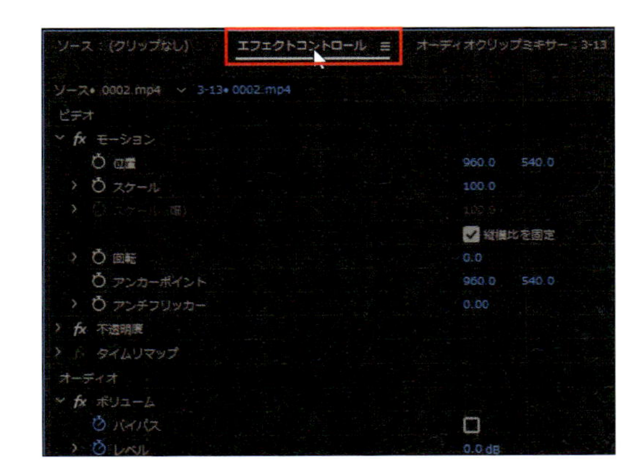

2 「エフェクトコントロール」パネルを表示する

「V2」トラックに配置したクリップを選択し、「エフェクトコントロール」パネルを表示します。

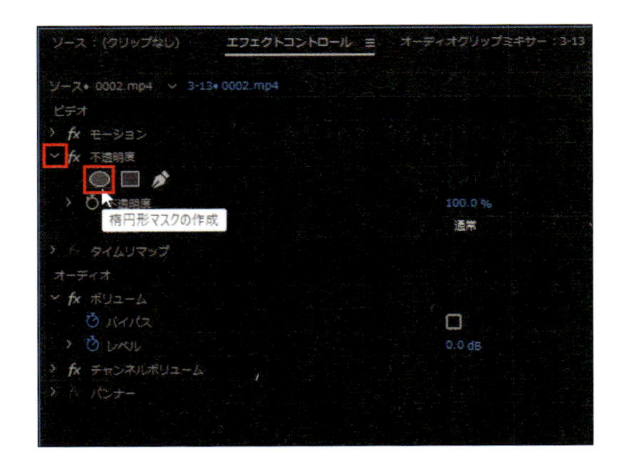

3 楕円形マスクを作成する

デフォルトエフェクトの「不透明度」の「>」をクリックしてオプションを表示し、「楕円形マスクの作成」をクリックします。

4 楕円形マスクが表示された

「プログラム」モニターに、楕円形のマスクが表示されます。マスクを設定したクリップが、マスクの形で切り抜かれた状態で表示されます。

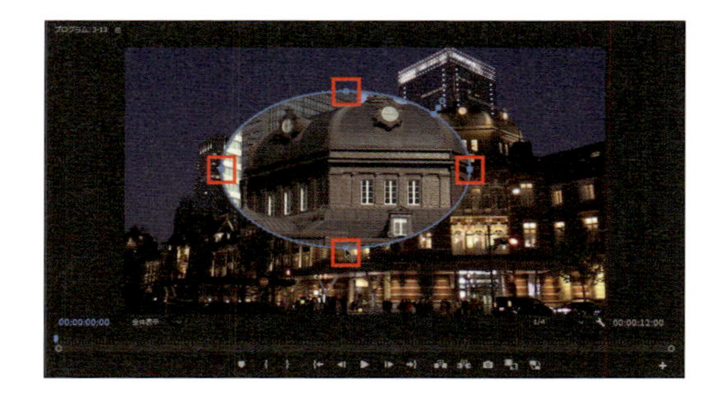

5 楕円形マスクを調整する

マスクの周囲にある□のハンドルをドラッグして、マスクの形を調整します。

▶ マスクの境界をぼかして合成する

マスクの設定ができたら、マスクの境界をぼかしてみましょう。

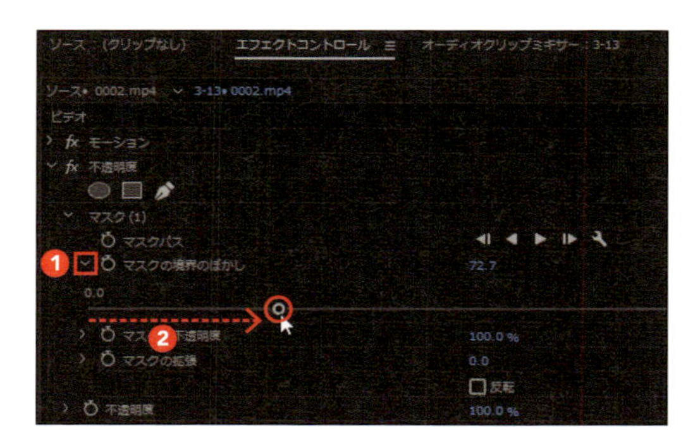

1 マスクの境界線を設定する

「マスク」のオプションの「マスクの境界のぼかし」の「>」をクリックし❶、パラメーターを表示します。「マスクの境界のぼかし」のスライダーを右にドラッグします❷。

2 ぼかしを設定する

マスクの境界にぼかしが設定されます。好みのぼかし具合になるよう、スライダーを調整してください。

POINT マスクを反転する

「マスク」のオプションの「マスクの拡張」にある「反転」のチェックボックスをクリックしてオンにすると、マスクを設定していないクリップとマスクを設定したクリップが入れ替わります。

POINT 1つのクリップに複数のエフェクトと複数のマスクを設定する

右の画面は、1つのクリップに対して「ビデオエフェクト」の「旧バージョン」にある「カラーバランス（RGB）」というエフェクトを2個設定し、それぞれにマスクを設定したものです。さらに、それぞれに対してパラメーターの調整を行っています。このように、1つのクリップ内に複数のマスクを設定することができます。

1つのエフェクトで複数のマスクを設定することもできますが、この場合、オプションの変更結果は同じ設定が反映されます。同じエフェクトでも効果を変更したい場合は、1つのクリップに対して複数の同じエフェクトとマスクを設定してください。

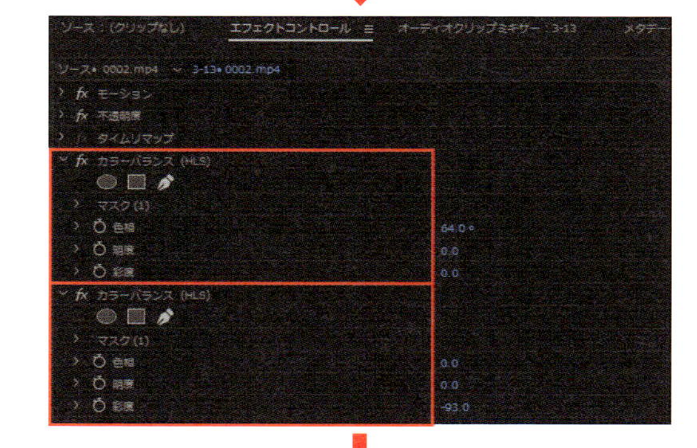

イメージマットキーで合成する

エフェクトの「イメージマットキー」を利用すると、Photoshopなどで作成した画像データをマットデータとして利用し、映像と合成することができます。

▶ イメージマットで画像をマスクとして利用する

「イメージマットキー」は、Photoshopなどのグラフィックソフトで作成した画像データをマットデータ（合成の範囲、合成のためのマスクデータ）として利用し、動画と合成するエフェクトです。

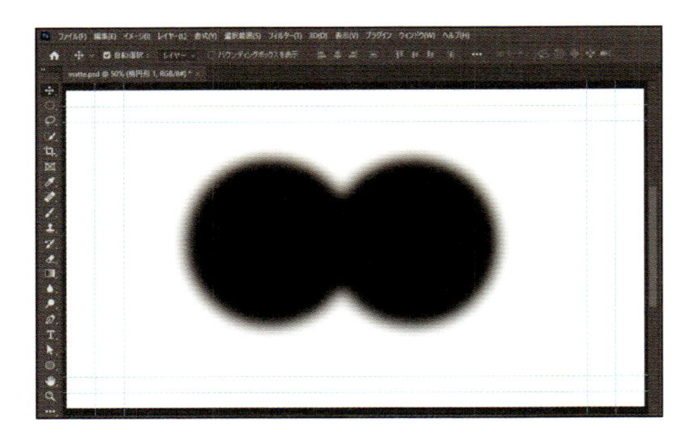

1 マスクデータを作成する

Photoshopなどのグラフィックソフトで、画面のようなマットデータを作成します。本書のサンプルでは、「matte.psd」として提供しています。ファイル形式は、画像データの形式であればBMPやPNG、JPEGなどでかまいません。

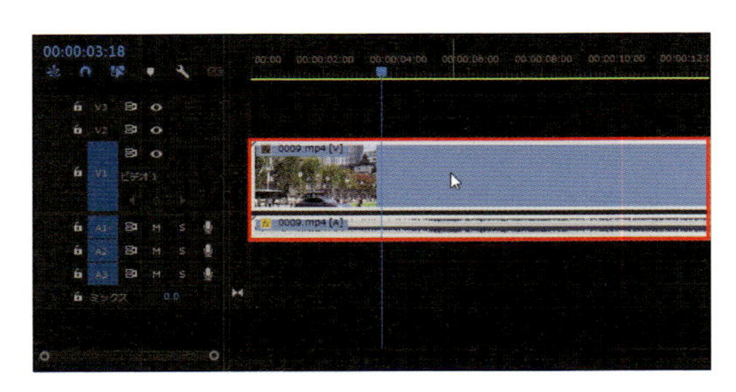

2 クリップを配置する

シーケンスの「V1」トラックに、クリップを配置します。

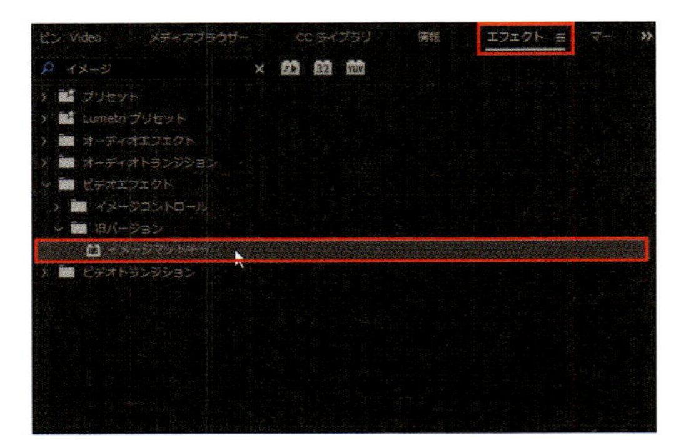

3 「イメージマットキー」を適用する

「エフェクト」パネルから、「ビデオエフェクト」→「旧バージョン」→「イメージマットキー」を選択し、V1トラックに配置したクリップに適用します。

4 マットデータを選択する

「エフェクトコントロール」パネルの「イメージマットキー」を表示し、右端にある「設定」をクリックします❶。手順1で作成した画像データを選択します❷。

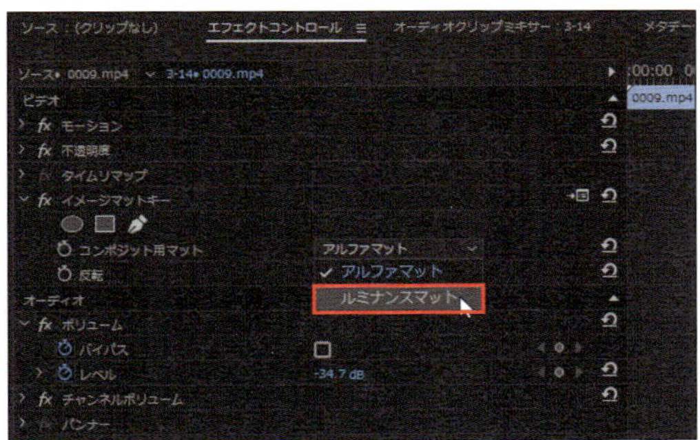

5 ルミナンスマットを選択する

イメージマットキーのオプション「コンポジット用マット」で、「ルミナンスマット」を選択します。

6 マットデータが適用される

選択したマットデータが適用され、映像に合成されます。

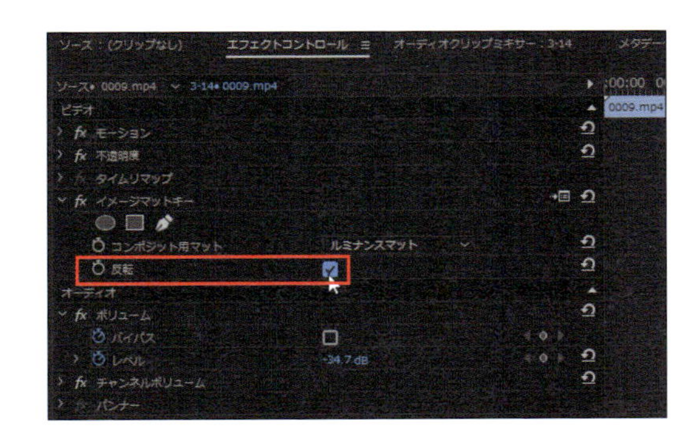

7 マスクを反転させる

イメージマットキーのオプション「反転」のチェックボックスをクリックしてオンにします。

8 適用が反転する

マットデータの適用が反転されます。

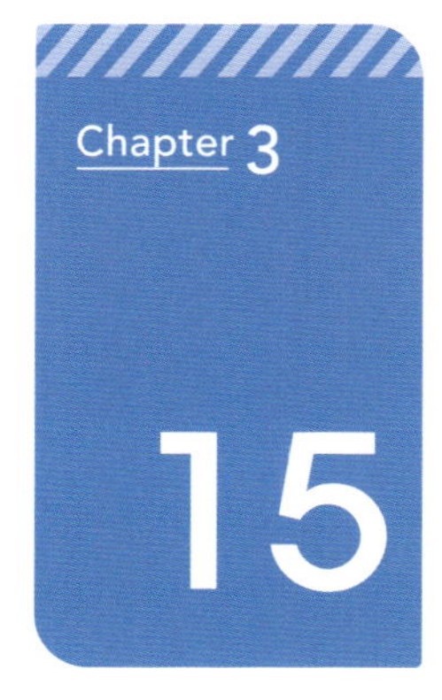

特定の色を別の色に変更する

ある特定の色を別の色に変更したい場合は、「Lumetriカラー」にある「カーブ」を利用すると、かんたんに好みの色に変更できます。この場合、色相を変化させて色を変更します。

色相で色を変更する

色を創り出すための三大要素は「色相・明度・彩度」です。それぞれ、次のような属性を持っています。

- **色相**：赤、青、緑などの色合い、色の性質
- **明度**：色の明るさ
- **彩度**：色の鮮やかさ

このうち、色を変更する場合は「色相」を利用します。

画面内の色相を変更した。

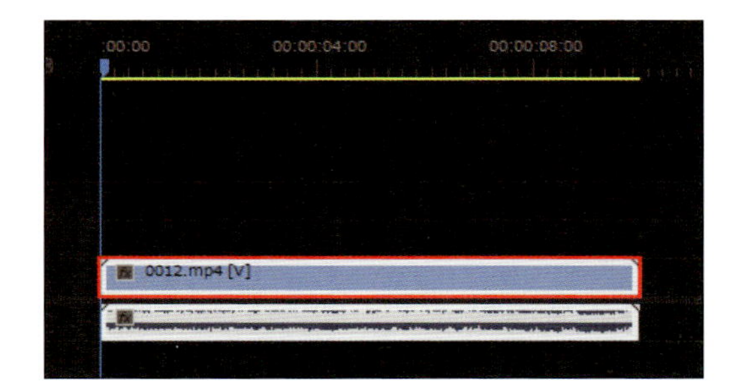

1 クリップを選択する

シーケンスで、色を変更したいクリップを選択します。

2 ワークスペースを「カラー」に切り替える

画面右上の「ワークスーペース」から、「カラー」をクリックします❶。画面右側に、「Lumetriカラー」パネルが表示されます❷。「Lumetriカラー」パネルは、カラー関連の調整を行うための専用パネルです。なお、ワークスペースが「編集」でも、メニューバーから「ウィンドウ」→「Lumetriカラー」を選択してパネルを表示できます。

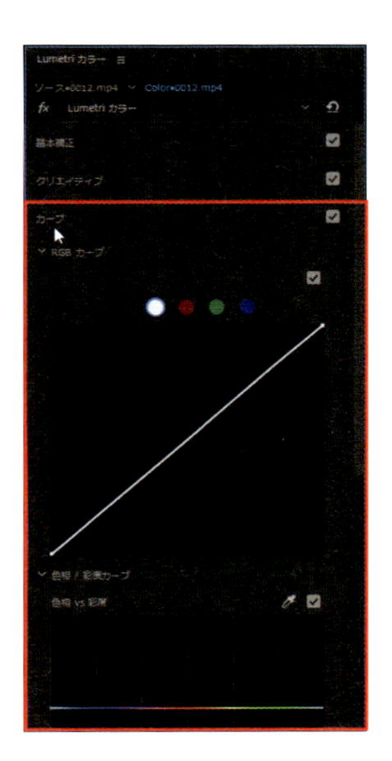

3 「Lumetriカラー」の「カーブ」を選択する

「Lumetriカラー」パネルの「カーブ」をクリックし、カーブのパネルを表示します。

4 「色相VS色相」を選択する

「色相／彩度カーブ」にある「色相VS色相」のスポイトをクリックします。

5 変更したい色を選択する

「プログラム」モニターに表示されている映像で、変更したい色の部分をクリックします。

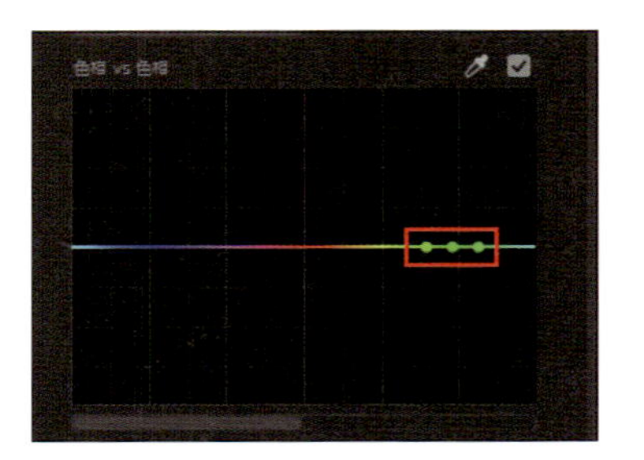

6 ポイントが表示される

カーブ上に、3つのポイントが表示されます。

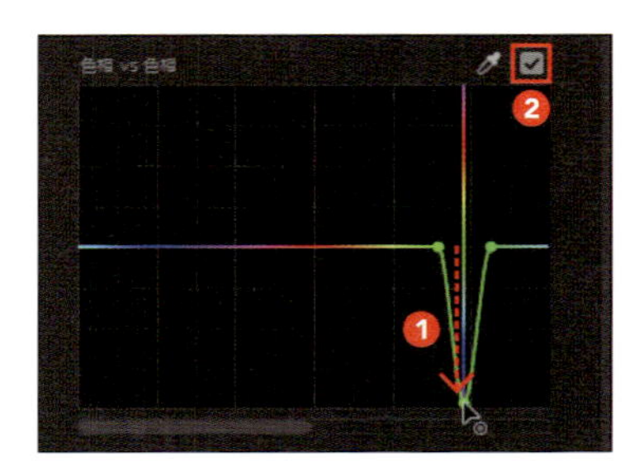

7 ポイントを移動する

3つのポイントのうち、中央のポイントを上下にドラッグします❶。なお、「カーブ」など機能名の右にあるチェックマークをクリックすると❷、設定した内容がデフォルトの状態に初期化されます。

8 カラーが変更される

色が変更されました。

POINT 明るさとコントラスト調整

「Lumetriカラー」パネルの「基本補正」では、「ホワイトバランス」の調整のほか、「露光量」で明るさ（明度）の調整、コントラストの調整、そして「シャドウ」や白、黒のレベルなどが調整できます。

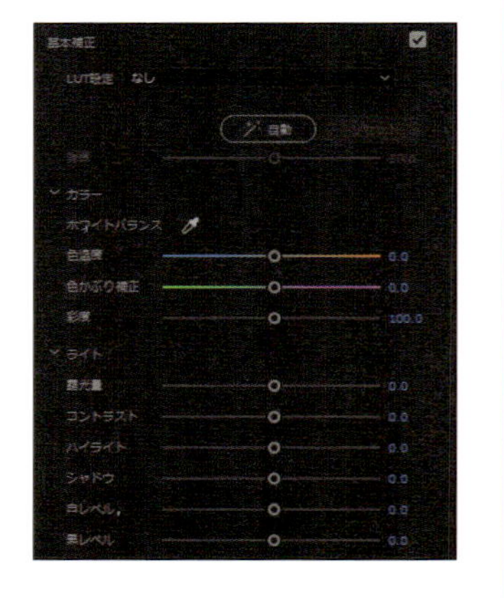

Premiere Pro 編

Chapter 4

テロップ・BGMを設定する

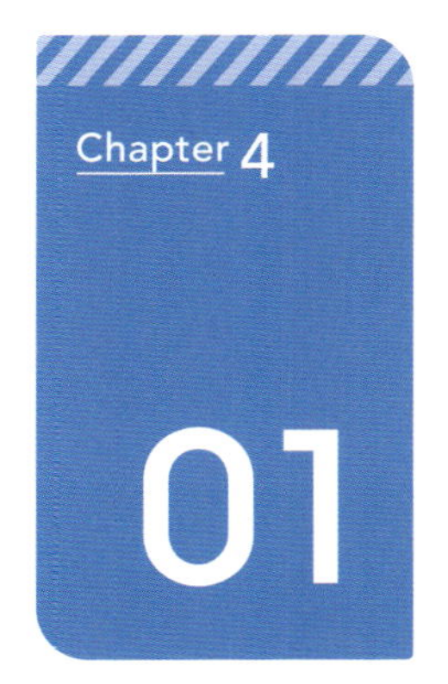

Chapter 4

01

テロップを設定する

ムービーにとって、テロップはとても重要な要素です。Premiere Proでは、「エッセンシャルグラフィックス」機能を利用してタイトルなどのテロップを「作成します。

▶ タイトル（テロップ）の作成

ビデオ編集では、タイトルなどを作成することを「テロップ入れ」といいます。Premiere Proでタイトルを作成する場合、「エッセンシャルグラフィックス」と「レガシータイトル」という2つの機能を利用できます。なお、レガシータイトルの機能はエッセンシャルグラフィックスに組み込まれる方向にあります。本書では、エッセンシャルグラフィックスによるテロップ作成についてのみ解説します。

エッセンシャルグラフィックスでタイトルを入力した状態の画面。

▶「キャプションとグラフィック」への切り替え

テロップを作成するときは、右上の「ワークスペース」❶から「キャプションとグラフィック」❷に切り替えます。すると、画面右にエッセンシャルグラフィックスが表示され❸、「ツール」パネルが「プログラム」モニターの左側に移動❹します。これにより、テキストの入力やカスタマイズ作業がやりやすくなります。

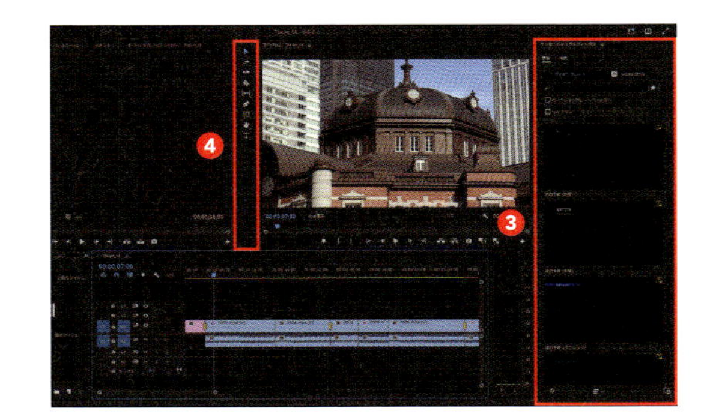

POINT 「編集」ワークスペースでも利用できる

メニューバーから「ウィンドウ」→「エッセンシャルグラフィックス」の順にクリックすると、「編集」ワークスペースのままエッセンシャルグラフィックスを利用することができます。

▶文字ツールでタイトルを入力する

「ツール」パネルに登録されている「文字」ツールには、横書き用と縦書き用があります。どちらかのツールを利用して、タイトルの文字を入力します。

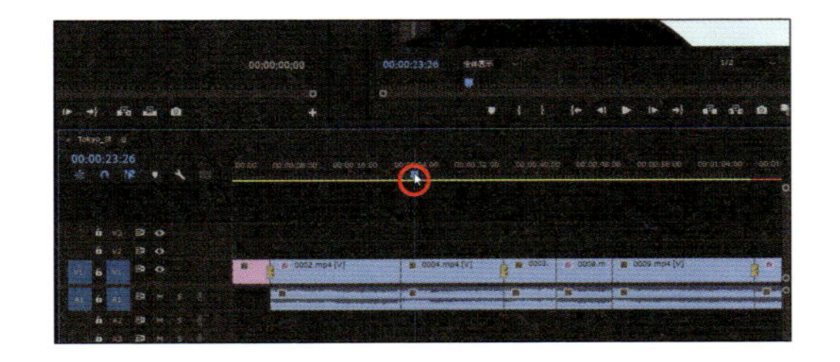

1 タイトルの挿入位置を見つける

シーケンスの再生ヘッドをドラッグし、「プログラム」モニターで映像を確認しながら、メインタイトルを挿入したいフレーム位置を見つけます。

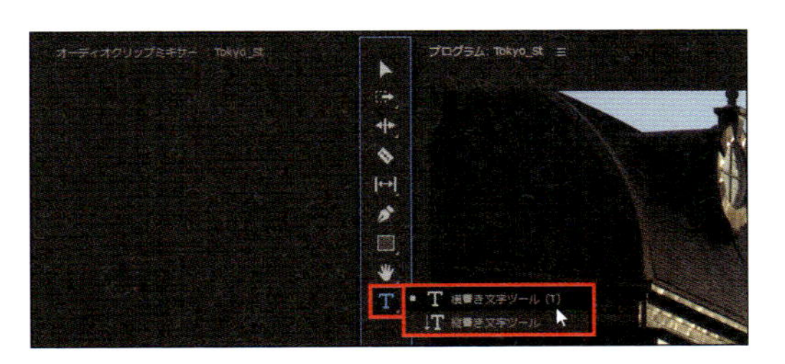

2 「文字」ツールを選択する

「ツール」パネルで「文字」ツールを選択します。ツールアイコンを長押しするとメニューが表示され、横書き、縦書きを選択できます。

3 モニター画面をクリックする

ツールを選んだら、「プログラム」モニター上のテキストを入力したい位置でクリックします。クリックした位置でカーソルが点滅し、文字入力モードになります。

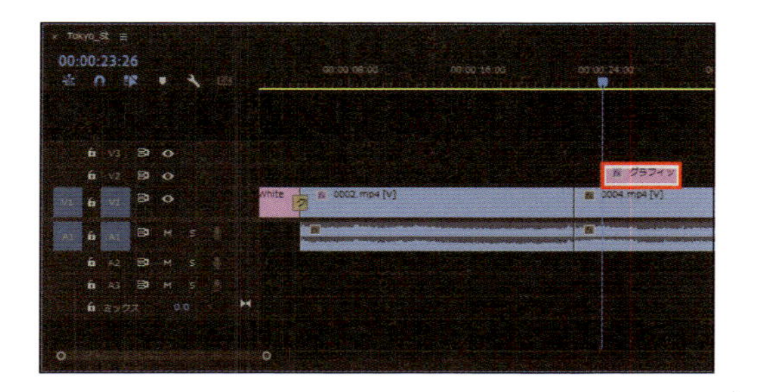

4 タイトルクリップが配置される

同時に、シーケンスのタイムラインに「グラフィック」というタイトルクリップが自動的に配置されます。

5 テキストを入力する

タイトルのテキストをキーボードから入力します。

▶ サブタイトルを入力する

メインタイトルと同様に、サブタイトルも入力します。サブタイトルを入力したい「プログラム」モニターの画面上でクリックし、テキストを入力します。

1 モニター画面をクリックする

「文字」ツールを選択し、「プログラム」モニターのサブタイトルを入力したい位置でクリックします。クリックすると、その位置でカーソルが点滅し、文字入力モードになります。

2 テキストを入力する

テキストを入力します。テキストが「プログラム」モニターに表示されます。なお、先に入力したメインのテキストとは連携していませんが、トラック上のクリップは1つで、この中にメインのテキストとサブのテキストが一緒に入っています。

POINT 文字入力モードを解除する

テキストを入力するモードで「プログラム」モニター上のほかの位置をクリックすると、その位置で新しく文字が入力できる状態になってしまいます。文字を入力する必要がない場合は、シーケンスのトラックのない部分をクリックするか、「ツール」パネルのほかのツールを選択してテキスト入力のモードを解除します。

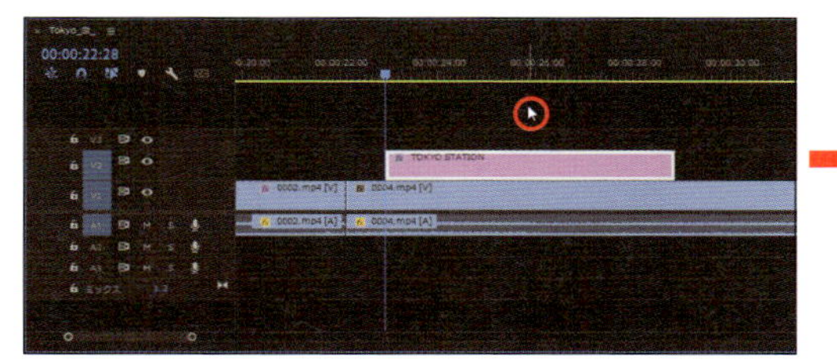

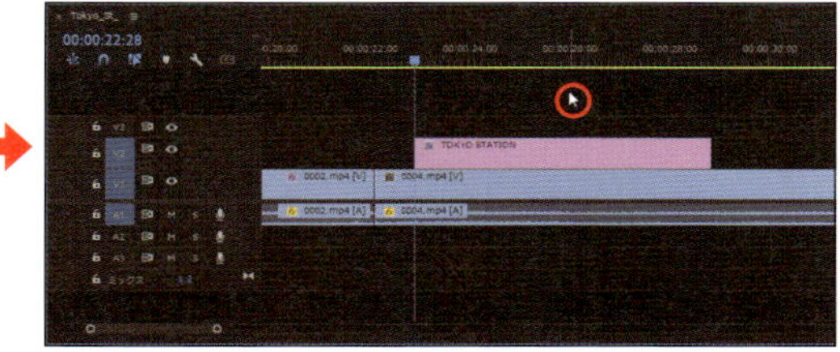

トラックのない場所をクリックして、テキスト入力のモードを解除する。

「新規レイヤー」を利用して入力する

タイトルを入力する方法として、「新規レイヤー」を設定してテキストを入力する方法があります。

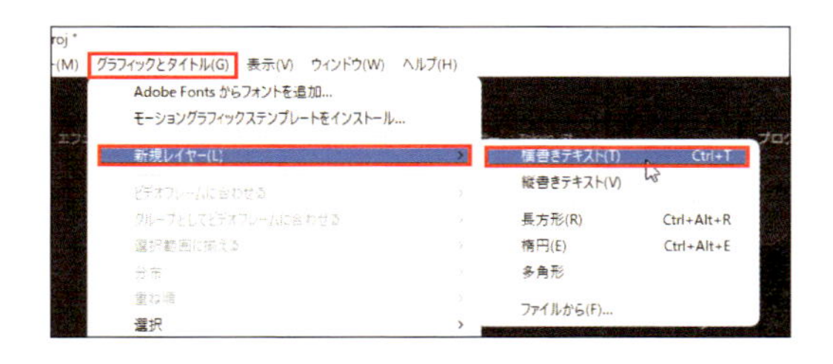

1 テキストの「新規レイヤー」を作成する

メニューバーから「グラフィックとタイトル」→「新規レイヤー」→「横書きテキスト」の順にクリックします。

2 テキストを入力する

「新規テキストレイヤー」という文字が表示されます。この文字をドラッグして選択し、新しいテキストを入力します。

タイトルをカスタマイズする

「プログラム」モニターに入力したテキストは、カスタマイズすることができます。文字サイズやフォント、文字色や影などの設定を行いましょう。

▶ エッセンシャルグラフィックスでカスタマイズする

「文字」ツールを利用して「プログラム」モニター画面に入力したテキストは、エッセンシャルグラフィックスの編集機能を利用してカスタマイズすることができます。

エッセンシャルグラフィックスでカスタマイズしたテキスト。

▶ エッセンシャルグラフィックスの「編集」パネルを表示する

テキストのカスタマイズは、エッセンシャルグラフィックスの編集機能を利用して行います。

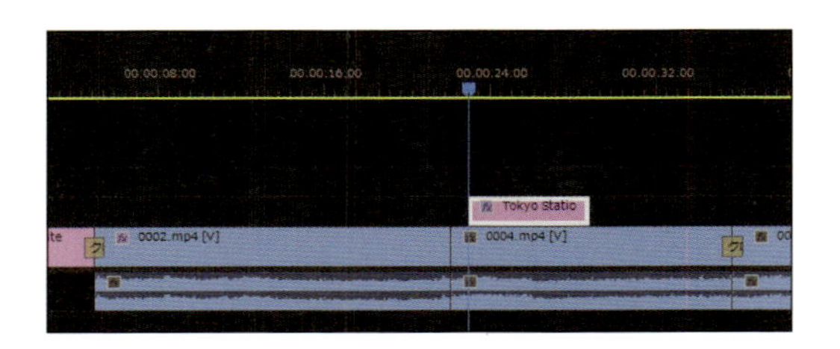

1 「キャプションとグラフィック」を選択する

ワークスペースを切り替えていない場合は、画面右上の「ワークスペース」から「キャプションとグラフィック」をクリックして、ワークスペースを切り替えます。

2 テキストを選択する

「プログラム」モニター上で、入力したテキストをクリックして選択します。

3 「編集」タブに切り替わる

テキストを選択すると、「エッセンシャルグラフィックス」パネルのタブが「参照」から「編集」に自動的に切り替わります。

▶「編集」パネルの機能と名称

エッセンシャルグラフィックスの「編集」パネルは、次のような機能で構成されています。なお、それぞれのオプションは❶でレイヤーを選択して表示します。

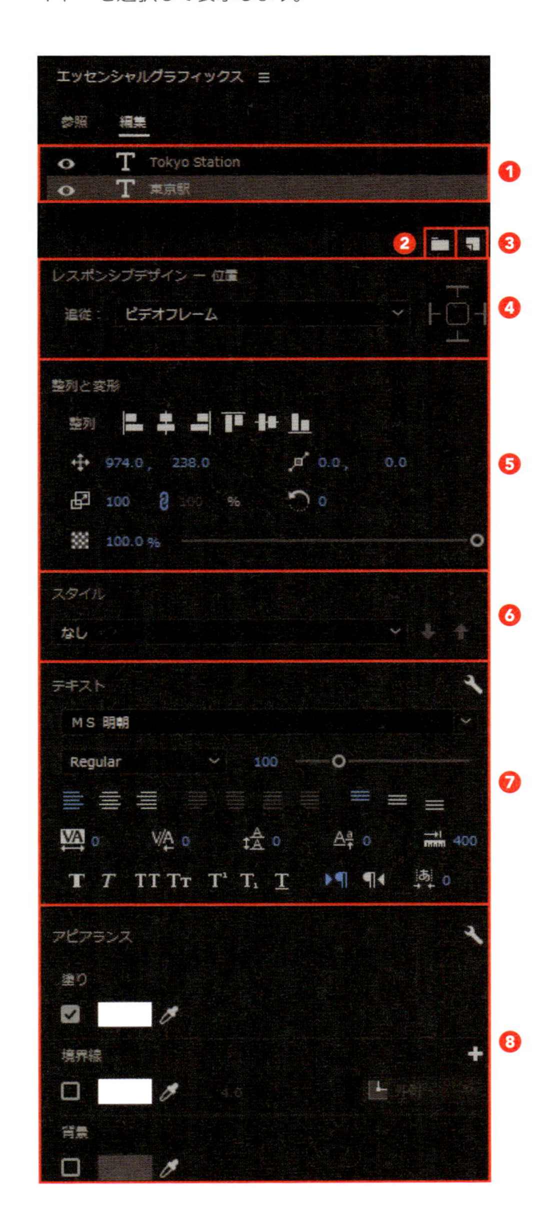

❶レイヤー
入力したテキストが、レイヤーで表示されます。

❷「グループを作成」ボタン
複数のレイヤーを1つのグループにまとめます。

❸「新規レイヤー」ボタン
新規にレイヤーを作成します。

❹レスポンシブデザイン
他のレイヤーとモーション連携させる場合に、どのレイヤーのどの位置に関連づけるかを設定できます。

❺整列と変形
選択したレイヤーの表示位置、整列方法などを設定できます。

❻スタイル
レイヤーへの設定を反映するテンプレートとして設定したり、設定を適用するマスタースタイルを選択できます。

❼テキスト
フォント、サイズ、文字揃え、字間、行間などを選択できます。

❽アピアランス
文字色、縁取り、影などを設定できます。また、背景に長方形を表示したり、テキストをマスクとして利用できます。

❾トランスフォーム
テキストの表示位置、文字サイズなどを数値で設定できます。

❿レスポンシブデザイン－時間
テキストにロール機能などを設定できます。

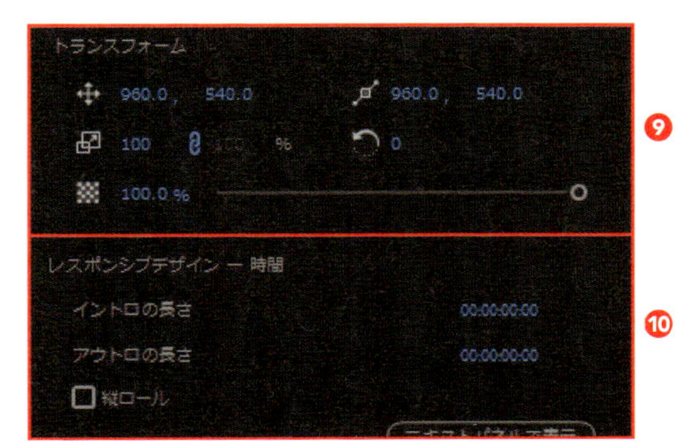

テキストを選択していない場合の表示。

▶ テキストの表示位置やフォントサイズを変更する

タイトルは、ボタンのクリックやドラッグ＆ドロップによって表示位置を変更できます。テキストのサイズは、「編集」の「テキスト」にあるオプションの「フォントサイズ」を利用して変更します。

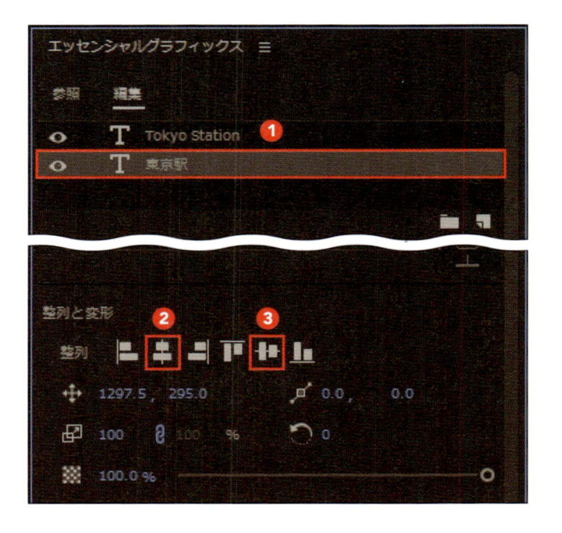

1 レイヤーを選択する

「編集」パネルで、表示位置を調整したいテキストのレイヤーを選択します❶。なお、「整列と変形」にある「水平方向に中央揃え」❷や「垂直方向に中央揃え」❸をクリックすると、画面の中央にテキストが配置されます。

2 テキストをドラッグする

テキストを任意の位置に配置したい場合は、テキストを選択して、表示したい位置にドラッグします。

なお、テキストが赤枠で囲まれている場合は、「ツール」パネルで「選択ツール」を選び、テキストを選択モードに切り替え、青い線の「バウンディングボックス」での表示にします。これで、テキストに対してデザイン処理を設定できるようになります。

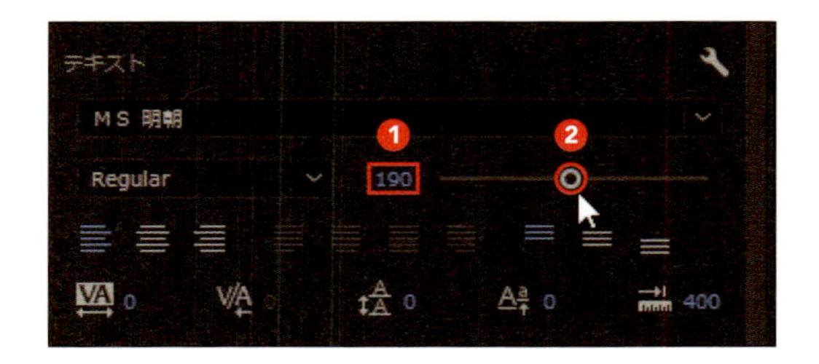

3 フォントサイズを変更する

「編集」パネルで、文字サイズを変更したいテキストのレイヤーを選択します。「編集」パネルの「テキスト」にある「フォントサイズ」でパラメーターの数値を変更するか❶、スライダーをドラッグしてサイズを変更します❷。

4 テキストのサイズが変わる

パラメーターの数値を変更すると、テキストのサイズが変わります。必要に応じて、テキストの表示位置を調整します。

▶ テキストのフォントを変更する

テキストのフォントは、フォント一覧から選択します。

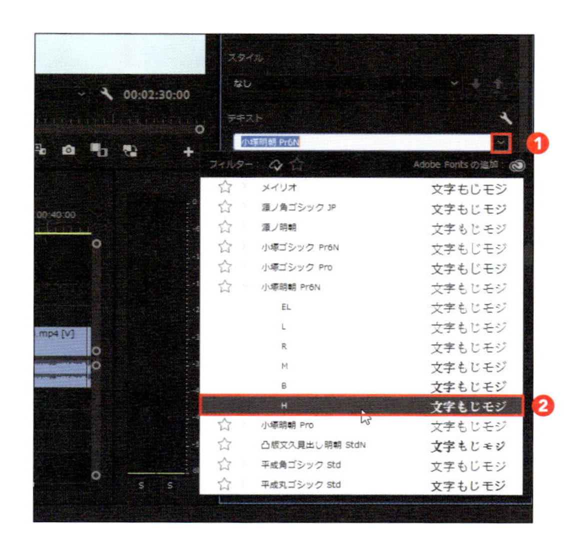

1 レイヤーを選択する

フォントを変更したいテキストのレイヤーを選択します。「編集」パネルで、「テキスト」のオプション「フォント」の右端にある「∨」をクリックします❶。フォント一覧が表示されるので、利用したいフォントやフォントスタイル（フォントの太さ）を選びます❷。

2 フォントが反映される

選択したフォントが、タイトルに反映されます。なお、フォントサイズやフォントの種類によっては、テキストの表示位置を再調整する必要があります。

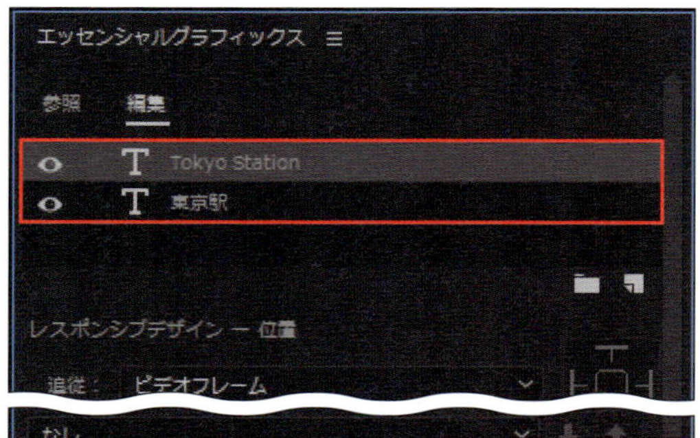

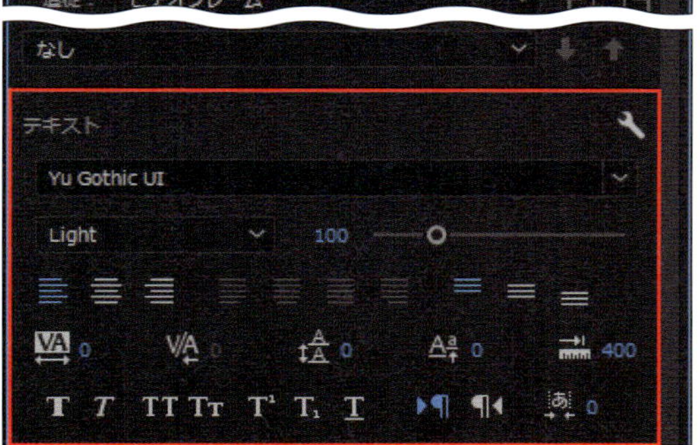

3 サブタイトルも調整する

サブタイトルも、レイヤーを選択して同様の方法で文字サイズ、フォントを変更します。表示位置は、ドラッグのほか数値でも指定できます。なお、複数行入力している場合は、「中央揃え」など文字揃えのオプションを利用して表示位置を揃えます。

▶ テキストの文字色を変更する

テキストの文字色は、「編集」パネルにある「アピアランス」の「塗り」で変更します。デフォルトでは、「白」で表示するように設定されています。

1 レイヤーを選択する

文字色を変更したいテキストのレイヤーを選択します。「プログラム」モニター上のテキストも、選択状態になります。

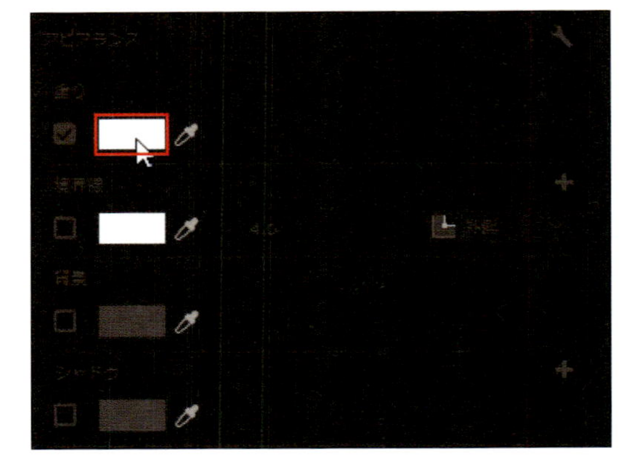

2 カラーピッカーを表示する

「アピアランス」にある「塗り」のカラーボックスをクリックして、カラーピッカーを表示します。

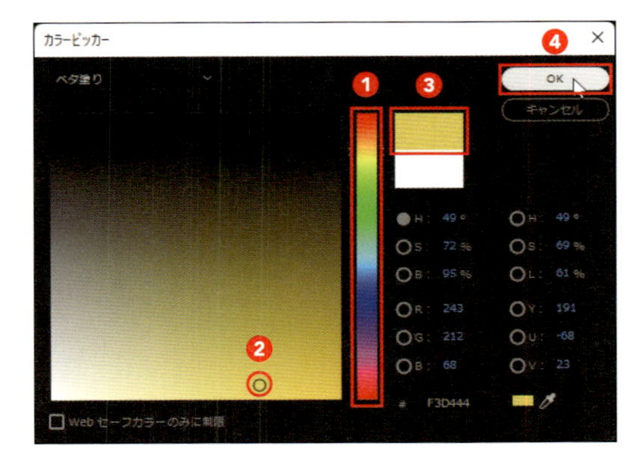

3 色を選択する

利用したい色❶と明るさ❷を選択し、色を確認します❸。色が決まったら、「OK」をクリックします❹。

4 文字色が設定される

選択した色が、テキストに反映されます。別の色を設定したい場合は、もう一度カラーピッカーを表示して色を選択します。

テキストの境界線を設定する

テキストを目立たせたい場合は、「境界線」を有効にします。境界線とは、文字の縁取りのことです。

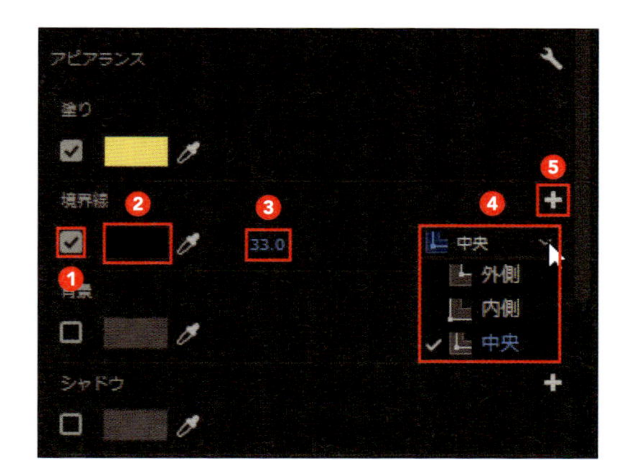

1 境界線を変更する

「アピアランス」で、「境界線」のチェックボックスをクリックしてオンにします❶。カラーボックスで色を設定し❷、右側にある「境界線の幅」で太さを調整します❸。また、境界線の設定場所も選択できます❹。さらに、右端にある「+」❺をクリックすると、別の境界線を追加できます。

2 境界線が設定される

境界線を設定すると、文字のまわりに縁取りが設定されます。同様の方法で、サブタイトルにも文字色、境界線を設定します。

テキストの影を設定する

さらに文字を目立たせたい場合は、「アピアランス」の「シャドウ」を設定します。「シャドウ」のチェックボックスをクリックしてオンにします❶。カラーボックスで影の色を設定し❷、オプションを設定します❸。

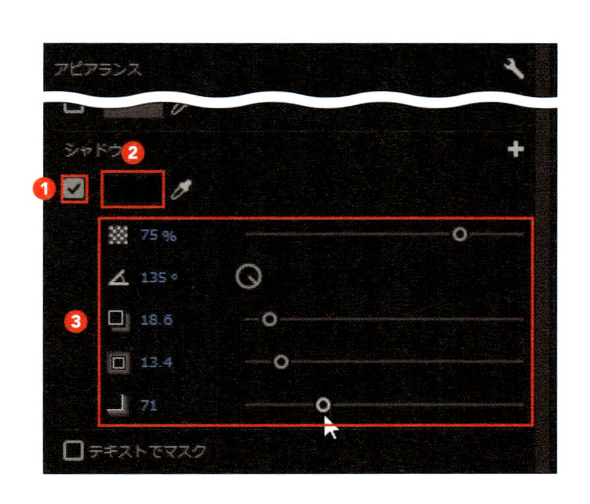

タイトルに影を設定して目立たせた。

同じように、サブタイトルにもアピアランスを設定する。

テキストを修正する

テキストのカスタマイズなどを行った後で、テキストの内容やサイズ、表示位置を変更したいということはよくあります。そのような場合は、テキストをクリックして選択し、バウンディングボックスを表示します。バウンディングボックスの白い○をドラッグすると、サイズを変更できます。また、ドラッグして表示位置の変更、ダブルクリックしてテキストの変更など、自由にアレンジできます。

テキストの表示位置やフォント、文字色などを変更した。

POINT テキストの背景を設定する

「アピアランス」でオプションの「背景」を有効にすると、テキストの背後に長方形のシェイプを配置できます。ビデオ編集では、このようなシェイプを「座布団」と呼びます。シェイプは、濃度や色なども変更できます。

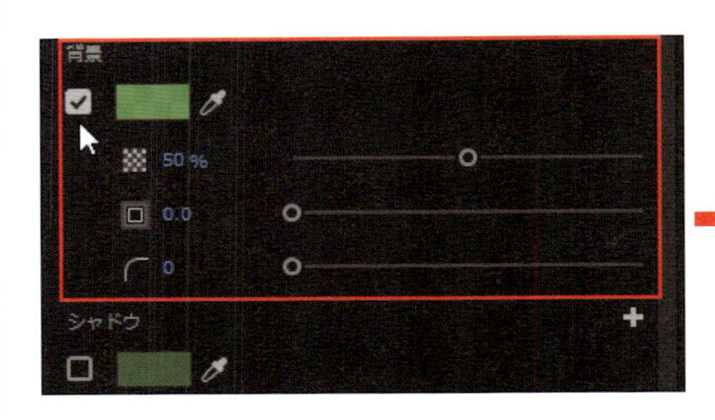

メインタイトルをアニメーションさせる

設定したメインタイトルは、Premiere Proにはエフェクトとして認識されています。このテキストのエフェクトは、「エフェクトコントロール」パネルで自由にカスタマイズできます。かんたんなアニメーションも設定できます。

▶「エフェクトコントロール」パネルを確認する

設定したテキストを選択し、「エフェクトコントロール」パネルを表示してみましょう。エッセンシャルグラフィックスと同じオプションを確認できます。

1 テキストを選択する

「プログラム」モニターで、入力したテキストを選択してバウンディングボックスを表示させます。

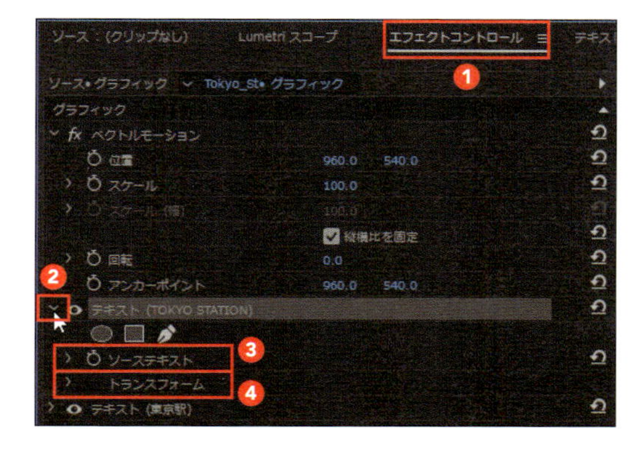

2 「エフェクトコントロール」パネルを表示する

「エフェクトコントロール」タブ❶をクリックし、パネルを表示します。ここに、「テキスト」というエフェクトが登録されています。このエフェクト名の先頭にある「>」をクリック❷して、オプションを展開します。「ソーステキスト」❸と、「トランスフォーム」❹というカテゴリーがあります。

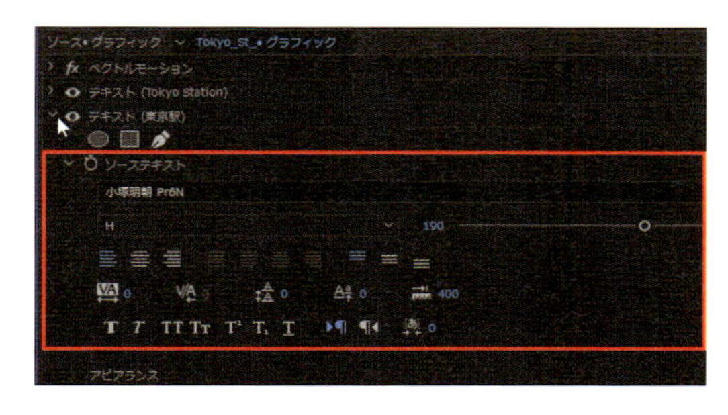

3 「ソーステキスト」を展開する

「ソーステキスト」の先頭の「>」をクリックして展開すると、エッセンシャルグラフィックスと同じ設定項目が並んでいます。「エフェクトコントロール」パネルを使うと、テキストに対してエッセンシャルグラフィックスとまったく同じ設定ができることがわかります。

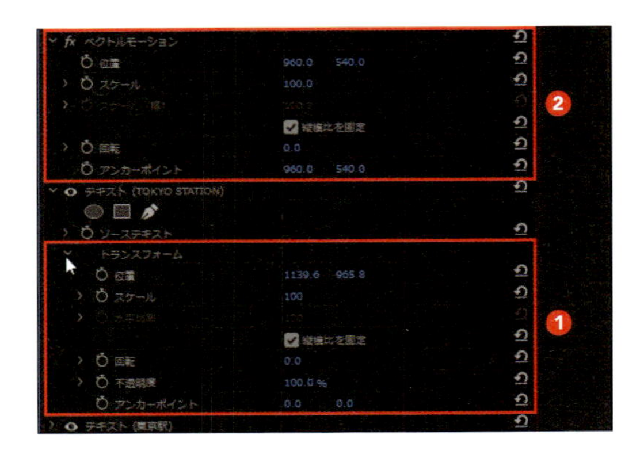

4 「トランスフォーム」を展開する

次に、「トランスフォーム」を展開します❶。すると、「位置」や「スケール」といったオプションが並んでいます。その上にある「ベクトルモーション」を展開すると❷、やはり「位置」や「スケール」といったオプションが並んでいることがわかります。

POINT 「ベクトルモーション」と「トランスフォーム」の違い

「ベクトルモーション」と「トランスフォーム」の両方に、「位置」や「スケール」といったオプションが並んでいました。この2つは、どのように使い分けるとよいのでしょうか？　どちらのオプションを使ってもテキストに対する設定ができるのですが、「ベクトルモーション」はテキストを配置しているフレームに対して適用される効果です。一方の「トランスフォーム」は、入力したテキストに対して適用される効果です。
今回は「東京駅」と「TOKYO STATION」という2つのテキストを入力していますが、「ベクトルモーション」を利用すると、両方のテキストに対して効果が適用されます。「トランスフォーム」を利用すると、対象のテキストに対してのみ効果が適用されます。

▶「位置」のアニメーションを作成する

テキスト「TOKYO STATION」の「トランスフォーム」を利用して、テキストが画面の下からせり上がってくるアニメーションを作成してみましょう。なお、P.209の解説にあるように、アニメーションの設定には5つの重要なポイントがあります。これらのポイントに注意して、アニメーションを作成しましょう。なお、ここではアニメーションが終了する時間、位置を最初に決めて作成します。

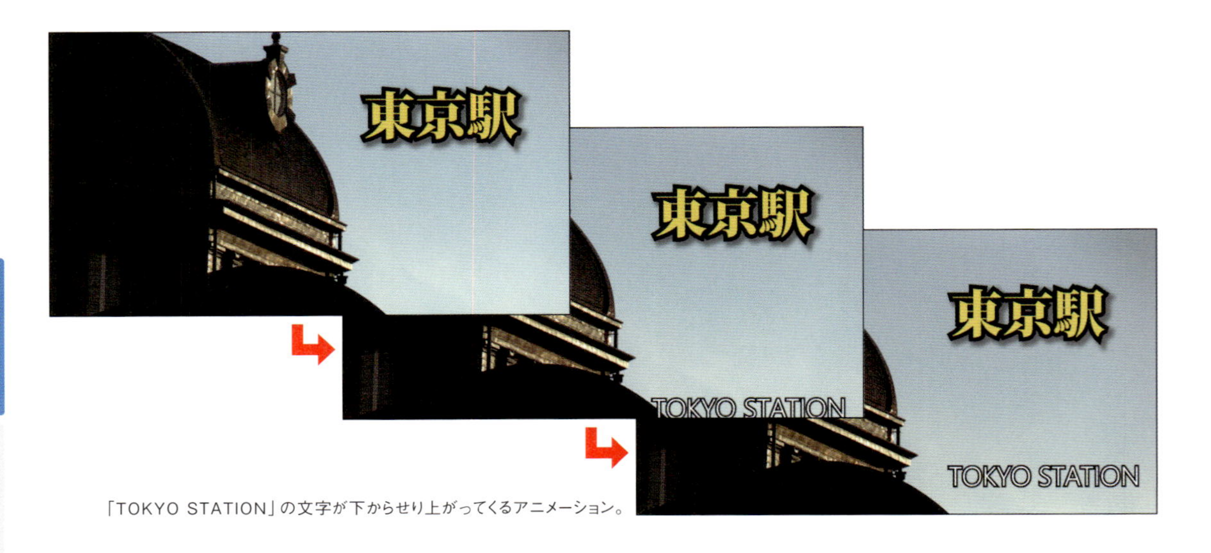

「TOKYO STATION」の文字が下からせり上がってくるアニメーション。

1 テキストを選択する

アニメーションさせたいテキストを選択します。

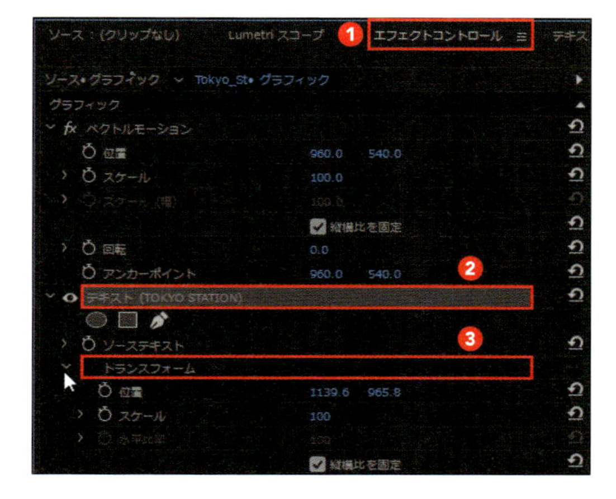

2 トランスフォームを展開する

「エフェクトコントロール」パネル❶の「テキスト」❷→「トランスフォーム」❸を展開します。

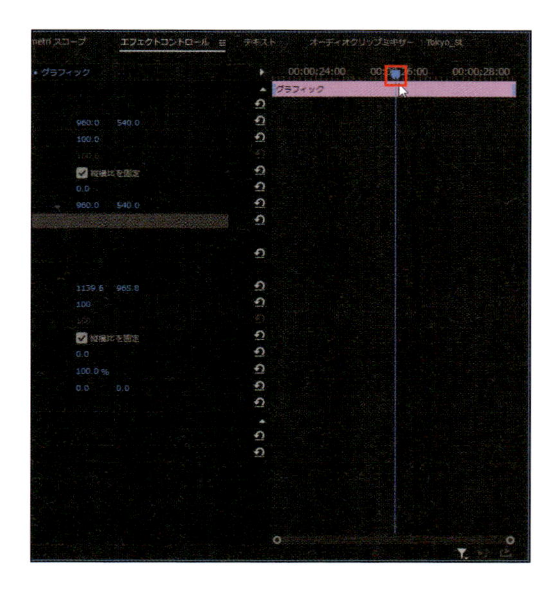

3 再生ヘッドを終了時間に合わせる

「エフェクトコントロール」パネル右側のタイムラインで、再生ヘッドを全体の中央付近に合わせます。ここが、アニメーションの終了時間になります。

4 テキストの位置を確認する

「プログラム」モニターで、テキストの位置を確認します。この位置が、アニメーションが終了したときにテキストが表示される位置になります。必要があれば、この時点で位置を修正しておきます。

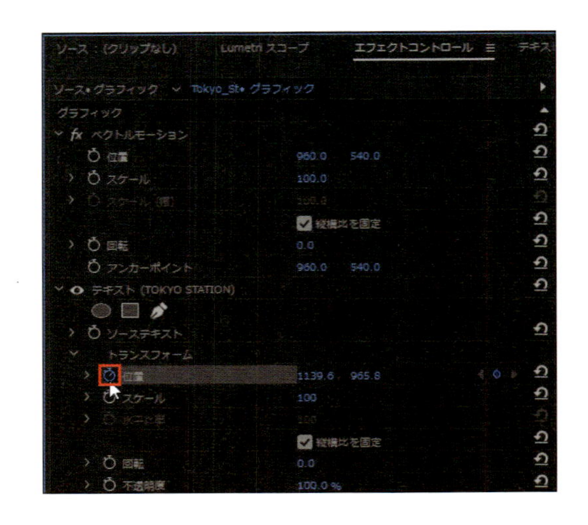

5 アニメーションをオンにする

トランスフォームの「位置」の先頭にあるストップウォッチが、アニメーションのオン／オフを切り替えるアイコンです。これをクリックするとアイコンが青色に変わり、タイムラインの再生ヘッドのある位置に◇のキーフレームが表示されます。

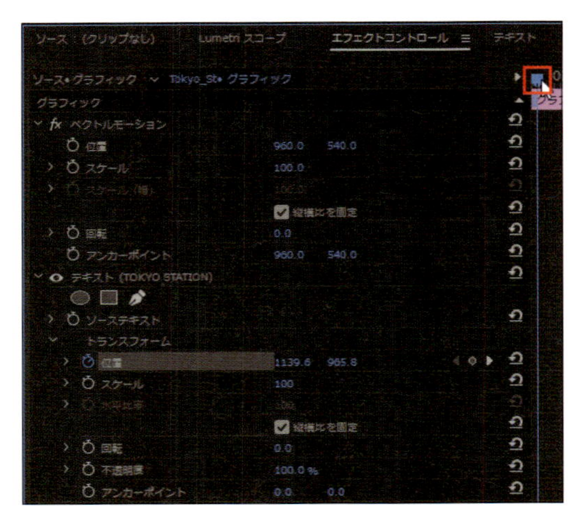

6 再生ヘッドを移動する

再生ヘッドを、タイムラインの左端に移動します。ここが、アニメーションの開始時間になります。

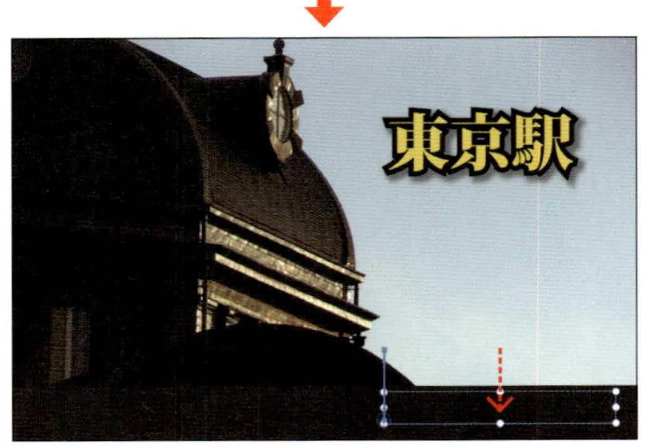

7 テキストを移動する

トランスフォームの「位置」の右側に2つ並んでいる数値は座標値です。左がX軸の座標、右がY軸の座標になります。この数値を変更するか、テキストをドラッグして、テキストを画面の外に移動します。

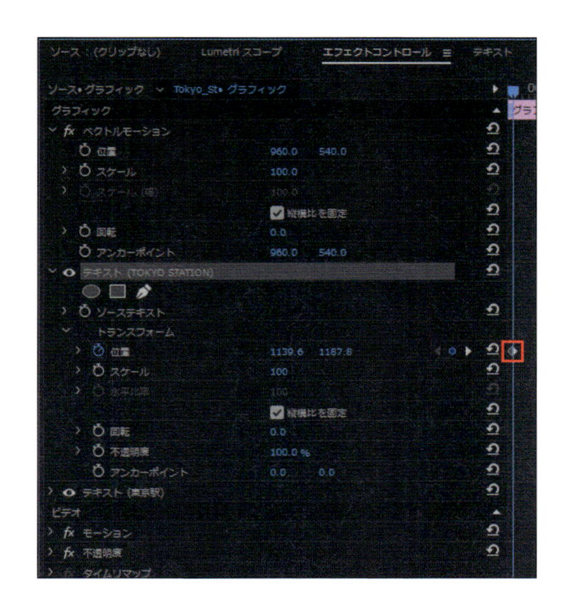

8 キーフレームを確認する

テキストを移動すると、タイムラインに自動的にキーフレームが設定されます。

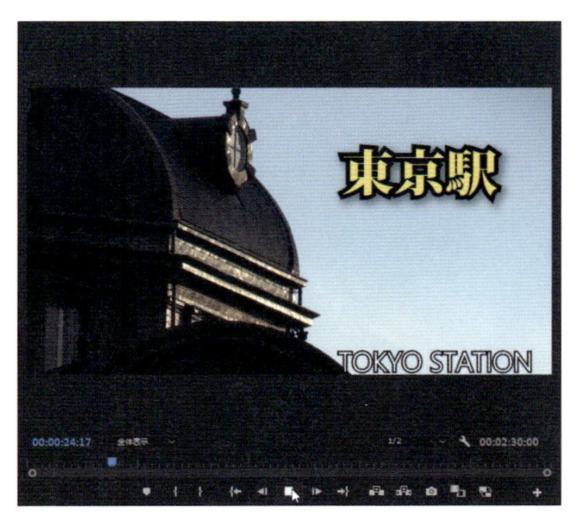

9 再生してアニメーションを確認する

「プログラム」モニターで再生し、アニメーションを確認します。

POINT キーフレームについて

「キーフレーム」という言葉は、「キー」となる「フレーム」というふうに分けることができます。すなわち、「そのフレームを再生したら、何か行動を起こす」という意味になります。たとえば、そのフレームを再生したらアニメーションを開始する。このキーフレームを再生したらアニメーションを停止する。といった命令が書き込まれたフレームが「キーフレーム」ということです。詳しくは、After Effectsのパートで解説します。

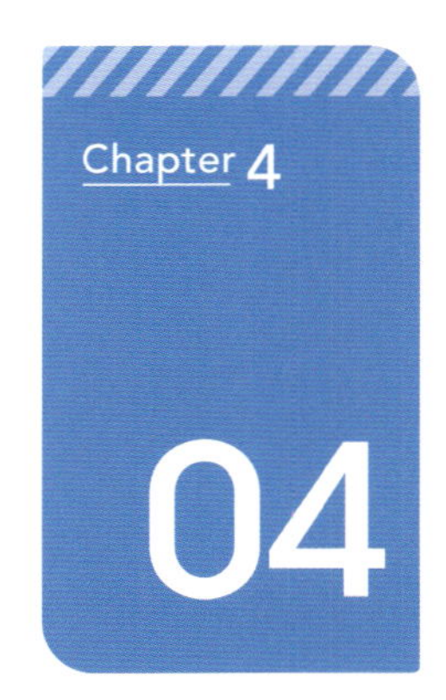

ロールタイトルを作成する

ムービーの最後に、出演者や制作スタッフ、協力者などの一覧を表示するタイトル機能が「ロールタイトル」です。エンドロールとも呼ばれるロールタイトルは、エッセンシャルグラフィックスで作成します。

エンドロールの作成

ムービーの最後に流れる関係者一覧などのテキストのことを、ロールタイトルと呼びます。ロールタイトルはエンドロールとも呼ばれ、画面の下から上へと流れるアニメーションです。

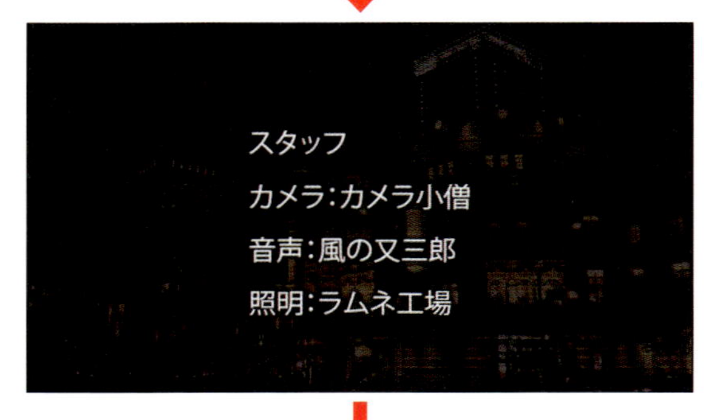

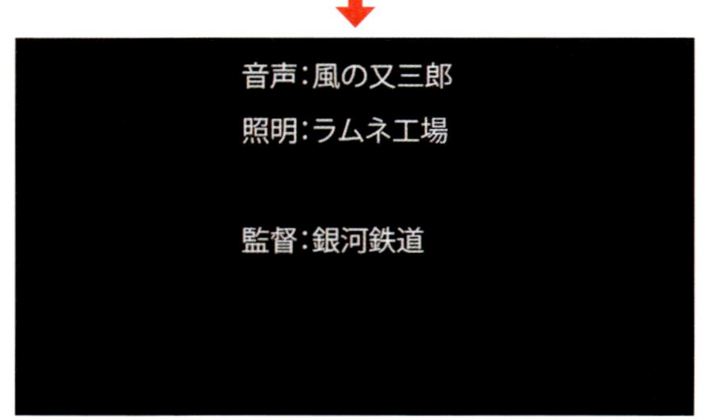

エンドロールを作成した。

▶ ロールタイトルでエンドロールを作成する

エンドロールは、エッセンシャルグラフィックスの「ロール」機能を利用して作成します。テキストの入力やカスタマイズは、メインタイトルと同じ方法で行います。

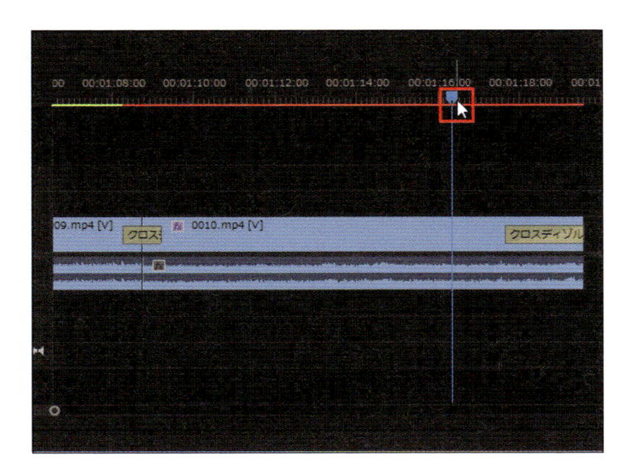

1 配置する位置を決める

エンドロールは、基本的にムービーの最後に設定します。ここでは、映像が終了する直前にテキストが表示される位置に、「プログラム」モニターで映像を確認しながら再生ヘッドを合わせます。

2 「文字」ツールを選択する

「文字」ツールを選択して❶、「プログラム」モニターの画面上でクリックします❷。このとき、タイムラインにはクリップが設定されます。

3 テキストを入力する

エンドロール用のテキストを入力します。エンドロールのテキストは、改行しながら複数行入力します。行数が多い場合は、テキストエディタなどで作成したデータからコピー＆ペーストするとかんたんです。

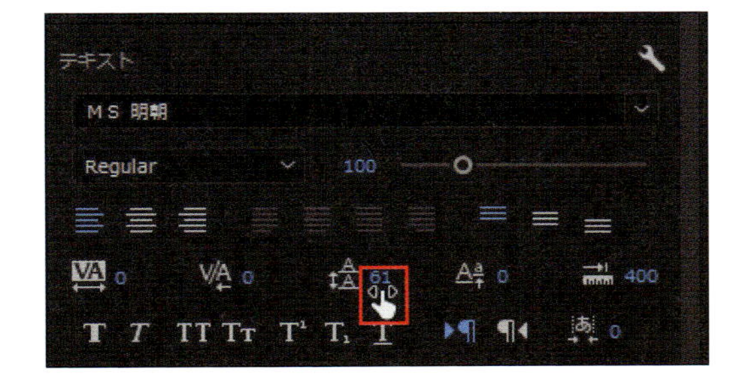

4 行間を調整する

エッセンシャルグラフィックスのオプション、「テキスト」にある「行間」の数値を変更し、行間を調整します。

5 行間が調整された

テキストの行間が調整されました。行間を調整すると、入力したテキストの中で表示されなくなる部分が出てくることがありますが、問題ありません。

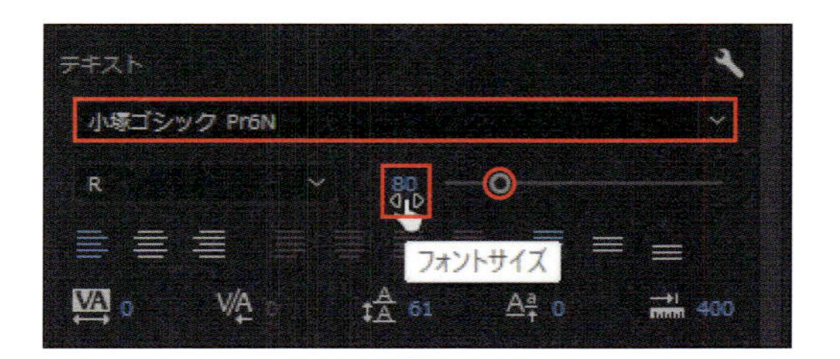

6 フォントや文字サイズを設定する

「ツール」パネルの「選択」ツールをクリックして、テキストを選択モードに切り替えます。このとき、テキストの赤い枠が青いバウンディングボックスに変わります。これで、テキストに対してデザイン処理を設定できるようになります。P.106以降の方法で、フォントや文字サイズなどを設定します。なお、テキストのデザインは前回設定した内容が引き継がれます。

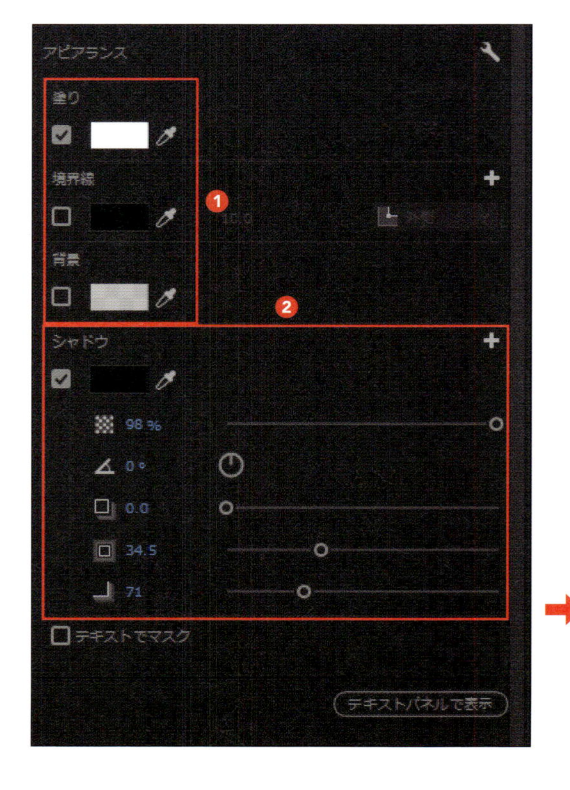

7 アピアランスを設定する

フォントや文字サイズの調整を行います。また、P.110の方法で文字色などを設定します❶。エンドロールの場合、白色の方が落ち着いたイメージに仕上がります。また「シャドウ」をうまく利用して、目立つように調整します❷。

必要があれば、文字の表示位置を調整します。このとき、上下の位置はどこにあってもかまいませんので、左右の位置を調整します。画面のテキストは、「整列と変形」にある「水平方向に中央揃え」で、左右中央に配置しています。

8 テキストの選択を解除する

テキストの設定が完了したら、テキスト以外の部分をクリックして選択を解除します。

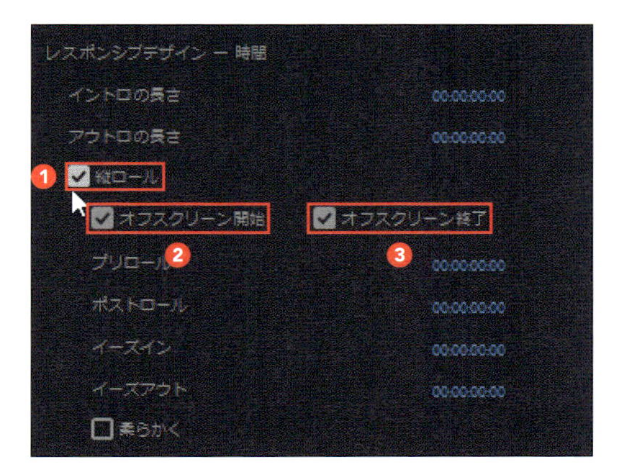

9 ロール機能をオンにする

テキストの選択を解除すると、エッセンシャルグラフィックスの表示が変わります。ここで、「縦ロール」のチェックボックスをオンにすると❶、オプションが表示されます。基本的にはそのままでかまいませんが、「オフスクリーン開始」❷と「オフスクリーン終了」❸にチェックが入っていることを確認してください。

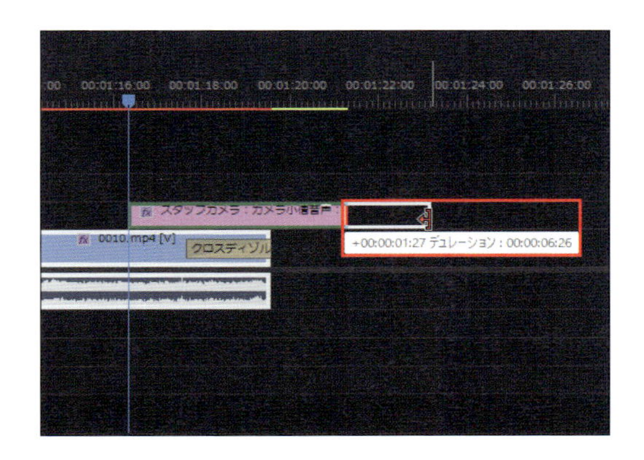

10 再生時間を調整する

エンドロールは、デフォルトで5秒のデュレーションで設定されます。再生を実行し、再生速度が速いようならトリミングの要領でデュレーションを長く変更すると、再生速度が遅くなります。逆にデュレーションを短くすると、再生速度が速くなります。

POINT レンダリングバーについて

シーケンスの上部に、黄色や赤のラインが表示されていることがあります。これは「レンダリングバー」といって、再生時になめらかに再生されるかどうかを示しています。黄色は、「なんとかなめらかに再生可能」という印、赤色は「なめらかに再生されない可能性がある」という印です。黄や赤で表示されている場合は、メニューバーから「シーケンス」→「インからアウトをレンダリング」を実行すると、レンダリングが実行されて緑色のラインに変わります。なお「レンダリング」とは、さまざまなデータを動画ファイルとして1つにまとめる作業のことをいいます（P.165）。

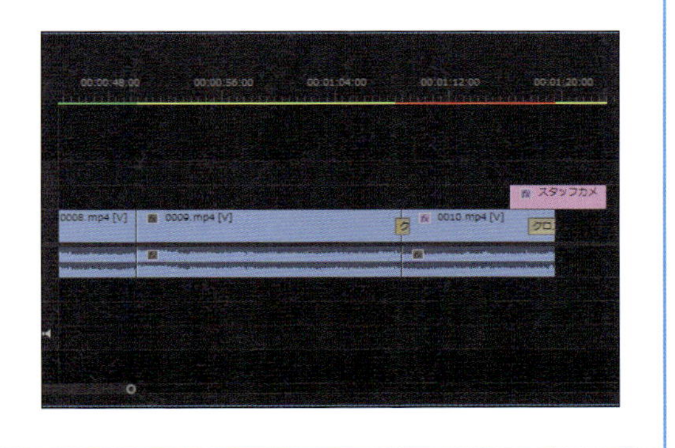

文字起こし機能を利用する

Premiere Proに搭載されている「文字起こし」機能は、以前から試験的に搭載されていたものです。現在のバージョンから、実用的な機能として活用できるようになりました。

▶ 文字起こしを行う

ここでは、サンプルにある「Narattion.mp4」データを利用して文字起こしを行う手順を解説します。今回はアフレコで入れたナレーションを利用していますが、カメラに向かって話しているナレーションや対談などでもかまいません。

ナレーションのある映像。

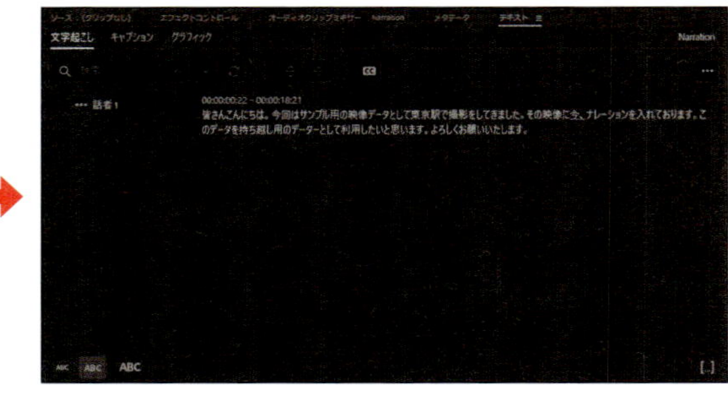

会話をテキストとして文字起こしした。

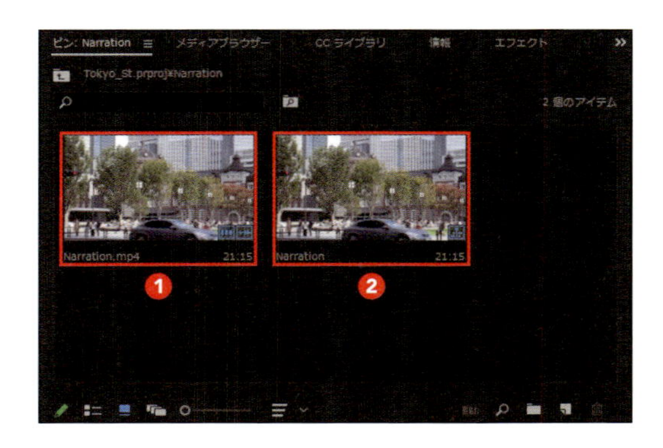

1 データを配置する

サンプルの「Narration」→「Narration.mp4」を取り込み、シーケンスに配置します。画面では、Narrationビンを作成して動画データを保存❶し、シーケンス❷を作成しています。

2 ナレーションクリップを配置する

このシーケンスにナレーションクリップを配置し、選択状態にします。

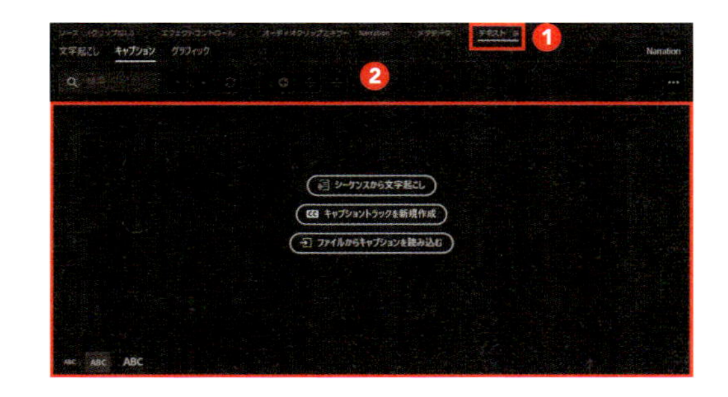

3 「テキスト」パネルを表示する

ワークスペース左上のパネルグループで「テキスト」タブ❶をクリックし、文字起こし用のパネル❷を表示します。タブがない場合は、メニューバーから「ウィンドウ」→「テキスト」を選択してください。

4 文字起こしを選択する

パネルの中央に表示されている「シーケンスから文字起こし」をクリックします。

自動文字起こし

シーケンス名: Narration
シーケンスの長さ: 00:00:22

言語: 日本語

オーディオ分析: 「ダイアログ」としてタグ付けされたオーディオクリップ
トラック上のオーディオ:
オーディオ 1

インからアウトの間を文字起こし
既存の文字起こしデータと結合
様々な話者が話しているときに認識する

キャンセル　文字起こし開始

5 文字起こしを設定する

「自動文字起こし」ダイアログボックスが表示されるので、以下の設定を行います。設定できたら、「文字起こし開始」をクリックします。

・言語：映像の中で使われている言語を選択する
・トラック上のオーディオ：会話が記録されているオーディオデータが配置されているトラックを選択する

6 テキストが表示される

文字起こしが実行され、完了するとテキストが表示されます。なお、誤変換などがあって文字を修正したい場合は、テキストをダブルクリックして修正できます。会話に合わせて修正する場合は、P.127を参照してください。

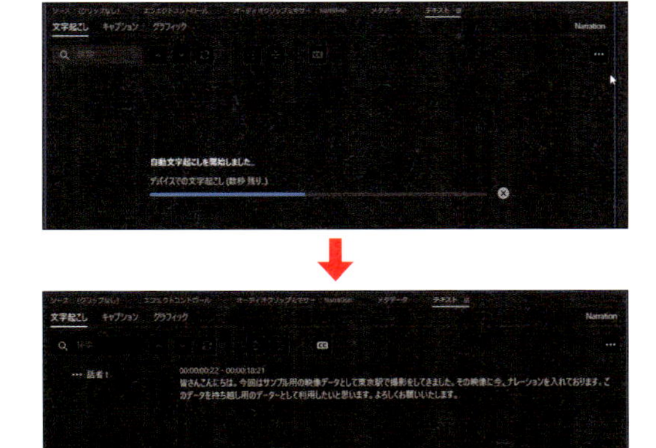

▶ 複数人で会話した場合

映像内に複数人で会話した音声データがある場合は、それぞれ「話者1」「話者2」と自動認識されてテキストが表示されます。それぞれの会話は、「･･･ 話者1」のように話者名が区別されて表示されます。この名前は、自由に変更することができます。

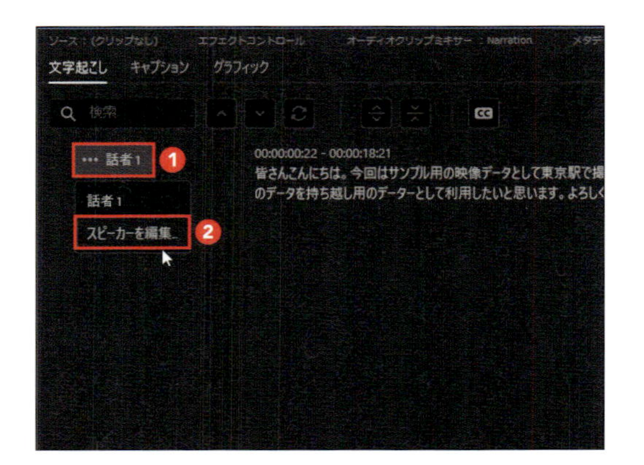

1 スピーカーを編集する

「･･･ 話者1」❶をクリックし、「スピーカーを編集」❷をクリックします。

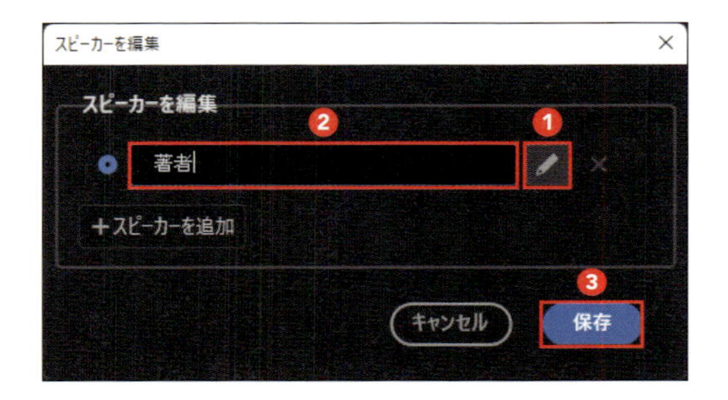

2 話者名を入力する

鉛筆アイコン❶をクリックし、話者名❷を入力します。「保存」❸をクリックします。

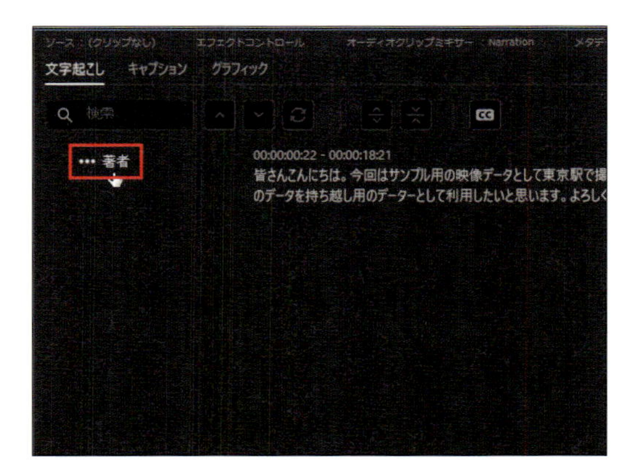

3 話者名が変更された

話者名が変更されました。

文字起こしをキャプションに変更する

「文字起こし」でテキスト化したデータを、今度はキャプションに変更してみましょう。会話のタイミングに合わせて、テキストをキャプションとして表示することができます。

キャプションに変更する

文字起こしによってテキスト化された会話は、会話のタイミングに合わせてキャプションとしてシーケンスに配置できます。以下の画面が、キャプションに変更したテキストデータです。キャプションにすると、実際の発声に合わせて画面にテキストが表示されます。

キャプション化されたテキスト。

テキストが表示される。

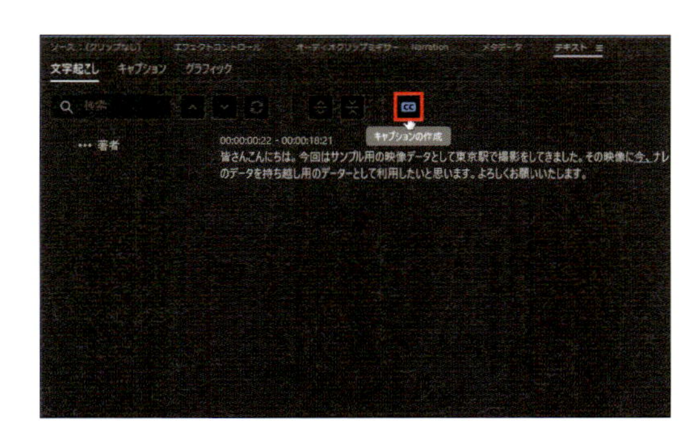

1 「キャプションの作成」を選択する

文字起こしが終了したら、「テキスト」パネルの上部にある、「CC」と書かれた「キャプションの作成」をクリックします。

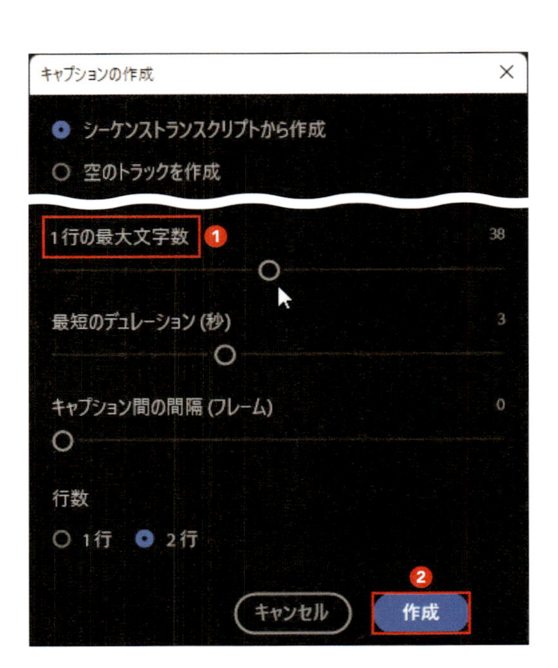

2 キャプション作成を設定する

「キャプションの作成」ダイアログボックスが表示されるので、設定を行います。通常は、デフォルトのままで問題ありません。変更するとすれば、「1行の最大文字数」❶くらいでしょう。画面では「38文字」に変更しています。あまりに長いと画面の左から右まで表示されてしまうので、適当な文字数に設定します。設定ができたら、「作成」❷をクリックします。

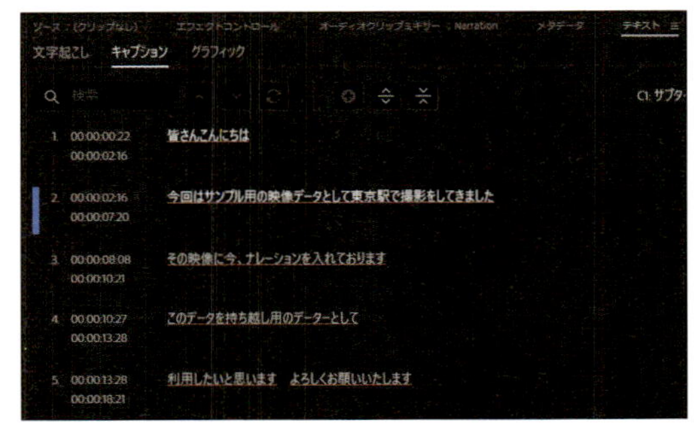

分割されたテキスト。

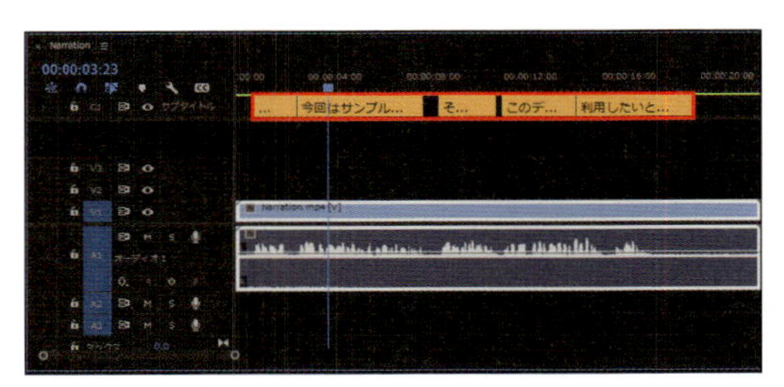
作成されたキャプション。

キャプションはテキストとして表示される。

3 キャプションが作成される

テキストは会話に応じて分割され、シーケンスにはそのブロックごとにキャプションが設定されます。黄色く表示されているのがキャプションです。また、各キャプションはテキストとして画面に表示されます。

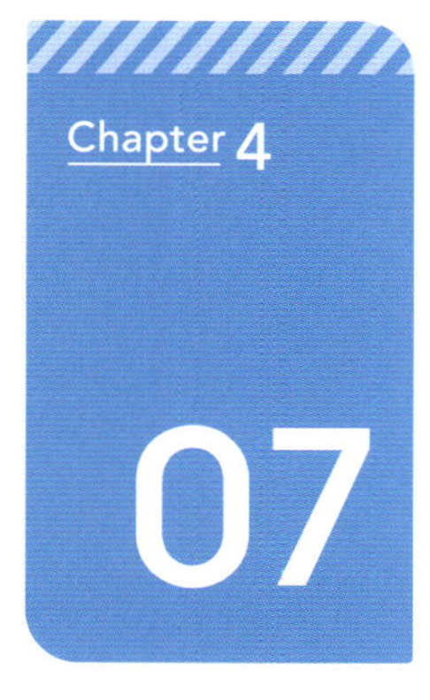

キャプションをカスタマイズする

文字起こしで作成したテキストをキャプションとして配置できたら、読みやすくなるようにカスタマイズしてみましょう。

▶ キャプションのテキストを修正する

Premiere Proの文字起こしの精度はかなり高く、ほとんど誤変換がありません。ただし、録音環境や滑舌がよくない話者の場合、誤変換が発生することがあります。その場合は、テキストの修正を行います。以下の画面では、「文字起こし」が「持ち起こし」と認識されています。これを修正してみましょう。

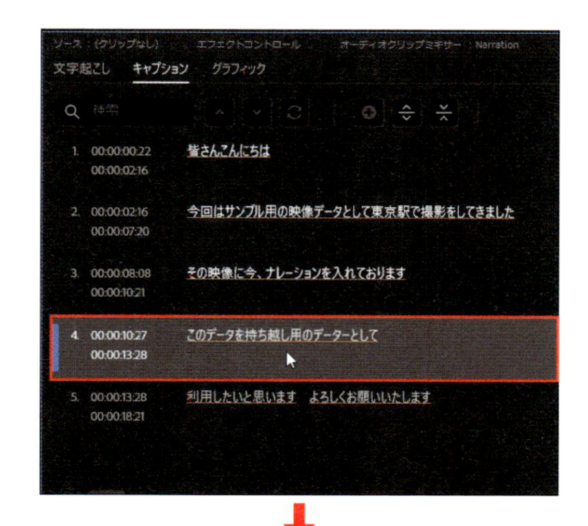

1 修正モードに切り替える

修正したいテキストのある行をダブルクリックして、修正モードに切り替えます。

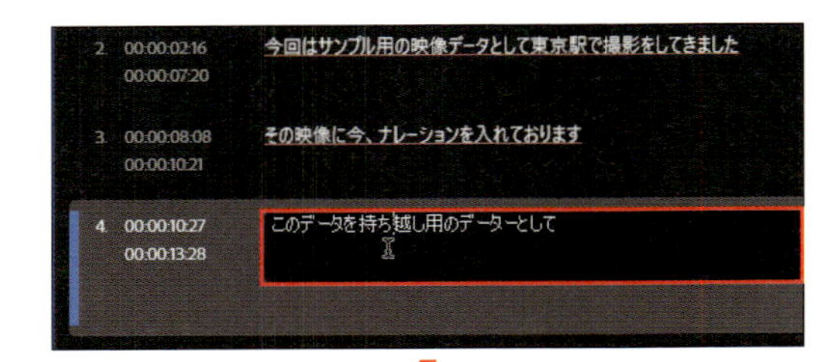

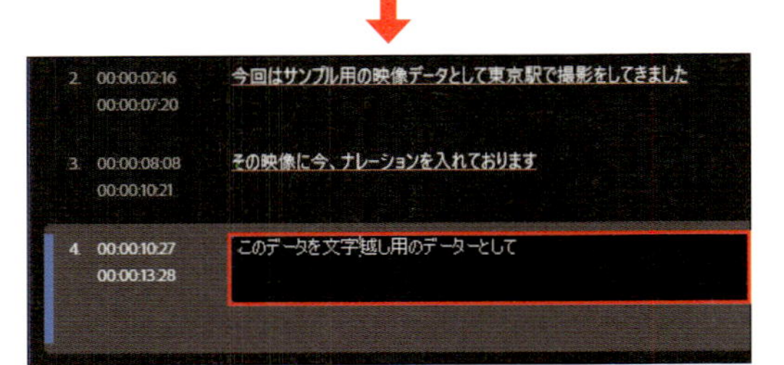

2 テキストを修正する

修正したいテキスト部分をクリックし、テキストを修正します。

▶ キャプションの文字サイズやフォントを変更する

キャプションの文字サイズやフォントを変更することもできます。

1 キャプションをダブルクリックする

シーケンスに配置されている黄色いキャプションをダブルクリック❶します。ワークスペースの右側に「エッセンシャルグラフィックス」パネル❷が表示されます。

2 キャプションをクリックする

キャプションをもう一度クリック❶すると、「エッセンシャルグラフィックス」パネルが「編集」タブ❷に切り替わります。

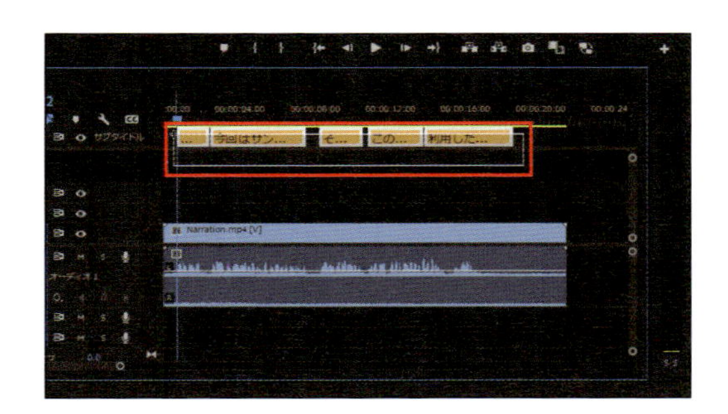

3 キャプションをすべて選択する

シーケンスをズーム調整し（以下のPOINT参照）、すべてのキャプションをドラッグして選択します。

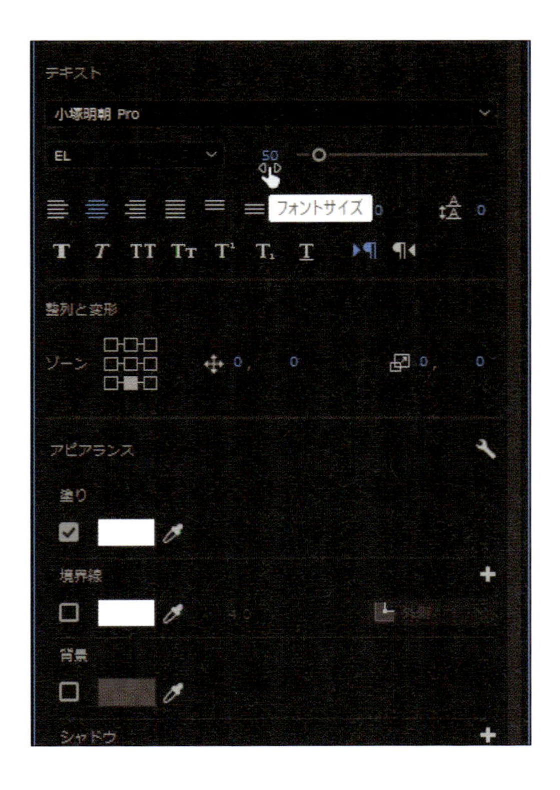

4 オプションを修正する

文字サイズやフォントのほか、各種オプションを修正します。

5 キャプションの設定を変更できた

キャプションの設定を変更できました。

POINT シーケンスのズーム調整

トラックに配置したクリップを左から右まですべて表示したい場合は、キーボードの「¥」キーを押すと、プロジェクト全体が表示されます。

▶ キャプションの背景を設定する

「アピアランス」にある「背景」を設定すると、キャプションの背景に座布団を設定し、読みやすくすることができます。

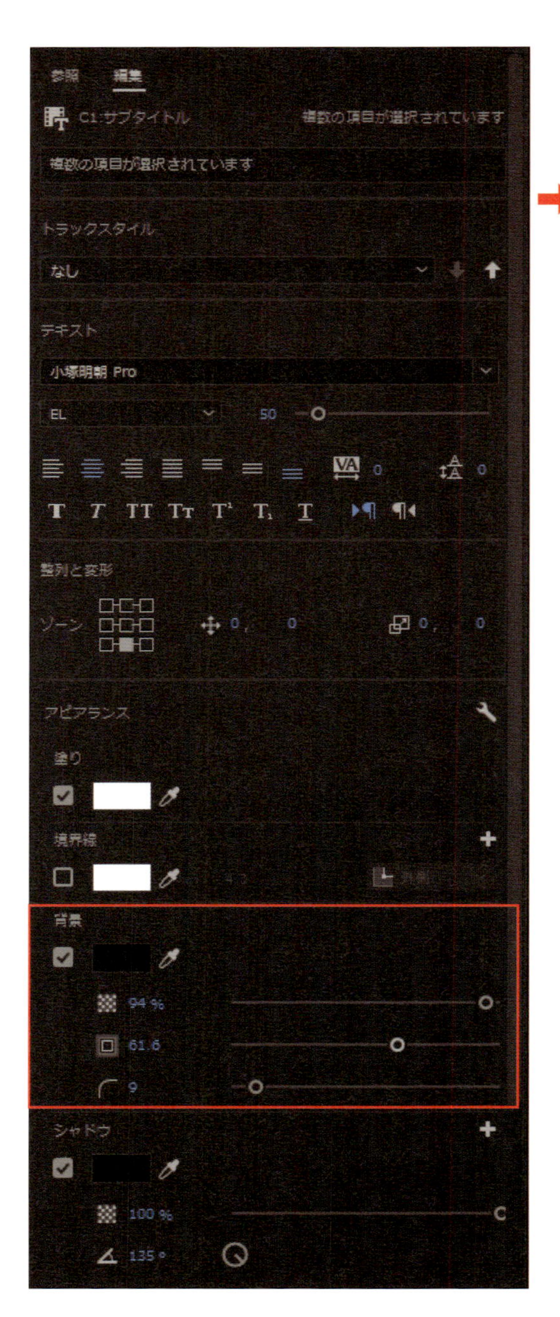

キャプションの背景に座布団を設定した。

Premiere Pro 編

Chapter 5

オーディオを編集する

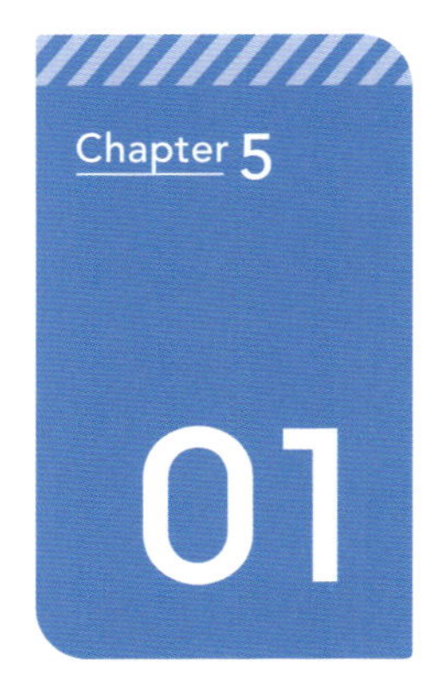

BGMを設定する

BGMは、映像の重要なパートナーです。BGMによって、映像のイメージが大きく変化することも少なくありません。BGMとなるオーディオデータは、オーディオトラックに配置します。

▶ オーディオデータを配置する

Premiere Proでは、WAV形式(Windows版のみ)やMP3形式、AIFF形式など、さまざまなファイル形式のオーディオデータを利用できます。本書では、動画データを「ビデオクリップ」、オーディオデータを「オーディオクリップ」と必要な場合は呼び分けて解説します。通常は、一括りにクリップと呼んでいます。

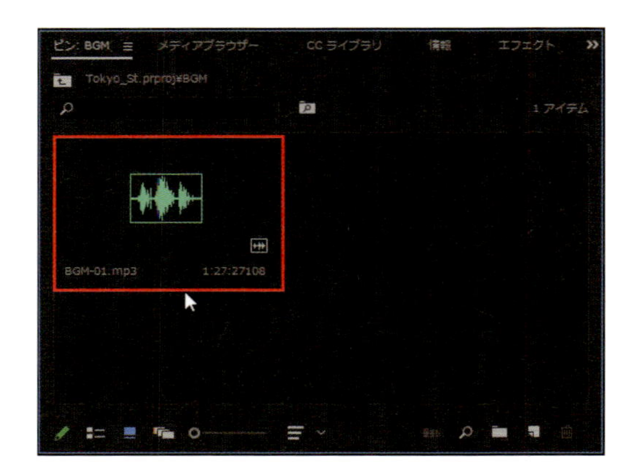

1 オーディオクリップを取り込む

ビデオクリップと同様に、オーディオデータも保存先フォルダーや「読み込み」ページから「プロジェクト」パネルにオーディオクリップとして取り込みます。「プロジェクト」パネルには、「Audio」や「BGM」などの名前でビンを設定しておくとよいでしょう。

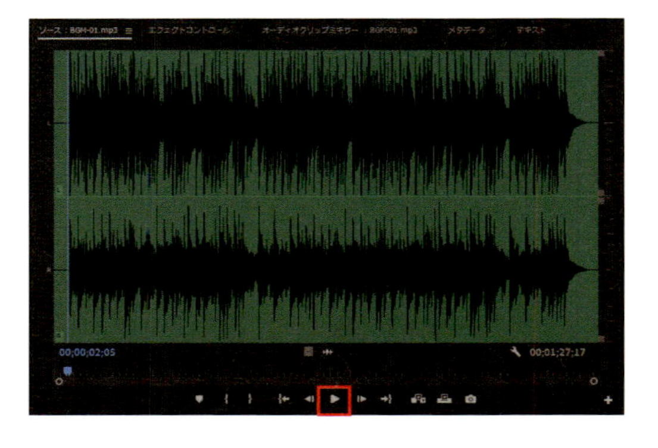

2 オーディオクリップを再生する

取り込んだオーディオクリップをダブルクリックすると、「ソース」モニターに波形が表示されます。コントローラーにある「再生」をクリックして、BGMを再生・確認します。

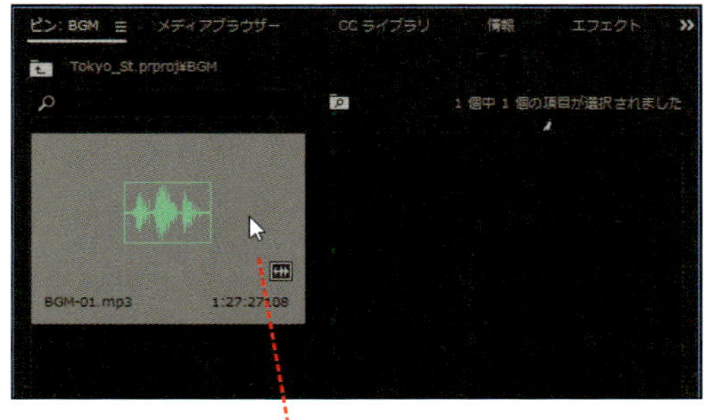

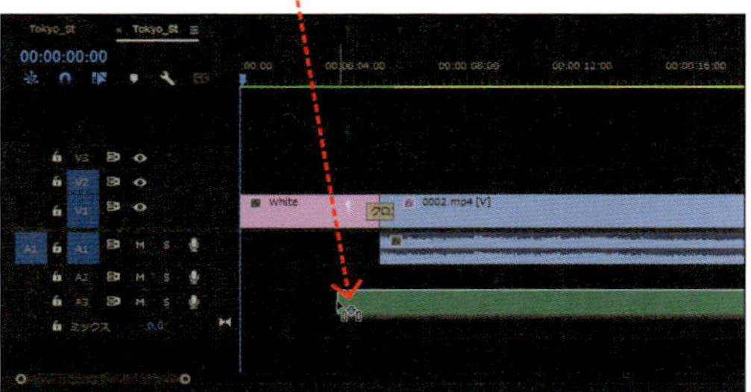

3 シーケンスに配置する

取り込んだオーディオクリップを、シーケンスのオーディオトラックにドラッグ＆ドロップして配置します。左の画面では、「A3」トラックに配置しています。

4 オーディオクリップの波形を表示する

オーディオトラックの「タイムライントラックヘッダー」をダブルクリックすると、トラックの高さが変わり、オーディオデータが波形で表示されます。

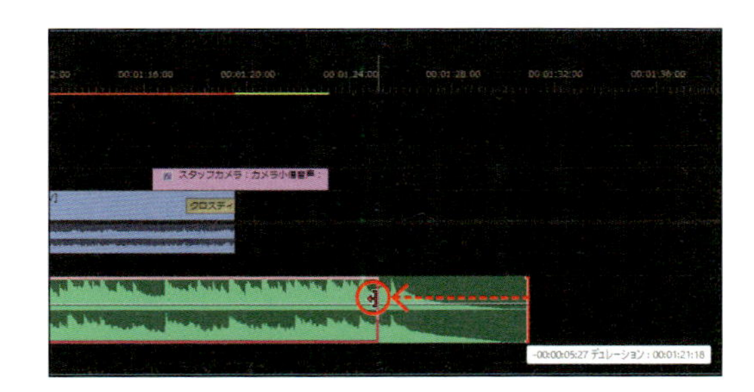

5 オーディオクリップをトリミングする

オーディオクリップをトリミングしたい場合は、オーディオクリップの先端または終端にマウスポインターを合わせ、ドラッグします。

POINT オーディオクリップの上書きに注意

シーケンスのオーディオトラックには、ビデオクリップの音声部分のデータも配置されています。この上にBGM用のオーディオクリップを配置すると、音声データがBGMデータで上書きされ消えてしまいますので注意してください。右の画面は、「A2」トラックにあるビデオの音声データ部分に、BGMデータが上書きされようとしているところです。このような場合は、「A3」トラックにBGM用のクリップを配置します。

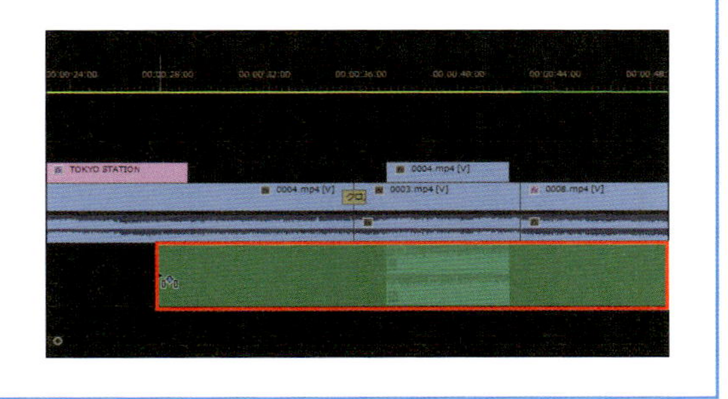

クリップの音量を調整する

編集中のプロジェクトには、複数のクリップが配置されています。クリップによっては、音量が大きかったり、小さかったりします。このような場合、クリップごとの音量調整が必要になります。

▶ オーディオクリップミキサー

シーケンスに配置したビデオクリップの音量や、BGMで利用しているオーディオクリップの音量などを調整してみましょう。ここでは、「オーディオクリップミキサー」という音量レベルの調整機能を利用する方法について解説します。最初に、オーディオクリップミキサーの機能を確認しておきましょう。

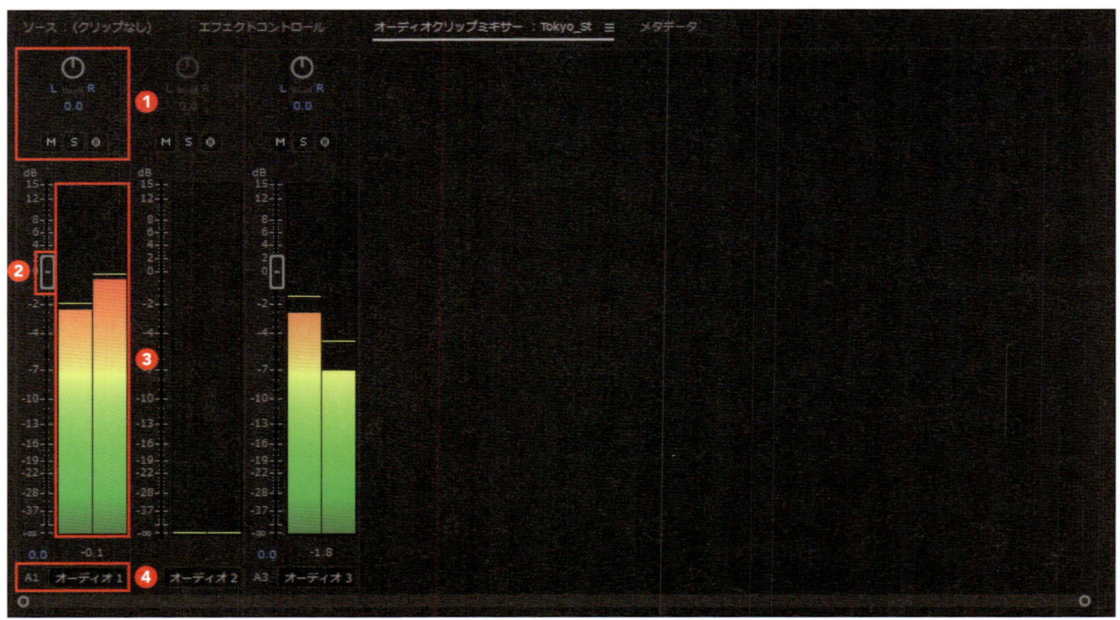

※画面の場合、オーディオトラックの「A1」と「A3」にクリップが配置されているため、この2カ所の音量が表示されています。

❶バランスツマミ
ステレオチャンネルの場合に、左右のバランスを調整します。

❷ボリュームスライダー
スライダーを上下させて、音量レベルを調整します。

❸VUメーター
音量を、視覚的に表示するメーターです。

❹トラック番号
オーディオトラックの番号が表示されています。

▶ オーディオクリップミキサーでクリップの音量を調整する

オーディオクリップミキサーを利用して、クリップごとの音量を調整してみましょう。

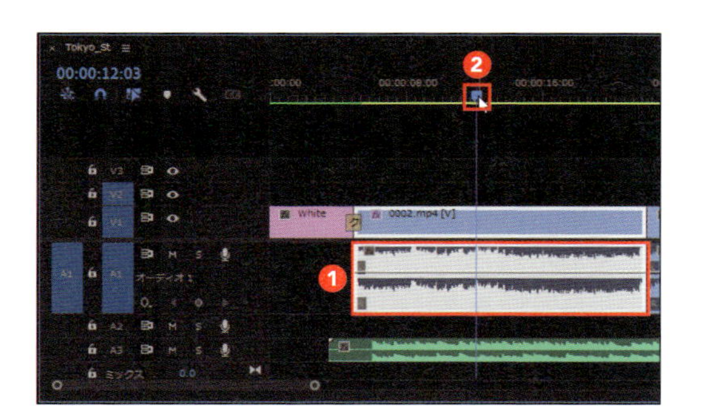

1 クリップを選択する

シーケンスに配置したクリップのうち、音量レベルを調整したいクリップを選択し❶、そのクリップに再生ヘッドを合わせておきます❷。なお、変化がわかりやすいように、「タイムライントラックヘッダー」をダブルクリックしてトラックの波形を表示しておくとよいでしょう（P.40）。

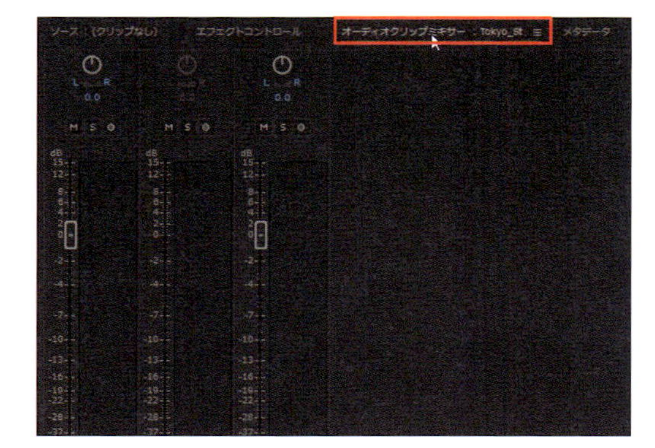

2 オーディオクリップミキサーを表示する

「ソース」モニターが表示されているグループで、「オーディオクリップミキサー」タブをクリックします。タブが表示されていない場合は、メニューバーから「ウィンドウ」→「オーディオクリップミキサー」を選択してください。

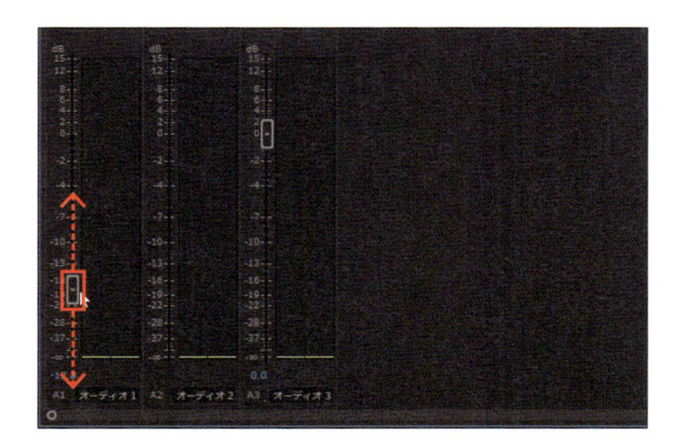

3 レベルを調整する

選択したクリップが配置されているトラック（画面では「A1」トラック）のボリュームスライダーを上下にドラッグし、レベルを調整します。ボリュームスライダーを上にドラッグすると音が大きくなり、下にドラッグすると小さくなります。

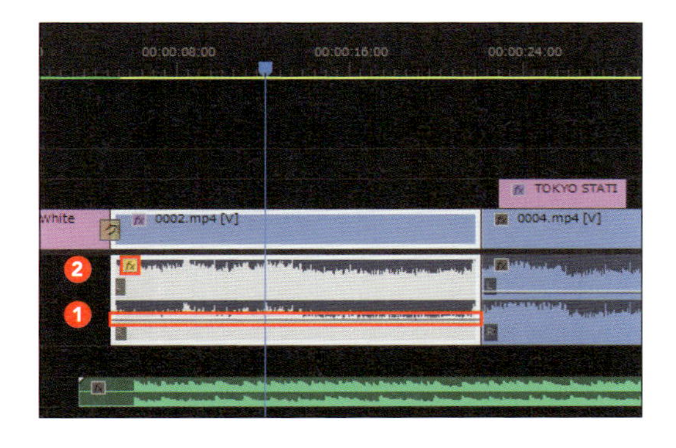

4 クリップの表示が変化する

オーディオクリップミキサーのボリュームスライダーを操作すると、シーケンスで選択したクリップに「ラバーバンド」と呼ばれるラインが表示されます❶。ラバーバンドの上下で、音量の状態を確認できます。同時にクリップの左上にある「fx」というバッジが黄色く変わり❷、音量を調整したことを示してくれます。

▶ オーディオトラックミキサーでトラックの音量を調整する

「オーディオクリップミキサー」がクリップ単位での音量調整に対応したミキサーであるのに対し、「オーディオトラックミキサー」はトラック単位で音量調整をするミキサーです。従って、1本のトラックに複数のクリップがあれば、それらの音量をまとめて調整することができます。

さらに、オーディオトラックミキサーには「ミックス」機能があります。これを利用すると、すべてのトラックの音量をまとめて調整できます。つまり、プロジェクトの音量調整ができるということです。

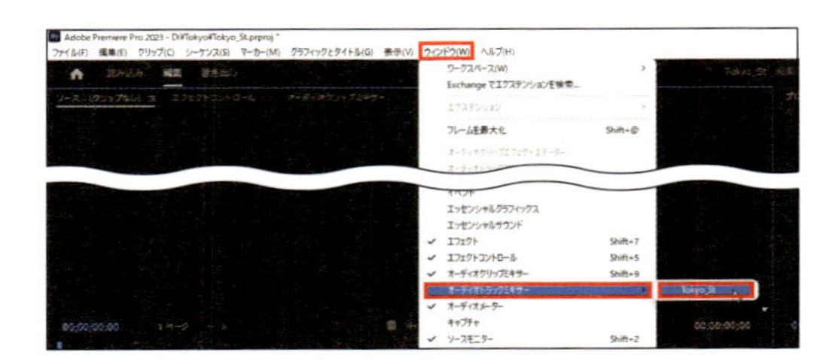

1 ミキサーを表示する

メニューバーから「ウィンドウ」→「オーディオトラックミキサー」を選択し、表示されたサブメニューから編集中のシーケンス名を選択します。

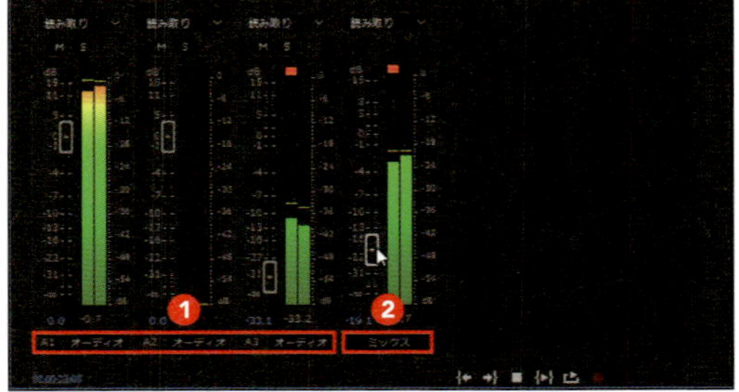

2 レベルを調整する

調整するトラック名は、画面下部に表示❶されています。このうち「ミックス」❷では、すべてのトラックを1つのトラックとしてまとめて音量を調整できます。音量調整は、プロジェクトを再生し、VUメーターを見ながらボリュームスライダーを上下して行います。なお、オーディオトラックミキサーのボリュームスライダーでレベルを調整しても、シーケンスのラバーバンドの表示は変化しません。

POINT 0dBを越えないように調整

ミキサーでは、音量が0dB（ゼロ・デシベル）を越えないように調整します。この場合の0dBは、次ページで解説するラバーバンドの0dBとは異なり、「デジタルオーディオでは越えてはいけないレベル」という意味になります。0dBを越えるとクリッピング状態といって赤く表示され、音割れやひずみの原因になります。

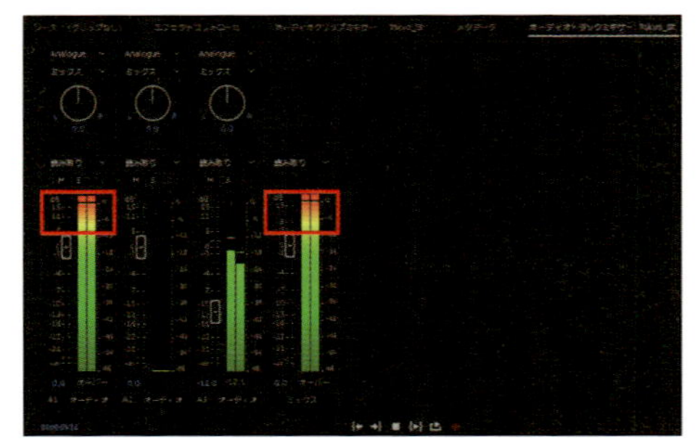

0dBを越えないようにレベルを調整する。

▶ ラバーバンドでクリップの音量を調整する

オーディオクリップミキサーを使わず、シーケンスのクリップ上でラバーバンドを利用して音量調整することもできます。

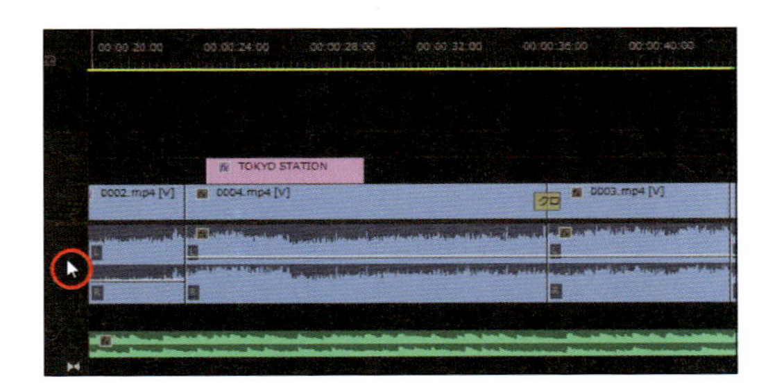

1 オーディオ波形を表示する

オーディオトラック部分の「タイムライントラックヘッダー」をダブルクリックして、オーディオ波形を表示します。

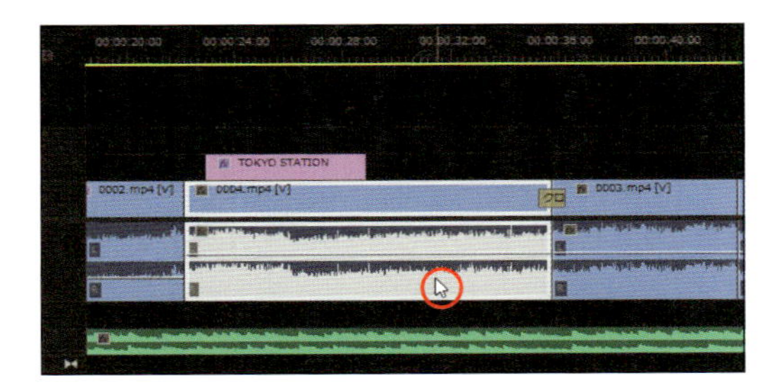

2 クリップを選択する

トラックに配置した、音量レベルを調整したいクリップを選択します。

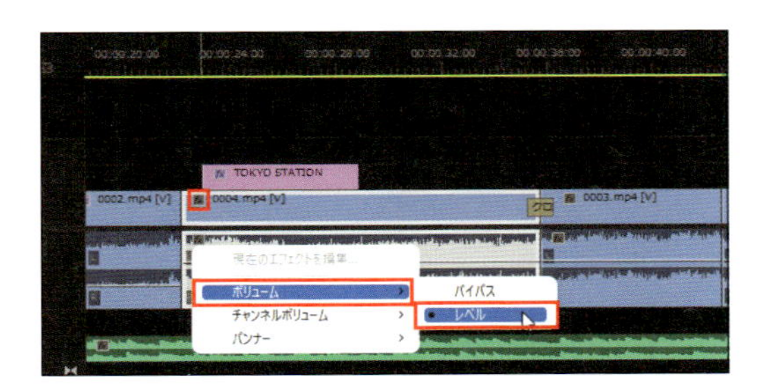

3 オプションを表示する

音声データのクリップの左上にある「fx」バッジを右クリックすると、メニューが表示されます。ここで、「ボリューム」→「レベル」を選択します。

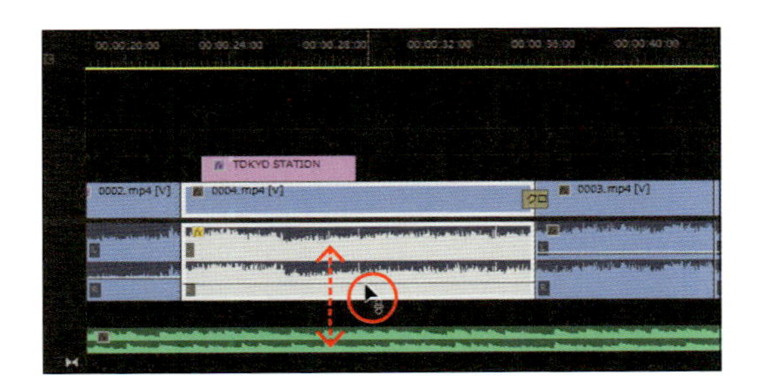

4 ラバーバンドで音量を調整する

クリップの「L」、「R」チャンネルの中央にマウスポインターを合わせると、マウスポインターの形が変わります。この位置でマウスを上下すると、「ラバーバンド」と呼ばれるラインが表示されます。このラインを上にドラッグすると音量が上がり、下にドラッグすると音量が下がります。

POINT ラバーバンドのデシベル表示について

ラバーバンドを上下すると、音量が「dB」(デシベル)という単位で表示されます。デシベルというのは、基準となる値と比較して、どれくらい音が大きいか、小さいかを示す単位です。この場合の基準はクリップを調整する前の音量で、このときの音量を「0dB」としています。ちなみに、6dBは基準値の2倍、-6dBは基準値の2分の1の音量になります。

▶「エフェクトコントロール」パネルでクリップの音量を調整する

クリップの音量は、「エフェクトコントロール」パネルでも調整できます。基本的には、クリップ上でのラバーバンドの調整と同様、dBでのレベル調整になります。

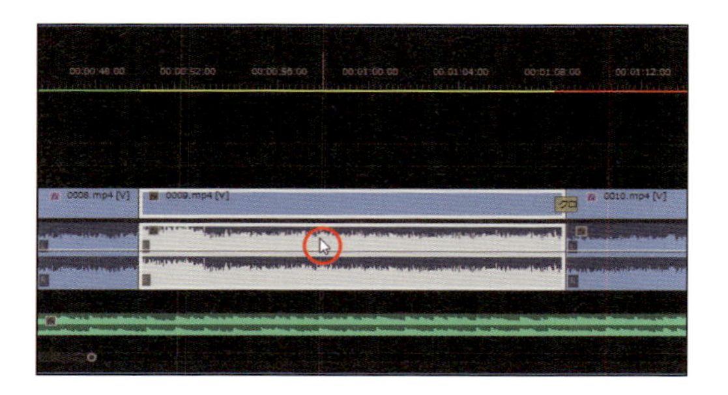

1 クリップを選択する

シーケンスに配置したクリップから、音量を調整したいクリップを選択します。

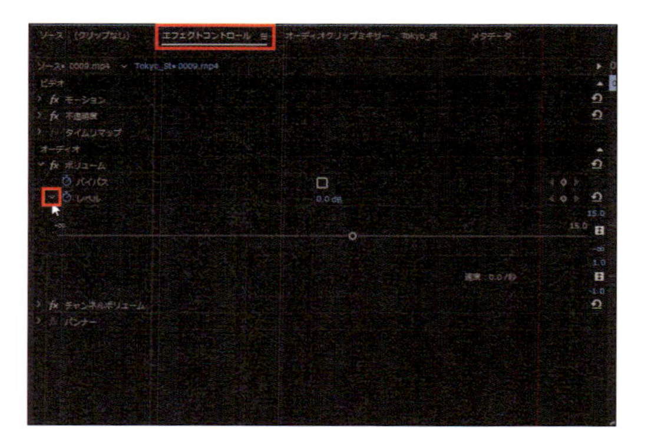

2 オプションを表示する

「エフェクトコントロール」パネルを表示します。オプションで「オーディオエフェクト」→「ボリューム」→「レベル」を選択すると、音量レベルを調整するスライダーが表示されます。

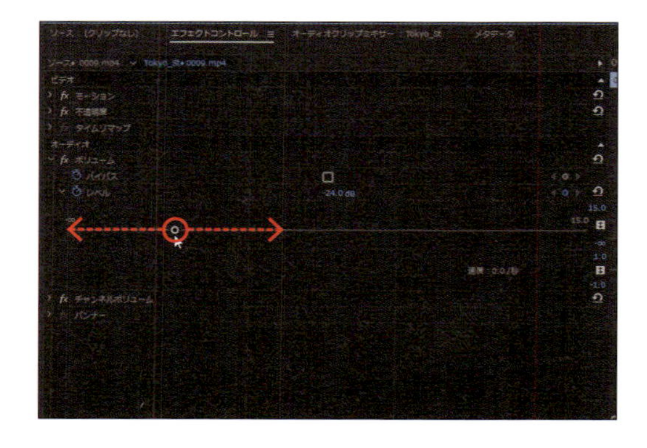

3 パラメーターを調整する

「レベル」のスライダーをドラッグすると、クリップの音量レベルが変更されます。

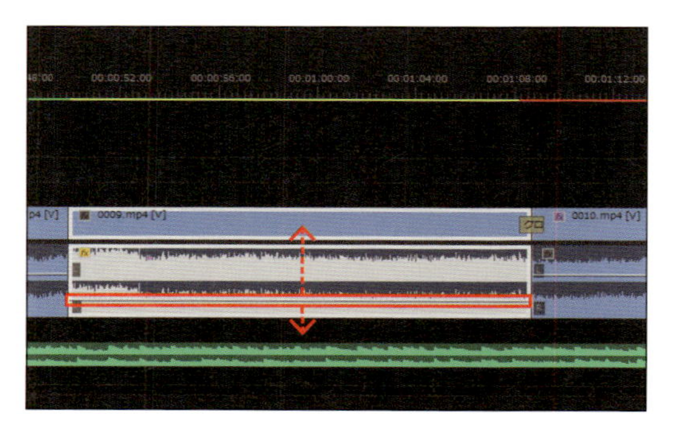

4 ラバーバンドが上下する

シーケンス上のクリップにはラバーバンドが表示され、スライダーの左右のドラッグに応じてラバーバンドが上下します。

POINT 「エッセンシャルサウンド」での音量調整

ビデオクリップやオーディオクリップの音量は、「エッセンシャルサウンド」を利用して調整することも可能です。パネルの表示は、画面右上の「ワークスペース」から「オーディオ」を選ぶか、メニューバーから選択します。

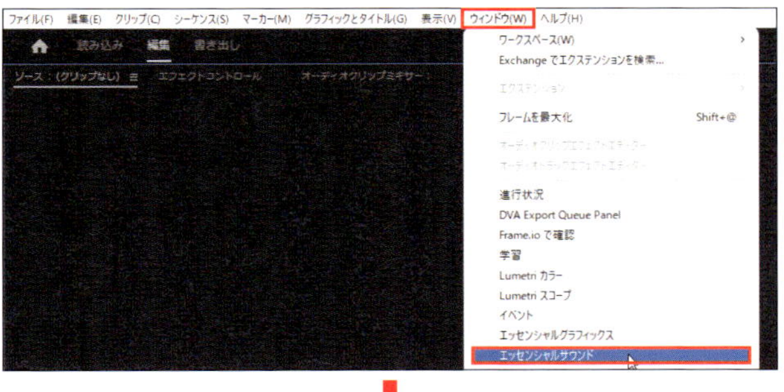

メニューバーから「ウィンドウ」→「エッセンシャルサウンド」を選択する。

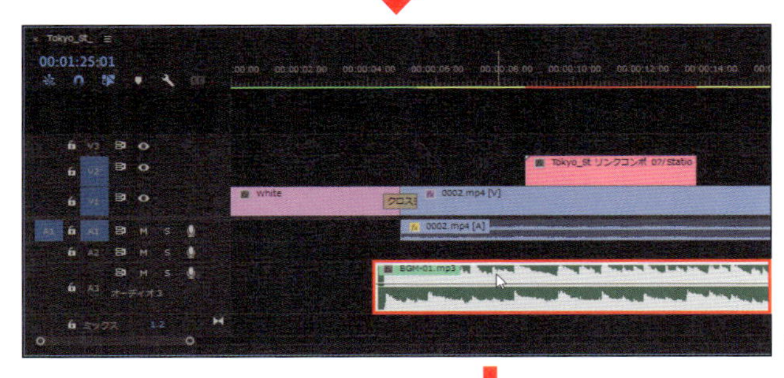

BGMなどのオーディオクリップを選択する。

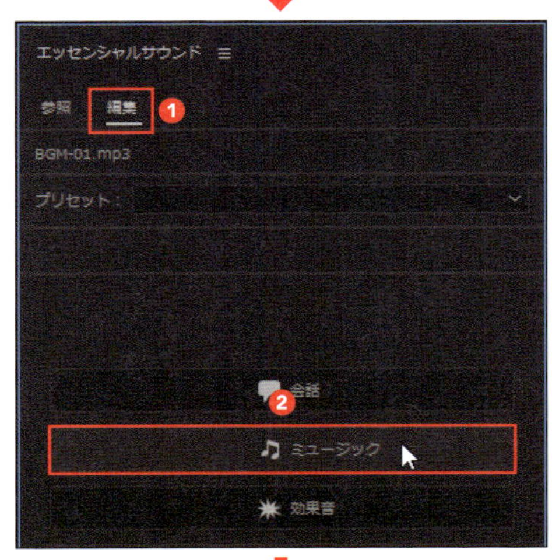

「編集」タブをクリックし❶、「ミュージック」をクリックする❷。

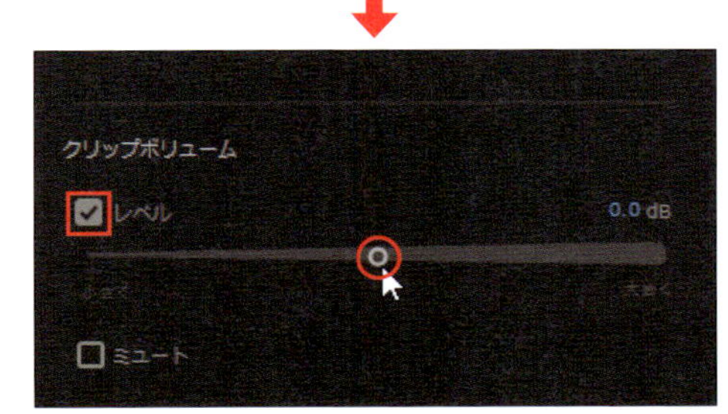

「レベル」のチェックをオンにして、音量を調整する。

クリップの音量を均一化（ノーマライズ）する

クリップごとの異なる音量を均一化するノーマライズには「エッセンシャルサウンド」を利用する方法と、「オーディオゲイン」を利用する方法があります。ここでは、エッセンシャルサウンドを使った方法を解説します。

▶ エッセンシャルサウンドでノーマライズする

エッセンシャルサウンドの「ラウドネス」を利用すると、複数クリップの音量を聞きやすい音量に均一化できます。「ラウドネス」という言葉には、もともと「聞きやすい音量」という意味があります。

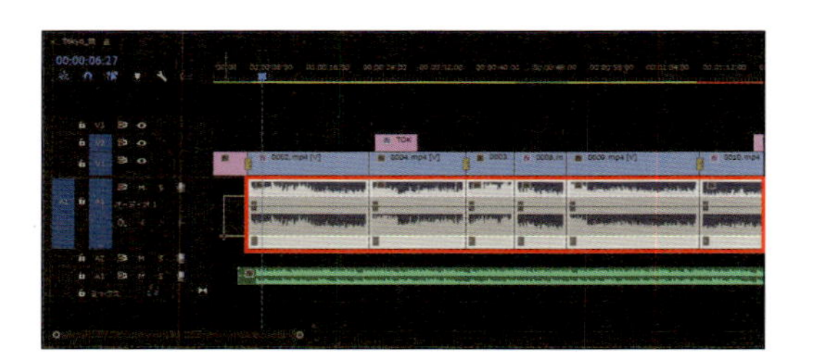

1 クリップを選択する

音量をノーマライズしたいクリップを複数選択します。選択時に Alt キー（Mac：Option キー）を押しながらドラッグすると、オーディオ部分だけを選択できます。映像部分を含んで選択しても、問題はありません。

2 エッセンシャルサウンドを表示する

画面右上の「ワークスペース」から「オーディオ」を選択し、エッセンシャルサウンドを表示します。

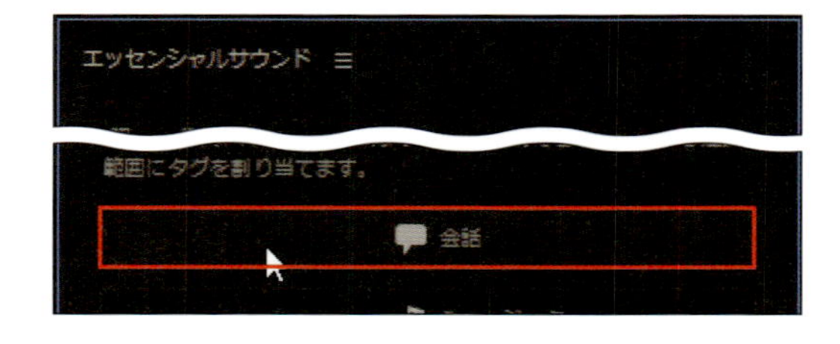

3 「会話」をクリックする

エッセンシャルサウンドの「会話」をクリックします。

4 「ラウドネス」をクリックする

オプションが表示されたら、「ラウドネス」をクリックして、設定オプションを表示します。

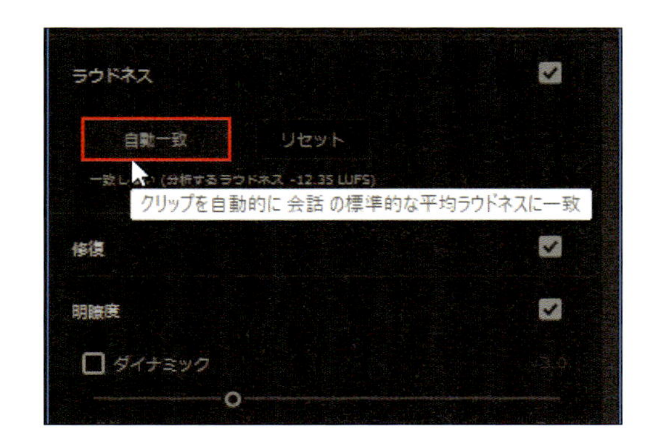

5 ノーマライズを実行する

ラウドネスの「自動一致」をクリックします。

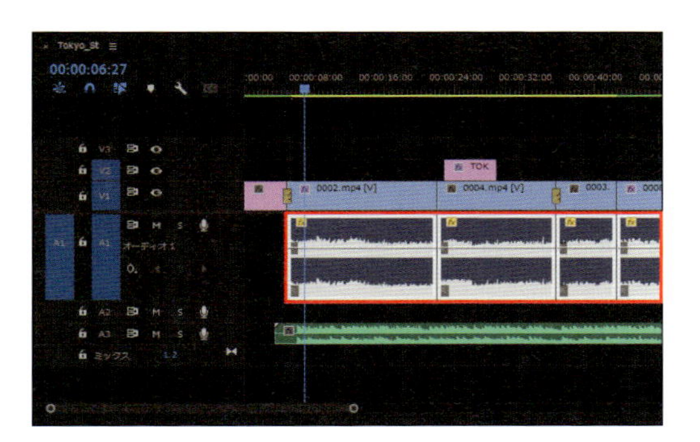

6 ノーマライズが実行される

選択したクリップの音量が均一化され、シーケンスの波形表示が変わります。

POINT 「オーディオゲイン」でノーマライズする

編集中の「シーケンス」パネルを選択し、メニューバーから「クリップ」→「オーディオオプション」→「オーディオゲイン」を選択すると、設定パネルが表示されます。ここで、たとえば「すべてのピークをノーマライズ」を実行すると、ピークレベルを指定しながらノーマライズできます。

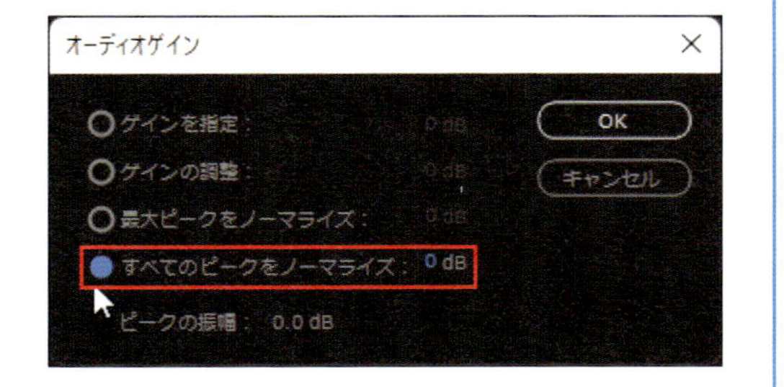

POINT レベルとゲイン

オーディオの音量調整では、「レベル」と「ゲイン」という2つの用語が使われます。それぞれ、次のような違いがあります。

● レベル
音量の高低の度合いを示したものです。全体から見て、どの程度の高さにあるのかを示しています。

● ゲイン
基準となる音量と比較して、どれくらいの音量が出力されるかの比率を表しています。基準となる音量とは、現在のクリップの音量のことを指します。単位にdB（デシベル）を利用し、数値が大きいほど音量のレベルが高くなり、音は大きくなります。反対に、数値が小さいほど音量のレベルが低くなり、音は小さくなります。

BGMにフェードイン／フェードアウトを設定する

オーディオクリップに対しても、ビデオクリップと同様にフェードイン、フェードアウトの設定ができます。トランジションやラバーバンドを使って設定します。

▶ トランジションでフェードインを設定する

BGMにフェードイン、フェードアウトの効果を設定する場合、エフェクトの「オーディオトランジション」を利用します。オーディオトランジションにあるエフェクトを、ドラッグ＆ドロップでクリップに適用します。

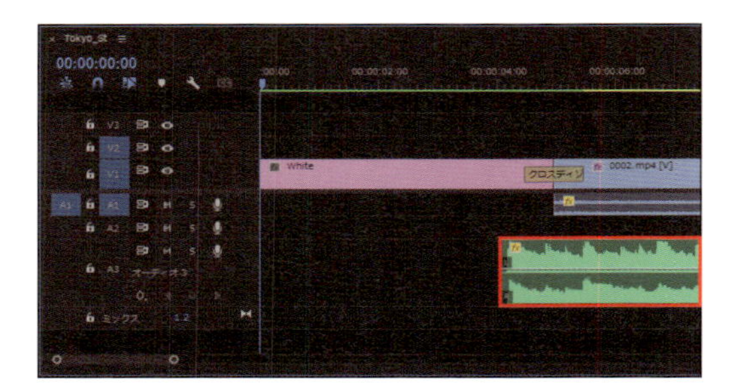

1 シーケンスを表示する

オーディオトランジションを設定するクリップのあるシーケンスを表示します。ここでは、「A3」トラックに配置したBGM用のオーディオクリップに設定します。なお、BGMの先頭部分は、必要に応じてトリミングしておきます。

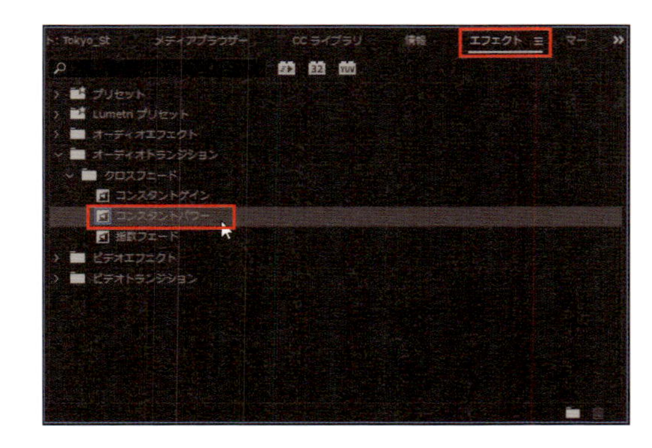

2 トランジションを選択する

「エフェクト」パネルを表示して、「オーディオトランジション」→「クロスフェード」の順にクリックし、カテゴリーを開きます。3種類のオーディオトランジションが登録されていますが、ここでは「コンスタントパワー」を選択します。

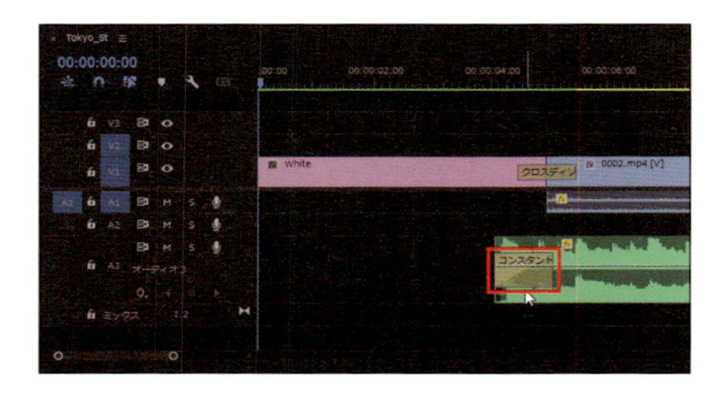

3 オーディオトランジションを設定する

トランジションの「コンスタントパワー」を、シーケンスに配置したオーディオクリップの先頭位置にドラッグ＆ドロップして、トランジションを設定します。同様の方法で「コンスタントパワー」をプロジェクトの最後のクリップの終端に設定すれば、フェードアウトになります。

POINT ラバーバンドでフェードインを設定する

ラバーバンドにキーフレームを設定して、フェードインを実現することも可能です。ラバーバンドにキーフレームを設定する方法については、P.148で詳しく解説していますので、合わせてそちらも参照してください。

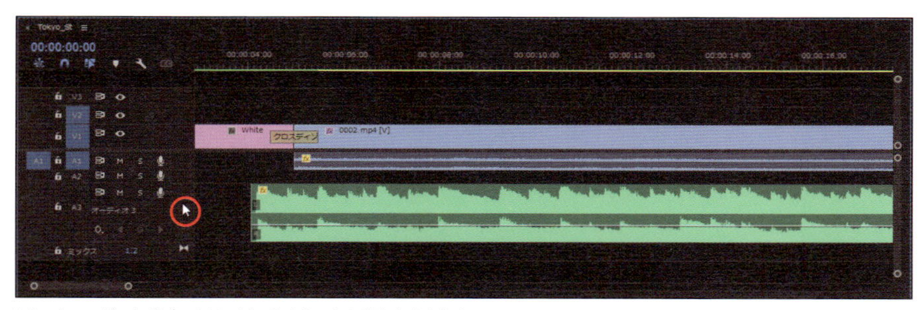

トラックヘッダーをダブルクリックして、トラックの高さを高くする。

Ctrl キーを押しながらラバーバンドの上でクリックし、キーフレームを追加する。

キーフレームを2カ所に設定する。

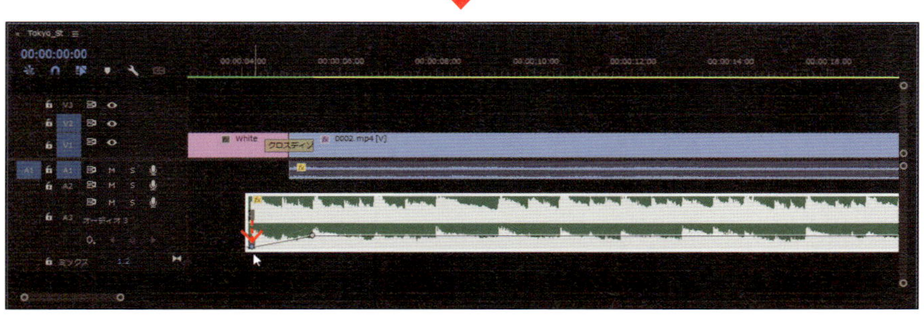

先頭のキーフレームを下にドラッグする。

「リミックス」でBGMを作成する

BGMを設定する際、「リミックス」ツールを利用することで、トリミングによるデュレーション調整などを行わなくても、かんたんに最適なデュレーションに調整できます。

リミックスツールについて

リミックスはPremiere Proに新しく搭載された機能です。動画データのデュレーションに合わせて、BGMなどオーディオデータのデュレーションを自動調整してくれます。BGMを設定した際、トリミングによる編集では不自然な位置で楽曲が終わってしまうことがあります。しかし、リミックスを利用するとBGMをAI機能で分析することで途中をトリミングし、自然な流れでBGMを終わらせることができます。リミックスの適用には、「リミックス」ツールを利用する方法と、エッセンシャルサウンドを利用する方法の2種類があります。

リミックス前のBGM。

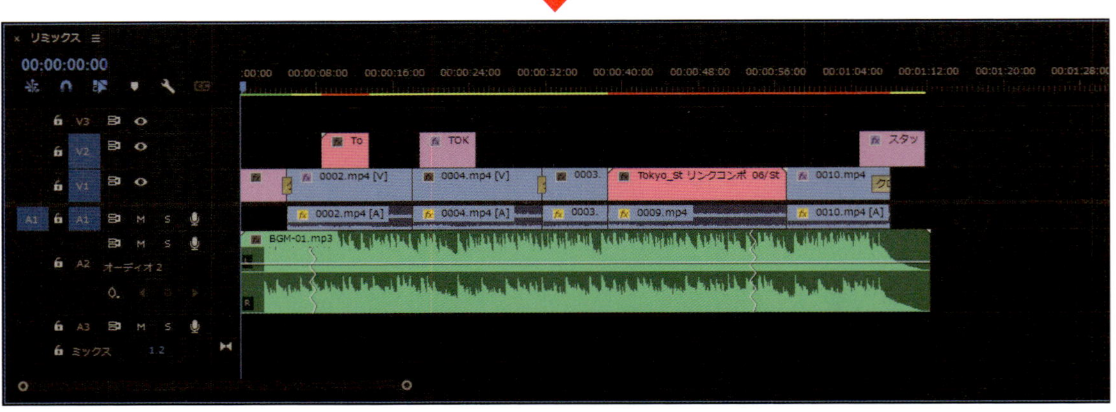

リミックス後のBGM。

▶「リミックス」ツールを利用する

「リミックス」ツールを利用したリミックス処理は、トリミングの要領でクリップをドラッグするだけです。

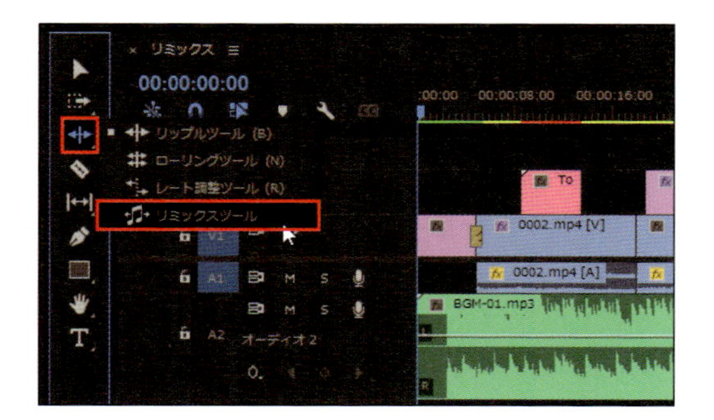

1 「リミックス」ツールを選択する

「ツール」パネルの「リップル」を長押ししてサブメニューを表示し、「リミックスツール」を選択します。

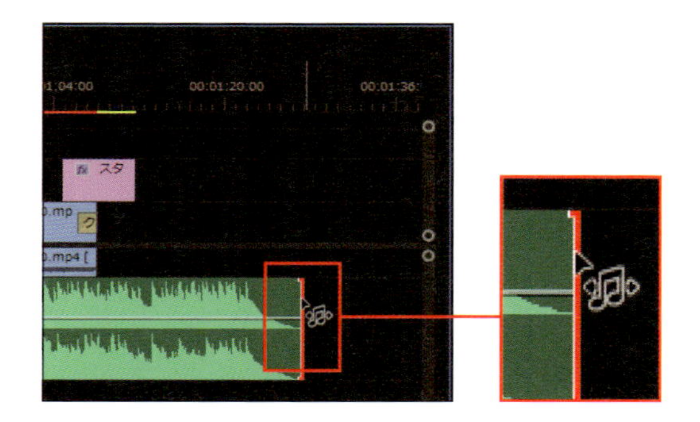

2 終端にマウスを合わせる

マウスが音符の形に変わるので、そのままBGMの終端にマウスを合わせてクリックします。終端には、編集対象を示す赤いラインが表示されます。

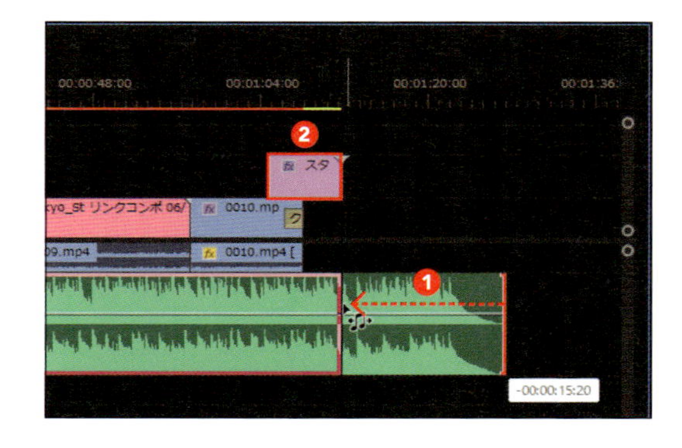

3 終端をドラッグする

オーディオクリップの終端を左にドラッグします❶。例えばロールタイトルの終端に合わせると、ロールタイトルのクリップにグレーの▽が表示され❷、同じ位置であることが示されます。

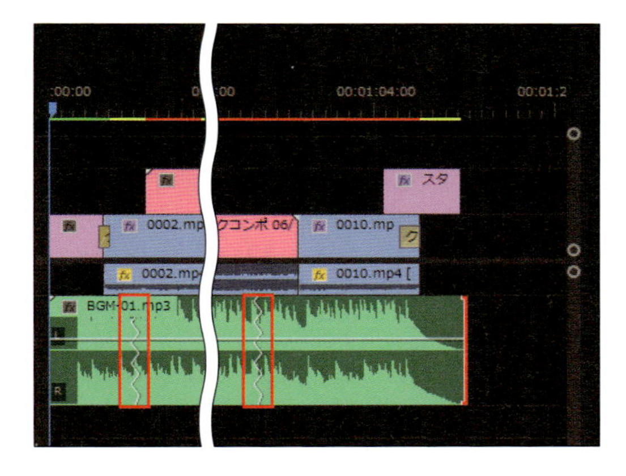

4 リミックス処理される

マウスのボタンを離すと、自動的にトリミングされます。画面でわかるように、オーディオの終端部分のフェードアウトは活かされています。また、曲の途中に数か所破線が表示され、ここでAIがデュレーションと曲のつながりを調整したことがわかります。

エッセンシャルサウンドでリミックスする

エッセンシャルサウンドを利用して、BGM用のオーディオクリップをリミックスしてみましょう。

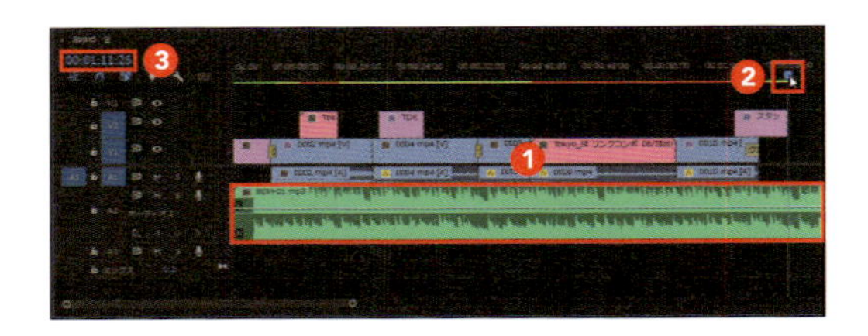

1 トリミング位置を確認する

BGMなどのオーディオデータを、シーケンスのオーディオトラックに配置します❶。オーディオトラックをトリミングして最終的なデュレーションに設定したい位置に、再生ヘッドを合わせます❷。このときのタイムコードを確認しておきます❸。

2 リミックスを有効化する

BGM用のクリップが選択されていない場合は、クリックして選択します。クリップを選択したら、メニューバーから「クリップ」→「リミックス」→「リミックスを有効化」をクリックします。

3 「エッセンシャルサウンド」パネルが表示される

ワークスペースの右側に、「エッセンシャルサウンド」パネルが表示されます。なお、画面右上の「ワークスペース」から「オーディオ」を選択してもかまいません。

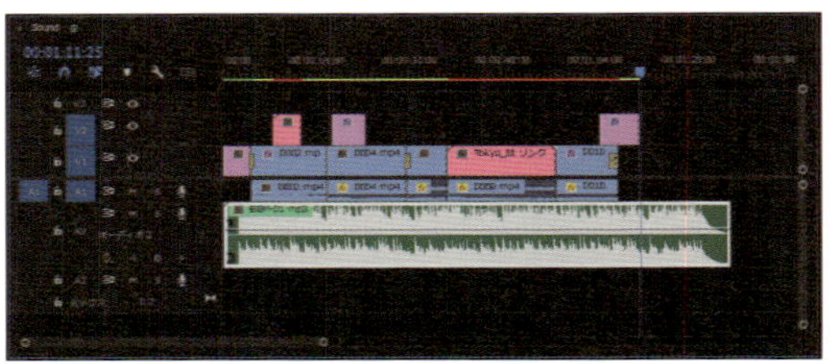

4 クリップの表示を調整する

「エッセンシャルサウンド」パネルが表示されたことでシーケンスのクリップが隠れてしまう場合は、シーケンスを選択してキーボードの¥キーを押します。これで、シーケンスの左右にやや余裕を持った状態でプロジェクト全体が表示されます。

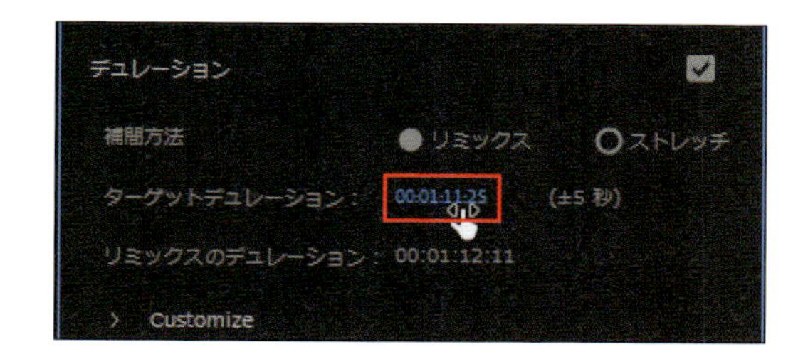

5 目標のデュレーションに設定する

再生ヘッド位置のタイムコードをもう一度確認し、エッセンシャルサウンドの「デュレーション」にある「ターゲットデュレーション」のタイムコードを、確認したタイムコードと同じ値に設定します。

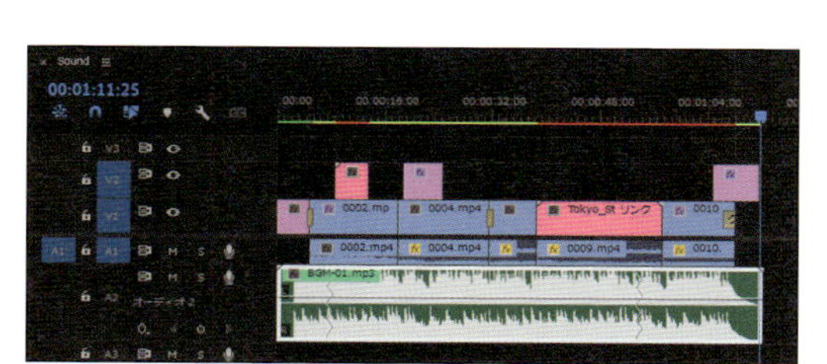

6 リミックスが適用される

オーディオクリップに、リミックスが適用されます。

POINT スムーズデュレーション調整を修正する

エッセンシャルサウンドでタイムコードを再生ヘッド位置と同じ値に設定しても、結果が異なる場合があります。これは、AI分析によってスムーズデュレーション調整が行われたためです。これを修正する場合は、シーケンス上でクリップの終端をドラッグして修正するのではなく、エッセンシャルサウンド上で「ターゲットデュレーション」の数値を変更して調整してください。終端をドラッグしたのでは、オーディオデータが正しく修正されません。下の画面では、AIの設定では微妙に短かったBGMの終端が、ターゲットデュレーションを調整することで、プロジェクトの終端とぴったり一致しています。

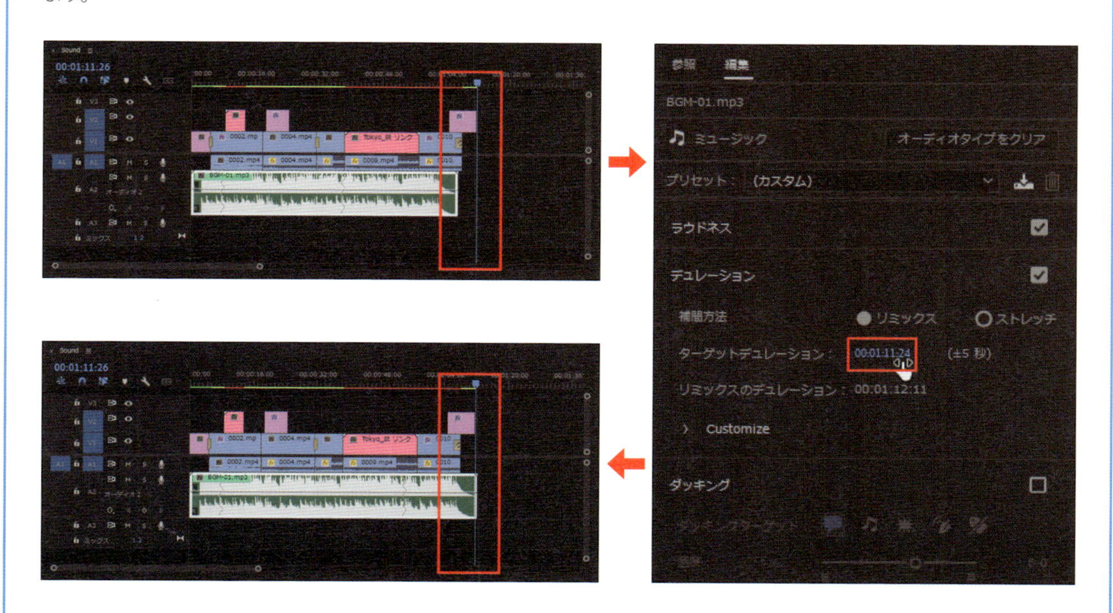

特定部分の音量を調整する

ビデオクリップにBGMを設定すると、映像に合わせてBGMの特定の部分の音量を下げたくなる場合があります。そのような時は、シーケンス上でキーフレームを設定しながら調整を行います。

▶ BGMの特定の部分だけ音量を下げる

BGMを設定した後、映像の特定の部分だけBGMの音量を下げたいということがあります。たとえば、会話を聞きとりやすくしたい、あるいは映像内の音を強調したいといった場合です。そのような時は、その部分だけBGMの音量を下げることができます。

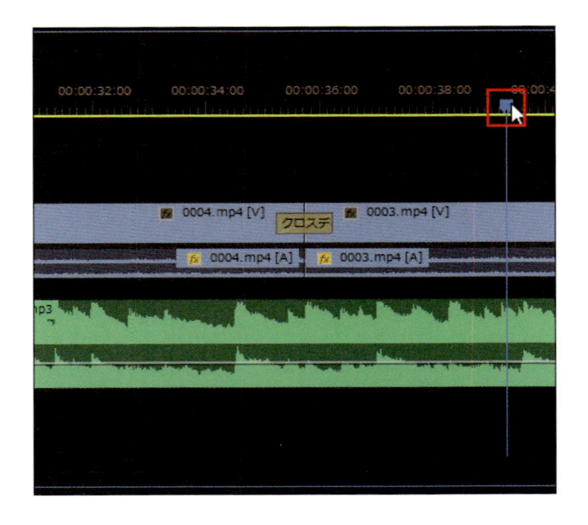

1 音量を調整したい位置を見つける

BGMの音量調整をしたいクリップとその位置を、シーケンスのタイムラインで再生ヘッドをドラッグして見つけます。なおBGMのタイムラインは、表示の高さを調整して波形を表示しておきます。

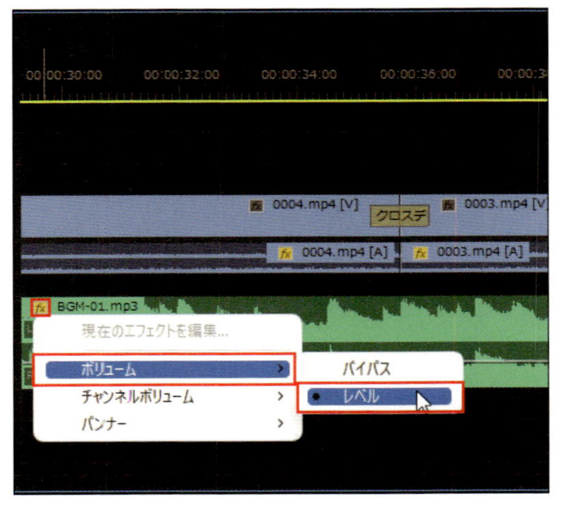

2 「レベル」を選択する

クリップの左上にある「fx」バッジを右クリックし、「ボリューム」→「レベル」をクリックします。

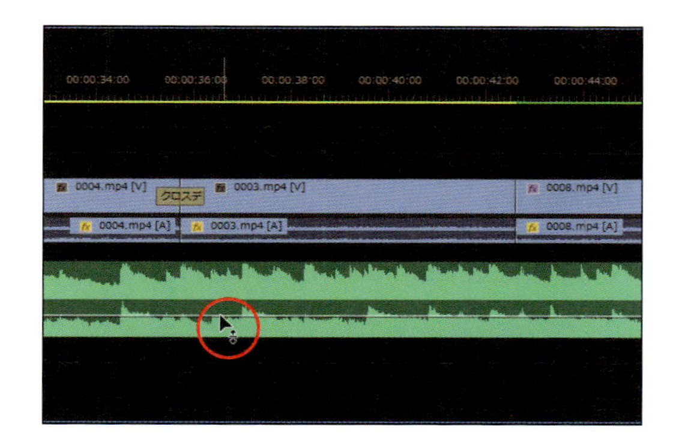

3 ラバーバンドとの交点に マウスポインターを合わせる

ラバーバンドと再生ヘッドから表示されている縦の編集ラインが交差する位置に、マウスポインターを合わせます。すると、マウスポインターの形が変わります。

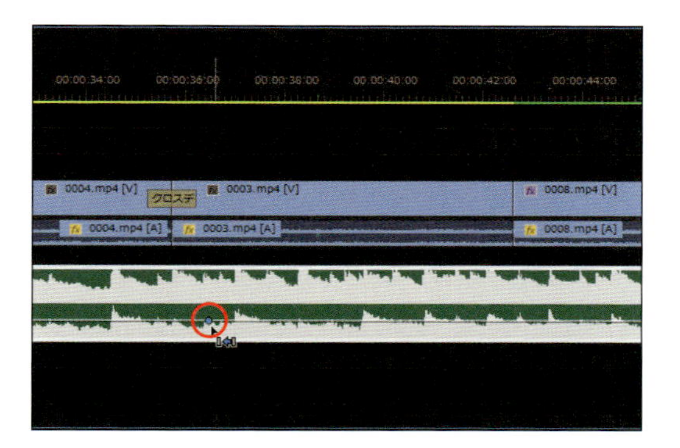

4 キーフレームを追加する

Ctrl キーを押しながらクリックすると、その位置にキーフレームが設定されます。

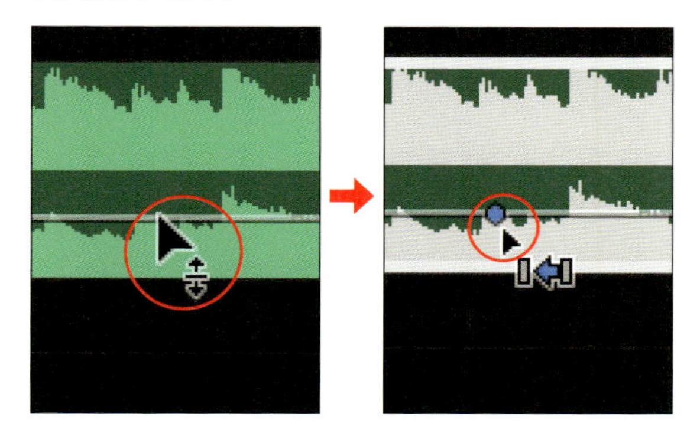

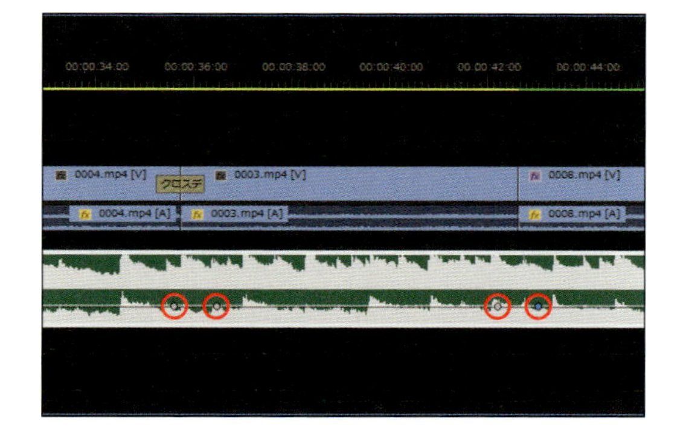

5 キーフレームを4カ所設定する

手順4の操作を繰り返して、目的のクリップの前後を挟み込むように、キーフレームを4カ所設定します。

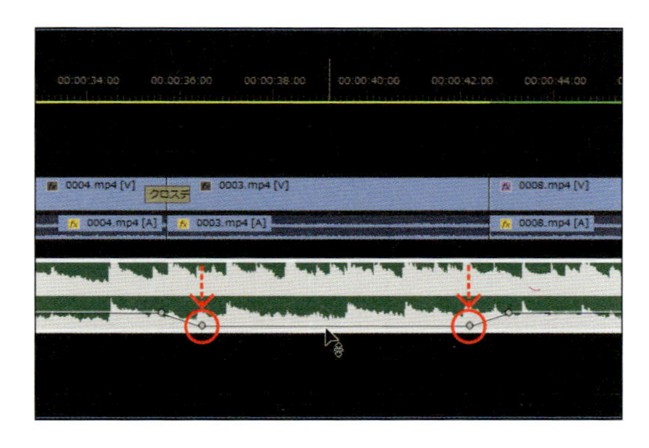

6 キーフレームをドラッグする

キーフレームに挟まれたラバーバンドを上下にドラッグすると、音量を調整できます。キーフレームを左右にドラッグすると、調整位置を変更できます。

映像から音声データを削除する

AVCHDなどのビデオクリップは、音声データと動画データから構成され、音声データはオーディオトラックに表示されます。この映像部分と音声部分を分離して、音声だけを操作／削除できます。

▶ 映像と音声のリンクを解除する

AVCHDなどのビデオクリップは、動画データと音声データがセットで構成されています。作成するビデオ作品によっては、映像の音声データをオフにし、BGMと映像だけで構成したいという場合もあります。そのような場合は、クリップから音声データ部分を分離して削除することが可能です。

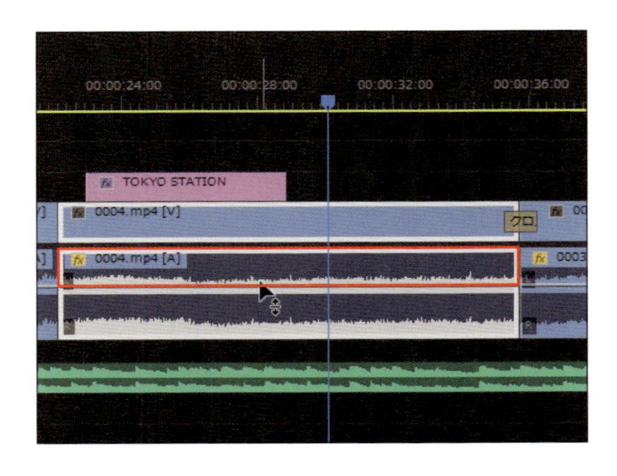

1 クリップを選択する

シーケンスで、音声データを削除したいクリップを選択します。シーケンスに配置したクリップのクリップ名の右側に、ビデオデータは「V」、オーディオデータは「A」と表示されています。

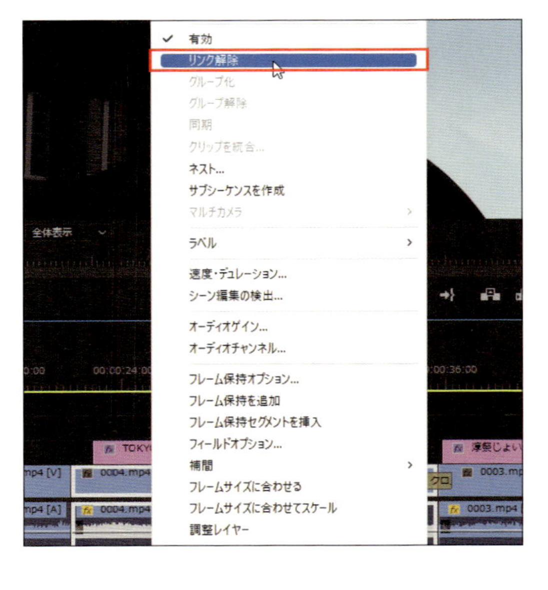

2 「リンク解除」を選択する

クリップ上で右クリックし、表示されたメニューから「リンク解除」をクリックします。

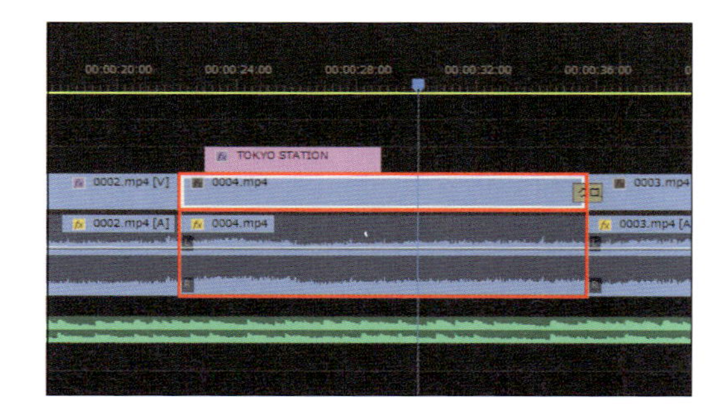

3 リンクが解除される

リンクが解除され、各クリップ名の右側にあった「A」と「V」の表示が消えます。

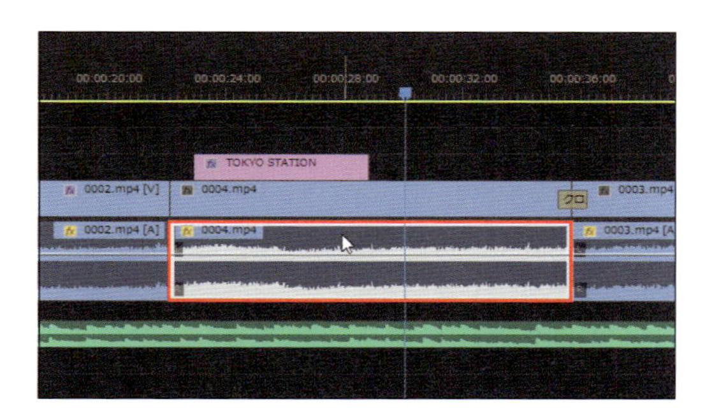

4 音声データを削除する

オーディオトラックのオーディオクリップ部分をクリックして選択し、Delete キーを押します。

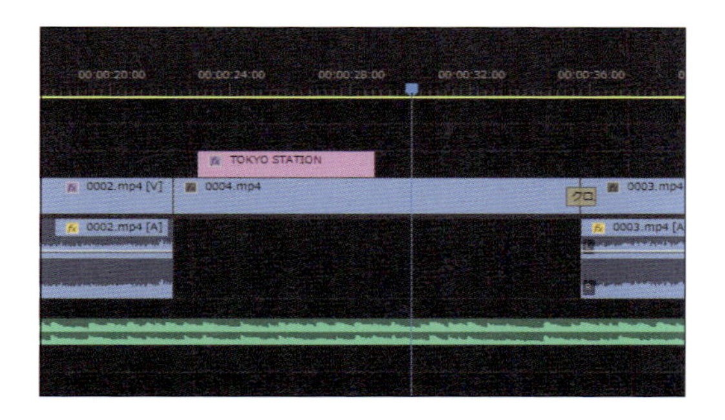

5 音声データが削除された

オーディオトラックのオーディオクリップが削除されました。

POINT Alt キーでクリックする

キーボードの Alt キー（Mac：Option キー）を押しながらオーディオ部分をクリックすると、クリックしたオーディオデータだけが選択されます。これによって右クリックでの操作に比べて、スピーディに削除等の操作ができます。

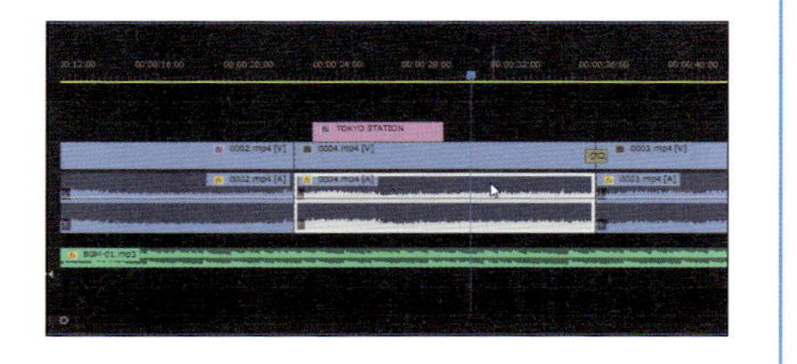

POINT 映像と音声のリンクを元に戻す

映像と音声のリンクを解除したクリップを、再度リンク設定させることも可能です。音声と映像の両方のクリップを選択し、その上で右クリックします。表示されたメニューから「リンク」をクリックすると、再度リンクが設定され、同時に操作できるようになります。

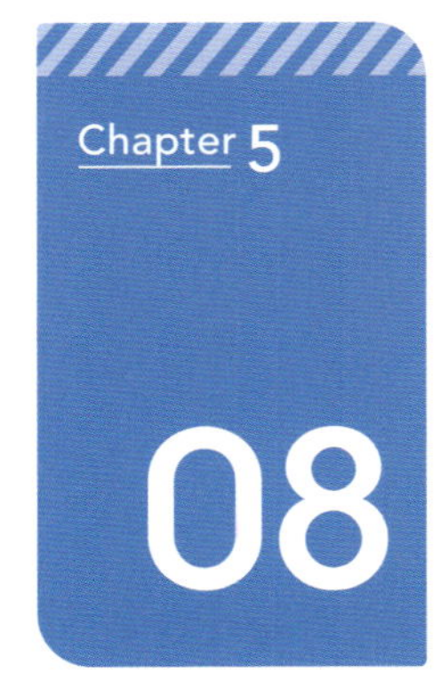

ナレーションを録音する

映像に対して、音声でコメントを入れることを「ナレーション」といいます。Premiere Proには録音機能が搭載されているので、映像を見ながらナレーションを入力してみましょう。

▶ 録音デバイスを準備する

Premiere Proには録音機能が搭載されています。この機能を利用するには、利用するPCで録音デバイスが使えるように準備しておく必要があります。

Windowsの場合

Windows 11の場合、「設定」にある「システム」❶→「サウンド」❷を選択し、表示された設定パネルの「入力」で利用するマイクを選択します❸。このとき、適正なボリュームに調整❹しておきます。

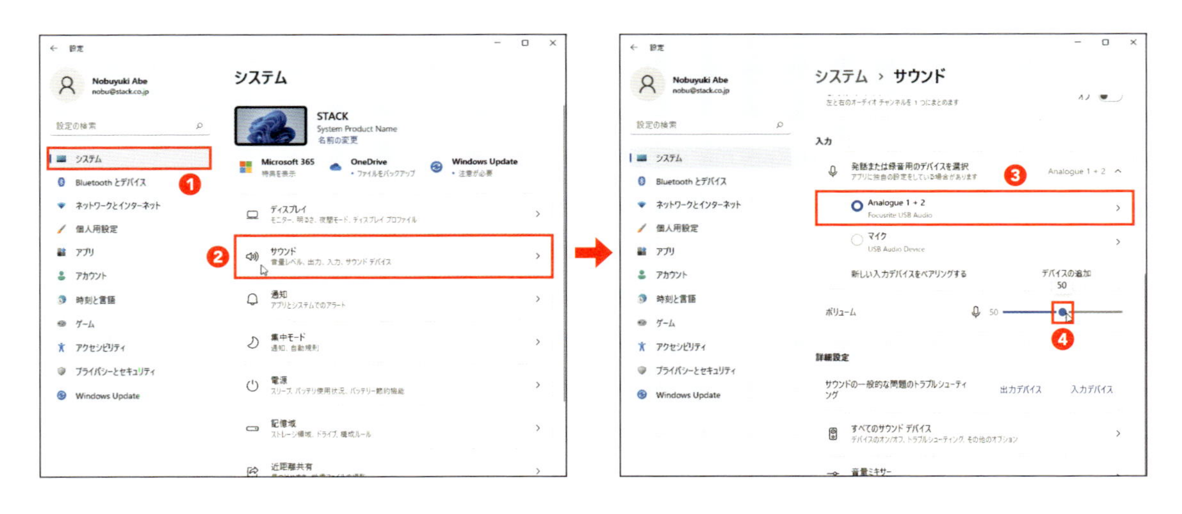

macOSの場合

macOSの場合、「システム環境設定」の「サウンド」を開き、「サウンドを入力する装置」を選択しておきます。また、「入力レベル」も調整しておきます。

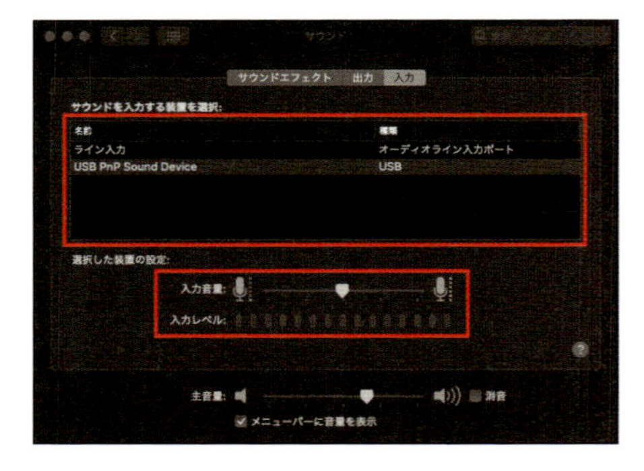

Premiere Proでの設定

Premiere Proで録音を行うには、PCで利用可能になっている入力デバイスをPremiere Proでも利用できるように設定する必要があります。

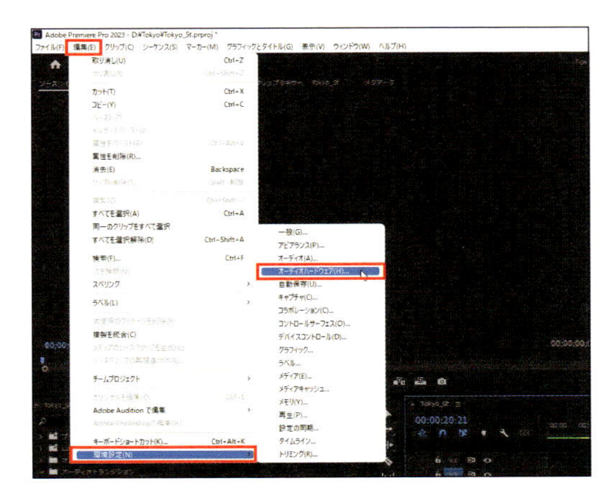

1 環境設定を選択する

メニューバーから、「編集」→「環境設定」→「オーディオハードウェア」をクリックします。macOSの場合は、「Premiere Pro CC」メニューの中に「環境設定」があります。

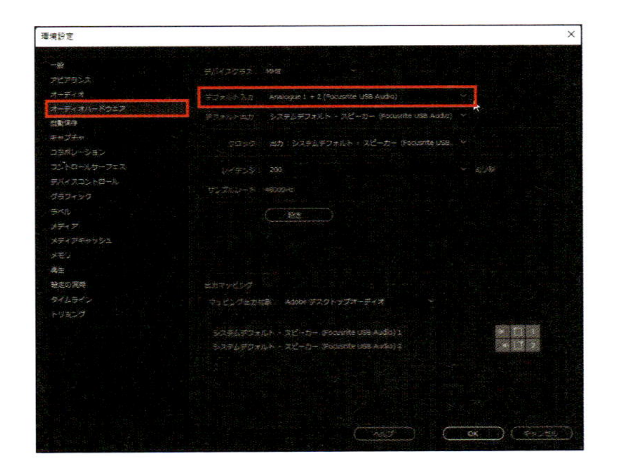

2 「デフォルト入力」を選択する

「オーディオハードウェア」の「デフォルト入力」で、録音に利用するデバイスを選択します。複数の録音用デバイスが接続されている場合は、「∨」をクリックしてメニューを表示し、ナレーションの録音に利用するデバイスを選択します。選択したら、「OK」をクリックします。

POINT 本書で利用しているヘッドセットなど

本書のハードウェアの設定画面で利用しているデバイスは、以下のような製品です。それぞれ、利用するデバイスに合わせて設定してください。

ヘッドセット
Audio-Technica BPHS1

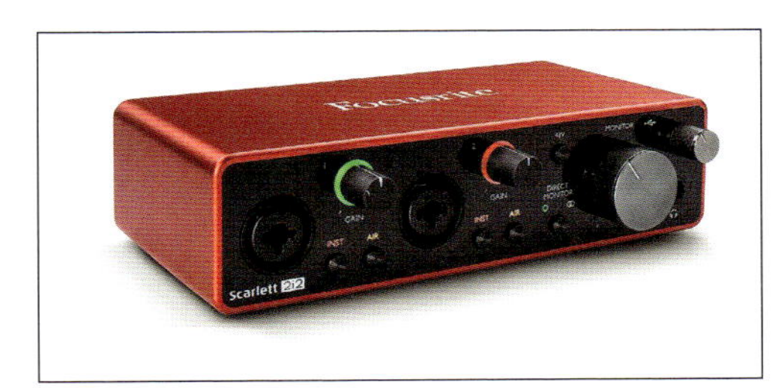

オーディオインターフェイス
Forcuslight Scarlett 2i2

ナレーションの録音を実行する

マイクの準備ができたら、ナレーションを録音しましょう。録音は、「シーケンス」パネルのオーディオトラックで行います。空いているオーディオトラックがない場合は、オーディオトラックを新しく追加してください。ここでは、オーディオ用のトラック「A2」に記録します。

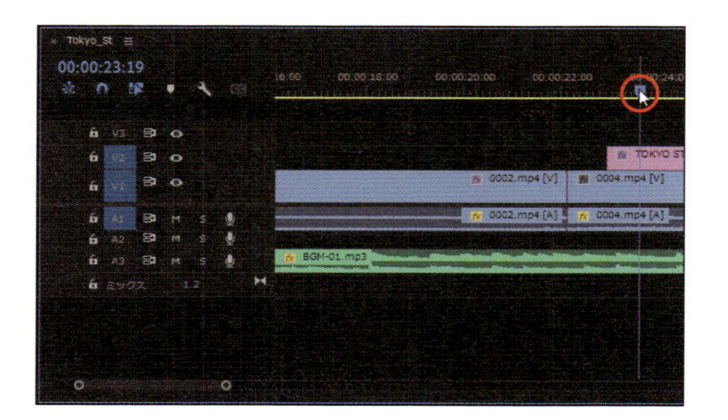

1 挿入位置を見つける

シーケンスのプロジェクトを再生するか、あるいはタイムラインで再生ヘッドをドラッグして、ナレーションの挿入位置を見つけます。

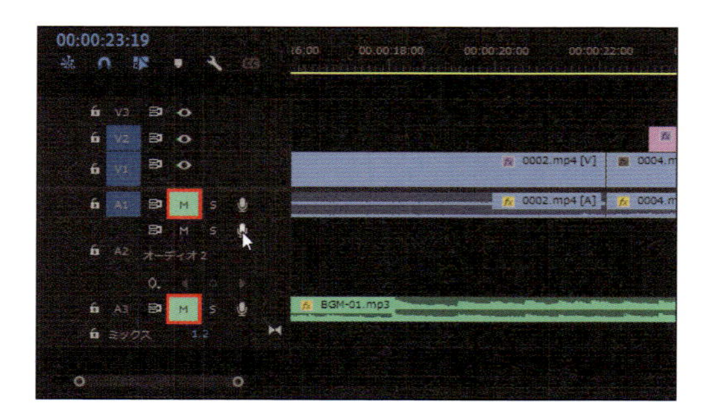

2 他のトラックをミュートに変更する

ビデオの音声部など、他のトラックにオーディオデータがある場合は、「ミュート」をオンにします。ナレーションの録音はプロジェクトを再生しながら行うため、ビデオの音声部やBGMを拾わないようにします。なお、音声を聴きながら録音したい場合は、音声出力をヘッドフォンに設定してください。また、録音で利用するトラックは、高さを広げておきます。

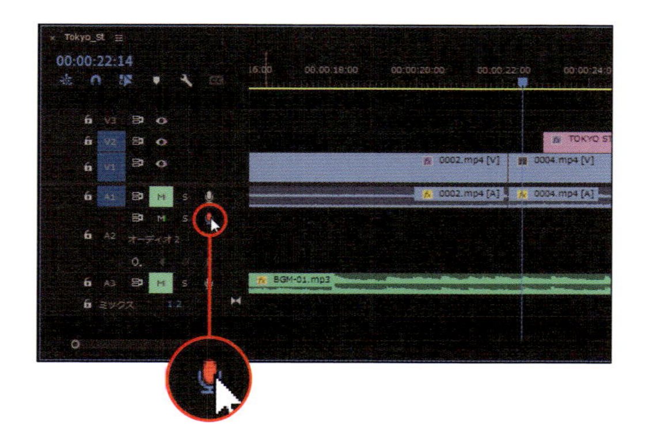

3 「ボイスオーバー録音」をオンにする

ナレーションのクリップを配置するトラックのトラックヘッダーにある、マイク型のアイコン「ボイスオーバー録音」をクリックします。クリックすると録音機能がオンになり、赤い色で表示されます。この時、再生ヘッドが少し後ろに戻ります。

4 録音を開始する

「プログラム」モニターにカウントダウンが表示され、映像の再生が開始されます。

5 ナレーションを録音する

録音が開始されると、「プログラム」モニターに「レコーディング中」と表示されるので、マイクに向かって話します。

6 録音を停止する

ナレーションが終了したら、もう一度「ボイスオーバー録音」をクリックします。録音が停止されます。

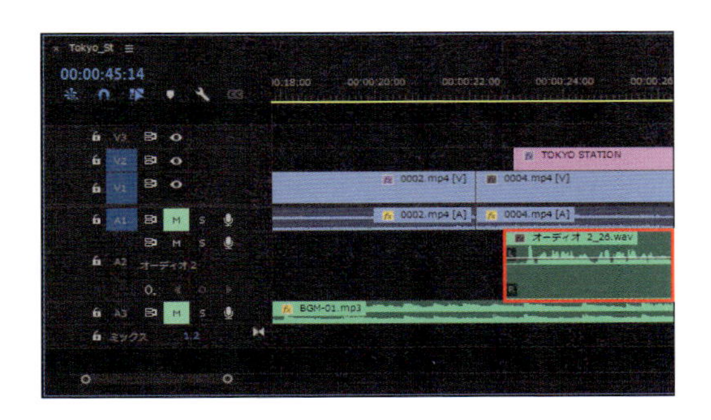

7 クリップが配置される

録音を停止すると、オーディオトラックにオーディオクリップが配置されます。タイトルヘッダーをダブルクリックすると、トラックの高さが広くなります。

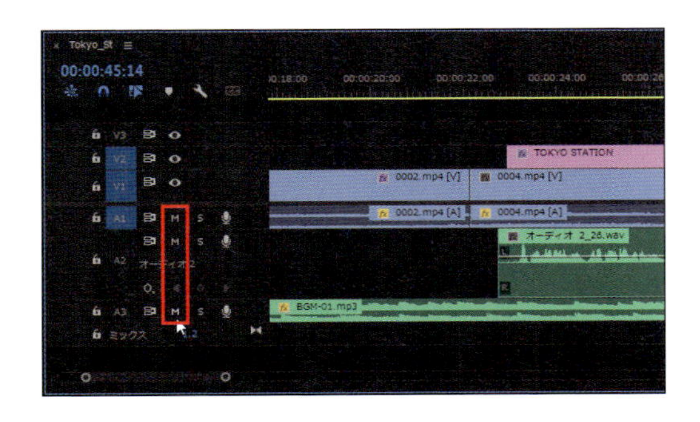

8 ミュートを解除する

ナレーションの録音を終了したら、オーディオトラックのミュートを解除します。

POINT ナレーションを別に録音しておく

Premiere Proで編集中のPCで録音ができない場合は、PCで映像を再生しながら、iPhoneやICレコーダーなどを利用して別途録音を行います。その後、録音したオーディオデータをPremiere Proに取り込み、これをオーディオトラックに配置して利用します。この場合も、映像の再生音などが入らないように、再生音をミュートに設定することを忘れないようにしてください。

POINT エッセンシャルサウンドで雑音を軽減させる

ナレーションやインタビューなどの録音データには、ホワイトノイズと呼ばれる録音機材自身の雑音や、エアコンの雑音などが含まれている場合があります。これらの雑音は、オーディオ編集用のソフト「Adobe Audition」を使って削除する方法がおすすめですが、Premiere Proのエッセンシャルサウンドでもノイズの軽減が可能です。「エフェクトコントロール」パネルの「会話」❶→「修復」❷を選択し、削除したいノイズのチェックボックスをクリックして有効❸にしてください。

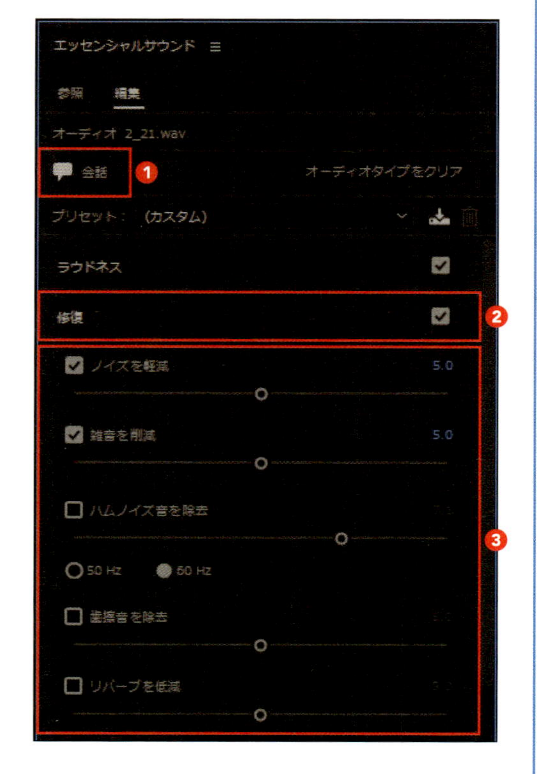

また、「会話」のプリセットの「V」❶をクリックすると、面倒な設定なしに雑音を軽減できるプリセット❷が利用できます。

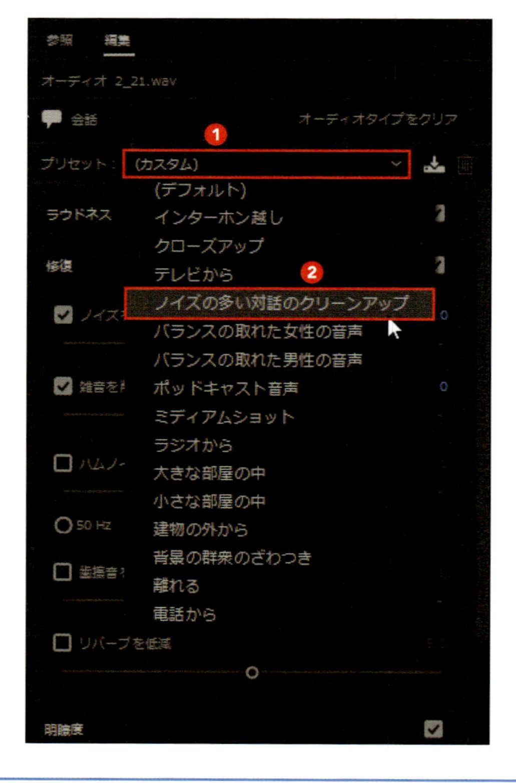

Premiere Pro 編

Chapter 6

Premiere Proから出力する

「クイック書き出し」ですばやく出力する

編集を終えたプロジェクトを動画ファイルとして「書き出し」画面から書き出す場合（P.160）、設定が必要になります。それに対して、設定を必要とせず、動画ファイルを手軽に出力できるのが「クイック書き出し」です。

▶「クイック書き出し」で出力する

Premiere Proでの動画ファイルの出力は、「書き出し」画面から行うのが基本です。しかし、書き出しの設定が面倒という場合は、「編集」ページから2クリックで出力できる「クイック書き出し」がおすすめです。「書き出し」画面を使った書き出し方法については、P.160で解説します。

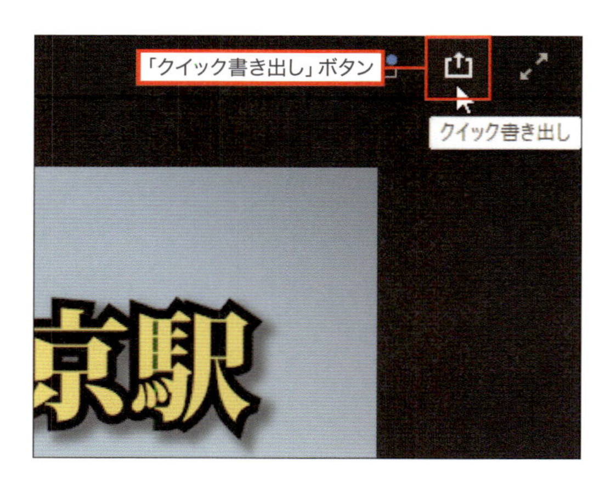

1 出力ボタンをクリックする

「クイック書き出し」のボタンは、「ワークスペース」を切り替えるボタンの右側にあります。これをクリックしてください。

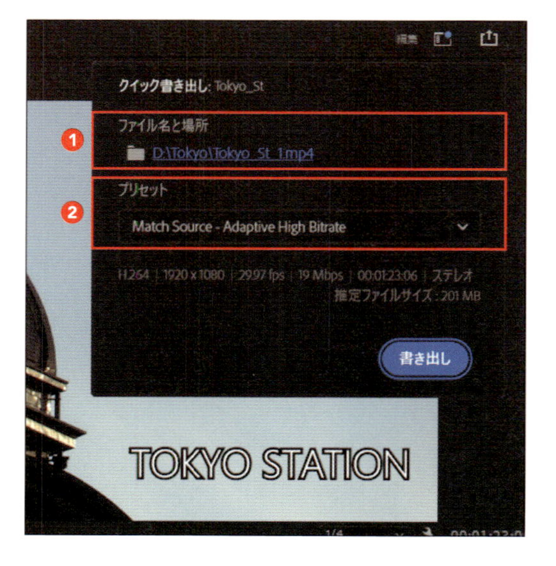

2 出力の設定を行う

すると、設定パネルが表示されます。次の2カ所を設定すれば出力できます。

❶ファイル名と場所
ファイル名の設定と、出力した動画ファイルの保存場所を設定・確認する。

❷プリセット
おすすめの出力設定から目的に合ったセットを選ぶ。

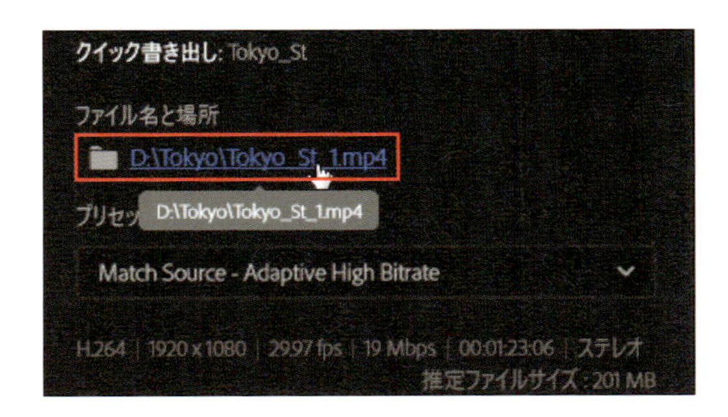

3 「ファイル名と場所」を設定する

「ファイル名と場所」は、デフォルトでファイル名はシーケンスと同じ名前、ファイルはプロジェクトファイルと同じ場所が設定されています。ファイル名や保存場所を変更したい場合は、ここをクリックして変更します。

4 プリセットを選択する

「プリセット」の「∨」をクリックすると、選択可能な7種類のプリセットが表示されます。ここから利用したいプリセットを選択します。プリセットの下のパラメーターにマウスを合わせると、詳細な情報が表示されます。プリセットの設定内容はH.264をベースに設定されており、基本的にユーザーが変更することはできません。しかし、「Match Source」という3つのプリセットはシーケンス設定を基準に設定されているため、シーケンス設定が変われば、設定内容も自動的に変わります。

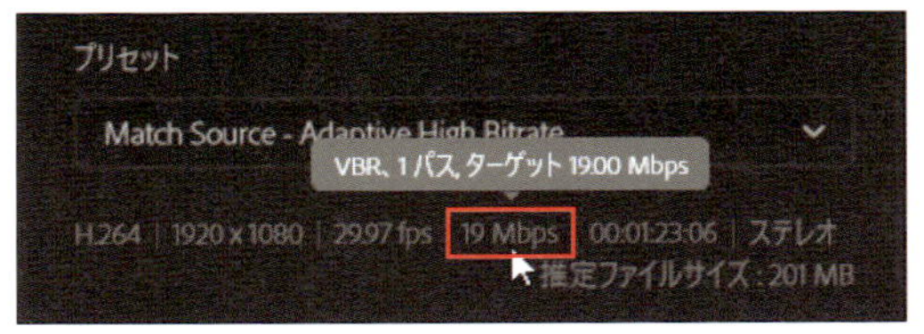

詳細な設定内容は、プリセットの下に表示されているパラメーターにマウスを合わせると表示される。

5 書き出しを実行する

「書き出し」をクリックすると、エンコードが開始され、動画ファイルが出力されます。

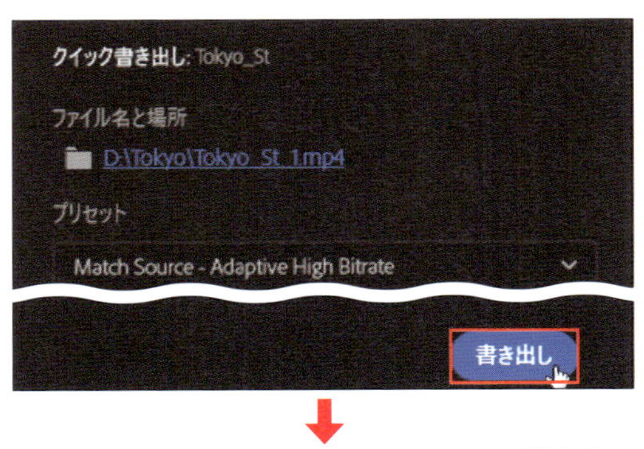

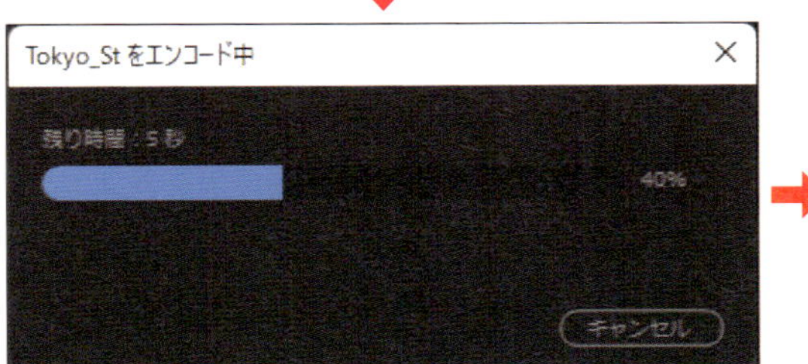

出力された動画ファイル。

動画ファイルを出力する

編集を終えたプロジェクトは、動画ファイルとしてPremiere Proから出力します。ファイルを出力する場合は、利用目的に適したファイル形式で、かつ高画質で出力することが大切です。

▶「書き出し」を実行する

プロジェクトでの編集作業が終了したら、プロジェクトを動画ファイルとして出力します。この時出力するファイル形式は、利用する目的に適したファイル形式で出力することが重要です。ここでは例として、フルハイビジョンで編集したデータを、フルハイビジョンと同じ高解像度で出力する方法について解説します。

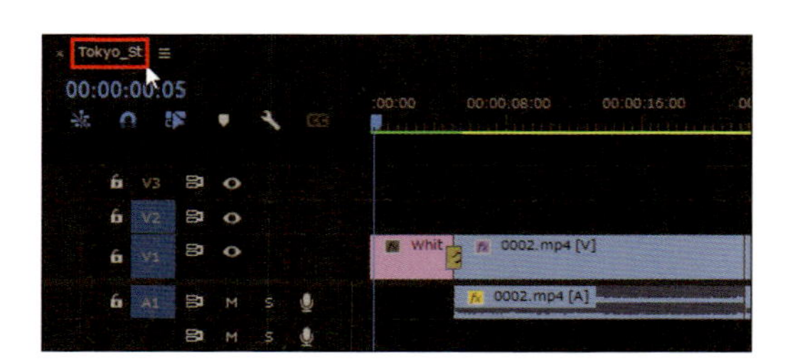

1 シーケンスを選択する

出力するシーケンスを選択します。複数のシーケンスを編集している場合は、出力したいシーケンスのタブをクリックします。出力できるのは、1つのシーケンス単位です。複数のシーケンスをまとめて出力することはできません。

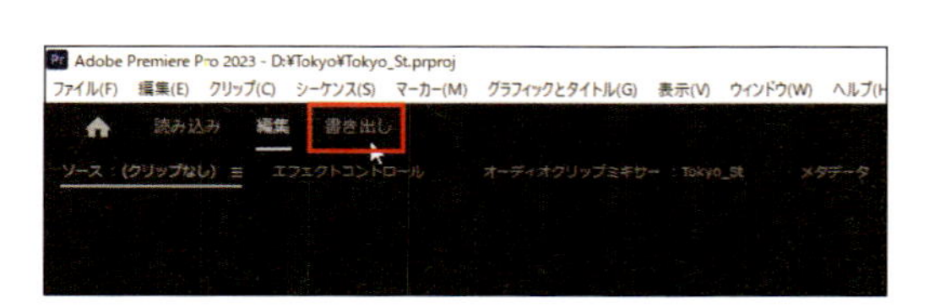

2 「書き出し」を選択する

シーケンスを選択したら、「編集」画面左上にある「書き出し」をクリックし、「書き出し」画面に切り替えます。

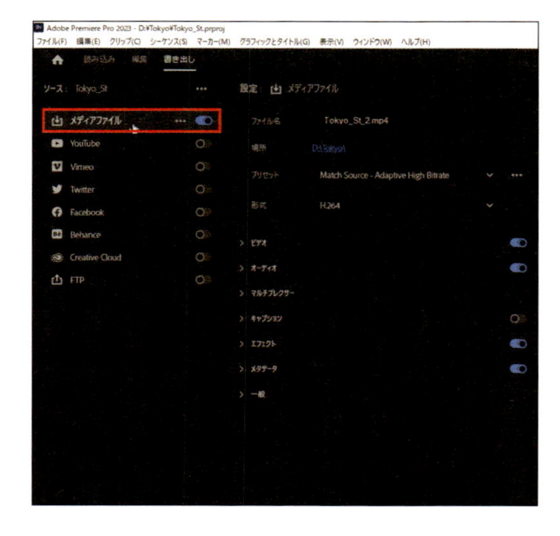

3 出力方法を選択する

「書き出し」画面が表示されるので、左の一覧から、出力方法として「メディアファイル」を選択します。デフォルトで右側のボタンがオンになっています。「メディアファイル」を選択すると、編集しているPC上に動画ファイルが出力されます。

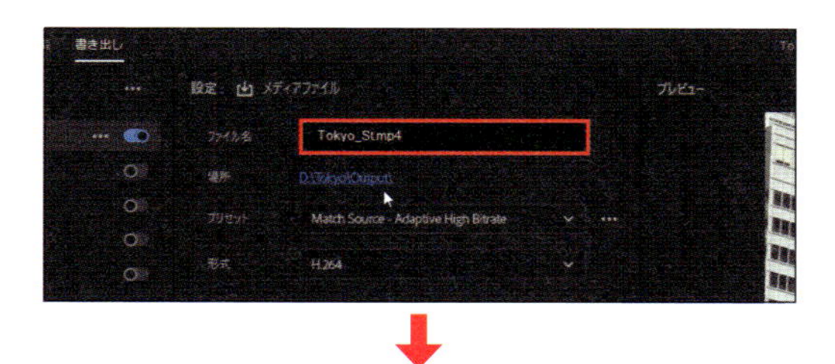

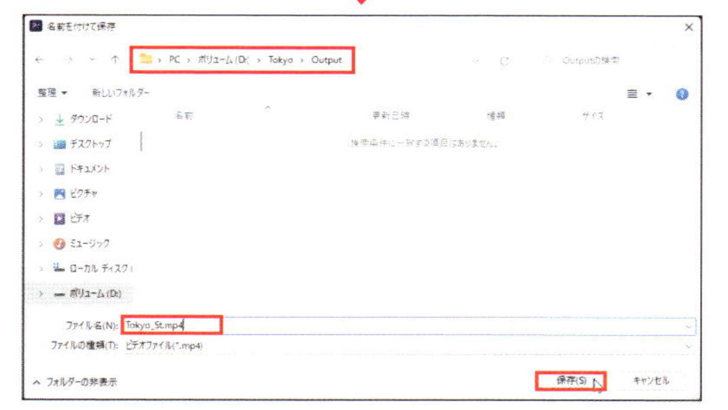

4 ファイル名や保存先を変更する

ファイル名は、デフォルトでシーケンス名が適用されています。変更する場合は、「ファイル名」に新しいファイル名を入力するか、「場所」の表示をクリックし、ファイル名や保存先を変更します。ファイル名は漢字などの2バイト文字を利用してもかまいませんが、出力したファイルをYouTubeなどで利用することを考えている場合は、文字化けを防ぐために1バイトの英数字の利用をおすすめします。設定ができたら、「保存」をクリックします。

5 「プリセット」を選択する

次に、「プリセット」を選択します。プリセットとは、利用する目的に応じて、事前にさまざまな設定が行われているひな形のことです。細かな設定をしなくても、プリセットを選択するだけで最適な形で出力ができます。ここでは、「Match Source - Adaptive High Bitrate」を選択します。このプリセットで、素材と同程度の解像度のデータが出力できます。

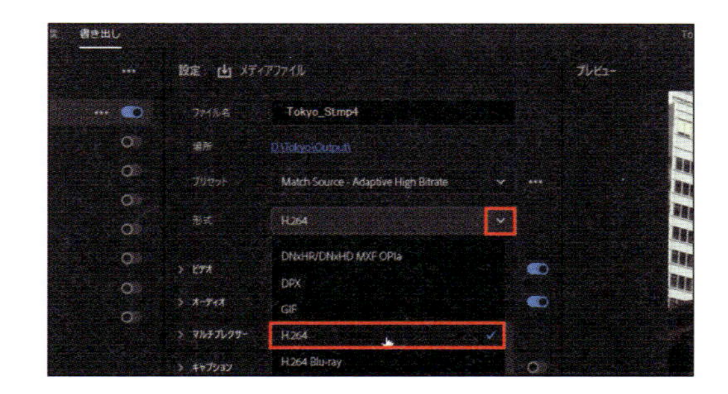

6 「形式」を選択する

「形式」では、動画データを圧縮するためのコーデックを選択します。通常は「H.264」(えいち・どっと・にいろくよん)を選択します。SNSでの利用を含め、高画質でファイルサイズの小さい動画ファイルを出力できます。

POINT 次世代は「H.265」がスタンダード?

現在はH.264コーデックが主流ですが、次世代のコーデックとして期待されているのが「H.265」です。Windows 11ではまだ再生できませんが(コーデックを別途購入すれば利用可能)、macOSではH.265が標準コーデックとして搭載されています。H.265はH.264よりも高画質で、しかもファイルサイズを小さくできるのが特徴です。なお、WindowsでもPremiere Proを使えばH.265で出力することができます。

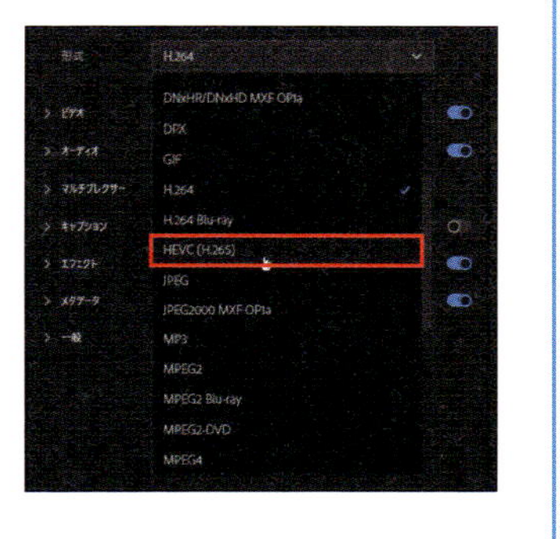

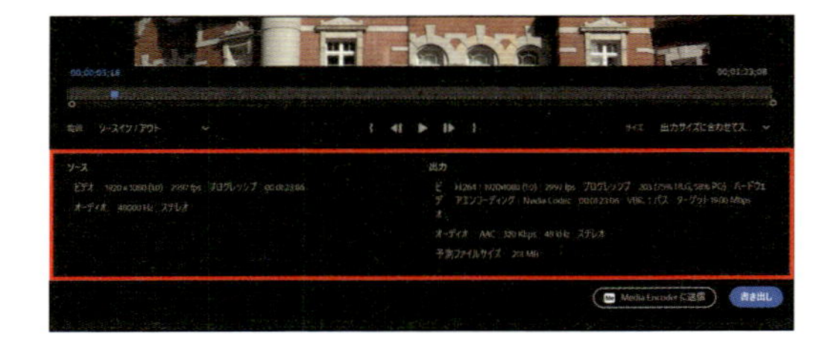

7 「ソース」と「出力」を確認する

ワークスペースの右下には、「ソース」と「出力」という2つの表示があります。「ソース」には、利用した素材の形式が表示されています。「出力」には、これから出力する動画ファイルの形式が表示されています。2つの表示を確認し、基本的には、素材と同じか同等の設定で出力するようにしましょう。

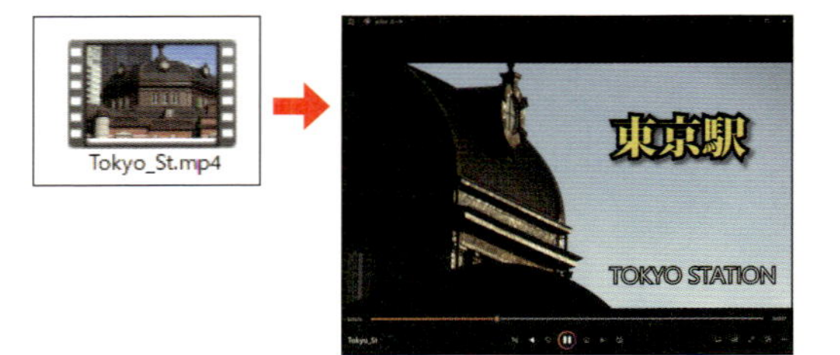

8 出力を実行する

設定内容を確認したら、「書き出し」をクリックします。ファイルの書き出し（エンコード）が開始されます。なお、Premiere Proから書き出しを実行すると、Premiere Proでは書き出し以外の作業ができなくなります。そのため、本書ではこの後に解説するMedia Encoderから出力する方法をおすすめします（P.163）。

Tokyo_St.mp4

9 ファイルが出力される

エンコードが終了すると、指定したフォルダーに動画ファイルが出力されます。

POINT 出力方法を追加する

H.264コーデック以外に、たとえば「ProRes」などのファイル形式でも出力したいという場合は、出力方法を追加することができます。メディアファイルの右にある「･･･」❶をクリックし、メニューから「複製」❷を選択します。新しく「メディアファイル」が登録されるので、右側のボタンを有効にし❸、「設定」で利用したい形式に設定します。

なお、ProResの設定は、「形式」で「QuickTime」❹を選択し、「ビデオ」をクリックします❺。設定項目が展開されるので❺、「ビデオコーデック」で利用したいProResのタイプを選択❻します。

Media Encoderから動画ファイルを出力する

Premiere Proでは、Premiere Pro本体のインストールと同時にファイル出力専用ソフト「Media Encoder」がインストールされます。これを利用すると、動画ファイルの出力と同時に編集作業が行えます。

▶ Media Encoderに転送する

「Media Encoder」は、動画ファイルやオーディオファイルを出力するための専用ソフトで、Premiere Proで設定した動画ファイルを出力することができます。Premiere Proから動画ファイルを出力すると、出力処理中は他の編集作業ができなくなりますが、Media Encoderから出力すると、出力処理中でもPremiere Proでの編集作業を続けることができます。Premiere ProからMedia Encoderに出力設定を転送してみましょう。

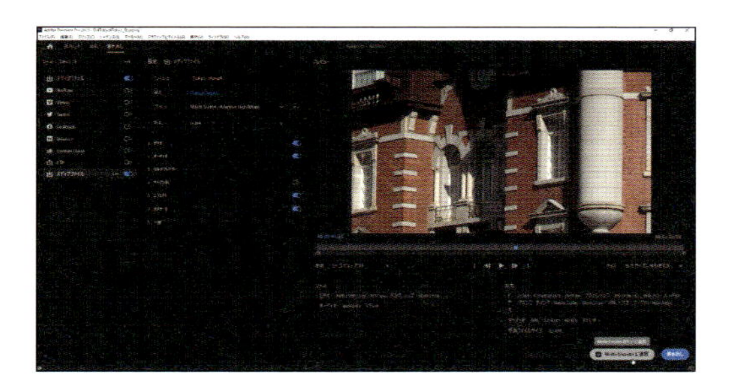

1 「送信」をクリックする

P.160の方法でソース、設定などを行ったら、右下にある「Media Encoderに送信」をクリックします。

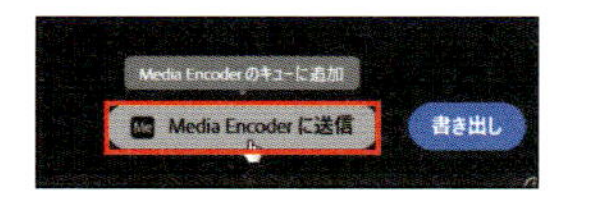

2 Media Encoderが起動する

Media Encoderが起動し、転送したPremiere Proの出力設定が「キュー」に登録されます。

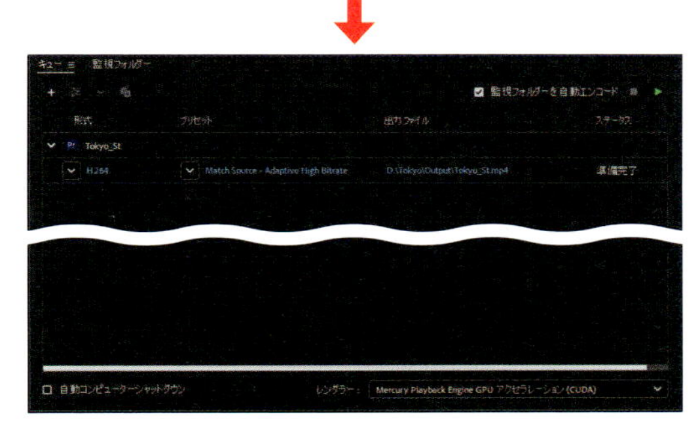

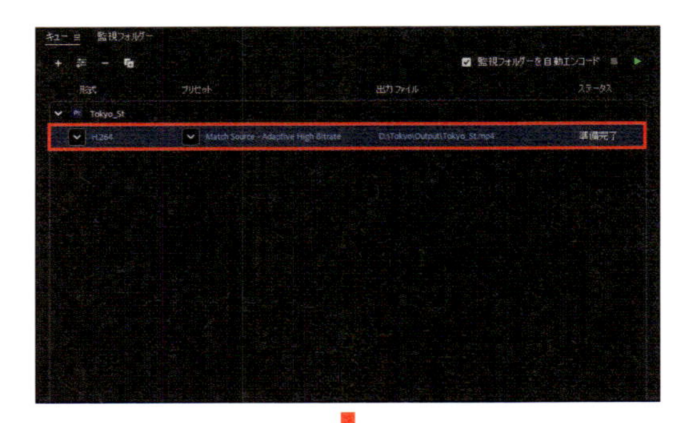

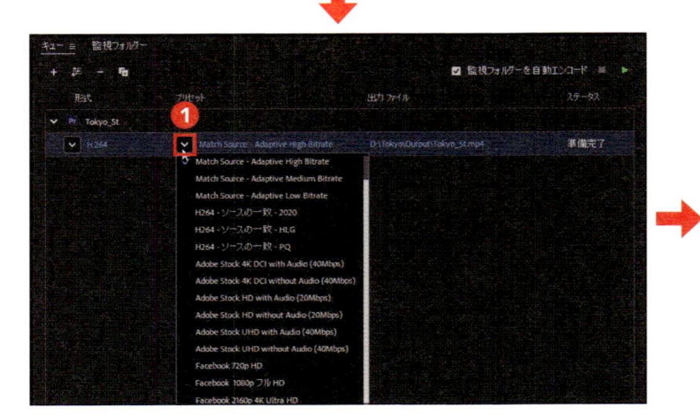

3 設定を変更する

転送された出力設定は、Media Encoder上でも変更できます。出力設定を変更する場合は、Media Encoderに登録された設定名をクリックします。「V」をクリック❶すると、メニューからプリセットを選択できます。設定内容❷をクリックすると、Premiere Proの「書き出し設定」パネルが表示され、書き出しの設定を行うことができます。

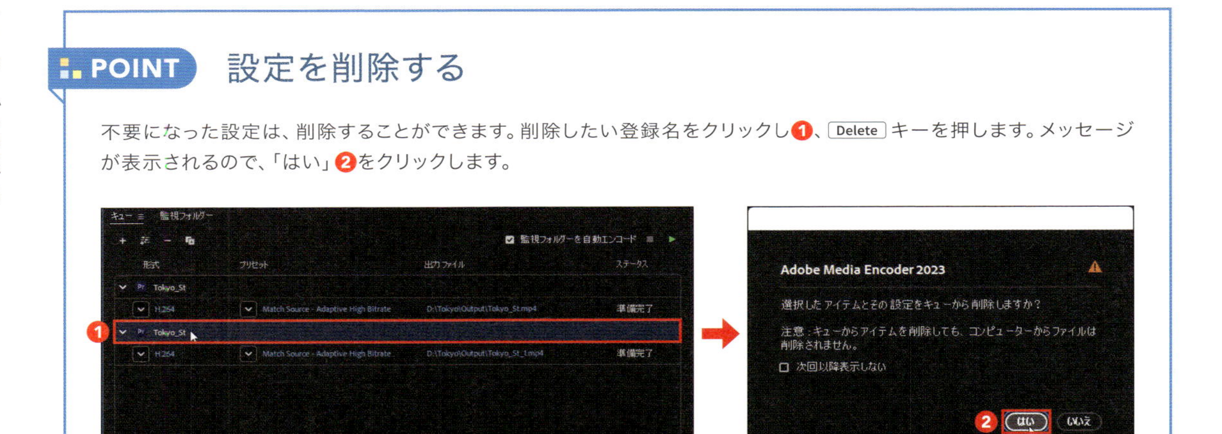

POINT 設定を削除する

不要になった設定は、削除することができます。削除したい登録名をクリックし❶、Delete キーを押します。メッセージが表示されるので、「はい」❷をクリックします。

▶ 動画ファイルを出力する

それでは、Media Encoderから動画ファイルを出力してみましょう。

1 「キューを開始」をクリックする

P.160の方法で出力設定を登録し、キュー一覧の右上にある緑色の「キューを開始」をクリックします。

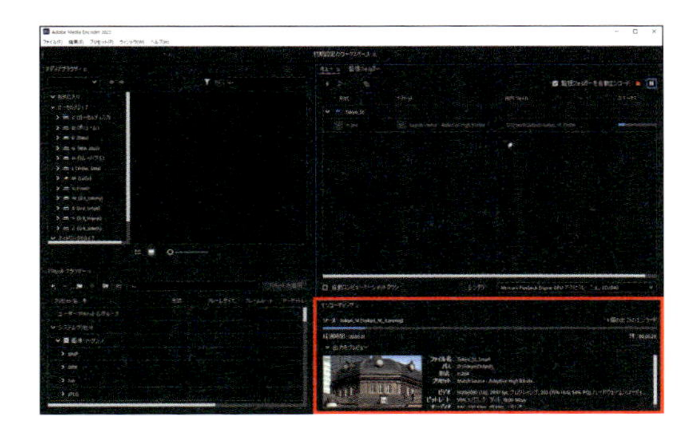

2 出力作業が実行される

出力作業が開始されます。画面右下の「エンコーディング」に、出力状況が表示されます。

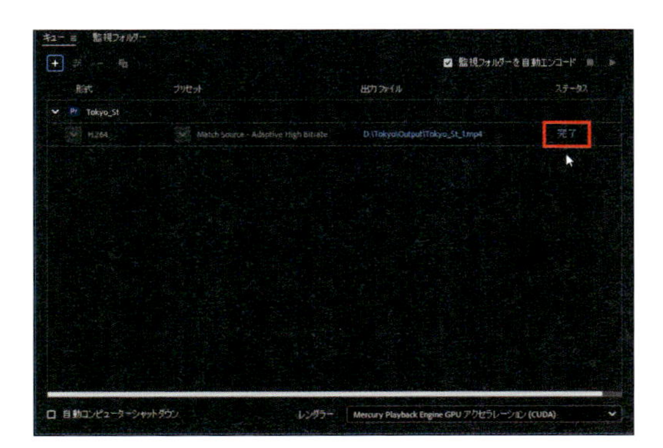

3 出力が完了する

動画ファイルが出力されると、キュー一覧の「ステータス」に「完了」と表示されます。

POINT レンダリングについて

動画ファイルの出力作業で、「レンダリング」や「エンコード」という言葉を目にすることがあります。エンコードとは、動画や音声データを圧縮する作業のことをいいます。
これに対してレンダリングは、動画ファイルの出力作業のことを指しています。動画の編集では、映像、音声、テキスト、画像など、さまざまなデータ形式を利用しています。これら出力したいデータのファイル形式を合わせて、1つの動画ファイルとしてまとめる作業のことを「レンダリング」といいます。

POINT シーケンスは上から順に出力される

複数のシーケンスを出力する場合は、同時に出力されるのではなく、上から順番に出力されます。右の画面では3本のシーケンスがキューに登録されています。キューを開始すると、最初に1番目が出力されます。次に2番目の出力が開始され、3番目は待機しています。このように、複数の出力設定がある場合は、上から順に出力されていきます。

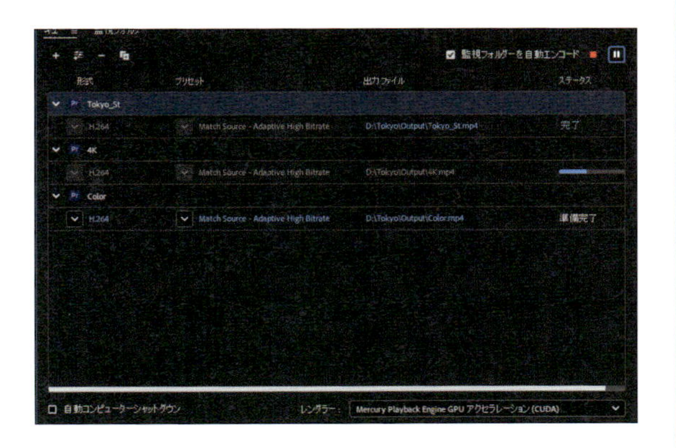

YouTubeに動画をアップロードする

Premiere Proで編集したプロジェクトは、Premiere ProからYouTubeに直接アップロードし、公開できます。Facebook、Vimeoなどにも、同様の方法でアップロードと公開ができます。

▶ YouTube にアップロードする

編集が終了したプロジェクトは、Premiere ProからYouTubeなどのSNSにアップロードし、公開することができます。ただし、事前にYouTubeなどのアカウントを取得しておく必要があります。

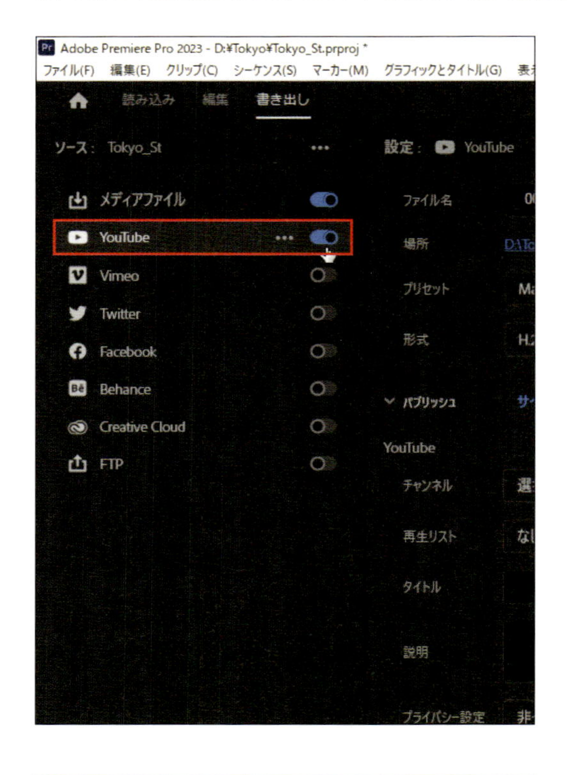

1 「YouTube」を選択する

Premiere Proを「書き出し」画面に切り替え、出力先として「YouTube」を選択します。右側にあるボタンを有効にします。

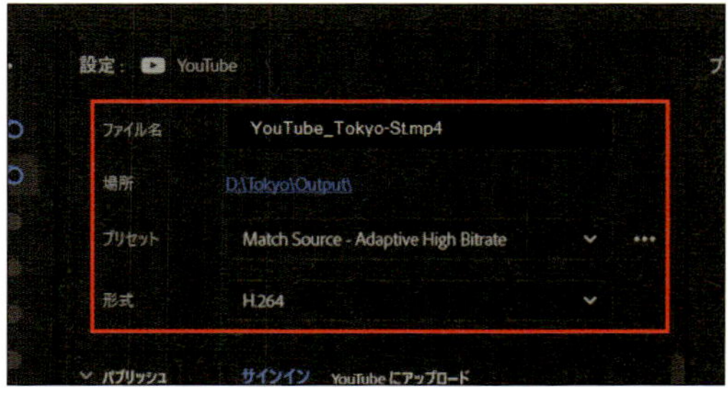

2 設定を行う

「設定」で、ファイル名や保存場所、プリセットなどを設定します。YouTubeにアップロードする場合、プリセットは高画質の「Match Source - Adaptive High Bitrate」を選択します。「形式」は、H.264、H.265などを選択します。Windowsからのアップロードでも、H.265で問題ありません。

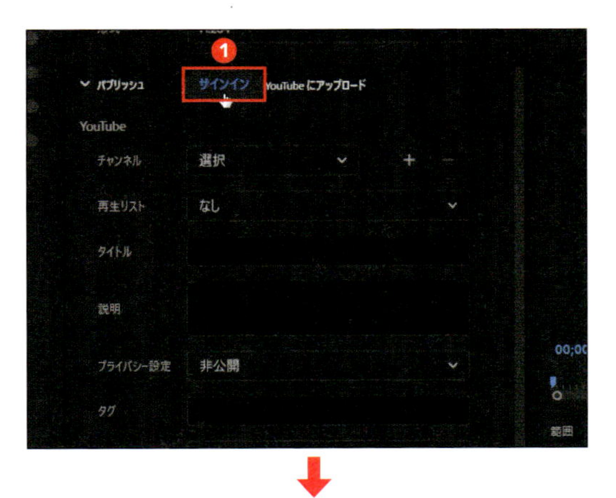

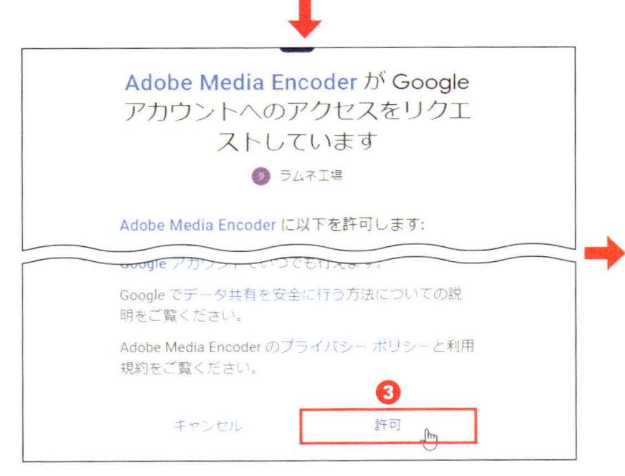

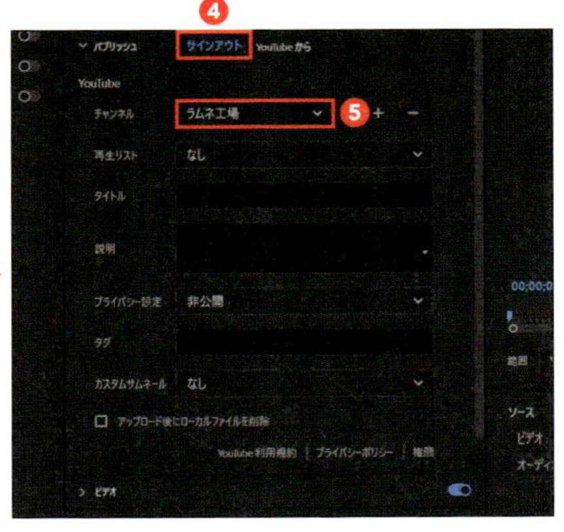

3 サインインする

「パブリッシュ」の設定パネルが展開されているので、「サインイン」①をクリックしてパスワード②を入力し、YouTubeにサインインします。このとき、Media Encoderへのアクセスを求めてくるので、「許可」③をクリックします。サインインすると、「サインアウト」④と「チャンネル」にチャンネル名⑤が表示されます。

4 公開情報を設定する

公開に必要な情報を入力します。「タイトル」や「プライバシー設定」など、最低限必要な項目のみの入力でかまいません。公開情報は、後からYouTubeにログインして変更できます。設定が終了したら、「書き出し」画面の右下にある「書き出し」をクリックします。

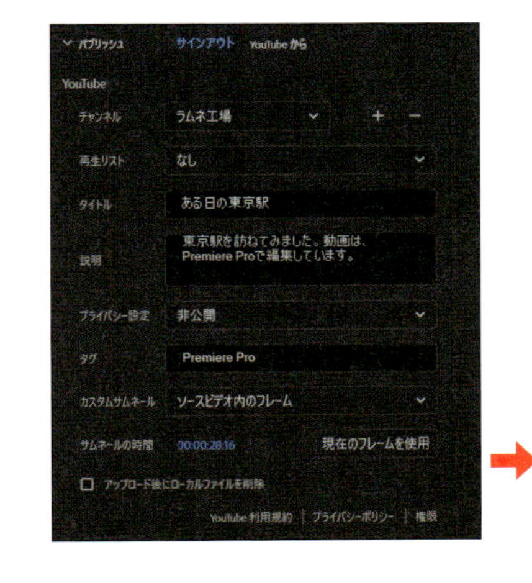

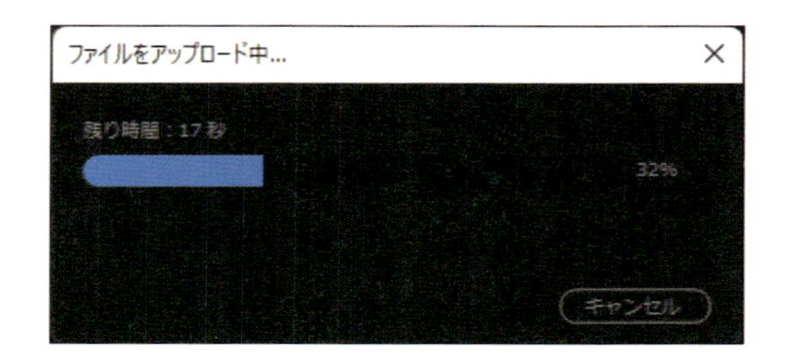

5 「書き出し」が実行される

エンコードが実行され、出力されたファイルがYouTubeに自動的にアップロードされます。

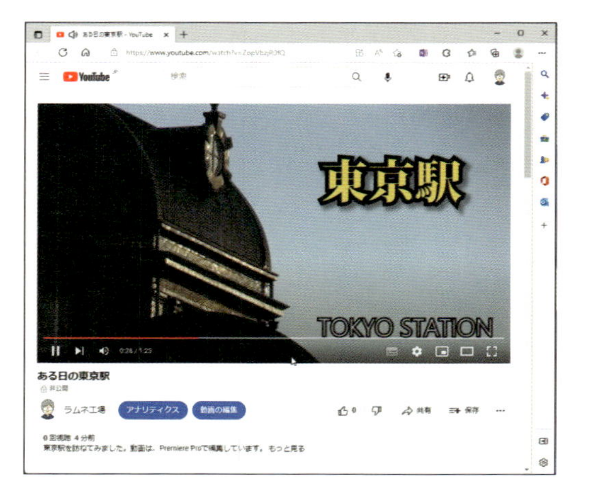

6 YouTubeで確認する

YouTubeで、動画が公開されたかどうかを確認します。

POINT サムネイルの設定

YouTubeで動画を公開する場合、サムネイルが必要になります。別途オリジナルのサムネイルを用意してもよいのですが、編集中のフレームも利用できます。「書き出し」画面でサムネイルに利用したいフレームに再生ヘッドを合わせ❶、「現在のフレームを使用」❷をクリックしてください。

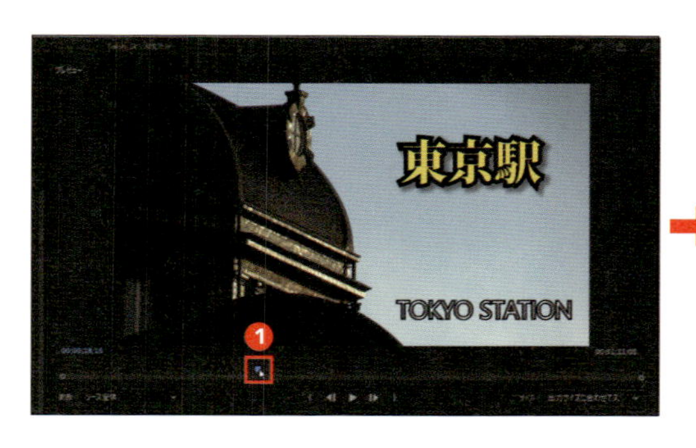

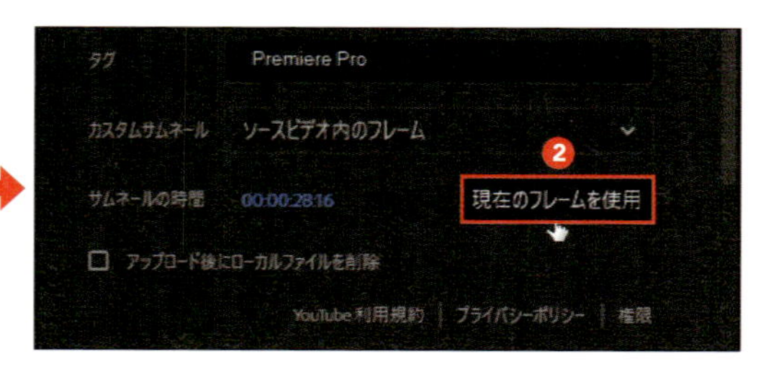

なお、オリジナルのサムネイル画像を利用する場合は、「カスタムサムネール」で「画像ファイルから」❸を選択し、利用したいファイルを指定❹します。

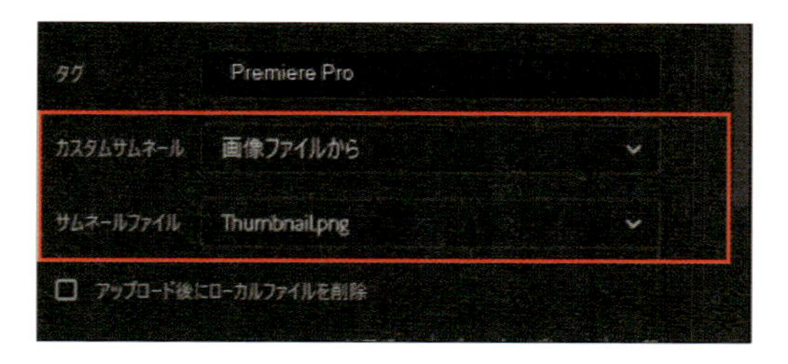

After Effects編

Chapter 7

After Effectsの基本を知る

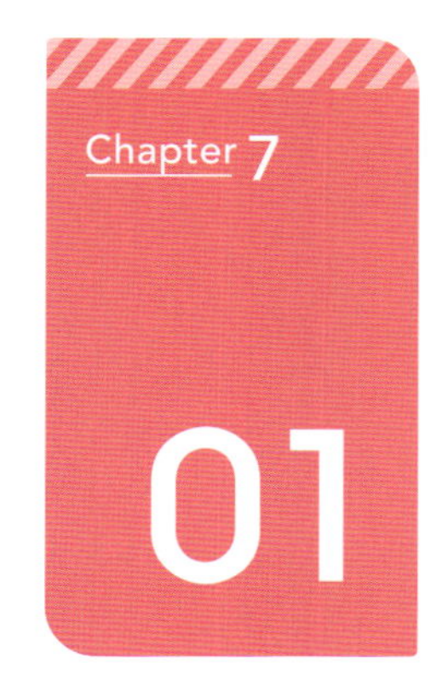

After Effectsでできること

「After Effectsって何ができるソフトなのですか？」とよく聞かれます。かんたんにいえば、モーショングラフィックスとビジュアルエフェクトを実現するためのアプリケーションということになります。

After Effectsで何ができるのか？

「After Effects」は、映像に対してモーショングラフィックスを設定・実現したり、ビジュアルエフェクト（VFX：visual effects）を設定したりするためのアプリケーションです。また、映像の合成にも長けており、TVや映画、CMなどの制作現場で、モーショングラフィックスなどを作成するための標準的なツールとして利用されています。

モーショングラフィックス機能

「モーショングラフィックス」とは、写真やイラスト、図形などに動きを設定し、アニメーションを実現する映像表現のテクニックです。アニメーションの対象は図形やイラストに限らず、「文字」もまた対象になります。たとえばムービーのメインタイトルにアニメーションを設定することで、インパクトのあるタイトルが作成できます。

映像とモーショングラフィックスを合成した例。

ビジュアルエフェクト機能

After Effectsのビジュアルエフェクト機能は、映像の色補正のようなカラーグレーディングはもちろんのこと、光や炎などの特殊効果を映像に合成する機能です。本書でも、さまざまなエフェクトを利用した映像の制作方法を解説しています。

映像をセピアカラーに演出。

エフェクトを利用してアニメーションさせた例。

合成機能

After Effectsの合成機能は非常に高機能で、映画やCM制作の現場で、合成のための標準ツールとして利用されています。合成が難しいような映像でも、かんたん、きれいに仕上げてくれます。

2つの映像を合成した例。

After Effectsのワークフロー

After Effectsでのワークフローは、利用目的が異なっても基本的な流れは共通です。ここでは、一般的なAfter Effectsのワークフローを解説します。

▶ After Effectsのワークフロー

After Effectsで映像にエフェクトを設定する、あるいはタイトルアニメーションを作成するといった場合、ここで紹介する基本的な流れに従って作業を進めます。今、自分は何をしているのか、次に何をすればよいのかを理解して作業しましょう。

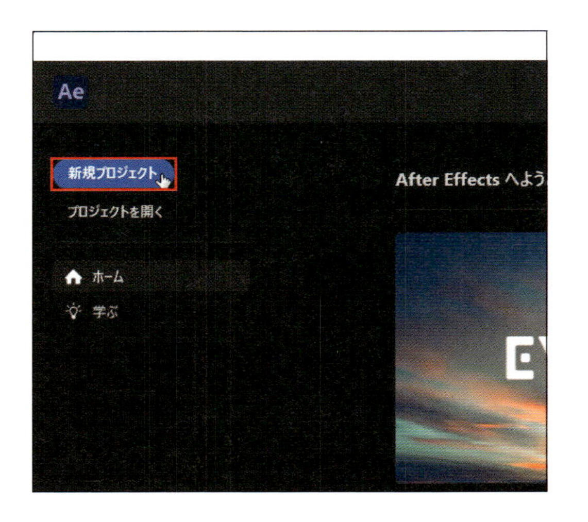

1 「新規プロジェクト」を作成する

After Effectsを起動すると、ホーム画面が表示されます。「新規プロジェクト」をクリックします。

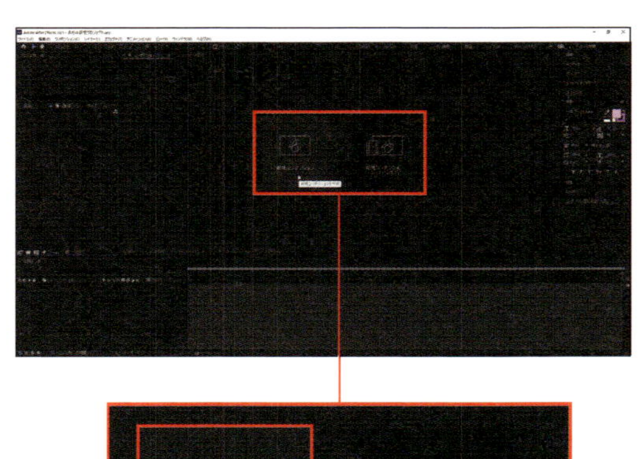

2 新規コンポジションを選択する

After Effectsの編集画面が表示されます。「新規コンポジション」をクリックします。

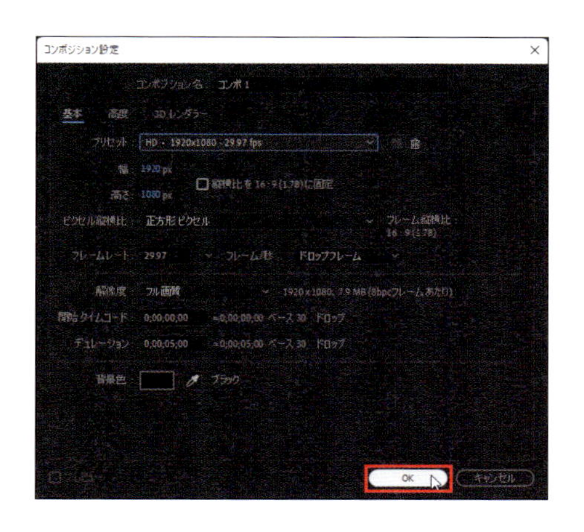

3 新規コンポジションを設定する

「コンポジション設定」パネルが表示されるので、これから作成するコンポジションを設定します。コンポジションとは、演劇でいうところの「舞台」に相当するものです。なお、コンポジションはあとから作成することもできます。

4 フッテージを読み込む

After Effectsでは、編集に利用する素材のことを「フッテージ」と呼んでいます。コンポジション内で映像などのデータを利用したい場合は、これをフッテージとしてプロジェクトに読み込みます。

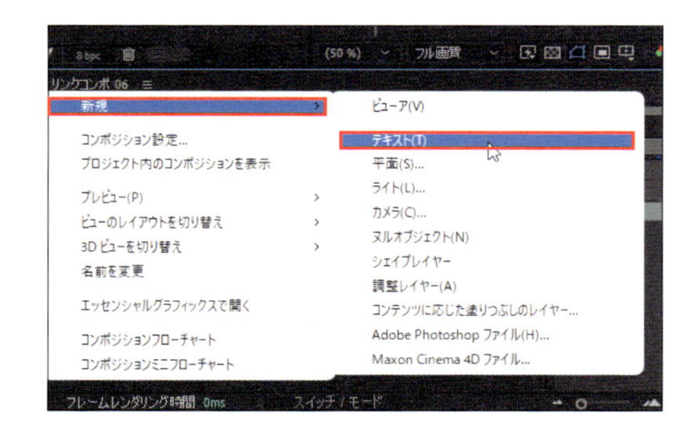

5 レイヤーを設定する

After Effectsでテキストを利用する、図形を作成する、あるいはライト機能やカメラ機能を利用するといった場合、それぞれが利用する「レイヤー」を設定します。テキストならテキストレイヤー、図形を利用するならシェイプレイヤーと、作業に応じてレイヤーを設定します。

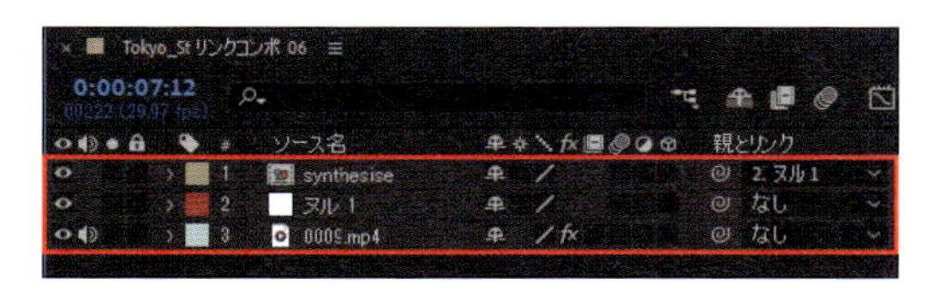

6 フッテージを配置する

レイヤーの設定ができたら、このレイヤーに対してフッテージを配置します。たとえば、テキストレイヤーには文字を入力、シェイプレイヤーには図形を描くなどの作業を行います。さらに映像のフッテージをレイヤーとして配置すると、テキストを入力したテキストレイヤーなどとの合成が行われます。

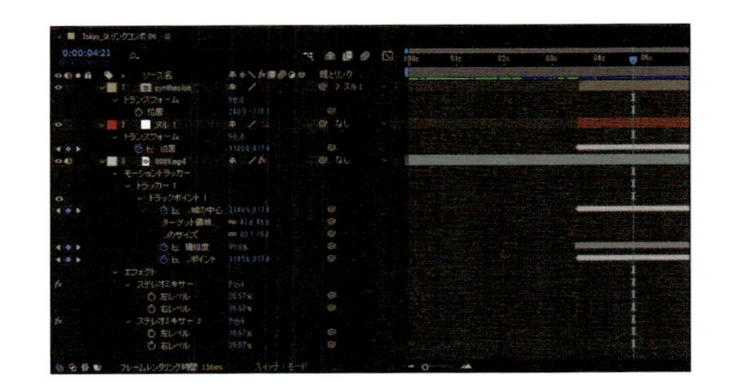

7 アニメーションを設定する

レイヤーには、プロパティと呼ばれるさまざまな属性が備えられています。このプロパティとキーフレームを併用することで、フッテージを使ってアニメーションを作成することができます。

8 エフェクトを設定する

アニメーションの基本的な設定ができたら、必要に応じてプロパティの調整やエフェクトの追加、フッテージの追加と合成などを行います。

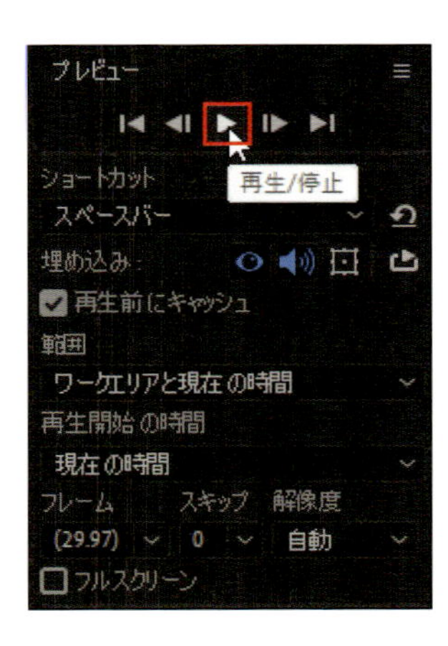

9 プロジェクトをプレビューする

エフェクトやアニメーションが設定できたら、設定した内容をプレビューで確認します。プレビューの速度や画質などは、利用するPCのスペックに左右されます。

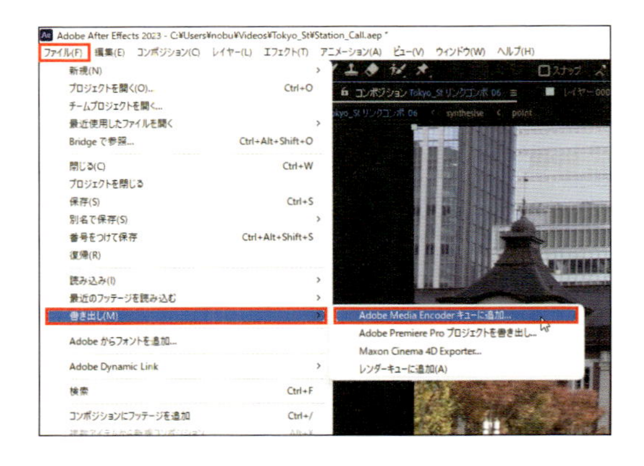

10 動画ファイルとして書き出す

編集作業を終了したら、「ファイル」→「書き出し」から動画出力専用ソフトの「Media Encoder」を起動し、動画ファイルを出力します（P.330）。また、Dynamic Link機能を利用すると、コンポジションをPremiere Proのプロジェクトに転送し、クリップとして利用することができます（P.336）。

▶ 1つのプロジェクトで複数のコンポジションを管理する

After Effectsのプロジェクトでは、1つのプロジェクトの中で複数のコンポジションを利用できます。Premiere Proでいえば、1つのプロジェクトで複数のシーケンスを利用できるのと同じです。

たとえば以下の画面では、1つのプロジェクトの中に3個のコンポジションを設定し、利用しています。この場合、タイムラインではコンポジションごとにレイヤーを切り替えて表示・編集を行います。またコンポジションには、ほかのコンポジションを1つのレイヤーとして配置することができます。これを「プリコンポーズ」といい、いわばコンポジションの入れ子になります(P.322)。

1つのプロジェクトで複数のコンポジションを設定・管理できる。

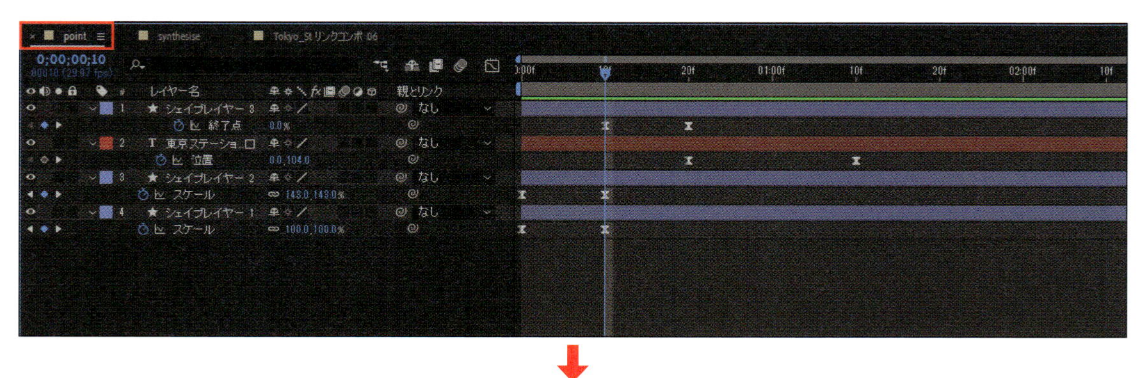

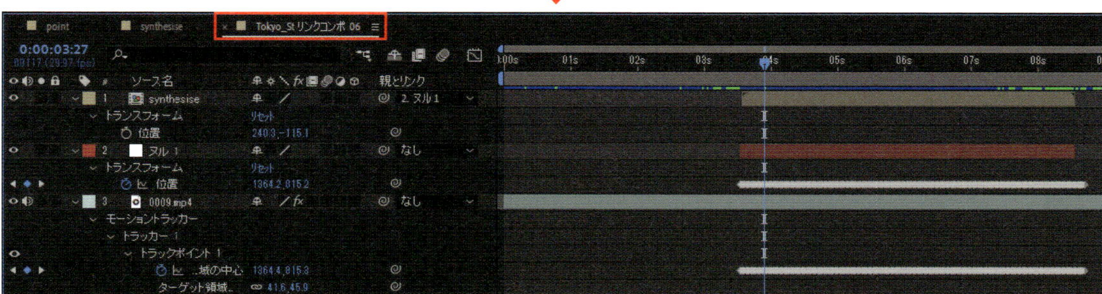

タイムラインでは、コンポジションごとにレイヤーを切り替えて編集を行う。

After Effectsの画面構成

After Effectsの編集画面は、さまざまなパネルで構成されています。これらのパネルの特徴を理解することが、スムーズな編集作業には大切です。

After Effectsの編集画面

After Effectsの編集画面は、パネルの組み合わせによって構成されています。なお、macOS（Mac）版の編集画面は、Windows版と同じ構成です。また、WindowsとmacOSでプロジェクトファイルの互換性もあります。

1 メニューバー
After Effectsのコマンドを表示し、選択／実行します。

2 「ツール」パネル
フッテージを編集するための各種ツールを選択するパネルです。

3 ワークスペース切り替えボタン
ワークスペースを、作業内容に応じて切り替えられます。

4 「プロジェクト」パネル
編集に利用するフッテージを管理するパネルです。フッテージのほか、コンポジションも同時に管理します。

5 「コンポジション」パネル
After Effectsで編集中の状態を表示するための「舞台」です。目的に応じて、レイヤーの映像を確認する「レイヤー」パネルと、フッテージの内容を確認する「フッテージ」パネルに切り替わります。

6 「タイムライン」パネル
After Effectsでは、「タイムライン」パネルにコンポジションを開き、そのコンポジションにフッテージを配置することによって編集作業を行います。「タイムライン」パネルに開いたコンポジションは、レイヤーのための領域（左）と、キーフレームを設定するタイムライン（右）とで構成されています。

7 各種パネルグループ
複数のパネルがグループ化されています。現在マウスポインターを置いている位置のピクセル情報や座標情報を表示する「情報」パネル、コンポジションをプレビューするための「プレビュー」パネルなど、複数のパネルで構成されています。またパネルは、作業内容に対応したパネルがアクティブに表示されます。たとえば、文字を編集する場合には「文字」パネルが表示され、文字編集に必要なオプションを利用できます。また、エフェクト設定モードでは、利用できるエフェクトやプリセットを選択するメニューが表示されます。

「ツール」パネルのツール

「ツール」パネルには、以下のようなツールが用意されています。

1. 「ホーム」ボタン
2. 選択ツール
3. 手のひらツール
4. ズームツール
5. カーソルの周りを周回ツール
6. カーソルの下でパンツール
7. カーソルに向かってドリーツール
8. 回転ツール
9. アンカーポイントルール
10. 長方形ツール
11. ペンツール
12. 横書き文字ツール
13. ブラシツール
14. コピースタンプツール
15. 消しゴムツール
16. ロトブラシツール
17. パペット位置ピンツール

パネルグループの操作

After Effectsでは、ほかのCreative Cloudのアプリケーションと同様、グループパネルを利用しています。編集画面を構成するパネルは、サイズや表示位置を自由にアレンジできます。またパネルのタブをドラッグすると、別のパネルと組み合わせたり、表示場所を変更したりできます。

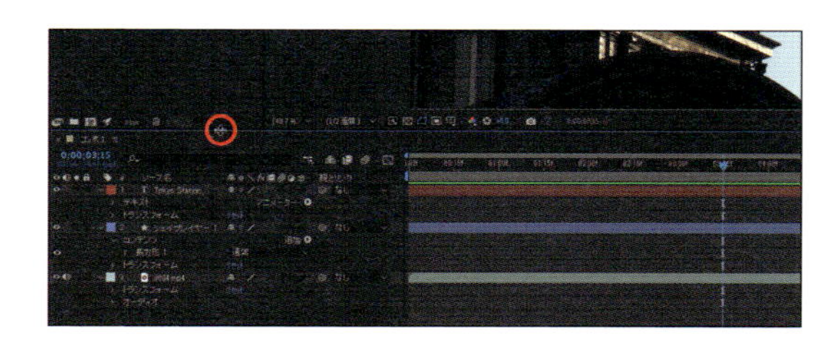

STEP 1 パネルとパネルの境界線にマウスポインターを合わせると、マウスポインターの形が変わります。

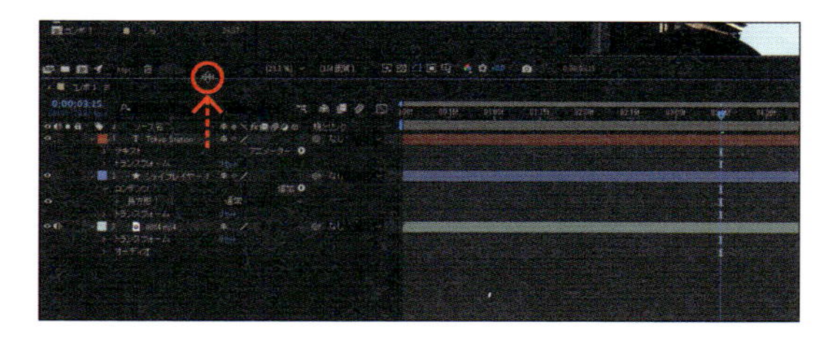

STEP 2 マウスをドラッグすると、パネルのサイズを自由に変更できます。

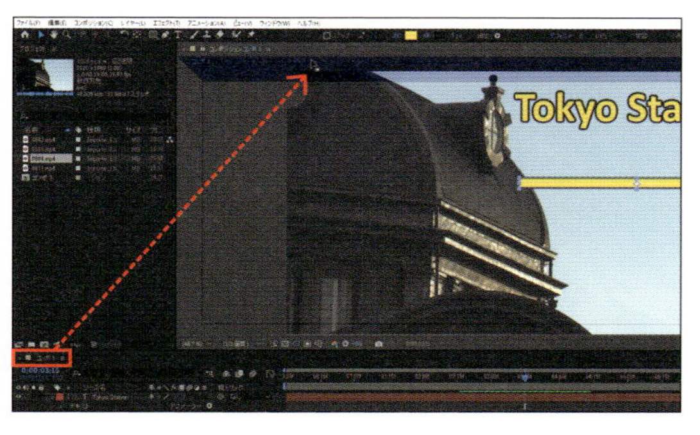

STEP 3 パネルのタブをドラッグし、ほかのパネルが表示されている部分にドラッグ＆ドロップすると、パネルの表示位置を変更できます。

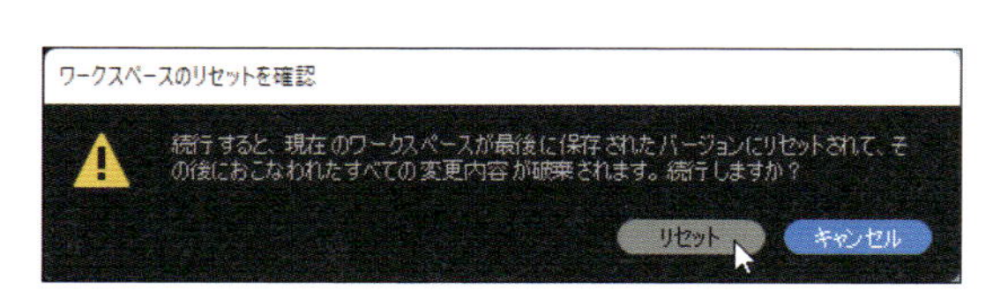

STEP 4 パネルのサイズや表示位置を変更した後、デフォルトの状態に戻す場合は、ワークスペース切り替えボタンの名前をダブルクリックし、表示されたメッセージで「リセット」をクリックするか、名前の右側にある3本ライン（ハンバーガーメニュー）をクリックし、「保存したレイアウトにリセット」を選択します。
また、メニューバーから「ウィンドウ」→「ワークスペース」→「○○を保存されたレイアウトにリセット」でも戻せます。

After Effectsの環境設定

After Effectsを利用するにあたって、設定しておきたい環境設定について解説します。特に注意するべき設定としては、「自動保存」があります。もしもの時に備えて、しっかりと設定しておきましょう。

▶ 環境設定のパネルを表示する

「環境設定」パネルでは、After Effectsを快適に利用するための各種設定を行うことができます。「環境設定」パネルは、Windowsの場合「編集」→「環境設定」→「一般設定」を選択して表示します。macOSの場合は、「After Effects」→「環境設定」→「一般設定」を選択して表示します。

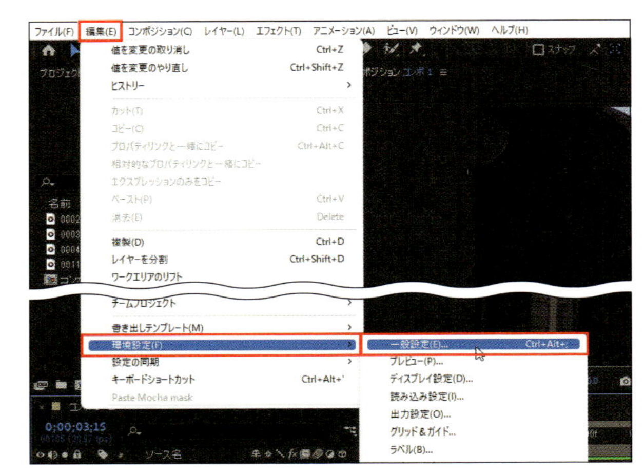

「環境設定」パネルを表示する。

▶ ディスクキャッシュの設定

従来のAfter Effects には、快適なプレビューを行うためのRAMプレビューという機能がありました。現在のバージョンでは、この機能が通常のプレビュー機能に組み込まれています。そのため、より快適なプレビューを実現するためには、ディスクキャッシュ用のフォルダーをSSDなど高速なドライブに設定することがポイントになります。「環境設定」パネルの「メディア＆ディスクキャッシュ」で「最大ディスクキャッシュサイズ」の数値を大きくすると、パフォーマンスがアップします。

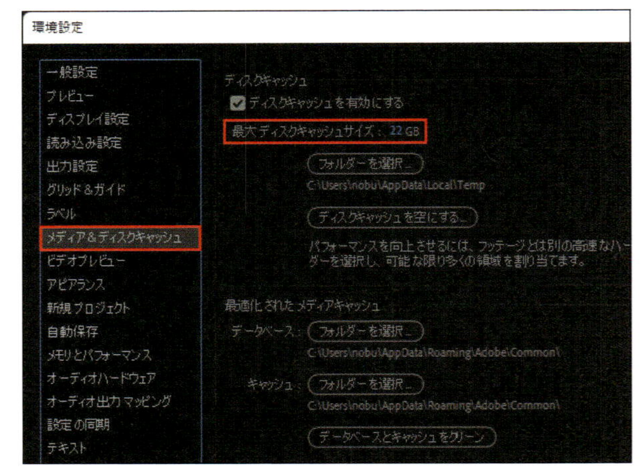

キャッシュ用のフォルダーを設定する。

▶ アピアランスの変更

環境設定の「アピアランス」では、After Effectsの編集画面の明るさを調整できます。After Effectsの編集画面はデフォルトで暗い状態に設定されていますが、「明るさ」のスライダーを調整すると、明るく変更できます。

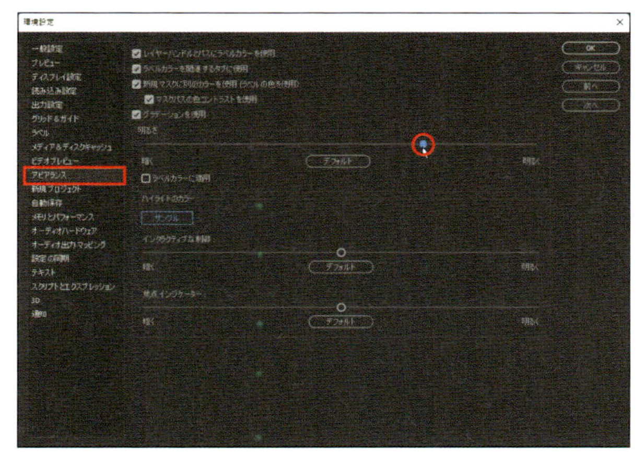
「アピアランス」の「明るさ」で、編集画面の明るさを変更した。

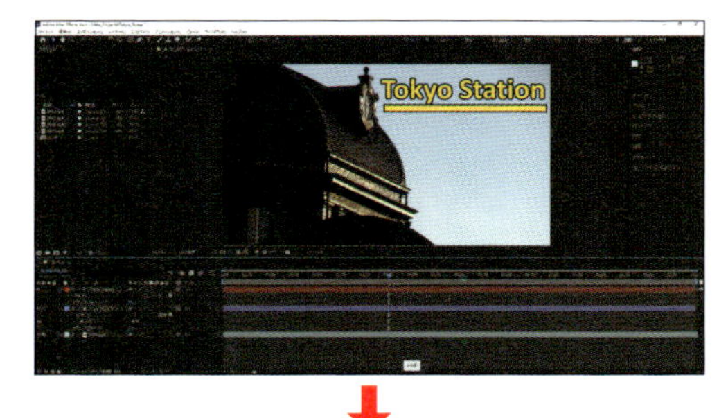

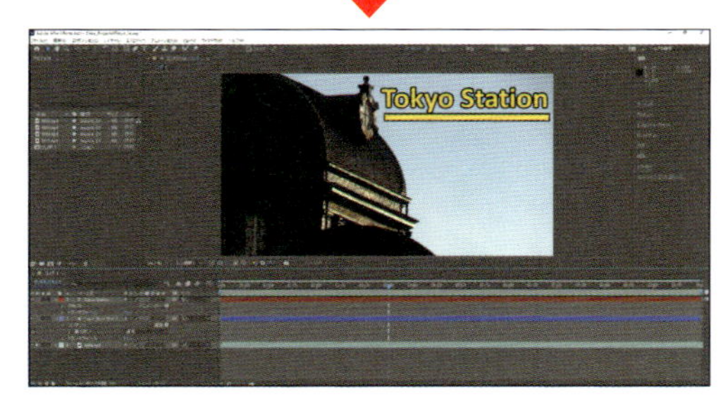

▶ 自動保存の設定

After Effectsのプロジェクトファイルを自動的に保存するための設定が「自動保存」です。デフォルトでは「保存の間隔」が20分に設定されていますが、After Effectsに慣れるまでは、これを「5分」程度に設定しておくことをおすすめします。また「プロジェクトバージョンの最大数」は、「5」でよいでしょう。これによって、新しいプロジェクトファイルが自動保存されると、一番古いプロジェクトファイルは自動的に削除され、常時5個のプロジェクトファイルが自動保存された状態で利用できます。設定ができたら、「OK」をクリックします。

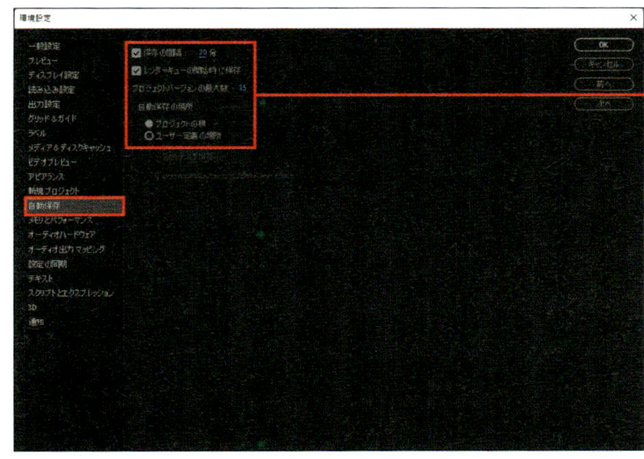
「自動保存」の設定。

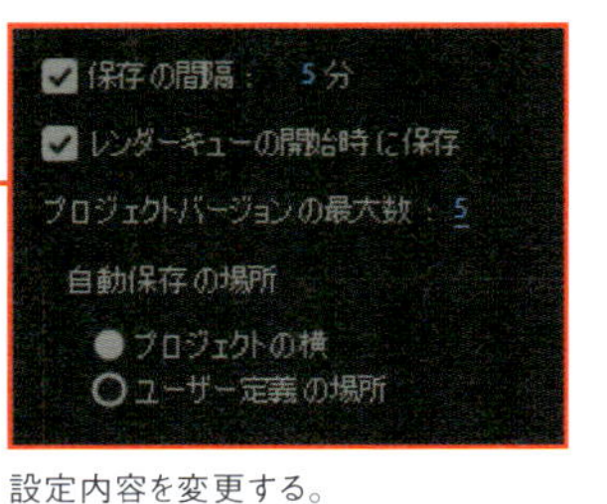

設定内容を変更する。

After Effectsの起動とコンポジションの設定

After Effectsで編集を行う場合、最初にAfter Effectsを起動して新規プロジェクトを作成します。続いて新規コンポジションを設定して、編集作業を開始します。

▶ After Effectsのホーム画面

After Effectsを起動すると、ホーム画面が表示されます。この画面では、新しいプロジェクトを作成する場合と、既存のプロジェクトを編集する場合とで操作が異なります。

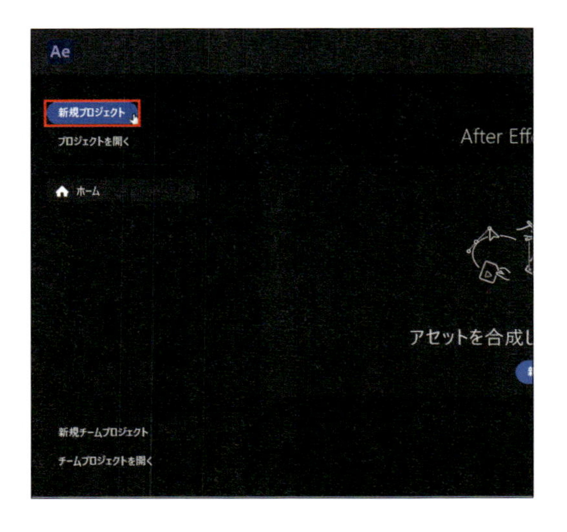

1 新しいプロジェクトを作成する場合

新しくプロジェクトを作成して編集を開始する場合は、After Effectsを起動すると表示されるホーム画面で、「新規プロジェクト」をクリックします。

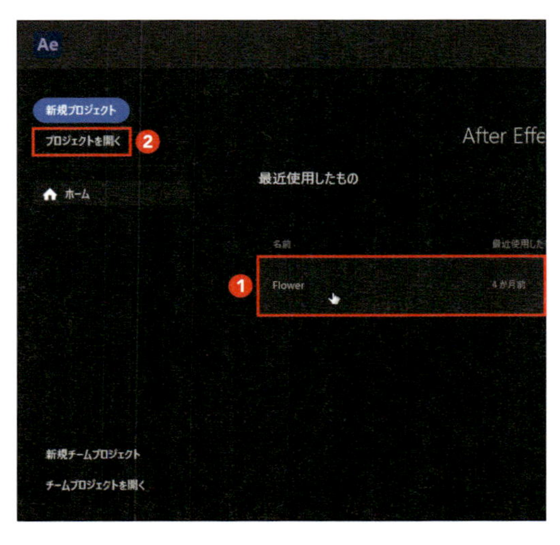

2 既存のプロジェクトを編集する場合

既存のプロジェクトを編集する場合は、「最近使用したもの」の一覧に表示されているプロジェクト名から、利用したいプロジェクトをクリックします❶。

なお、一覧に表示されていないプロジェクトを利用したい場合は「プロジェクトを開く」をクリックし❷、利用したいプロジェクトファイルを選択します。

▶ コンポジションを設定する

ホーム画面で「新規プロジェクト」をクリックすると、After Effectsの編集画面が表示されます。はじめて編集を開始する場合は、画面中央にある「新規コンポジション」をクリックします。あるいはメニューバーから「コンポジション」→「新規コンポジション」を選択するか、「プロジェクト」パネルで右クリックして、「新規コンポジション」を選択してください。

すると「コンポジション設定」パネルが表示されるので、これから編集するデータ形式に合わせたコンポジションの設定を行います。たとえばフルハイビジョンのファイル形式に合わせたコンポジションは、次のように設定します。

「基本」タブの設定

コンポジション設定には、「基本」と「高度」「3Dレンダラー」の3つのタブがあります。このうち「基本」タブでは、これから編集するファイル形式に合わせた設定を行います。設定ができたら、「OK」をクリックします。

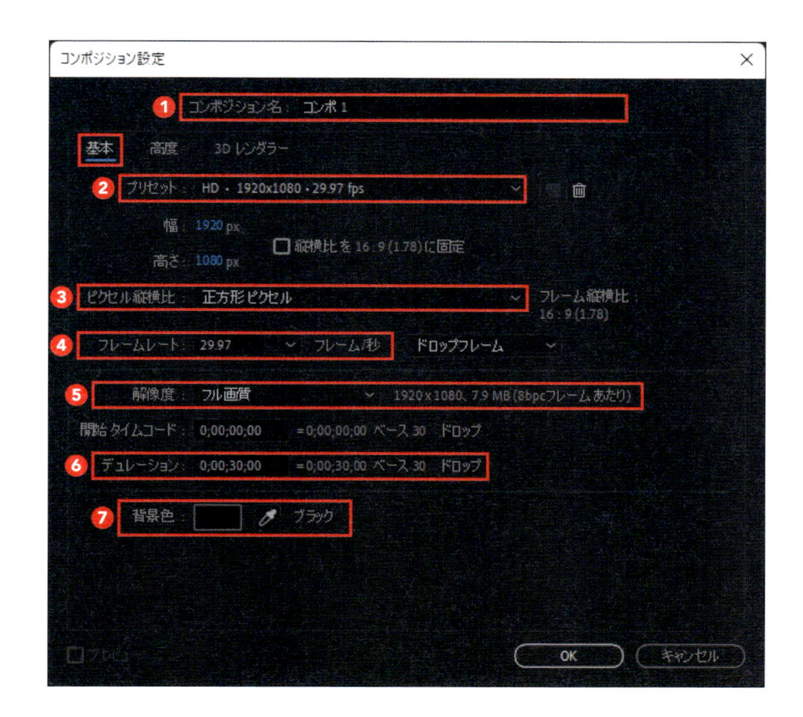

❶コンポジション名

コンポジションの名前を入力します。デフォルトで「コンポ1」と表示されているので、このまま利用してもかまいません。コンポジション名は後から変更できます。

❷プリセット

編集で利用する動画データなどのファイル形式に合わせたフレームサイズを設定します。右にある「∨」をクリックすると、利用する動画ファイルに対応したプリセットを選択できます。

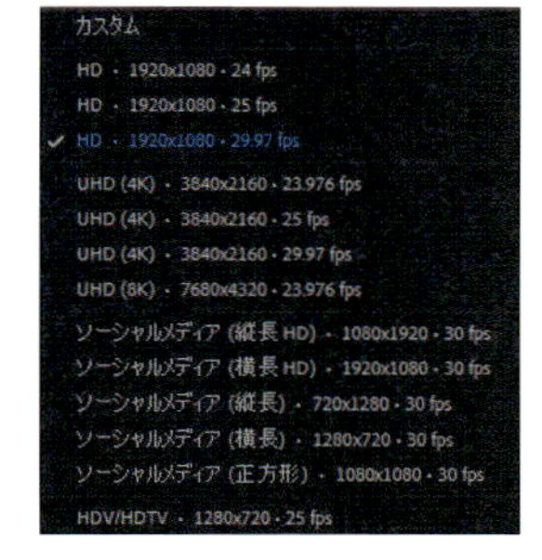

❸ピクセル縦横比

フレームを構成する画素（ピクセル）の縦横比を選択します。通常は1：1の正方形ですが、それ以外にAVCHDのアナモルフィックをはじめ、さまざまな規格があります。「∨」をクリックすると、プリセットを選択できます。

正方形ピクセル
D1/DV NTSC (0.91)
D1/DV NTSC ワイドスクリーン (1.21)
D1/DV PAL (1.09)
D1/DV PAL ワイドスクリーン (1.46)
HDV 1080/DVCPRO HD 720 (1.33)
DVCPRO HD 1080 (1.5)
アナモルフィック2:1 (2)

❹フレームレート

1秒間に表示するフレームの数を設定します。AVCHDなどの一般的な動画は、「29.97」を選択します。なお「フィールドレンダリング」といって、TVでの利用を前提とした走査線によるレンダリングを行う場合は、「59.94」を選択します。「∨」をクリックして、選択できます。

15
23.976
24
25
29.97
30
50
59.94

❺解像度

編集中に表示するプレビューの画質を選択します。「∨」をクリックして選択できます。

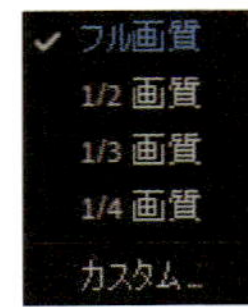

❻デュレーション

これから作成するムービーの長さを設定します。長さは、タイムコード（P.11）で指定します。たとえば5秒のムービーを作成したい場合は、「0;00;05;00」と設定します。

❼背景色

設定したコンポジションの背景色を選択します。デフォルトでは「黒」ですが、変更したい場合はカラーボックスをクリックしてカラーピッカーを表示し、色を指定します。

「高度」タブの設定

「高度」タブでは、レンダリング時に利用するレンダラーを選択できます。基本的にデフォルトのままで利用しますが、「レイトレース 3D レンダラー」などを利用したい場合は、「高度」タブで設定します。なお、後からの変更も可能です。

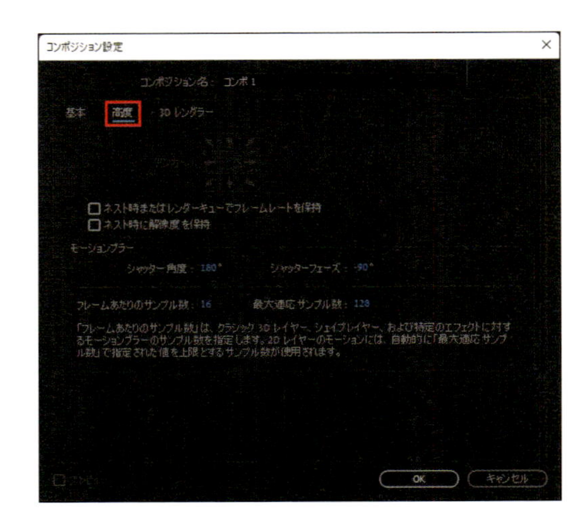

「3D レンダラー」タブの設定

After Effectsの3D機能によって3D表現を行う場合、「3D レンダラー」タブで、3D レンダリングを行うレンダラーを選択することができます。これは、レンダラーによって3D レイヤーで利用できる機能が異なるからです。レンダラーの選択は、「∨」をクリックしてメニューから選択します。

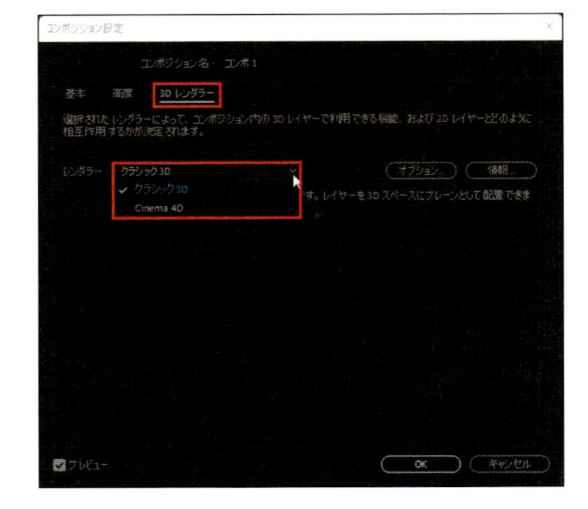

POINT 3D レンダラーについて

3D 形式でデータを表示するには、2D の表示にはないさまざまな計算処理が必要になります。この 3D 表示用の計算を行うプログラムが「3D レンダラー」です。After Effects には 2 種類の 3D レンダラーが搭載されており、それぞれのレンダラーによって利用できるオプションが異なります。

コンポジションの再設定

編集の開始後、コンポジションの設定を変更したい場合は、「プロジェクト」パネルでコンポジションを選択し、メニューバーから「コンポジション」→「コンポジション設定」をクリックします。「コンポジション設定」パネルが表示されるので、設定内容を変更できます。

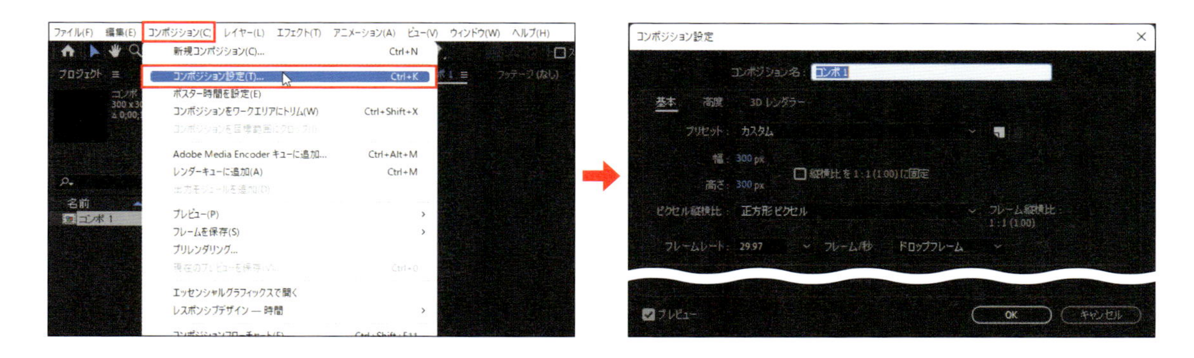

プロジェクトの保存

コンポジションを設定できたら、編集作業を開始する前に、プロジェクトを一度保存しておきましょう。ここで保存しておけば、After Effectsでの作業開始直後にハングアップしても、編集を再開できます。

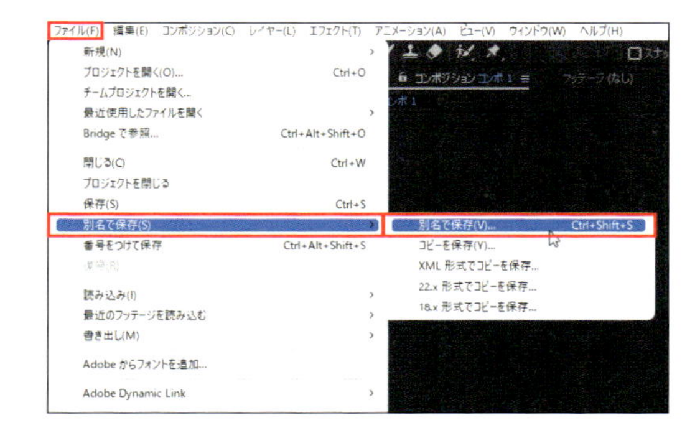

1 「別名で保存」を選択する

はじめてプロジェクトを保存する場合は、メニューバーから「ファイル」→「別名で保存」→「別名で保存」をクリックします。一度保存を実行した後は、「ファイル」→「保存」をクリックすると、プロジェクトファイルが上書きして保存されます。

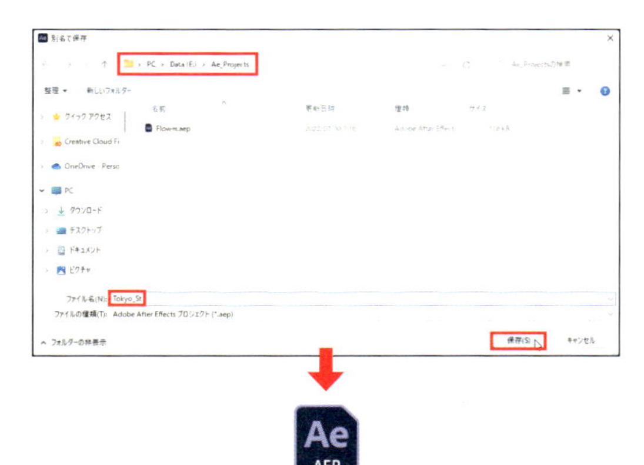

2 ファイル名を設定する

プロジェクトを保存するための「別名で保存」ダイアログボックスが表示されます。保存先フォルダーを選択してファイル名を入力し、「保存」をクリックします。

なお、保存されたプロジェクトファイルをダブルクリックすると、プロジェクトの内容を読み込みながらAfter Effectsを起動できます。

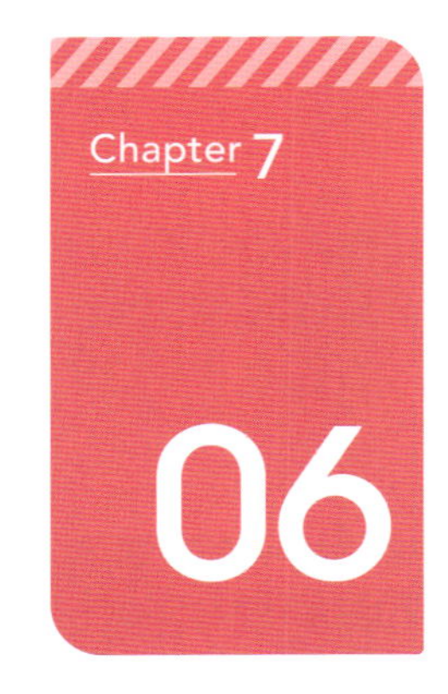

フッテージを読み込む

コンポジションを設定してプロジェクトの準備ができたら、編集で利用する素材を「プロジェクト」パネルに読み込みましょう。After Effectsでは、素材のことを「フッテージ」と呼んでいます。

▶ 動画ファイルをフッテージとして読み込む

After Effectsでは、映像や静止画、オーディオデータなど、さまざまデータを素材（フッテージ）として利用できます。最初に、それらの素材を読み込んでおきましょう。

メニューバーから読み込む

一般的なフッテージの読み込み方法は、メニューバーの「ファイル」メニューから読み込む方法です。

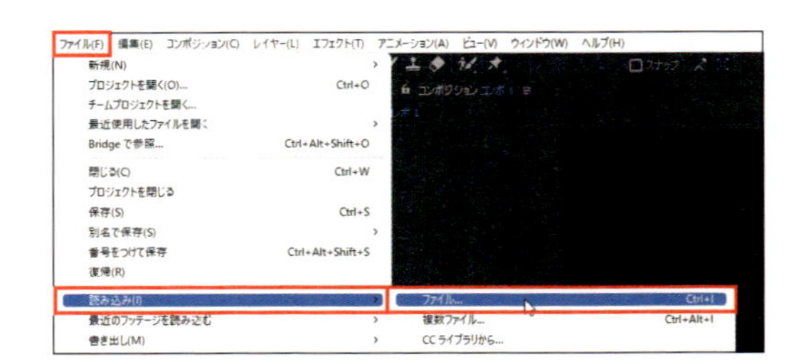

1 フッテージを読み込む

メニューバーから「ファイル」→「読み込み」→「ファイル」をクリックします。なお、メニューに「複数ファイル」という項目がありますが、これは「ファイル」と基本的に同じです。

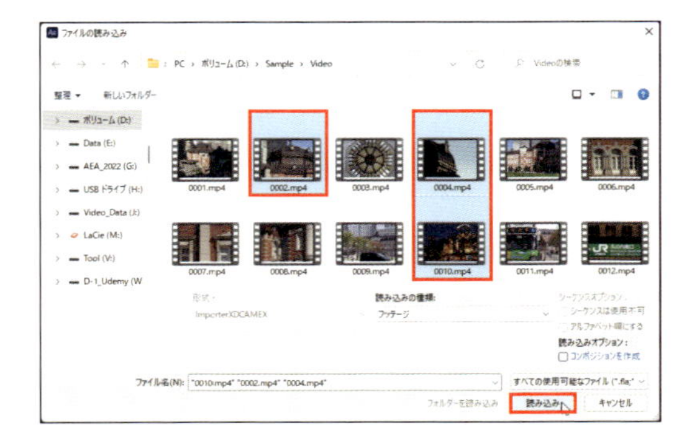

2 ファイルを選択する

「ファイルの読み込み」ダイアログボックスが表示されるので、利用したいファイルを選択します。複数のファイルを選択する場合は、Ctrl キーや Shift キーを押しながらクリックします。ファイルを選択したら、「読み込み」をクリックします。

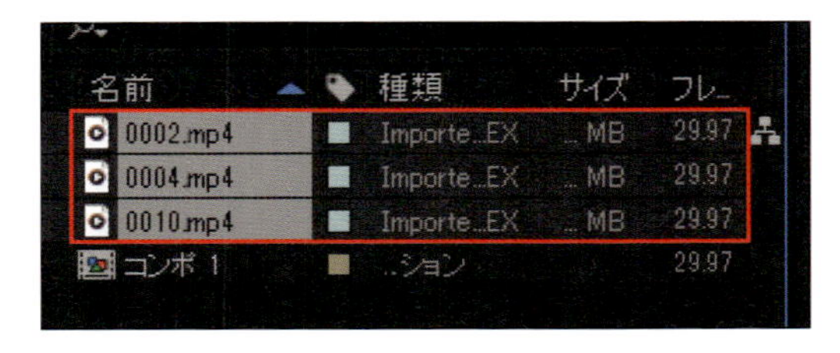

3 フッテージが登録される

選択した動画ファイルが、「プロジェクト」パネルにフッテージとして登録されます。

「プロジェクト」パネルから読み込む

メニューバーを利用せず、「プロジェクト」パネルからファイルを選択して読み込むこともできます。

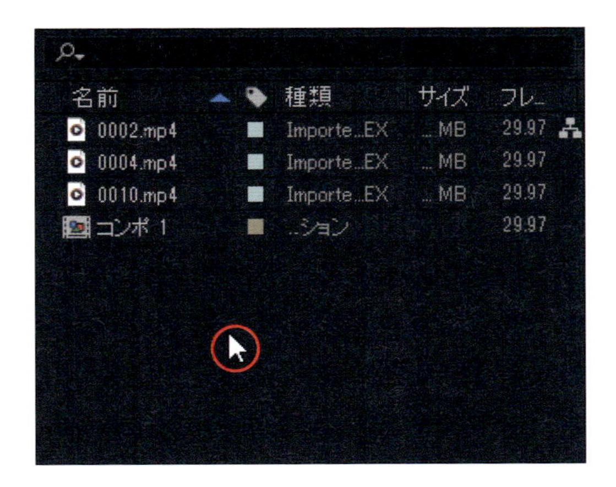

1 ダブルクリックする

「プロジェクト」パネル内の、フッテージがないところでダブルクリックします。

2 ファイルを選択する

「ファイルの読み込み」ダイアログボックスが表示されるので、ファイルを選択して「読み込み」をクリックします。選択したファイルが、フッテージとして読み込まれます。

ドラッグ＆ドロップで読み込む

フッテージは、ドラッグ＆ドロップでも読み込めます。利用したいファイルが保存されているフォルダーを開き、そのフォルダーから「プロジェクト」パネルに、ファイルをドラッグ＆ドロップして読み込みます。

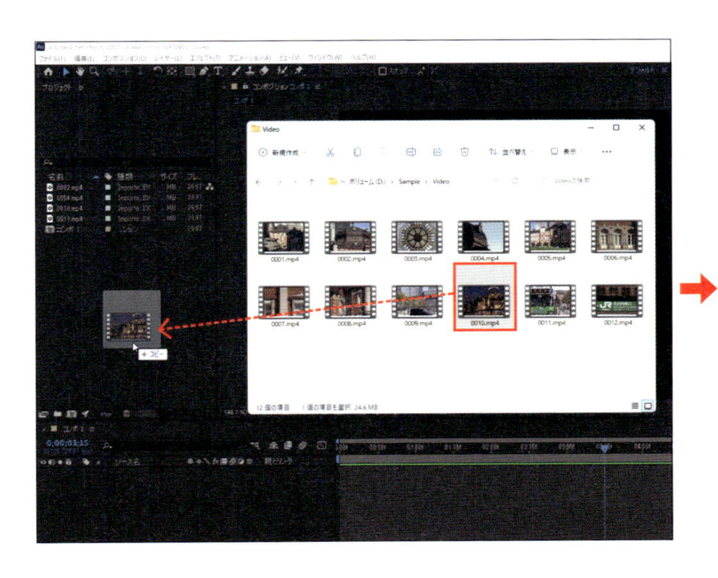

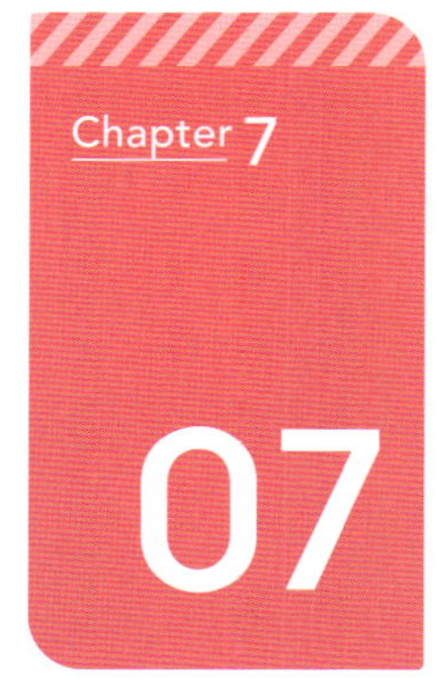

レイヤーについて理解する

After Effectsを利用するには、「レイヤー」について理解することが重要です。レイヤーを理解すれば、After Effectsのほぼ80%は理解できたようなものです。

▶ レイヤーの種類

After Effectsで利用するレイヤーには、データの種類に応じてレイヤーのタイプを使い分けるという特徴があります。たとえば、文字データを扱うには「テキストレイヤー」を利用し、図形を扱うには「シェイプレイヤー」を利用します。ここで、主なレイヤーの種類を確認しておきましょう。

フッテージのレイヤー

動画データ、オーディオデータなど、「プロジェクト」パネルにフッテージとして取り込んだ素材を「タイムライン」パネルに配置すると、フッテージのレイヤーが自動的に設定されます。ユーザーが特にレイヤー設定を行う必要はありません。

テキストレイヤー

テキストレイヤーは、テキストデータを扱うためのレイヤーです。文字を入力して編集する場合は、テキストレイヤーを利用します。テキストレイヤーの場合、レイヤーの種類を設定していなくても、コンポジション画面で文字を入力すれば自動的にテキストレイヤーが設定されます。

シェイプレイヤー

シェイプレイヤーは、図形を扱うためのレイヤーです。図形を利用してアニメーションを作るなど、図形を編集するにはシェイプレイヤーが必要になります。

平面レイヤー

プロジェクトに背景を設定する時に利用するレイヤーです。背景に色を設定し、その上にテキストレイヤーを重ねて文字を表示する時などに利用します。

カメラレイヤー／ヌルオブジェクト／ライトレイヤー／調整レイヤー

カメラやライトなどを利用したアニメーションを作成する時に利用するレイヤーです。また、フッテージに対してエフェクトを設定する際には、調整レイヤーを利用します。

▶ フッテージからレイヤーを作成する

動画データやオーディオデータなど、「プロジェクト」パネルに読み込んだフッテージを「タイムライン」パネルにドラッグ&ドロップして配置すると、フッテージのレイヤーが自動的に作成されます。

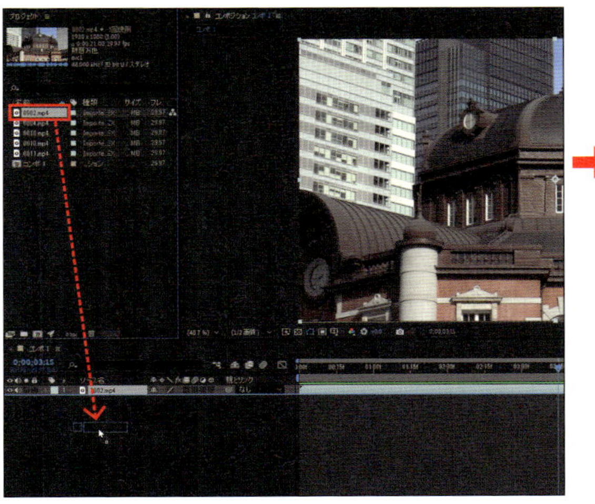

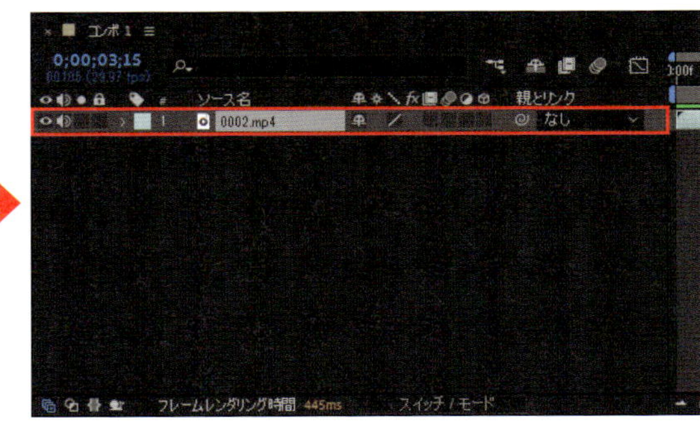

フッテージを「タイムライン」パネルにドラッグ&ドロップしてレイヤーを作成する。

▶ 右クリックでレイヤーを作成する

テキストやシェイプ（図形）など、After Effectsの中で作成する素材に対しては、「タイムライン」パネルのレイヤーエリアで右クリックし、表示された「新規」メニューからそれぞれのデータタイプに応じたレイヤーを選択して作成します。たとえばテキストを扱うテキストレイヤーは、次のように作成します。

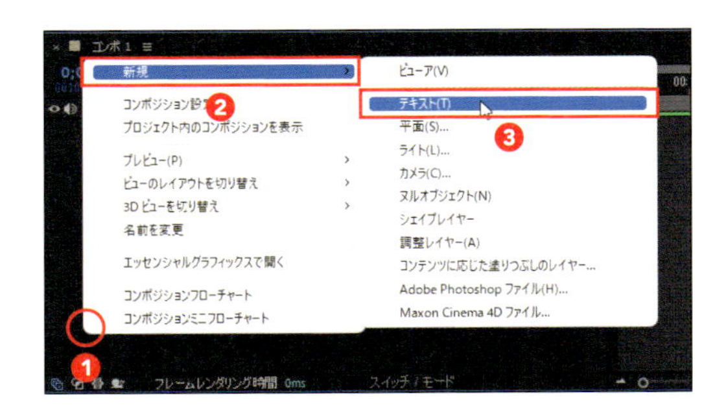

1 レイヤーの種類を選択する

「タイムライン」パネルまたは「コンポジション」パネルを選択して、「タイムライン」パネルのレイヤーエリアで右クリックし❶、表示されたメニューで「新規」をクリックします❷。サブメニューが表示されるので、追加したいレイヤーの種類を選択します。ここでは「テキスト」をクリックします❸。

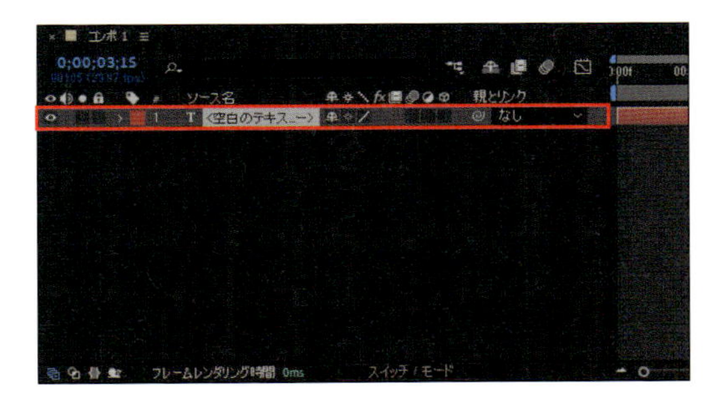

2 レイヤーが作成される

「タイムライン」パネルに、「T <空白のテキスト>」というテキストレイヤーが追加されます。レイヤーには、レイヤーの種類によって色が設定されます。色は「環境設定」パネルの「ラベル」で変更できます。

▶ レイヤーを重ねて表示する

After Effectsでは、文字や図形を表示するための「背景」としてレイヤーを利用します。そしてこれらのレイヤーを重ねることで、1つのフレームとして表示しています。After EffectsのレイヤーはPremiere Proの「トラック」に似ていますが、Premiere Proでは1つのトラックに複数のクリップを配置できるのに対し、After Effectsの1つのレイヤーには1つのフッテージしか配置できません。下の画面では、「シェイプレイヤー」「テキストレイヤー」「映像用レイヤー」の3つのレイヤーを重ねることで、フレームを表示しています。

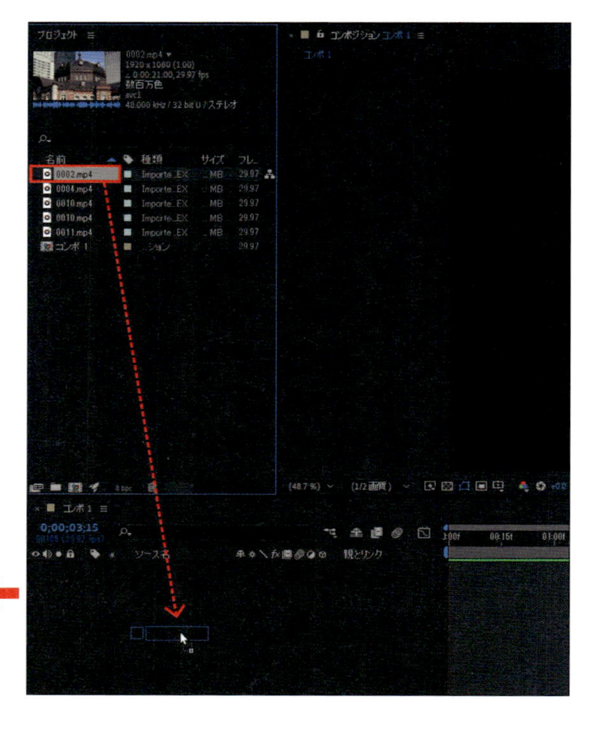

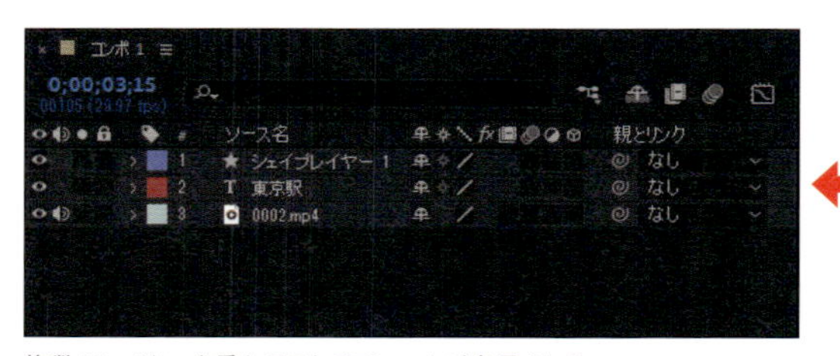

複数のレイヤーを重ねることでフレームが表示される。

▶ レイヤーの順番を変更する

レイヤーの利用で注意しなければならないのが、レイヤーの順番です。パネルでレイヤーの順番を変えると、表示されるフッテージと表示されないフッテージが出てきます。

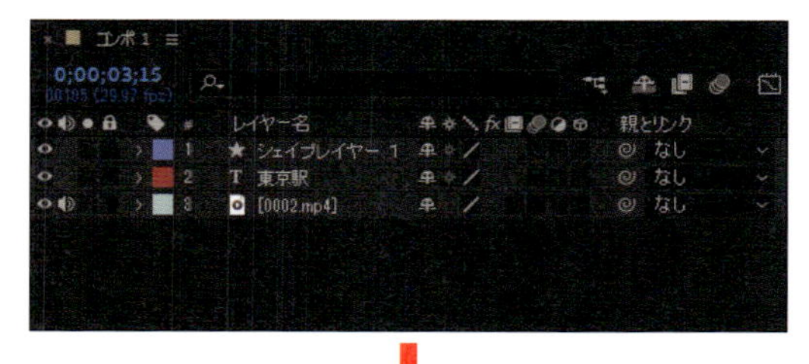

1 レイヤーを確認する

左の画面では、上から「シェイプレイヤー」「テキストレイヤー」「フッテージ（映像）」の順番にレイヤーを重ねて表示しています。

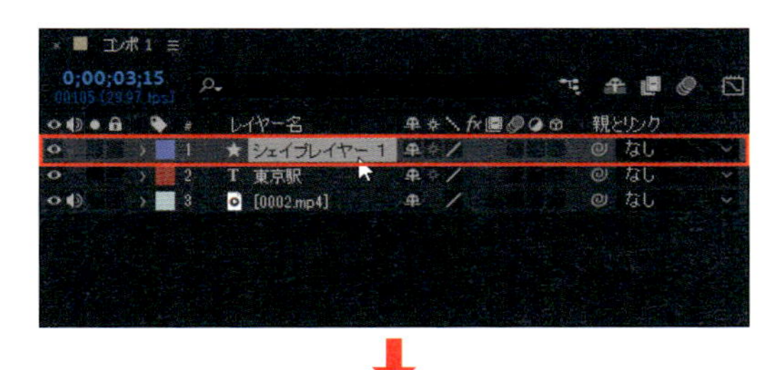

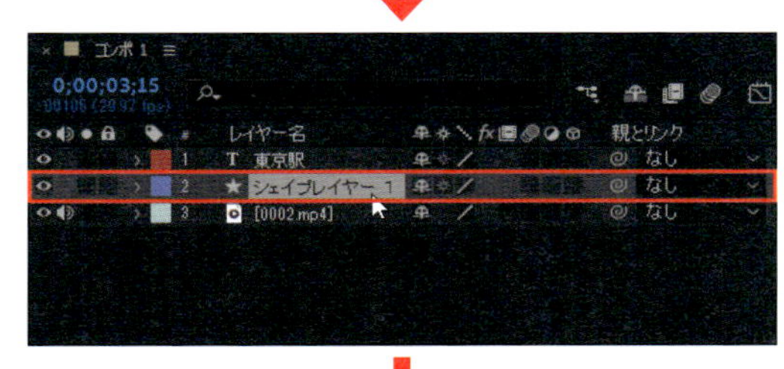

2 シェイプレイヤーを移動する

一番上にあるシェイプレイヤーをドラッグして、上から２番目に移動します。シェイプレイヤーをテキストレイヤーの下に配置すると、星形の図形が文字の下に移動します。「コンポジション」パネルでは、上のレイヤーが下のレイヤーより手前に表示されるためです。レイヤーの移動は、レイヤーを選択して「ソース名」の部分をドラッグして行います。レイヤーをドラッグすると、移動先に青いラインが表示され、挿入位置を確認できます。

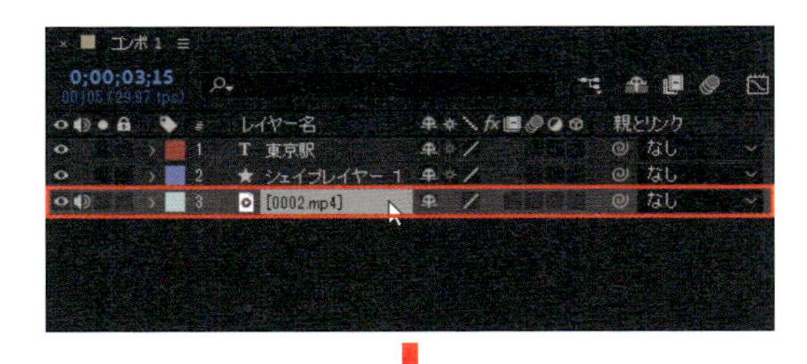

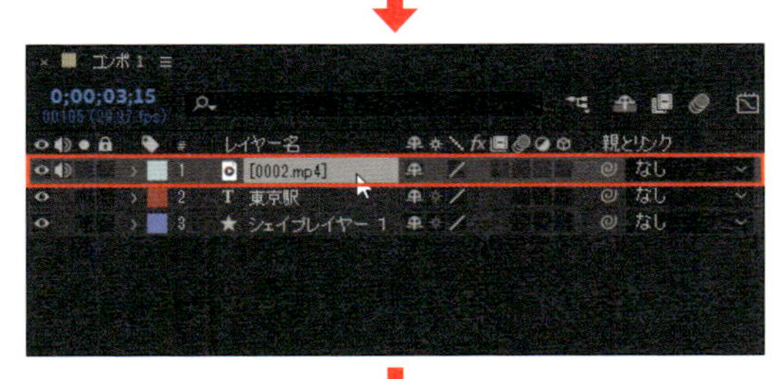

3 フッテージのレイヤーを移動する

次に、上から３番目にあるビデオのフッテージレイヤーを一番上に移動してみましょう。今度はフッテージが一番上に表示されるので、文字や図形が見えなくなります。

レイヤーのトリミング／分割／コピー／削除

レイヤーには、それぞれタイムラインが設定されています。このタイムライン上でレイヤーをトリミングしたり、分割、コピーしたりすることができます。また、不要なレイヤーは削除できます。

▶ レイヤーを編集する

レイヤーでは、プロジェクトのデュレーションに合わせて、レイヤーのデュレーションも設定されます。たとえばタイトル文字などを設定すると、映像のフッテージと同じデュレーションに設定されます。

レイヤーは、次のような機能で構成されています。なおAfter Effects では、Premiere Proの「再生ヘッド」に相当するスライダーを、「現在時間インジケーター」と呼んでいます。本書では、略して「時間インジケーター」と表記しています。

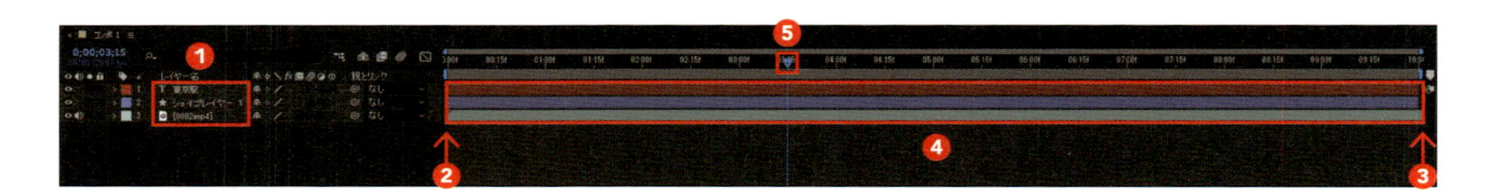

❶ レイヤーのソース名
❷ インポイント
❸ アウトポイント
❹ デュレーションバー
❺ 現在時間インジケーター

▶ レイヤーをトリミングする

レイヤーを特定の時間だけ表示させるには、レイヤーのデュレーションバーをトリミングします。

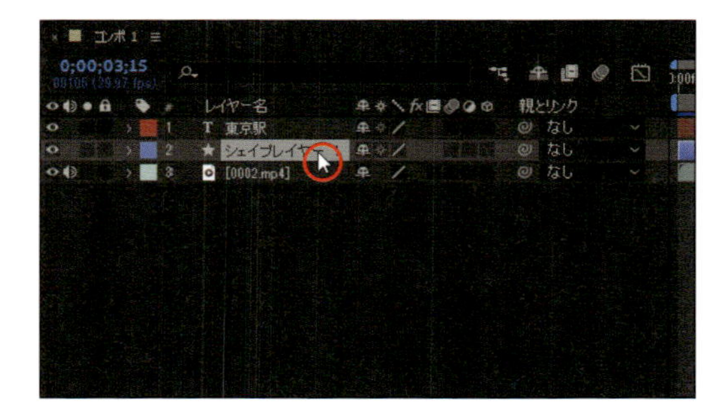

1 レイヤーを選択する

「タイムライン」パネルで、トリミングしたいレイヤーを選択します。レイヤーの選択は、レイヤーの「ソース名」か、タイムラインのデュレーションバーをクリックして行います。左の画面では、レイヤーのソース名をクリックしています。

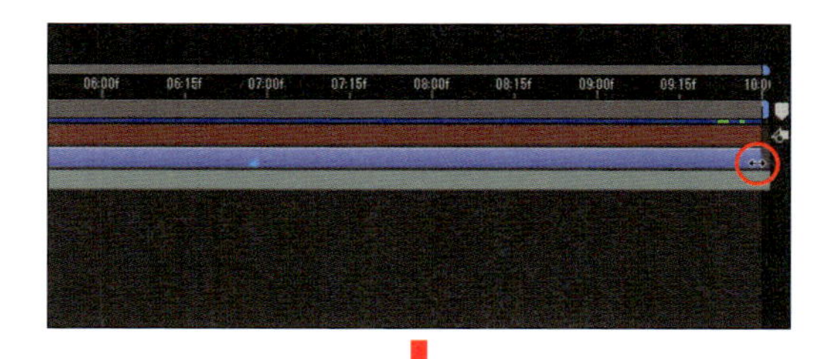

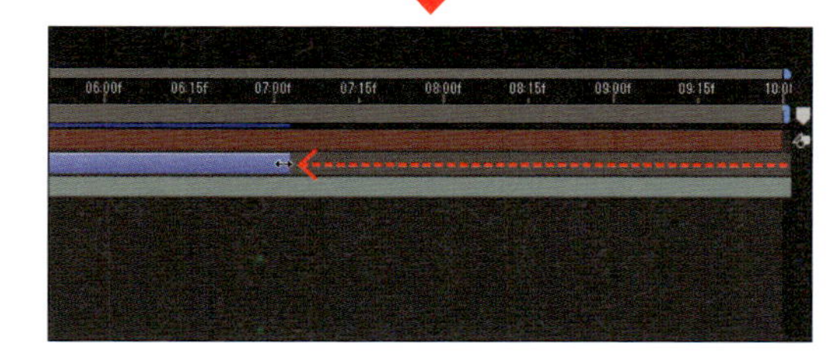

2 アウトポイントをドラッグする

レイヤーの終端を「アウトポイント」といいます。アウトポイントにマウスポインターを合わせると、マウスポインターの形が変わります。そのまま左にドラッグすると、レイヤーをトリミングできます。

3 時間インジケーターをドラッグする

次に、時間インジケーターを任意の場所にドラッグします。この時、「コンポジション」パネルには、時間インジケーターの位置にあるフレームの映像が表示されています。

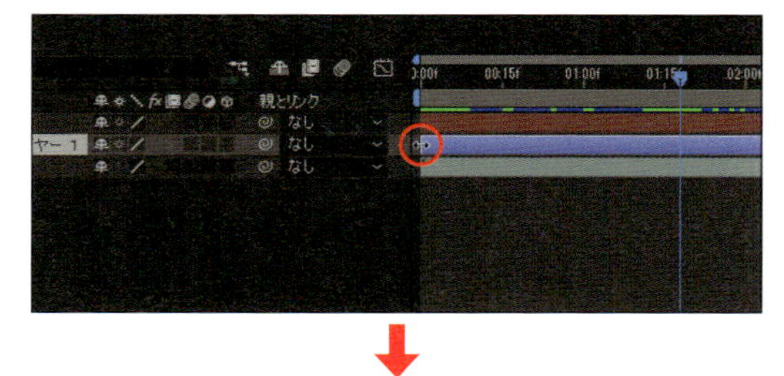

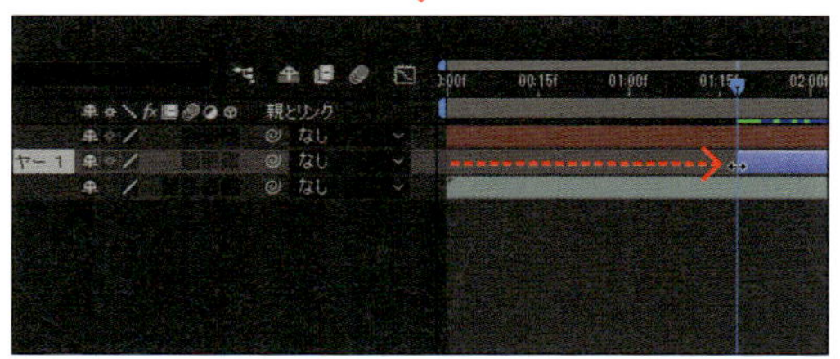

4 インポイントをドラッグする

レイヤーの先端を「インポイント」といいます。レイヤーのインポイントをドラッグすると、レイヤーをトリミングできます。ドラッグ先の位置が時間インジケーターに近づくと、時間インジケーターにスナップ（吸い付く）します。

POINT 移動や削除などの操作を取り消す

レイヤーに対して行った操作を取り消したい場合は、以下のショートカットキーを利用してください。操作をさかのぼって取り消すことができます。また、操作をやり直すためのショートカットキーも覚えておくとよいでしょう。

機能	Windows	macOS
操作を取り消す	Ctrl + Z キー	Command + Z キー
操作をやり直す	Ctrl + Shift + Z キー	Command + Shift + Z キー

▶ レイヤーのデュレーションバーを分割する

「タイムライン」パネルに配置したレイヤーは、任意の位置で分割できます。たとえば、同じレイヤーに複数のエフェクトを設定したい時などに、レイヤーを分割します。

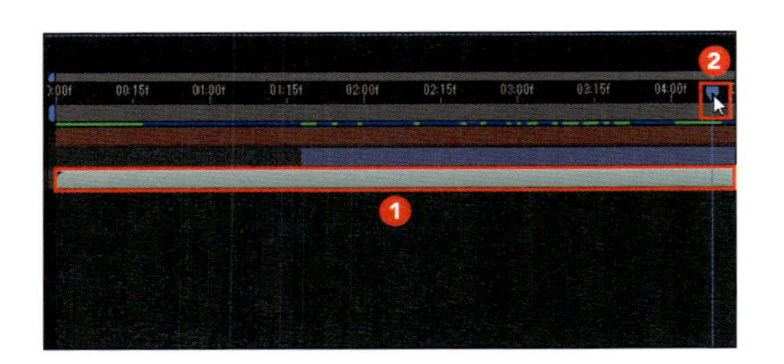

1 分割位置を決める

分割したいレイヤーをクリックして選択します❶。「タイムライン」パネルの時間インジケーターをドラッグし❷、「コンポジション」パネルを見ながらレイヤーを分割したい位置を見つけます。

2 「レイヤーを分割」を選択する

メニューバーから、「編集」→「レイヤーを分割」をクリックします。

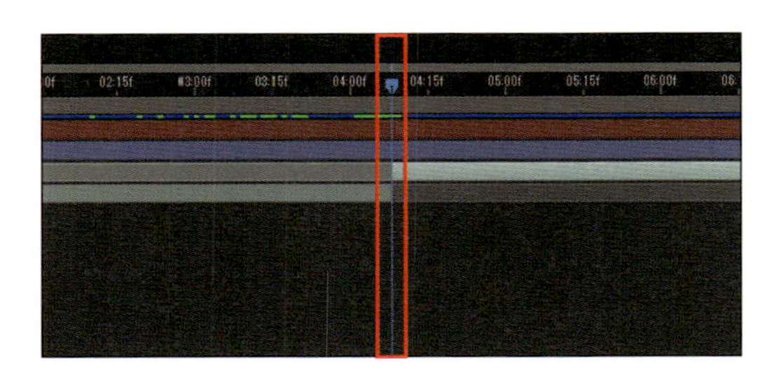

3 レイヤーが分割された

時間インジケーターの位置でレイヤーが分割され、2つのレイヤーができました。

POINT ショートカットキーで分割する

レイヤーのデュレーションバーをショートカットキーで分割する場合は、以下のキーを利用します。

Windows	macOS
Ctrl + Shift + D キー	Command + Shift + D キー

▶ レイヤーを削除する

レイヤーが不要になったら、不要なレイヤーの「ソース名」をクリックして選択するか、ドラッグして複数レイヤーを選択し、Delete キーを押します。これで、レイヤーを削除できます。以下の画面では、分割して不要になったレイヤーを削除しています。

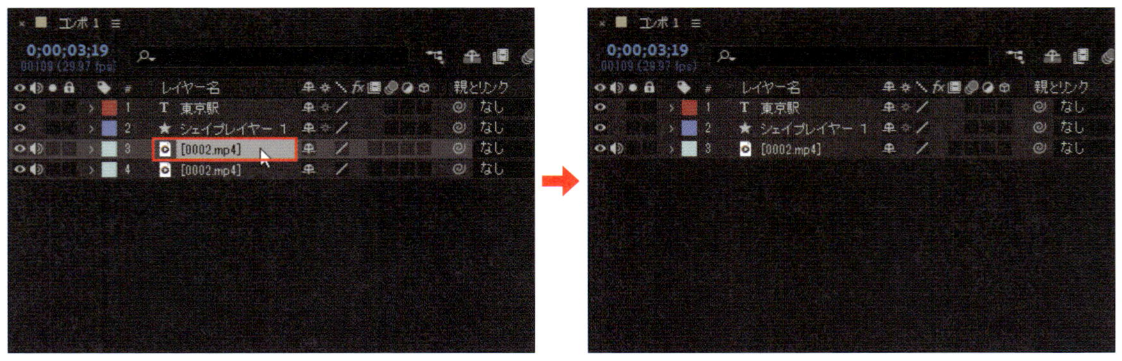

不要なレイヤーを選択し、Delete キーを押して削除した。

▶ レイヤーを複製する

同じレイヤーが複数必要な場合は、レイヤーの複製を作成します。この場合、ショートカットキーを利用すると、すばやく操作ができます。タイムラインに配置したレイヤーの「レイヤー名」か、タイムラインのレイヤー部分をクリックして選択し、Ctrl + D キーを押します。メニューバーから「編集」→「複製」を選択しても同じです。これで、複製したレイヤーが配置されます。

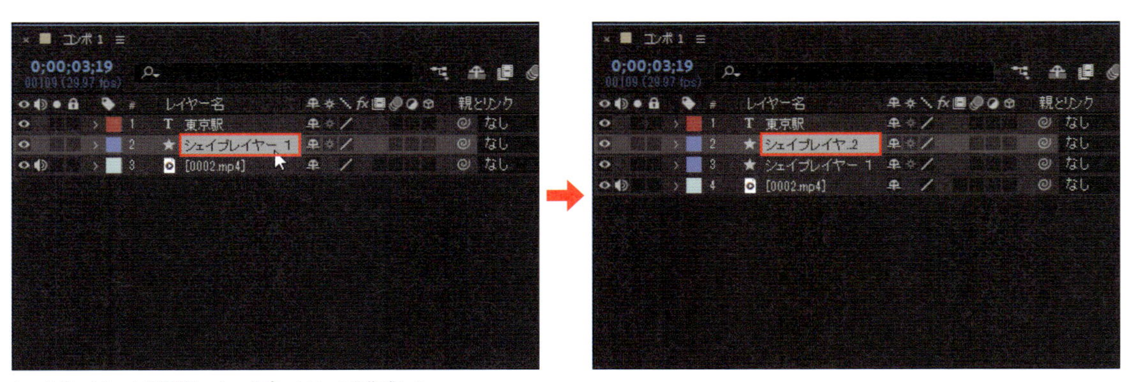

シェイプレイヤー 1 を複製し、シェイプレイヤー 2 を作成した。

フッテージをコンポジションに配置する

「プロジェクト」パネルに読み込んだフッテージは、「タイムライン」パネルにレイヤーとして配置することで編集できるようになります。フッテージを「タイムライン」パネルに配置するには、複数の方法があります。

▶ コンポジションにフッテージを配置する

P.184の方法で「プロジェクト」パネルに読み込んだフッテージを、「タイムライン」パネルに表示したコンポジションに配置してみましょう。配置方法には複数あり、ここでは3つの方法を紹介します。

「タイムライン」パネルにドラッグ&ドロップする

もっともオーソドックスな方法です。「プロジェクト」パネルのフッテージを、「タイムライン」パネルに開いたコンポジション上にドラッグ&ドロップします。これで、コンポジションにフッテージが配置されます。
「タイムライン」パネルにまだコンポジションが開かれていない場合は、ドラッグ&ドロップしたフッテージ名で自動的にコンポジションが作成されます。

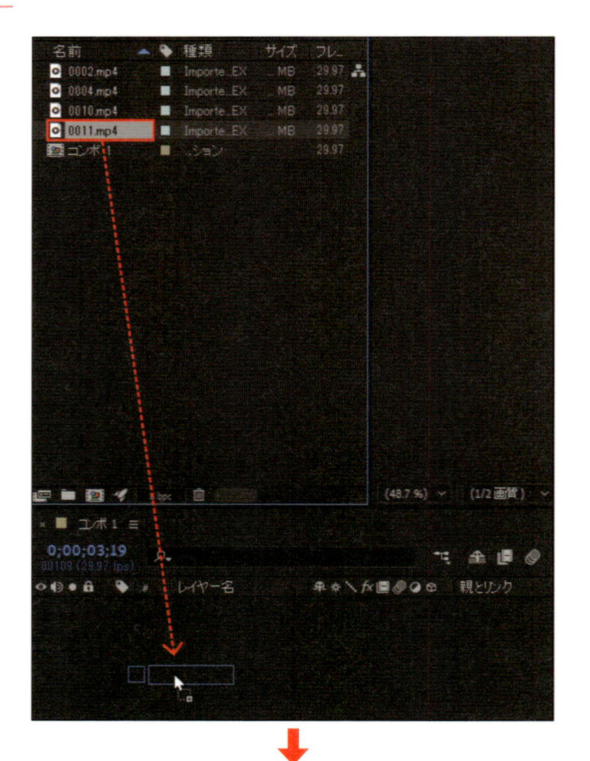

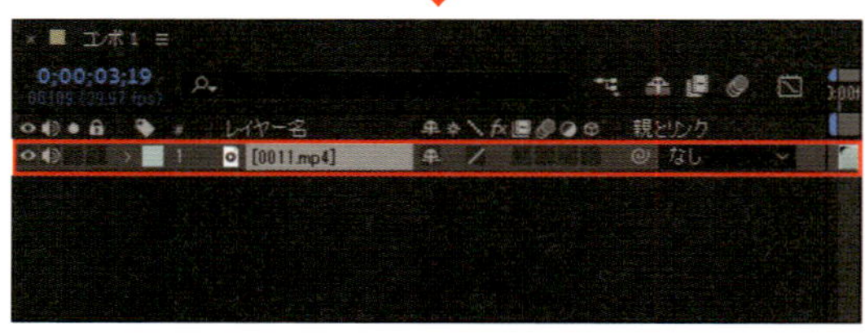

「コンポジション」パネルにドラッグ＆ドロップする

「プロジェクト」パネルのフッテージを、「コンポジション」パネルの中央にドラッグ＆ドロップします。これで、「タイムライン」パネルにフッテージが展開されます。

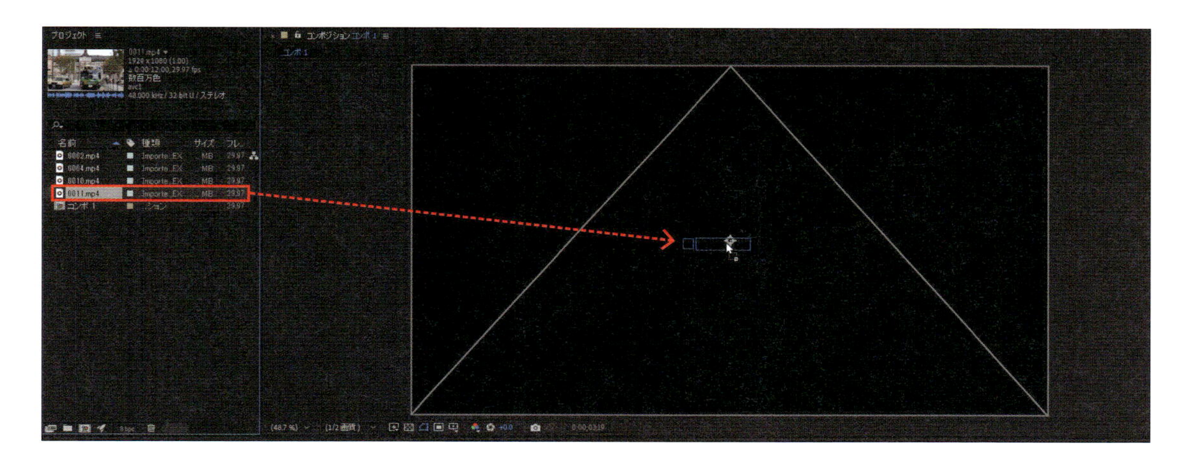

コンポジション上にドラッグ＆ドロップする

「プロジェクト」パネルのフッテージを、「プロジェクト」パネルのコンポジション「コンポ 1」の上にドラッグ＆ドロップします。

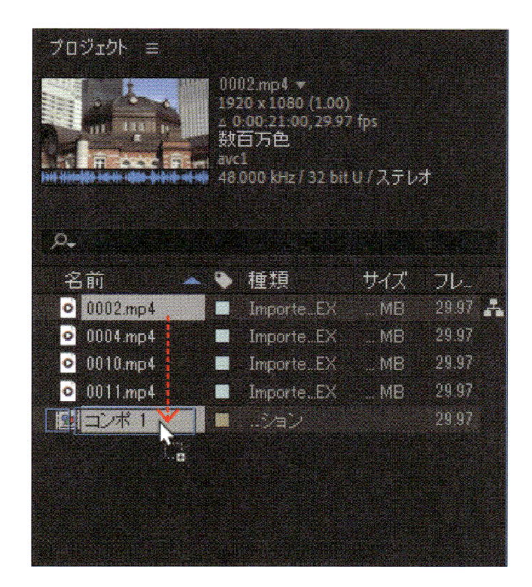

POINT 「新規コンポジションを作成」ボタンの利用

「プロジェクト」パネルの下部には、「新規コンポジションを作成」ボタンがあります。このボタンの上にフッテージをドラッグ＆ドロップすると、新しいコンポジションを作成しながら、ドラッグ＆ドロップしたフッテージがレイヤーとして配置されます。これによって、コンポジションの作成とフッテージの配置が１回の操作で完了します。

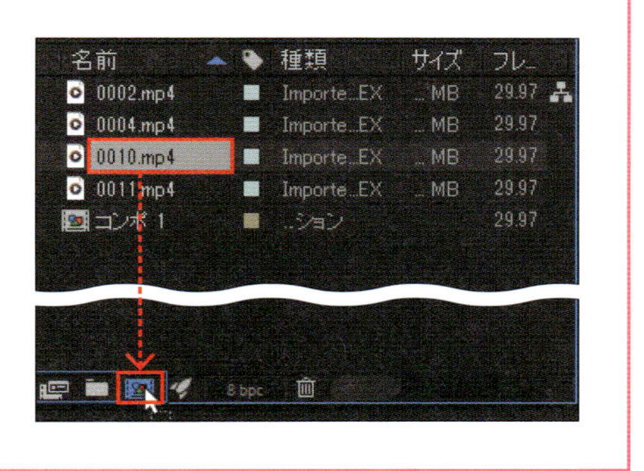

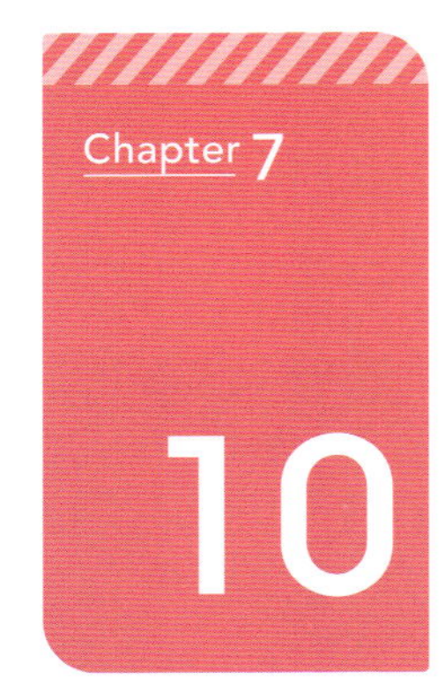

コンポジションをプレビューする

After Effectsで編集中のコンポジションは、作業途中で設定状況をプレビューしながら編集を進めます。プレビューの実行には、「プレビュー」パネルを利用します。

▶ プレビューを実行する

After Effectsで編集中の設定内容を確認する機能が、「プレビュー」機能です。プレビューは、画面右にあるパネルグループから「プレビュー」パネルを開き、「再生」ボタンをクリックして行います。

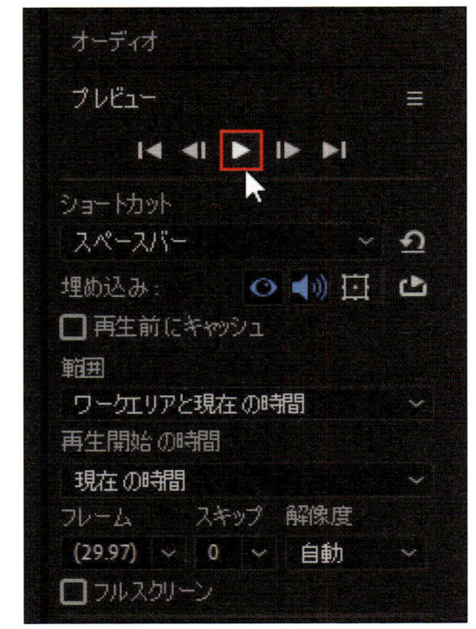

「プレビュー」パネルの「再生」ボタンをクリックする。

プレビューを実行すると、再生を実行した部分のレンダリングが実行されます。レンダリングとは、映像とシェイプ（図形）やテキストを統合して、1本の動画データを作成する処理のことをいいます。レンダリング中は、実際の再生速度よりもやや遅い速度で再生されます。なお、マシンスペックやエフェクトの状態などによって、レンダリング速度は異なります。またレンダリングが実行された部分は、タイムラインに緑色のラインで表示されます。レンダリングが終了すると、実際の再生速度で再生されます。なお、レンダリングは再生する前でも、After Effectsが自動的にレンダリングを開始しています。

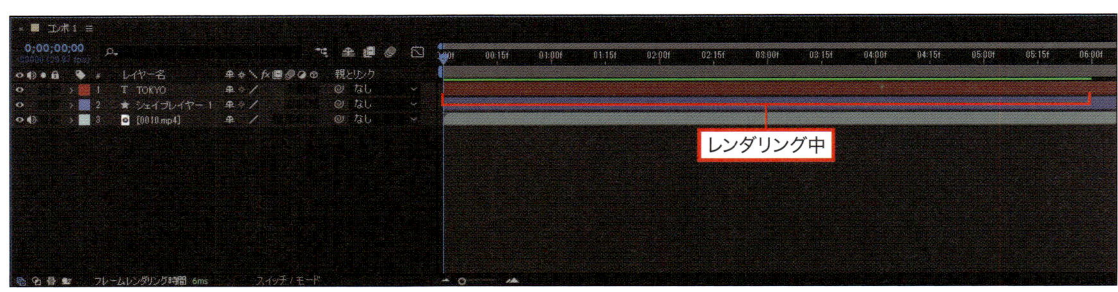

レンダリング中の画面。

プロジェクトを保存する

After Effectsで編集中のプロジェクト、あるいは編集を終えたプロジェクトは、「ファイル」メニューから「保存」を選択し、プロジェクトの保存を実行します。なお、保存は定期的に行うことをおすすめします。

「保存」を実行する

After Effectsで編集途中のプロジェクト、あるいは編集を終えたプロジェクトは、メニューバーから「ファイル」→「保存」をクリックして保存します。

プロジェクトとしてはじめて保存する場合は、「別名で保存」ウィンドウが表示されるので、保存先のフォルダーを選択し❶、プロジェクトファイル名を入力します❷。「保存」をクリックすると❸、プロジェクトファイルが保存されます。

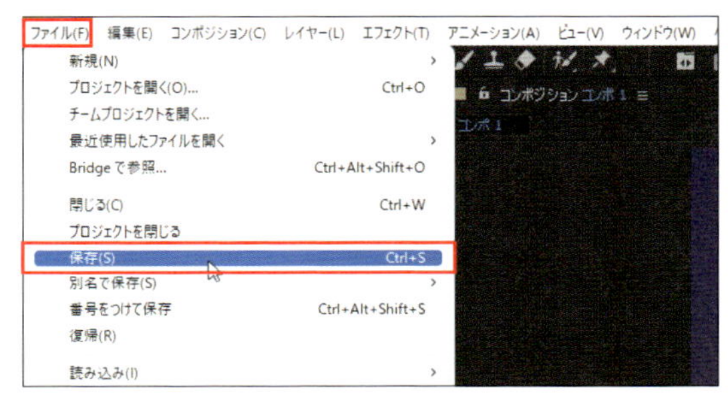

「保存」をクリックする。

保存されたプロジェクトファイル。

POINT プロジェクトファイルのバージョン数

P.179で解説した自動保存の設定を行っていると、「プロジェクトバージョンの最大数」は「5」に設定されています。自動保存されたプロジェクトファイルは、プロジェクトの保存先フォルダーに「Adobe AfterEffects自動保存」というフォルダーが作成され、その中に、指定した間隔で保存されたタイプスタンプのプロジェクトファイルが、指定した数だけ保存されています。
なお、新しいプロジェクトファイルが自動保存されると、一番古いプロジェクトファイルは自動的に上書きされ、常時5個のプロジェクトファイルが自動保存された状態で利用できます。

POINT After Effectsのショートカットキーを覚えておこう

After Effectsでは、コマンド操作を頻繁に行う必要があります。しかも目的のコマンドの階層が深く、目的のコマンドに到達するのが大変な場合も多くあります。このような場合にショートカットキーを利用すると、すばやい編集操作が可能になります。ここでは、After Effectsの主なショートカットキーをご紹介します。

● 知っていると便利なショートカットキー

機能	Windows	macOS
プレビュー	テンキーの0	テンキーの0
新規コンポジション作成	Ctrl + N	Command + N
コンポジション設定	Ctrl + K	Command + K
新規平面レイヤー作成	Ctrl + Y	Command + Y
レイヤーのマスクを開く	M	M
レイヤーの不透明度を開く	T	T
レイヤーの位置を開く	P	P
レイヤーのアンカーポイントを開く	A	A
レイヤーの回転を開く	R	R
レイヤーのスケールを開く	S	S
レイヤーのオーディオレベルを開く	L	L
レイヤーの全キーフレームを開く	U（2度：ダブルU）※	U（2度：ダブルU）※
レイヤーのパラメーター全部を開く	Ctrl + @	Command + @
レイヤーのパラメーターを追加で開く	Shift +ショートカットキー	Shift +ショートカットキー
プリコンポジション	Ctrl + Shift + C	Command + Shift + C
1フレーム先に進む	Ctrl + →	Command + →
1フレーム前に戻る	Ctrl + ←	Command + ←
10フレーム先に進む	Ctrl + Shift + →	Command + Shift + →
10フレーム前に戻る	Ctrl + Shift + ←	Command + Shift + ←
1つ前のキーフレームに移動	J	J
1つ後ろのキーフレームに移動	K	K
レイヤーの複製	Ctrl + D	Command + D
レイヤーを現在の時間で分割	Ctrl + Shift + D	Command + Shift + D
選択しているパネルの全画面化	@	@

※ Uキーを1回押すと、キーフレームのあるタイムラインのみが表示されます。2回押すと、キーフレームが設定されていなくても、他のレイヤーにキーフレームが設定されていれば同じオプションが表示されます。

After Effects編

Chapter 8

テキストアニメーションを作成する

テキストアニメーションのためのコンポジション設定

After Effectsでテキストを利用したアニメーションを作成する場合は、最初にアニメーション用のコンポジションを設定します。

▶ テキストアニメーション

ここでは、テキストをアニメーションさせる方法について解説します。After Effectsでテキストをアニメーションさせるにはいろいろな方法がありますが、ここではもっともオーソドックスな次の方法について解説します。

- トランスフォームでアニメーションさせる
- パスでアニメーションさせる
- アニメーターでアニメーションさせる

▶ コンポジションを設定する

これから作成するアニメーションに合わせて、コンポジションを設定します。そのための情報が、以下になります。

- **プリセット**：HDTV 1080 29.97
- **幅**：1920px
- **高さ**：1080px
- **ピクセル縦横比**：正方形ピクセル
- **フレーム縦横比**：16：9
- **フレームレート**：29.97 ノンドロップフレーム
- **解像度**：フル画質
- **開始タイムコード**：0：00：00：00
- **デュレーション**：10秒
- **背景色**：ブラック

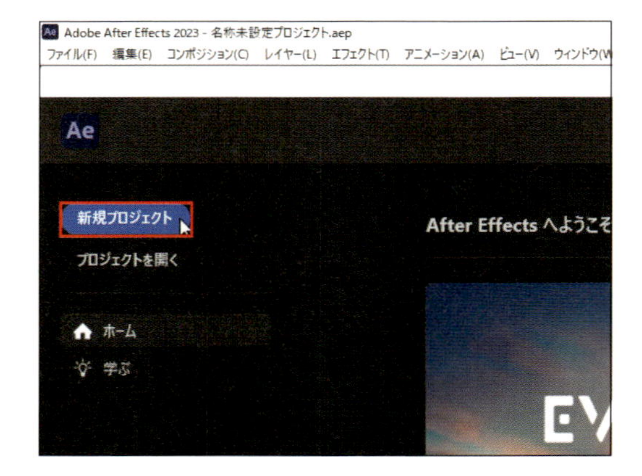

1 「新規プロジェクト」を選択する

新しくプロジェクトを作成する場合は、ホーム画面で「新規プロジェクト」をクリックします。既存のプロジェクトを利用する場合は、「最近使用したもの」一覧から利用したいプロジェクトを選択し、手順2から操作を始めてください。なお編集画面が表示されたら、一度プロジェクトを保存してください。

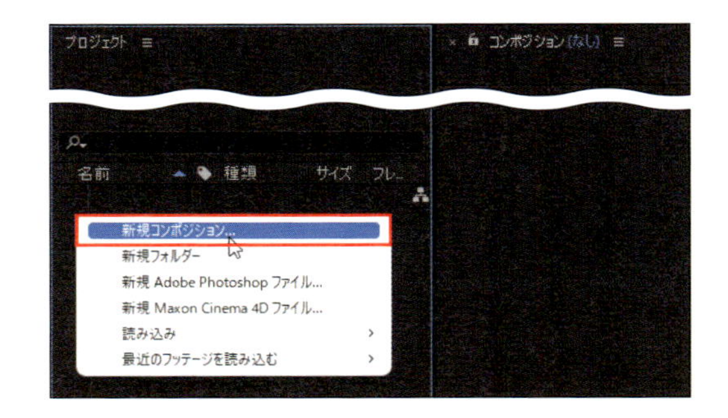

2 「新規コンポジション」を選択する

「プロジェクト」パネルのなにもないところを右クリックし、「新規コンポジション」をクリックします。あるいは、「プロジェクト」パネル下部の「新規コンポジション」ボタンをクリックするか、メニューバーから「コンポジション」→「新規コンポジション」を選んでもOKです。

3 新規コンポジションを設定する

「コンポジション設定」パネルが表示されます。「コンポジション名」には、コンポジションの目的がわかりやすい名前を設定します❶。「プリセット」の「∨」をクリックし、プリセットを選択します。ここでは、「HDTV 1080 29.97」を選択しています❷。設定のポイントは、AVCHDのフルハイビジョンに対応した設定を行っていることです。デュレーションは10秒❸に設定して、「OK」をクリックします❹。

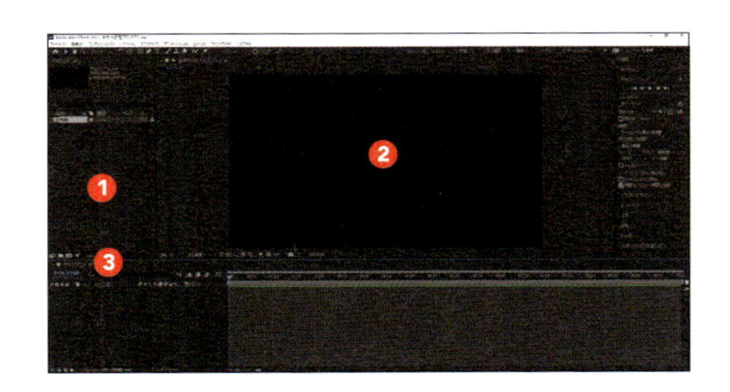

4 新規コンポジションが登録される

設定したコンポジションが「プロジェクト」パネルに登録され❶、「コンポジション」パネルも表示されています❷。また、「タイムライン」パネルにはコンポジションが表示され、左上にタブが表示されています❸。なお、コンポジションの設定内容を再編集したい場合は、メニューバーから「コンポジション」→「コンポジション設定」をクリックします。

POINT デュレーションの設定方法

「コンポジション設定」ダイアログボックスの「デュレーション」の設定は、数値部分をクリックして「0：00：10：00」のように入力するのが一般的です。しかし、ここで入力されているタイムコードを削除し、「10.0」か「1000」と入力すると、「0：00：10：00」のように10秒と入力することができます。なお、デュレーションの入力後に Enter キーを押すと、すべての設定が確定してダイアログボックスが閉じられてしまいます。ほかの項目の設定も続けたい場合は Enter キーを押すのではなく、なにもない部分をクリックしてください。

10秒は「1000」と入力する。

テキストを入力する

After Effectsでテキストを入力する場合は、「テキストレイヤー」を追加します。また、テキストの入力は「コンポジション」パネルで行います。

▶ テキストレイヤーを設定する

After Effectsでテキストを表示するためには、「テキストレイヤー」が必要です。テキストレイヤーは、次の方法で設定します。

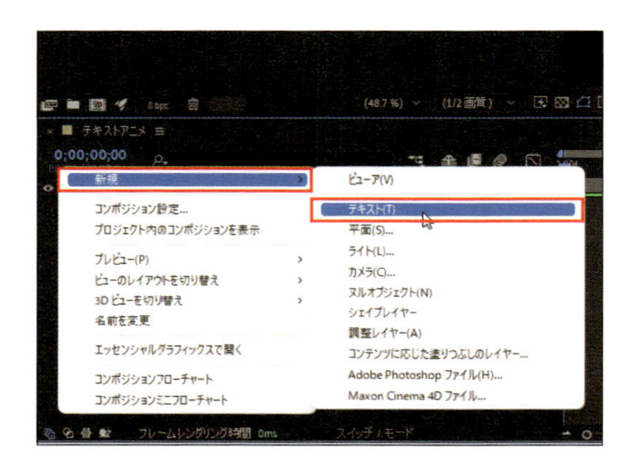

1 テキストレイヤーを追加する

「タイムライン」パネルで右クリックし、「新規」→「テキスト」をクリックします。または、メニューバーから「レイヤー」→「新規」→「テキスト」を選んでも同じです。

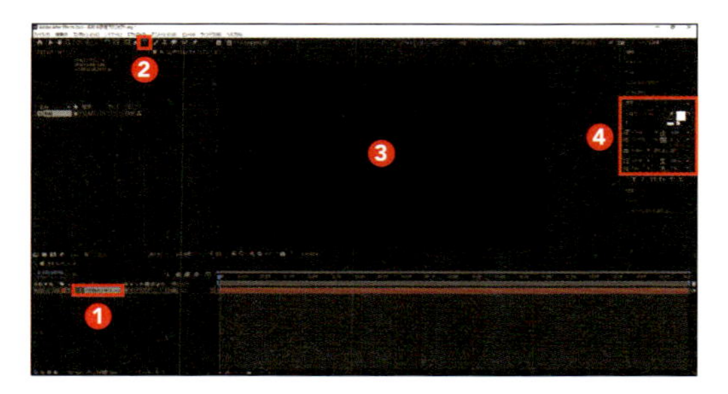

2 レイヤーが追加される

タイムラインに、テキストレイヤーが追加されます❶。また、ツールバーの「横書き文字」ツールが選択されて❷、「コンポジション」パネル中央に赤い文字入力カーソルが表示されます❸。編集画面の右には、「文字」パネルが表示されます❹。

POINT 自動的にテキストレイヤーを設定する

テキストレイヤーに限っては、テキストレイヤーを設定しなくても、次ページにある「コンポジション」パネルでテキストを入力すると、自動的にテキストレイヤーが設定されます。

▶ テキストを入力する

テキストレイヤーが設定できたら、テキストを入力します。テキストは、「コンポジション」パネルで入力・表示します。

1 テキストを入力する

「コンポジション」パネルで、テキストを入力します。なお、前回の作業でテキストを入力していると、その際の設定が引き継がれて表示されます。

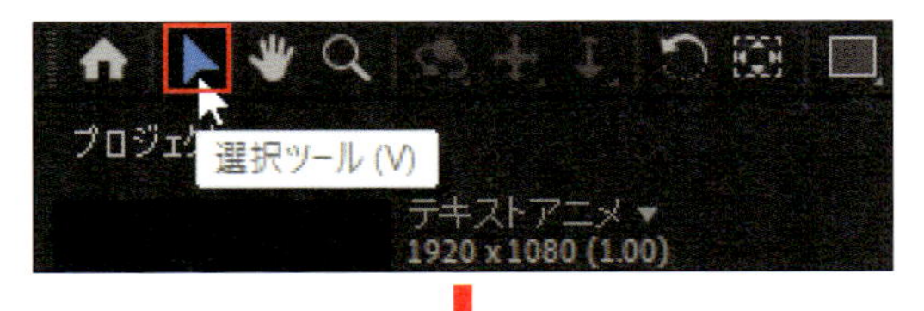

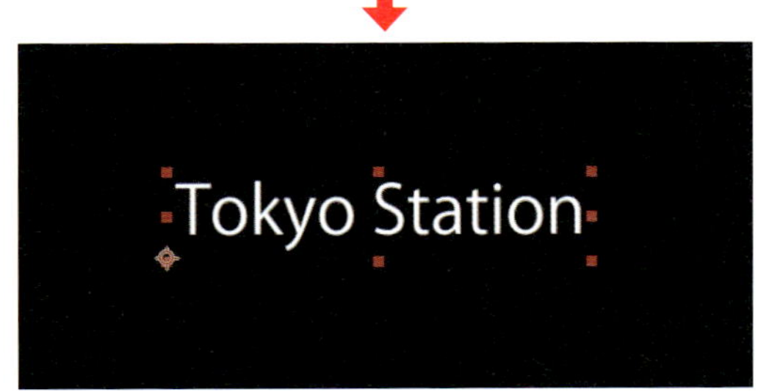

2 テキストを確定する

テキストを入力したら、入力を確定します。この時、キーボードの Enter キーを押しても確定はできません。改行されるだけです。入力を確定するには、ツールバーで「選択」ツールに持ち替えてください。入力が確定し、文字の周囲にハンドルが表示されます。

▶ テキストを中央に配置する

「コンポジション」パネルで入力したテキストを画面の中央に配置するには、「整列」パネルを利用します❶。ここで、「水平方向中央」❷と「垂直方向中央」❸をクリックすると、中央に配置されます。パネルグループに「整列」がない場合は、メニューバーから「ウィンドウ」→「整列」を選択すれば表示されます。

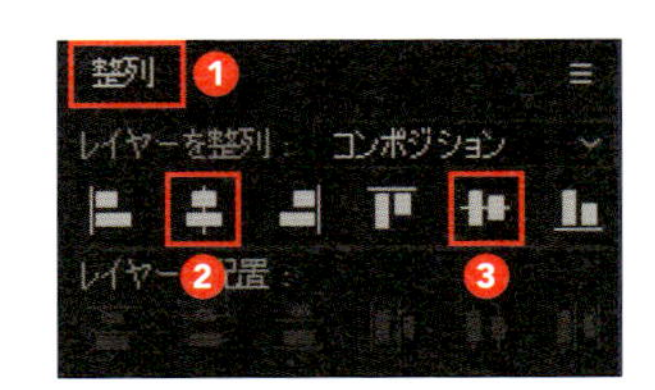

 **POINT** グリッドを表示する

テキストなどの位置を決める場合、グリッドを表示すると配置しやすくなります。「グリッドとガイドのオプションを選択」❶から「グリッド」を選択すると❷、グリッドが表示されます❸。

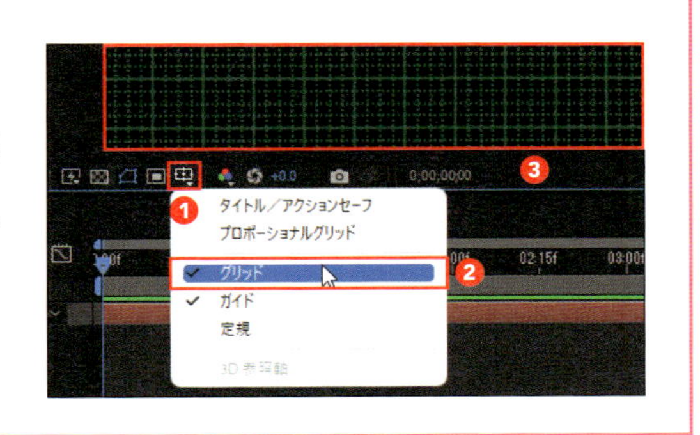

テキストを カスタマイズする

「コンポジション」パネルに入力したテキストは、「文字」パネルで文字サイズやフォント、文字色などをカスタマイズすることができます。

▶「文字」パネルでカスタマイズする

入力したテキストのカスタマイズは、「文字」パネルで行います。

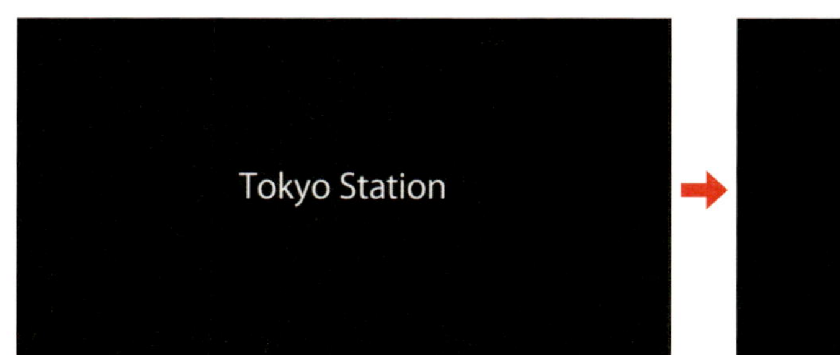

カスタマイズ前。

カスタマイズ後。

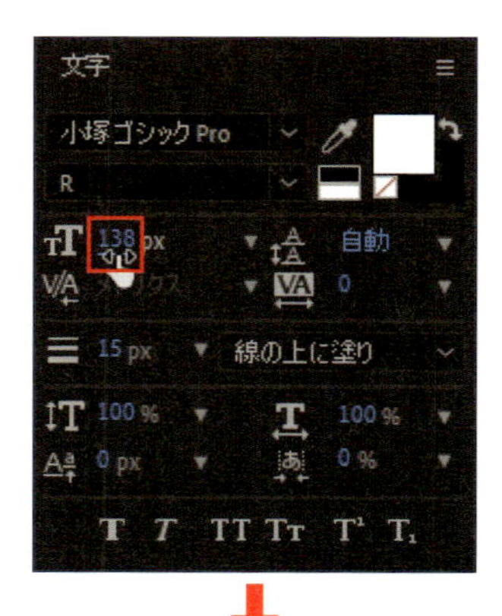

1 文字サイズを変更する

文字サイズは、入力したテキストを「選択」ツールで選択し、「文字」パネルにある「フォントサイズを設定」の数値を変更して調整します。また、選択状態のテキストの周囲に表示されているハンドルをドラッグしても、サイズを変更できます。この時、Shift キーを押しながらドラッグすると、縦横比を維持したまま文字サイズを変更できます。

2 フォントを変更する

フォントは、「フォントファミリーを設定」の「V」をクリックし❶、フォント名の一覧から選択します❷。選択したフォントによっては、「フォントファミリーを設定」の下にある「フォントスタイルを設定」で、フォントの太さを選択することができます。

なお、フォントによっては文字の大きさが変わるので、表示位置も変わります。その場合は、再度調整してください。

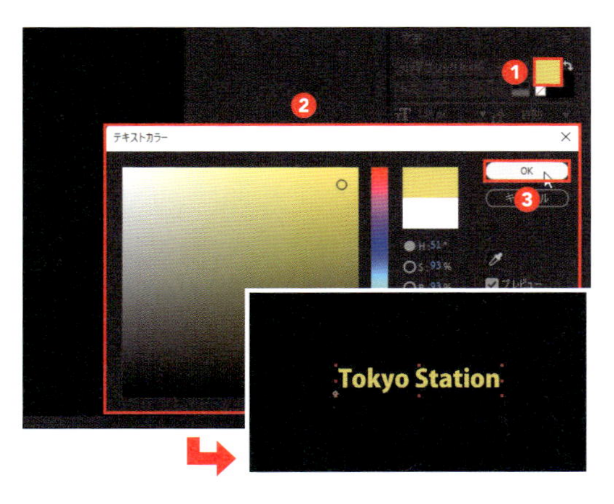

3 文字色を変更する

文字色を変更する場合は、文字色を変更したいテキストを選択し、「塗りのカラー」のカラーボックスをクリックして❶、カラーピッカーを表示します❷。ここで色を選択して「OK」をクリックすると❸、テキストの色が変更されます。

4 輪郭線を設定する

「文字」パネルにある「線のカラー」を選択して色を設定すると❶、文字の輪郭線を設定できます。線の幅は、「線幅を設定」で調整します❷。また、「線の上に塗り」をクリックし、塗りと線の順序を決めます❸。たとえば、線の幅を太くすると塗りの部分が狭くなってしまうような場合、「線の上に塗り」を選択します。これで、塗りへの影響はなくなります。

POINT Adobeフォントを利用する

Creative Cloudのアプリを管理する「Creative Cloud Desktop」にある「フォントを管理」を利用すると、Adobeが提供する数千を超えるフォントを無制限に利用できます。テキスト表現の幅を広げたいときに利用してください。

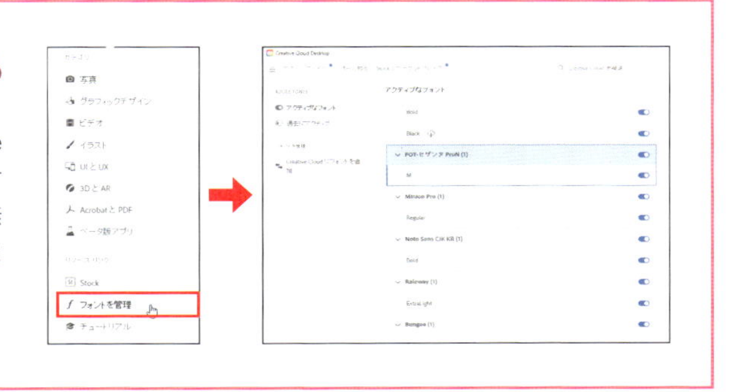

テキストが移動する アニメーション

文字入力時に設定したテキストレイヤーには、「トランスフォーム」というプロパティが備えられています。このトランスフォームを利用することで、テキストが移動するアニメーションを作成できます。

▶ トランスフォーム

テキストレイヤーにあらかじめ用意されている「トランスフォーム」というプロパティを利用することで、テキストが移動するアニメーションを作成することができます。

テキストが左上から右下へ移動する。

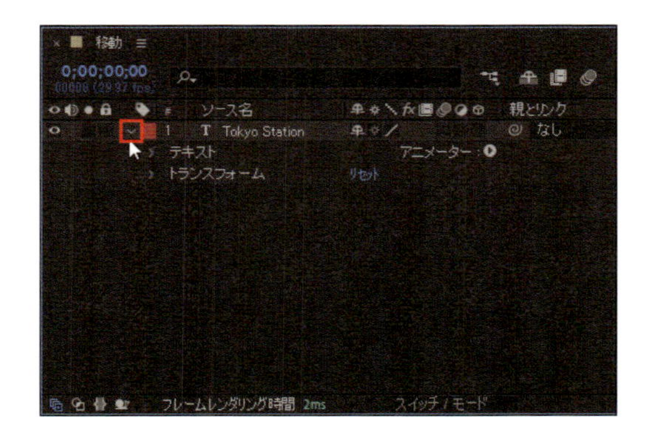

1 プロパティを表示する

レイヤー名の左に、レイヤーの色を示すカラーボックスがあります。その左にある「∨」をクリックすると、レイヤーがあらかじめ持っているプロパティ「テキスト」と「トランスフォーム」が表示されます。

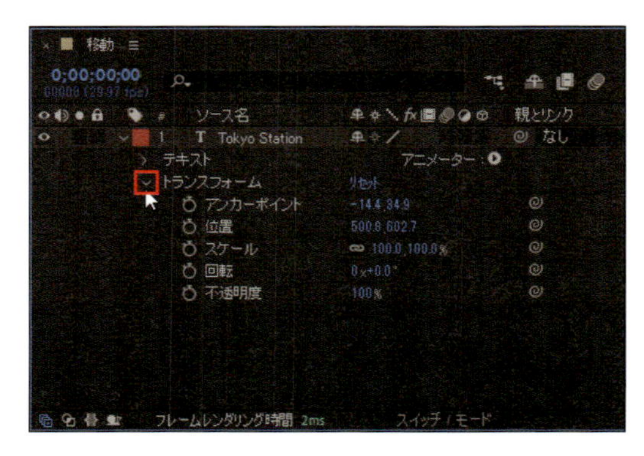

2 プロパティのオプションを表示する

表示されたプロパティの左にある「>」をクリックすると、プロパティのオプションが表示されます。左の画面は、テキストレイヤーの「トランスフォーム」に備えられているオプションです。ここにあるオプションを利用して、テキストが移動するアニメーションを作成します。

▶「位置」を利用したアニメーション

「トランスフォーム」のオプション「位置」を利用して、テキストが移動するアニメーションを作成します。

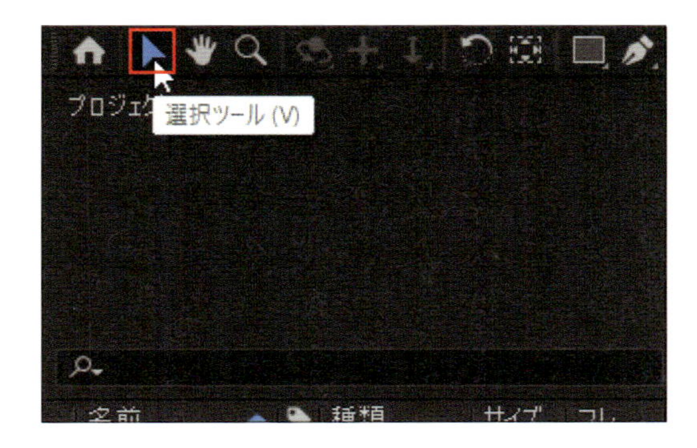

1 テキストを選択する

「ツール」パネルで「選択」ツールを選び、テキストをクリックします。これでテキストが選択状態になり、ハンドルが表示されます。

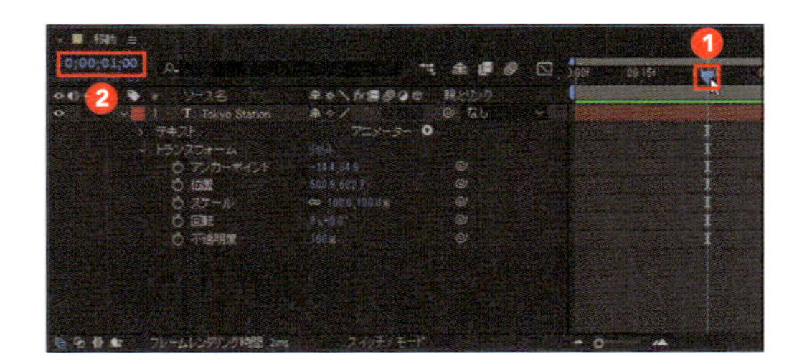

2 アニメーションの開始時間を決める

タイムラインのレイヤーを選択し、時間インジケーターをドラッグして、アニメーションを開始する位置を決めます。左の画面では、先頭から1秒の位置「01：00f」に合わせています❶。「タイムライン」パネルの左上には、時間インジケーターの現在位置を示すタイムコードが表示されています❷。

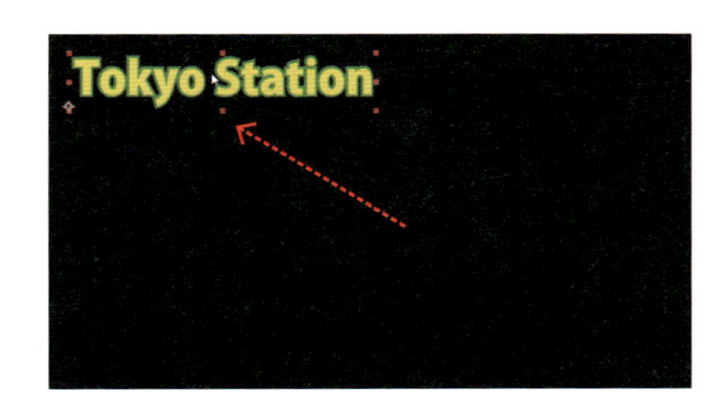

3 アニメーションの開始位置を決める

テキストをドラッグして、アニメーションを開始したい位置に配置します。

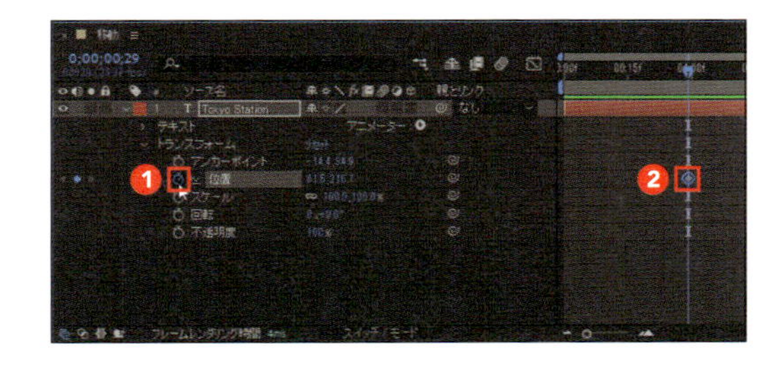

4 アニメーションをオンにする

トランスフォームのオプション「位置」の先頭にあるストップウォッチをクリックすると、アニメーション機能が有効になります❶。同時に、時間インジケーターの位置にキーフレームが設定されます❷。

5 アニメーションの終了時間を決める

タイムラインの時間インジケーターをドラッグし、アニメーションを終了する位置に合わせます。画面では、5秒（05：00f）に合わせています。

6 移動先での表示位置を決める

「コンポジション」パネルのテキストを、移動先にドラッグします❶。ここでは、テキストが移動して止まる位置に合わせています。この時「コンポジション」パネルには、テキストが移動するライン、「パス」が表示されます❷。また、タイムラインにはキーフレームが表示されます❸。

7 プレビューで動きを確認する

「プレビュー」パネルを表示し、「再生」ボタンをクリックして動きを確認します。左側のキーフレーム位置から再生すると、アニメーションが開始されてテキストが移動します。右側のキーフレームが再生されると、その位置でアニメーションが止まります。

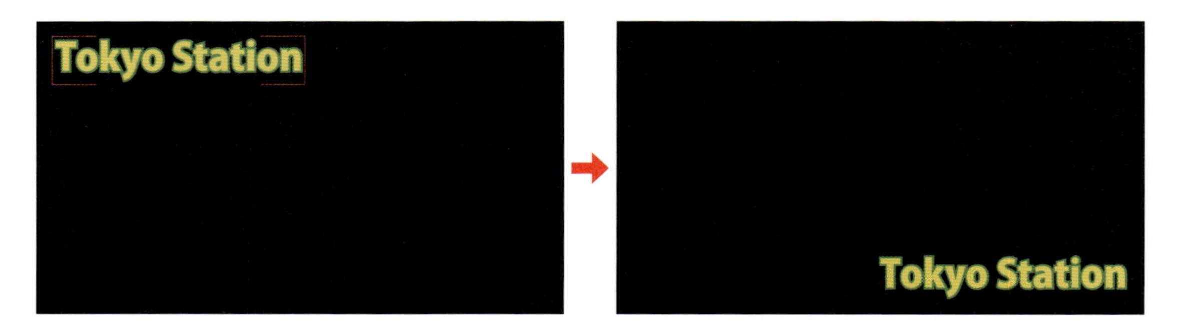

POINT アニメーション作成のための５つのポイント

After Effectsでアニメーションを作成する場合、次の５つのポイントを押さえることで、必ずアニメーションを作成することができます。P.206で解説した移動のアニメーションを例に、確認してみましょう。❶と❷は、どちらが先でもかまいません。また、❶❷のブロックと、❹❺が逆でもかまいません。要するに終了の時間と位置を決めてからアニメーション機能をオンにし、開始の位置と時間を決めるという作成方法です。詳しくはP.233を参照してください。

❶ アニメーション開始の時間を決める
❷ アニメーション開始の位置を決める
❸ アニメーション機能をオンにする
❹ アニメーション終了の時間を決める
❺ アニメーション終了の位置を決める

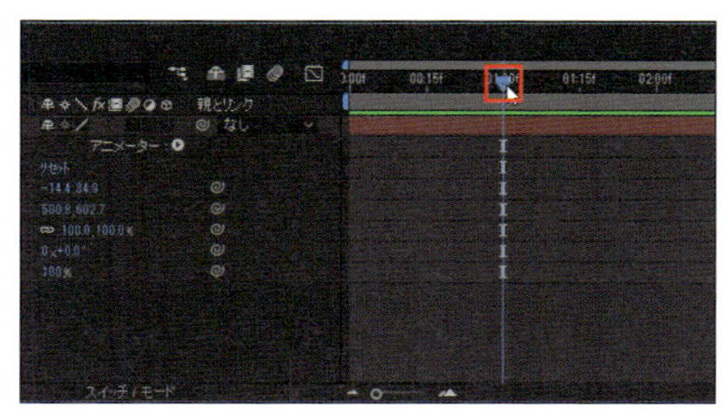

❶ アニメーション開始の時間を決める

❷ アニメーション開始時のテキスト位置を決める

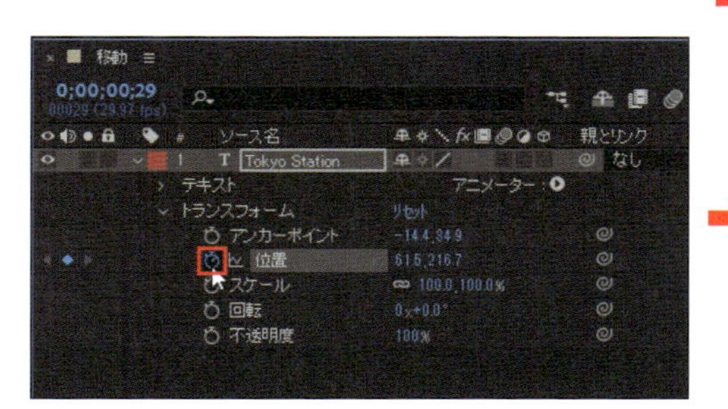

❸ アニメーション機能をオンにする

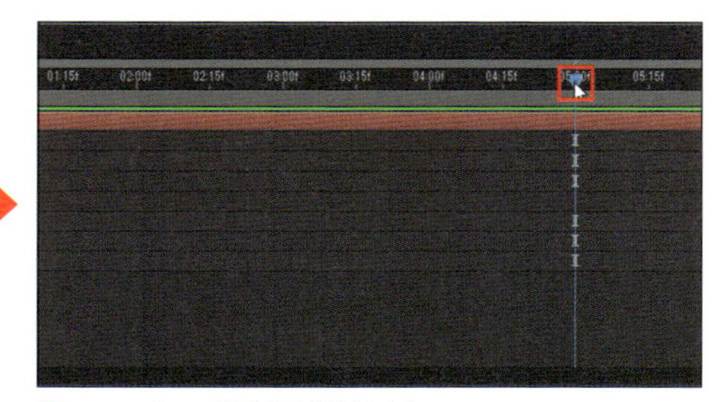

❹ アニメーション終了の時間を決める

❺ アニメーション終了時のテキスト位置を決める

テキストサイズが変化するアニメーション

テキストのアニメーションでインパクトがあるのが、文字のサイズが変化するアニメーションです。文字サイズが変化するアニメーションは、トランスフォームにある「スケール」を利用して実現します。

アンカーポイントを移動する

テキストやシェイプ（図形）が変形、回転する場合の中心点、支点を「アンカーポイント」といいます。デフォルトではテキストの左下に設定されているので、「アンカーポイント」ツールを利用してテキストの中央に配置します。

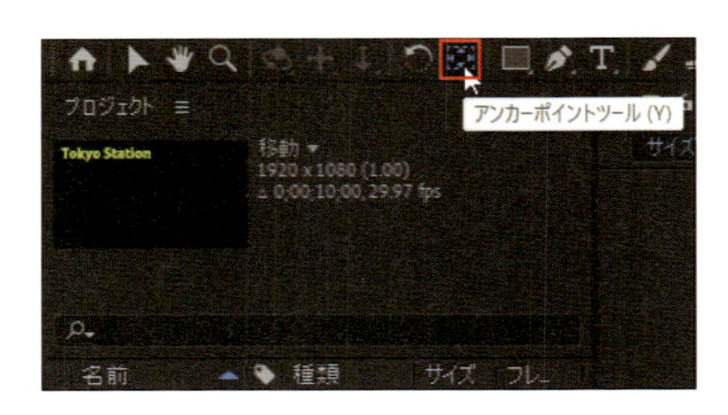

1 アンカーポイントツールを選択する

「ツール」パネルから「アンカーポイント」ツールを選択します。

2 アンカーポイントを移動する

文字の左下にあるアンカーポイントを選択して、文字の中心にドラッグします。また、Ctrl キー（macOSは Command キー）を押しながら「アンカーポイント」ツールをダブルクリックすると、自動的にテキストの中央にアンカーポイントが移動します。

「スケール」を利用したアニメーション

「トランスフォーム」オプションの「スケール」では、テキストのサイズをコントロールすることができます。以下の画面では、大きなサイズのテキストが徐々に小さくなるアニメーションを「スケール」で実現しています。

テキストが小さくなるアニメーション。

1 テキストを入力する

「コンポジション名」を「サイズ」などわかりやすい名前で新規コンポジションを作成し、テキストを入力します。画面では、フレームの中央に配置しています。アンカーポイントを、テキストの中央に配置します。

2 アニメーションの開始時間を決める

時間インジケーターをタイムラインの左端に移動し❶、テキストの「トランスフォーム」にある「スケール」のストップウォッチをクリックして、アニメーションをオンにします❷。時間インジケーターの位置に、キーフレームが設定されます❸。

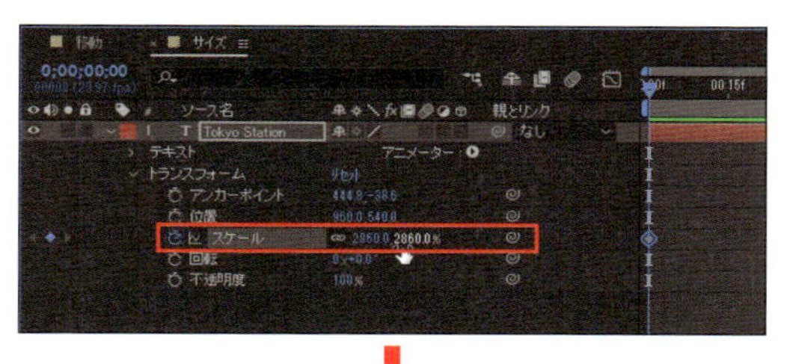

3 最初の文字サイズを決める

「スケール」の数値を変更し、文字サイズを大きくします。この時、数値にマウスポインターを合わせ、左右にドラッグする「スクラブ」を利用すると、かんたんに数値を変更できます（P.62のPOINT）。なお、数値は縦と横、個別に設定できますが、数値の左にあるチェーンアイコンが有効な場合は、縦横が連動してサイズを変更できます。

4 アニメーションの終了時間を決める

アニメーションの終了する時間に、時間インジケーターを移動します。画面では、「01：00f」に合わせています。

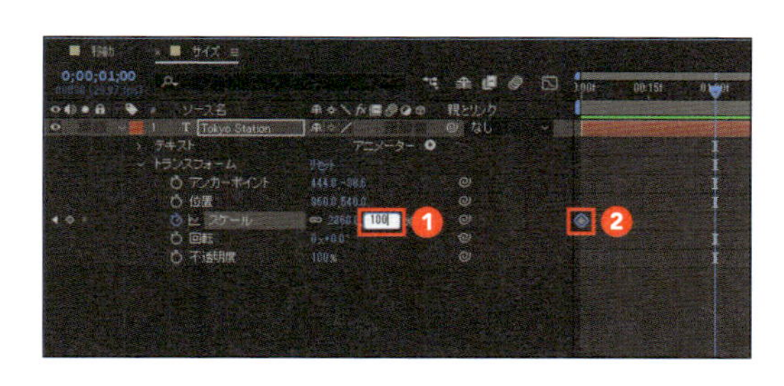

5 最終的な文字サイズを決める

「スケール」の数値を、最終的に表示される文字のサイズに設定します。数値に「100」と入力すると❶、元の文字サイズに設定されます。同時に、時間インジケーターの位置にキーフレームが設定されます❷。「プレビュー」で確認します。

テキストが回転するアニメーション

「回転」はテキストアニメーションの定番です。ポイントは、どこを中心に回転させるかです。アンカーポイントの配置をしっかり確認しましょう。

▶「回転」を利用したアニメーション

テキストが回転するアニメーションも、テキストアニメーションの定番です。このアニメーションは、トランスフォームにある「回転」を利用して実現します。

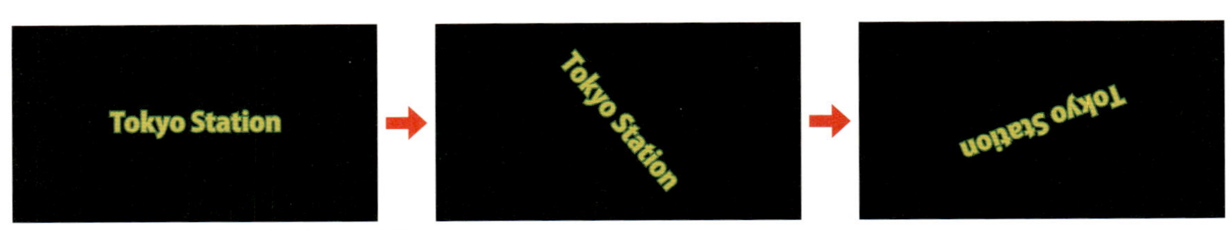

テキストの回転は、どこを中心に回転させるかがポイント。

1 テキストを準備する

「コンポジション名」を「回転」などわかりやすい名前で新規コンポジションを作成し、テキストを入力します。回転の場合、アンカーポイントが回転の支点となるので、P.210の方法でテキストの中央に配置しておきます。なお、この状態がアニメーションの開始位置になります。

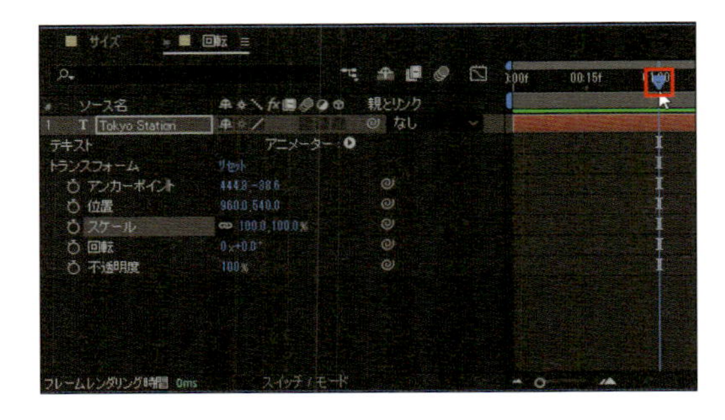

2 アニメーションの開始時間を決める

テキストを１秒間表示してから、回転が始まるようにします。時間インジケーターを１秒の位置に合わせます。

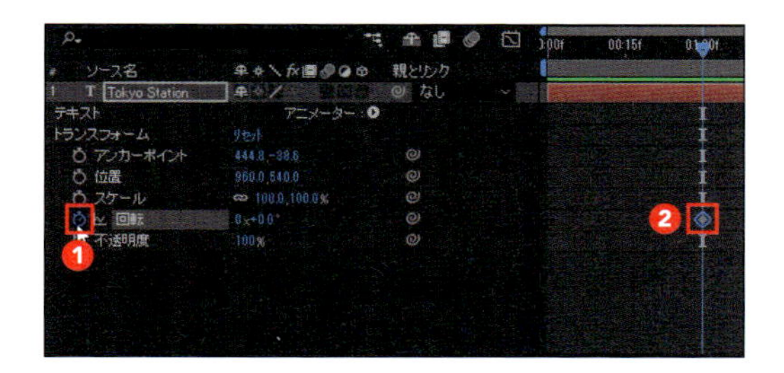

3 アニメーションをオンにする

テキストの「トランスフォーム」にある「回転」のストップウォッチをクリックし、アニメーションをオンにします❶。時間インジケーターの位置に、キーフレームが設定されます❷。

4 アニメーションの終了時間を決める

時間インジケーターを、5秒の位置に合わせます。

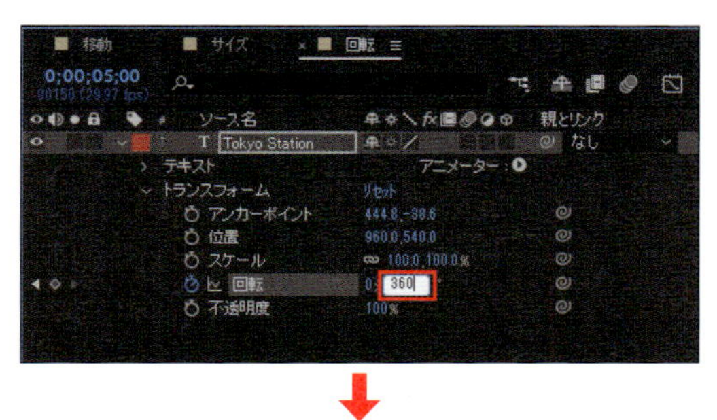

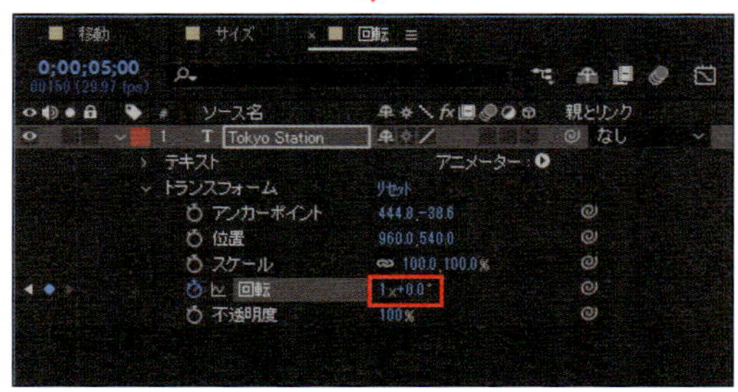

5 回転角度を入力する

「回転」に「360」と入力します。Enter キーを押すと、「1x+0.0°」と表示されます。「1x」は回転数を示しており、「1回転する」という意味になります。なお、360と回転角度を入力する代わりに、「0x」部分に回転数を入力してもかまいません。

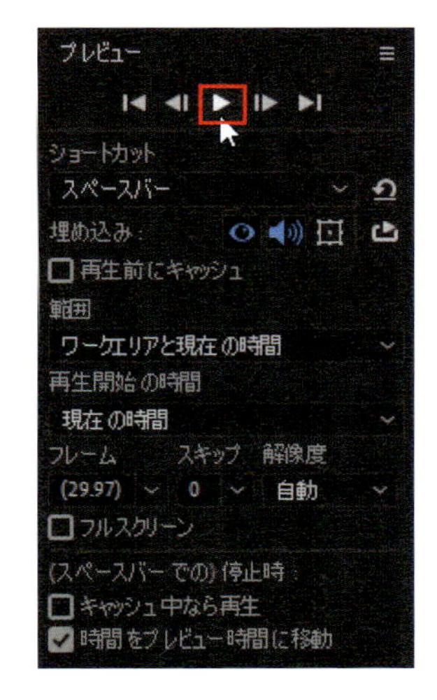

6 プレビューで動きを確認する

回転の設定ができたら、「プレビュー」パネルを表示して回転を確認します。回転のアニメーションは、「コンポジション」パネルに表示されます。

テキストがフェードアウト／フェードインするアニメーション

テキストの「不透明度」を利用すると、文字が徐々に消えたり、徐々に表示されたりする効果を実現できます。

▶「不透明度」を利用したアニメーション

「トランスフォーム」オプションの「不透明度」を利用すると、文字が徐々に消えたり、表示されたりといった、フェードアウト、フェードインのアニメーションを実現できます。

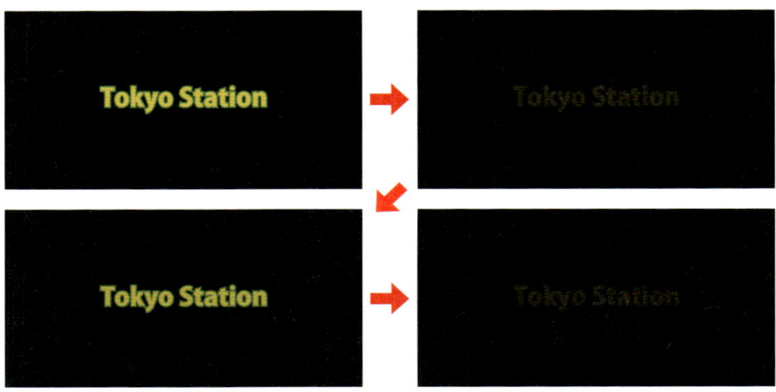

テキストをフェードアウト、フェードインさせて点滅するアニメーション。

1 テキストを準備する

「コンポジション名」を「フェード」などわかりやすい名前で新規コンポジションを作成し、テキストを入力します。「コンポジション」パネルの適当な位置にテキストを配置して、アニメーションの準備を行います。この状態が、アニメーションの開始位置（不透明度100%の状態）になります。

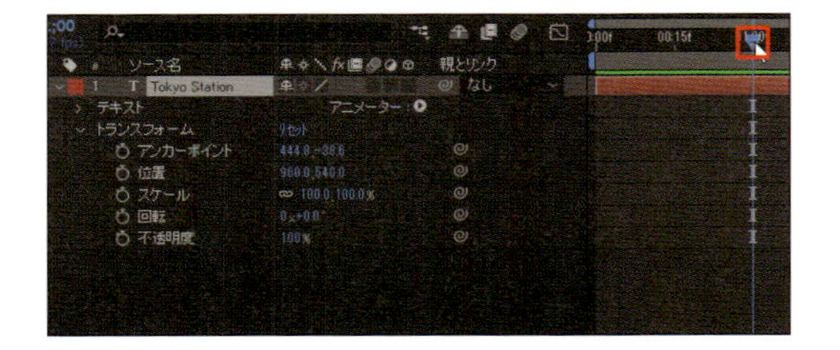

2 アニメーションの開始時間を決める

テキストを1秒間表示してから、フェードアウトが始まるようにします。時間インジケーターを1秒の位置に合わせます。

3 アニメーションをオンにする

テキストの「トランスフォーム」にある「不透明度」のストップウォッチをクリックして、アニメーションをオンにします❶。時間インジケーターの位置に、キーフレームが設定されます❷。

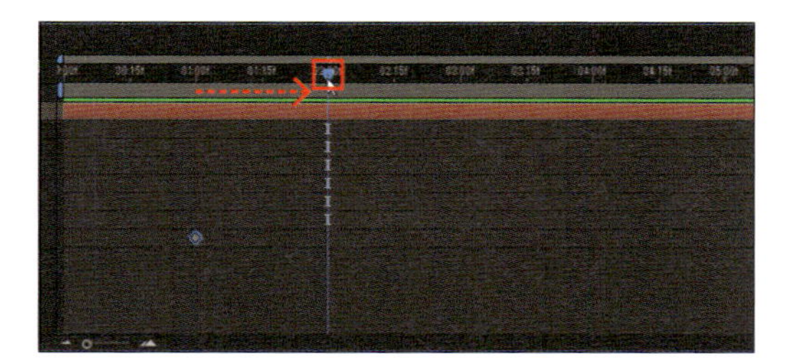

4 アニメーションの終了時間を決める

時間インジケーターを、2秒の位置に合わせます。

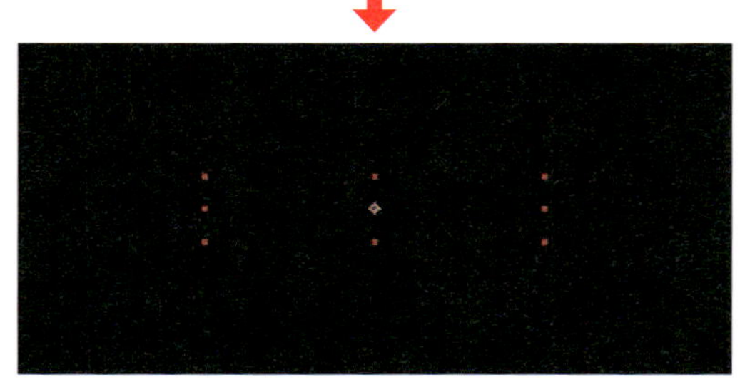

5 不透明度を0%に設定する

2秒の位置での「不透明度」の値を「0%」に設定します❶。時間インジケーターの位置にキーフレームが設定され❷、テキストが消えます。

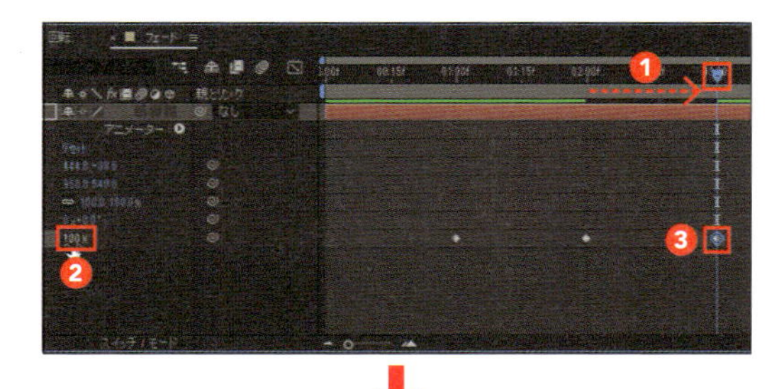

6 不透明度を100%に設定する

時間インジケーターを3秒の位置に移動し❶、3秒の位置での「不透明度」の値を「100%」に設定します❷。時間インジケーターの位置にキーフレームが設定され❸、テキストが表示されます。

▶ キーフレームをコピー&ペーストする

キーフレームは、コピーしてほかの位置にペーストすることができます。設定が完了したキーフレームをコピーすることで、アニメーションを繰り返し再生することができます。

1 キーフレームをコピーする

コピーしたいキーフレームを選択します。画面では、2個目、3個目のキーフレームを囲むようにドラッグして選択しています。選択したら、Ctrl + C キーでコピーします。

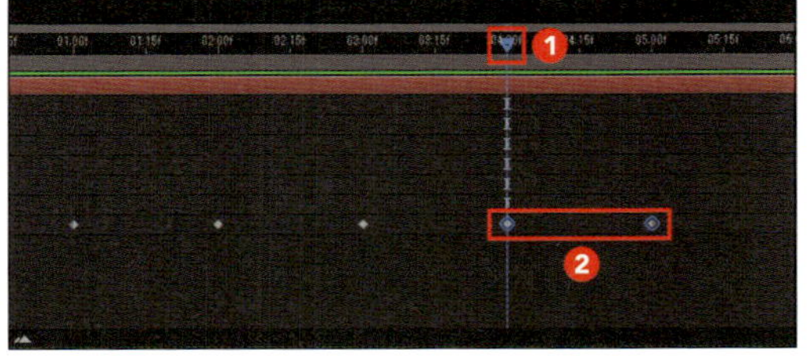

2 キーフレームをペーストする

キーフレームをペーストしたい位置(4秒の位置)に時間インジケーターを合わせ❶、Ctrl + V キーを押すと、キーフレームが2個ペーストされます❷。

3 プレビューを実行する

プレビューを実行すると、テキストが点滅状態で再生されます。

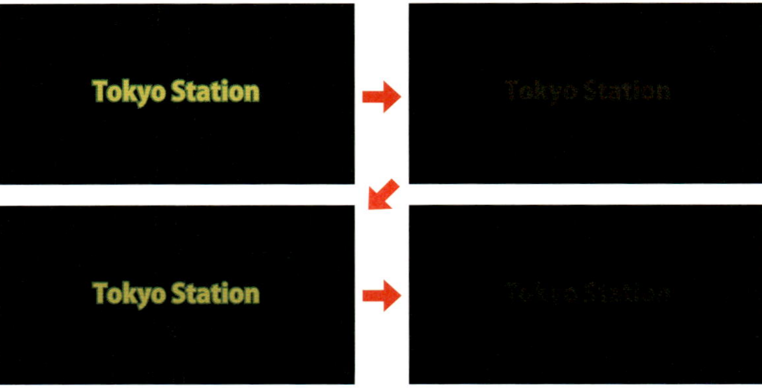

テキストが点滅するアニメーション。

キーフレームを操作する

タイムラインに設定したキーフレームは、移動、削除などが可能です。キーフレームを自在に編集することで、アニメーションの流れをコントロールすることができます。

キーフレームを移動する

タイムラインに設定したキーフレームは、マウスで選択すると青色で表示されます。このキーフレームをドラッグすると、配置位置を変更できます。

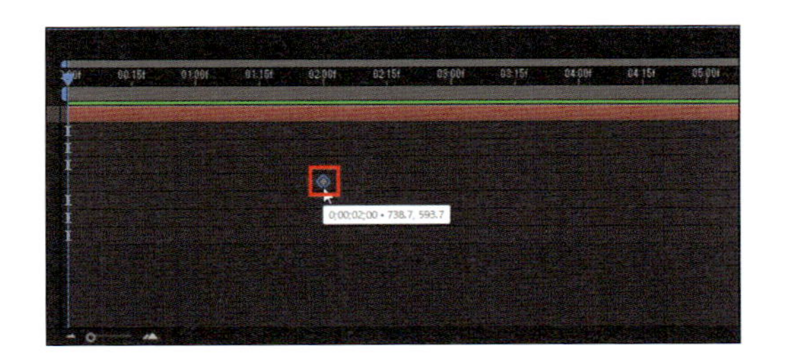

1 キーフレームを選択する

操作したいキーフレームをクリックすると、キーフレームが青色に変わり、選択状態になります。

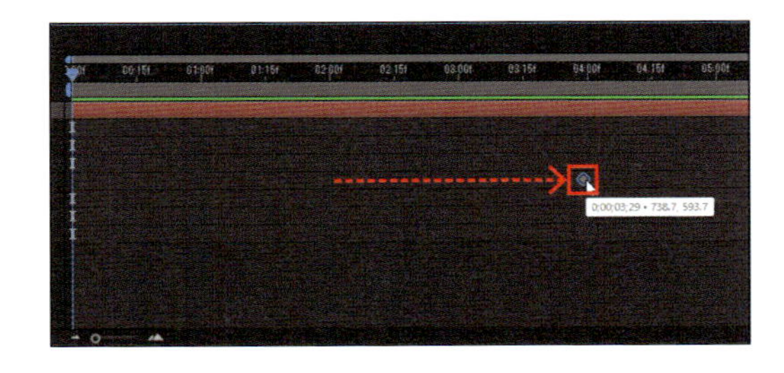

2 キーフレームをドラッグする

キーフレームをドラッグし、表示位置を変更します。

POINT 時間インジケーターをキーフレームにスナップさせる

時間インジケーターを Shift キーを押しながらドラッグすると、移動先の位置に設定されているほかのオプションのキーフレームにスナップします。

▶ キーフレームを削除する

タイムラインに設定したキーフレームを削除する場合は、削除したいキーフレームをクリックして選択し、Delete キーを押します。これで、選択したキーフレームを削除できます。

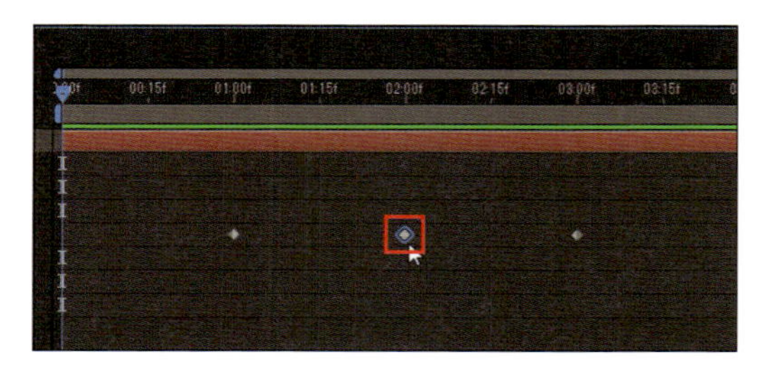

1 キーフレームを選択する

削除したいキーフレームをクリックすると、キーフレームが青色に変わり、選択状態になります。

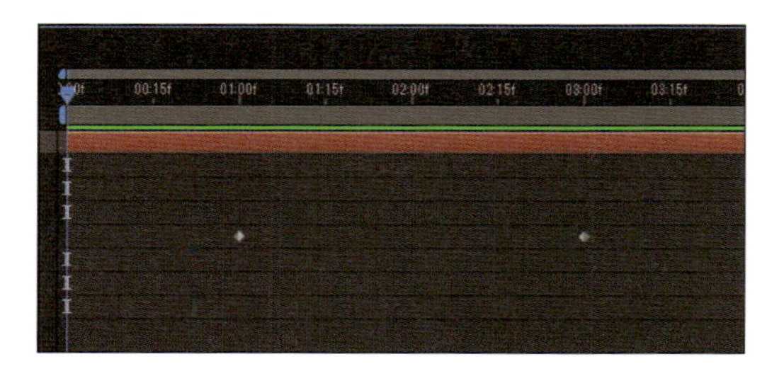

2 Delete キーを押す

Delete キーを押すと、選択したキーフレームが削除されます。

▶ キーフレームの操作ボタン

キーフレームを設定すると、オプション名の先頭にキーフレームを操作するボタンが表示されます。このボタンを使って、時間インジケーターの移動や、キーフレームの追加／削除ができます。

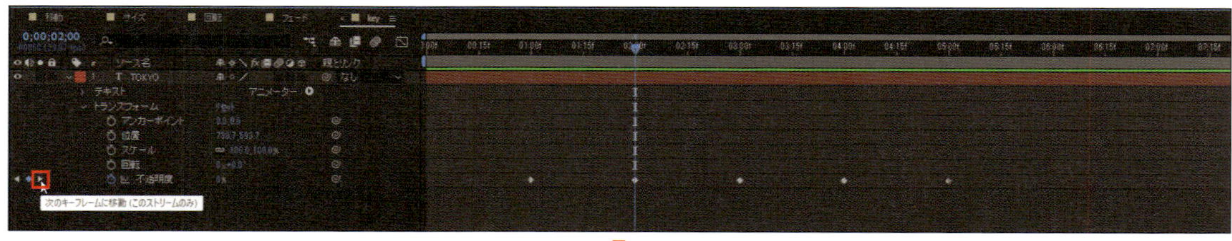

「次のキーフレームに移動」をクリックする。

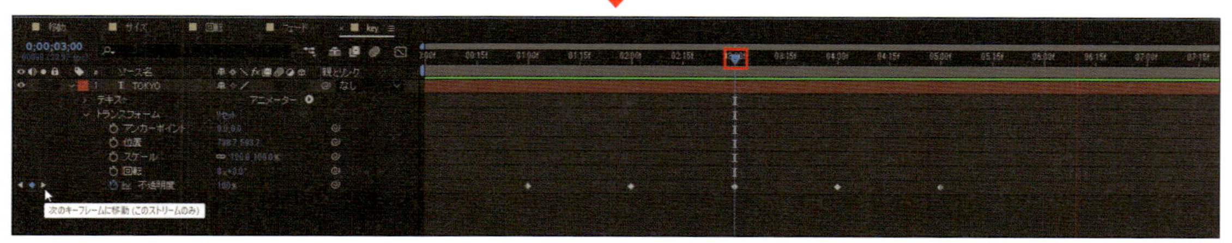

時間インジケーターが次のキーフレームに移動する。

POINT 点滅の間隔を調整する

P.214で紹介したフェードアウト、フェードインの間隔は1秒です。この間隔を短くしたり、逆に長くしたりするには、キーフレームとキーフレームの間隔を調整します。とはいえ、キーフレームを1つずつドラッグして間隔を調整するのは手間がかかります。このような場合に、複数のキーフレームをまとめて調整する方法があります。

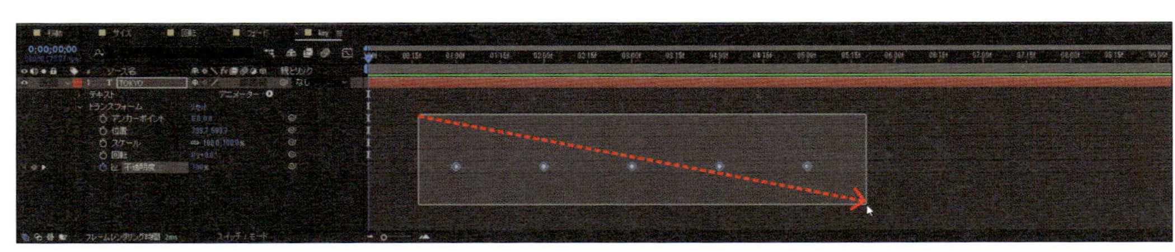

すべてのキーフレームをドラッグして選択する。

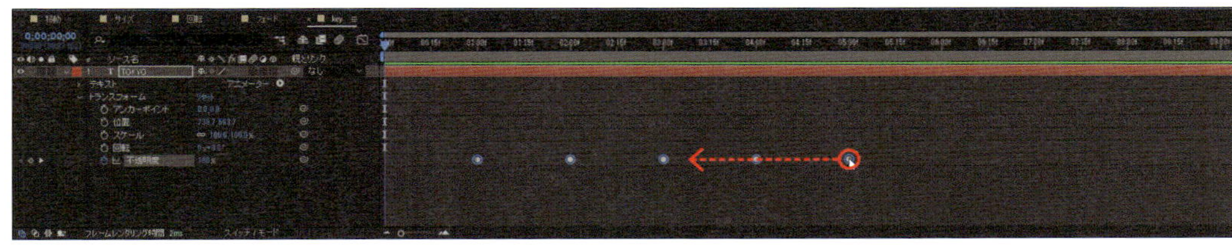

選択したキーフレームの先頭か終端を、Alt キー（macOSは option キー）を押しながら左にドラッグすると…

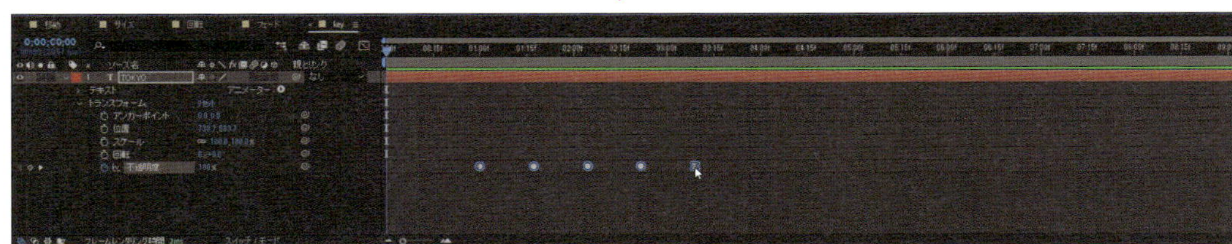

キーフレームの間隔が狭くなります。

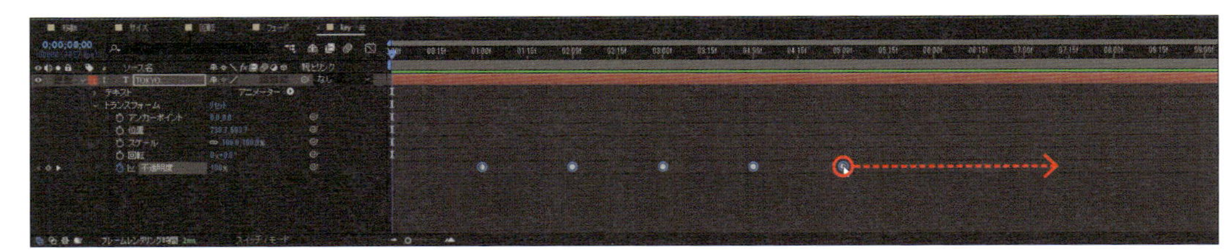

右にドラッグすると…

キーフレームの間隔が広くなります。

アニメーターで１文字ずつアニメーションさせる

テキストを１文字ずつアニメーションさせたい場合は、テキストレイヤーの「アニメーター」を利用します。ここでは２種類のアニメーションの作成方法を解説します。

テキストを入力する

アニメーションの準備として、コンポジションを設定し、テキストを入力しておきます。なお、テキストは常に選択した状態で設定を行います。

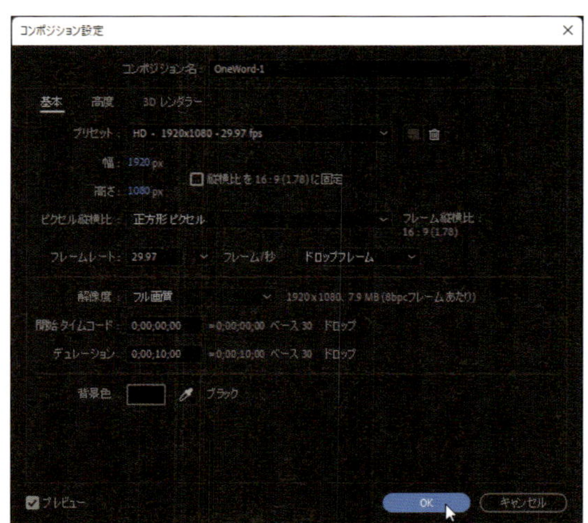

コンポジションを設定してテキストを入力する。

１文字ずつ落ちてくるアニメーション

１文字ずつのアニメーションの１つ目は、アニメーターの「位置」を利用し、テキストが１文字ずつ上から落ちてくるアニメーションを作成してみましょう。

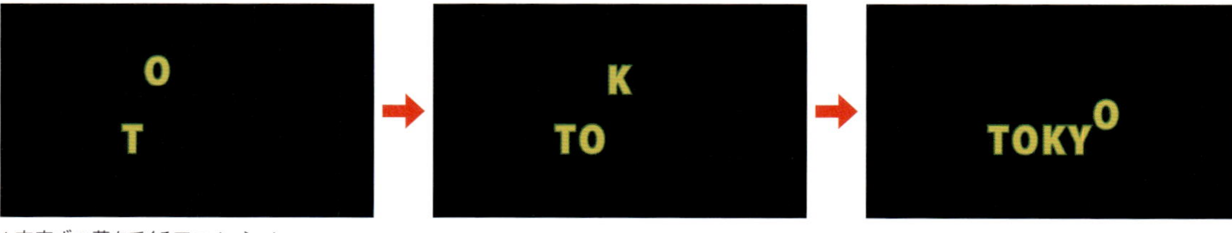

１文字ずつ落ちてくるアニメーション。

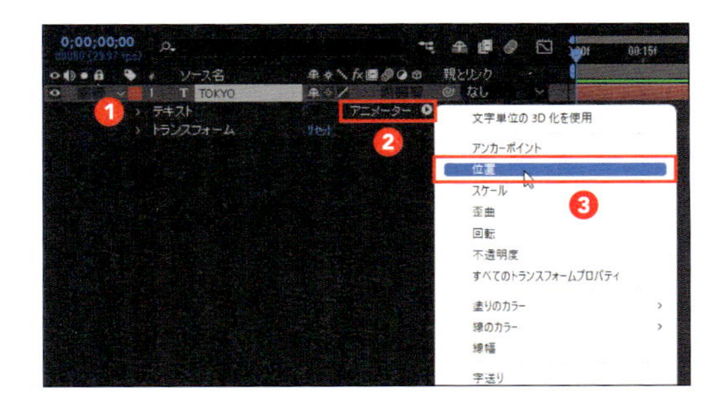

1 アニメーターの「位置」を設定する

テキストレイヤーのオプションを開き❶、テキストの右にある「アニメーター」❷から「位置」を選択します❸。

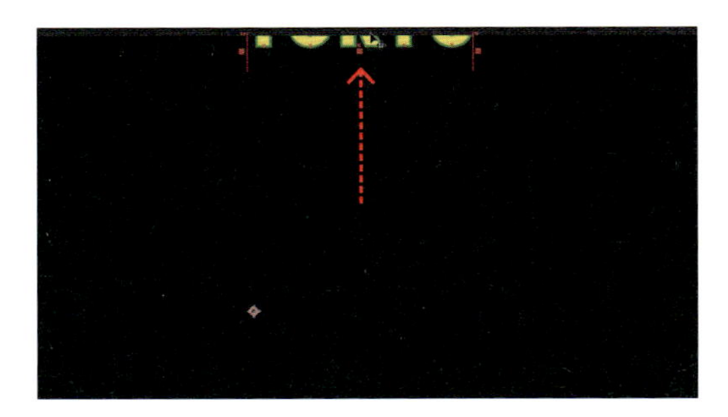

2 テキストを画面の外に移動する

テキストを、画面に表示されなくなる位置に移動します。

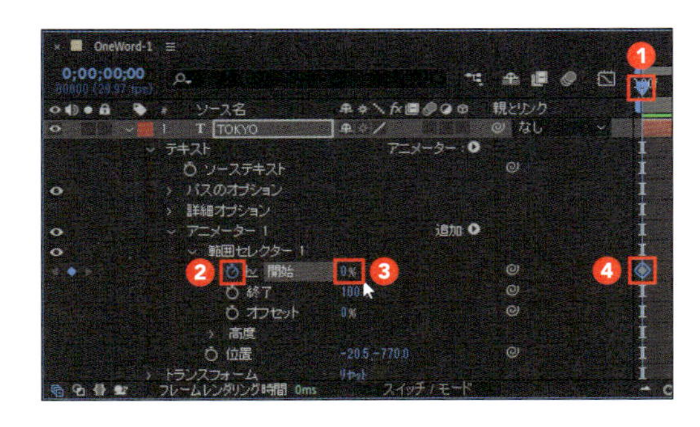

3 開始の「開始」を「0%」に設定する

タイムラインの時間インジケーターを左端に移動します❶。テキストレイヤーの「テキスト」→「アニメーター 1」→「範囲セレクター 1」→「開始」のストップウォッチをクリックして❷、「0%」になっていることを確認します❸。時間インジケーターの位置に、キーフレームが設定されます❹。

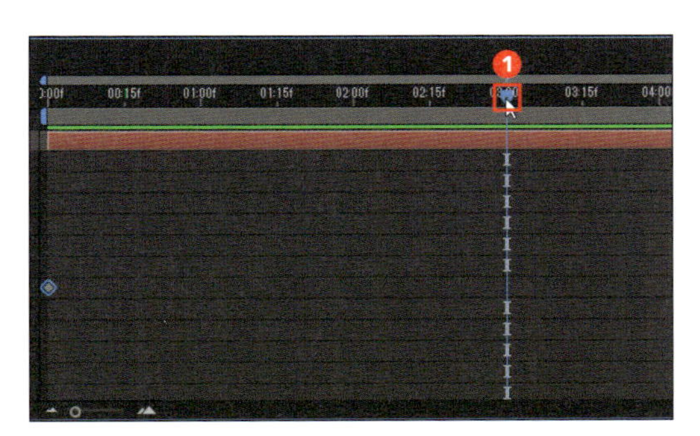

4 終了の「開始」を「100%」に設定する

時間インジケーターを3秒（03：00f）の位置に移動し❶、「開始」を「100%」に設定します❷。タイムラインには、キーフレームが自動的に設定されます❸。プレビューでアニメーションを確認します。

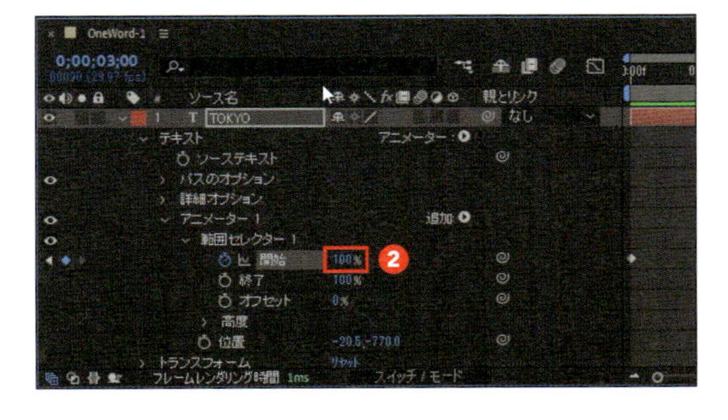

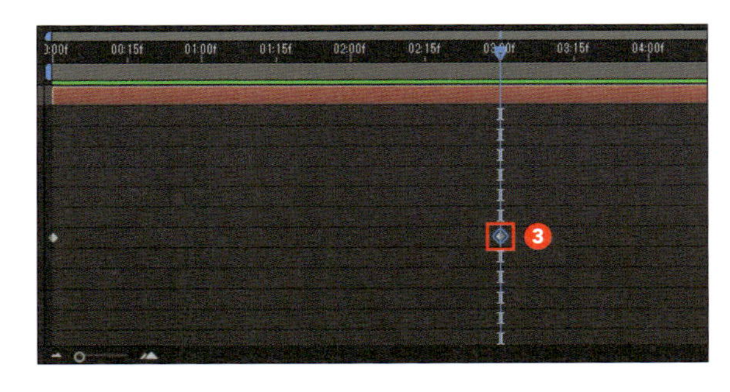

▶ 1文字ずつ現れるアニメーション

1文字ずつのアニメーションの2つ目は、アニメーターの「不透明度」を利用し、テキストが1文字ずつ現れるアニメーションを作成してみましょう。

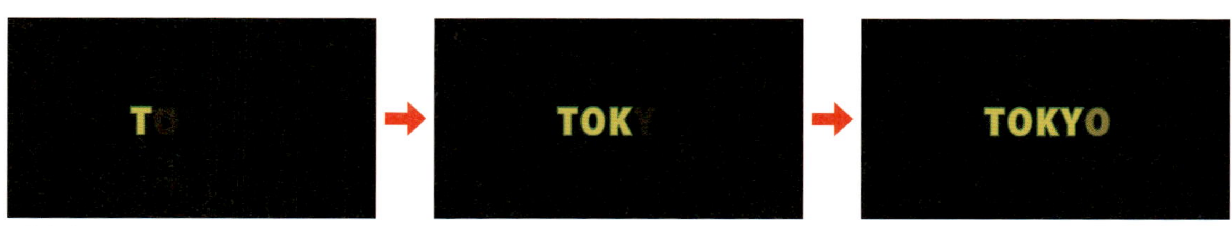

1文字ずつ現れるアニメーション。

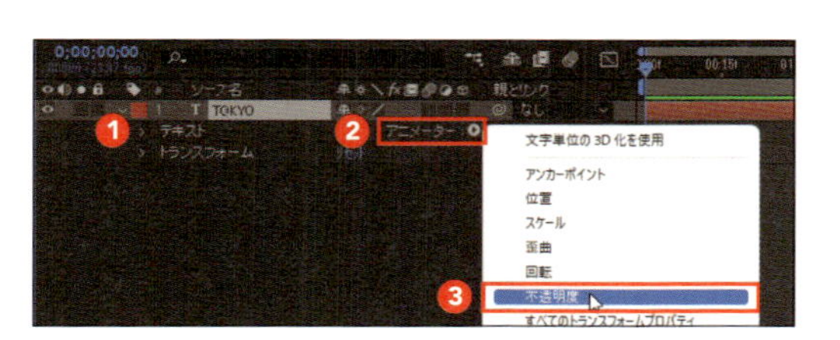

1 アニメーターの「不透明度」を設定する

テキストレイヤーのオプションを開き❶、テキストの右にある「アニメーター」❷から「不透明度」を選択します❸。

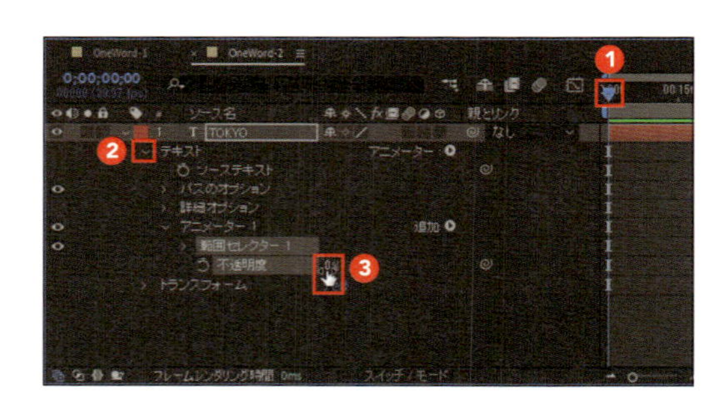

2 「不透明度」を「0%」に設定する

時間インジケーターを左端に移動し❶、テキストレイヤーを展開します❷。ここで、「テキスト」→「アニメーター1」の「不透明度」を「0%」に設定します❸。

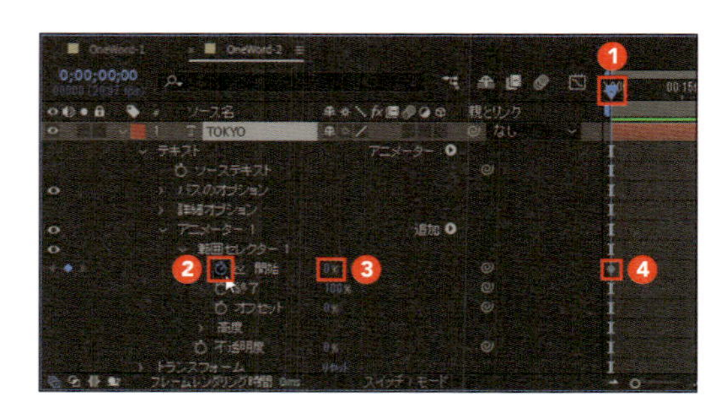

3 開始の「開始」を「0%」に設定する

時間インジケーターが左端にあることを確認します❶。テキストレイヤーの「テキスト」→「アニメーター1」→「範囲セレクター1」→「開始」のストップウォッチをクリックして❷、「0%」になっていることを確認します❸。時間インジケーターの位置に、キーフレームが設定されます❹。

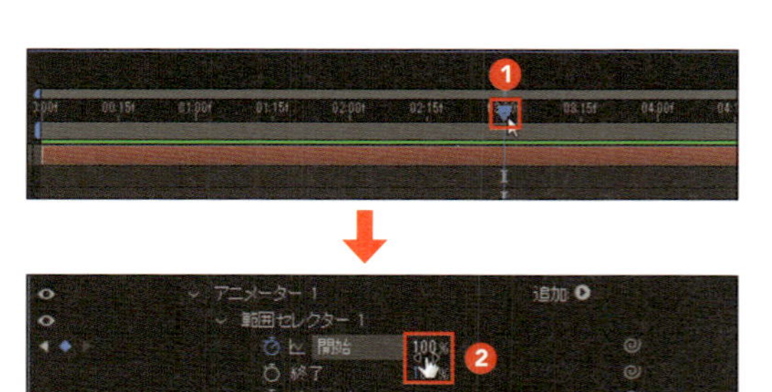

4 終了の「開始」を「100%」に設定する

時間インジケーターを3秒（03：00f）の位置に移動し❶、「開始」を「100%」に設定します❷。プレビューでアニメーションを確認します。

POINT 「アニメーター」の「範囲セレクター」について

アニメーターでは、アニメーションを適用する範囲を「範囲セレクター」で指定します。範囲セレクターは、画面の文字の先頭と終端にある赤いラインです。この赤いラインの範囲内のテキストに、アニメーションを設定するということになります。
本書では、「開始」を利用して範囲セレクターを移動させ、アニメーションを適用しています。以下の画面では開始セレクターと終了セレクターの間だけに不透明度が適用されますが、開始のセレクターが再生ヘッドの移動とともに移動し、「不透明度」が適用される範囲が変更されていきます。これによって、アニメーションが実現されています。終了のセレクターも100%→0%と変更して、効果を確認してください。

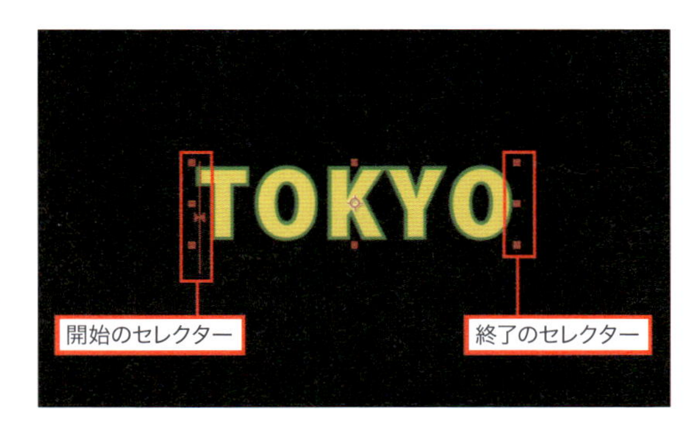

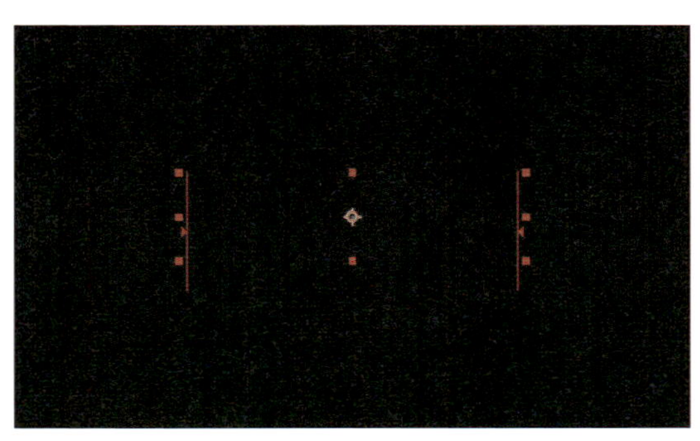
不透明度を「0%」に設定した状態。

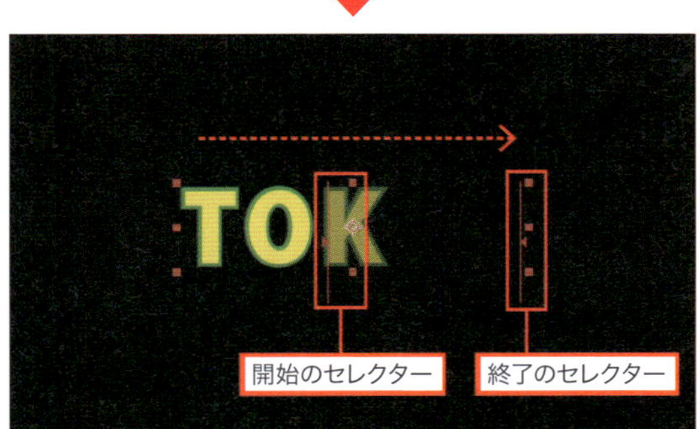

開始のセレクターが右へ移動する。

セレクターの移動に合わせて、テキストが表示される。

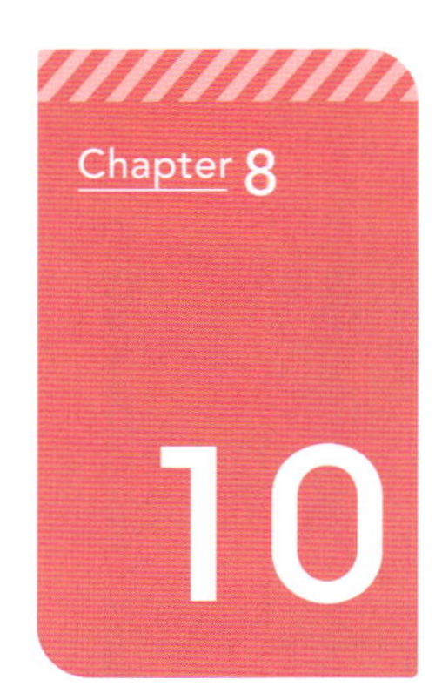

テキストがパスに沿って動くアニメーション

設定したラインに沿って文字を移動させたいという場合は、「パス」を利用します。移動するラインをパスを使って設定することで、パスに沿ってテキストが移動するアニメーションを実現できます。

▶ パスに沿ってテキストを移動させる

タイトルが画面の中を自由に移動するアニメーションを作成したい場合は、パスを利用します。これによって、以下のような画面の外から文字が入ってくるアニメーションが可能になります。

テキストがパスに沿って移動するアニメーション。

▶ パスを設定する

最初にテキストを入力し、その後「ペン」ツールを選択して、テキストが移動するパス（道順）を描きます。パスの開始点と終了点は、フレームの外側に設定できます。

1 テキストを入力して選択する

新規コンポジションを設定して❶、「コンポジション」パネルにテキストを入力すると❷、「タイムライン」パネルにテキストレイヤーが登録されます❸。ここで入力したテキストを、パスに沿って移動させます。なお、テキストは選択状態にしておきます。テキストを選択しないとパスが作成できないので注意してください。

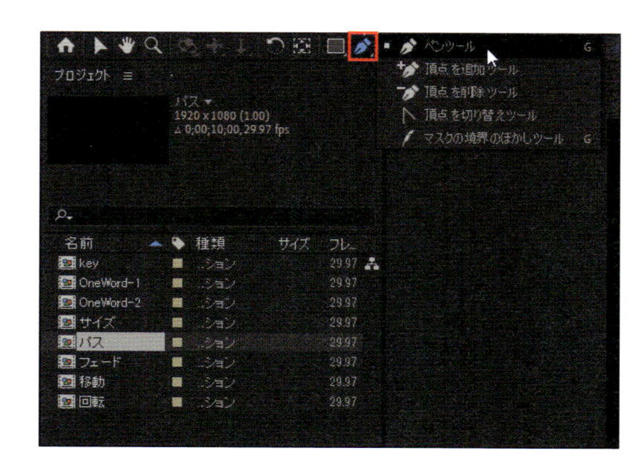

2 「ペン」ツールを選択する

ツールバーから「ペン」ツールを選択します。なお、「ペン」ツールを選択する際、ボタンを長押しすると、サブメニューが表示されます。

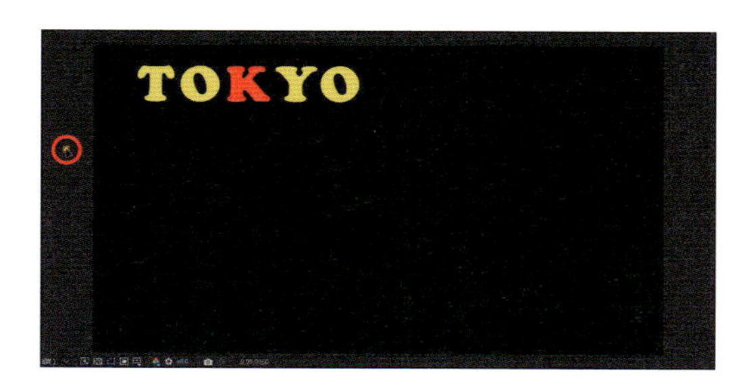

3 パスの開始点を作成する

設定するパスは、最初にパスの開始点から作成します。マウスをクリックすると、その位置にハンドルが作成されます。左の画面では、開始点をフレームの外に作成しています。

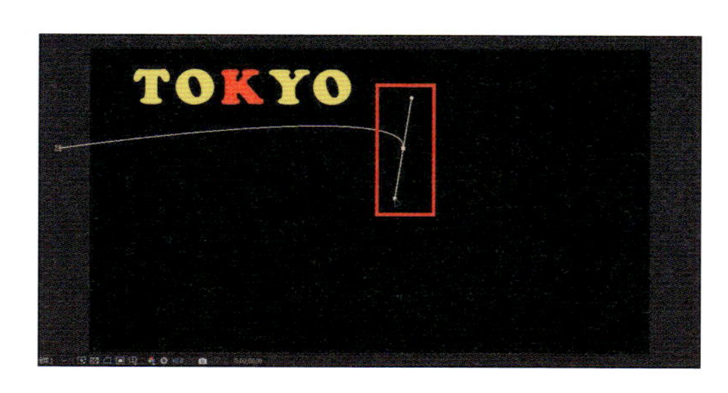

4 方向線を操作する

開始点を作成したら、次にテキストをカーブさせるパスを作成します。マウスをクリックするとハンドルが表示され、そのままドラッグすると、ベジェ曲線の方向線が表示されます。この方向線をドラッグして、カーブを作成します。

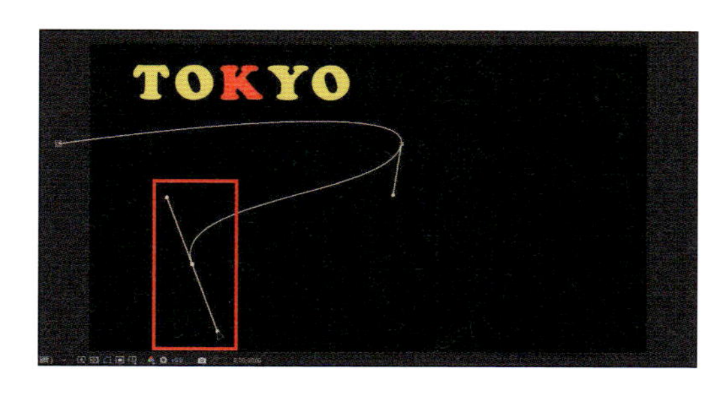

5 曲線を設定する

さらに別の位置をクリックしてハンドルを作成し、方向線を操作して曲線を描きます。ハンドルを作成する位置に応じて、カーブが作成されます。

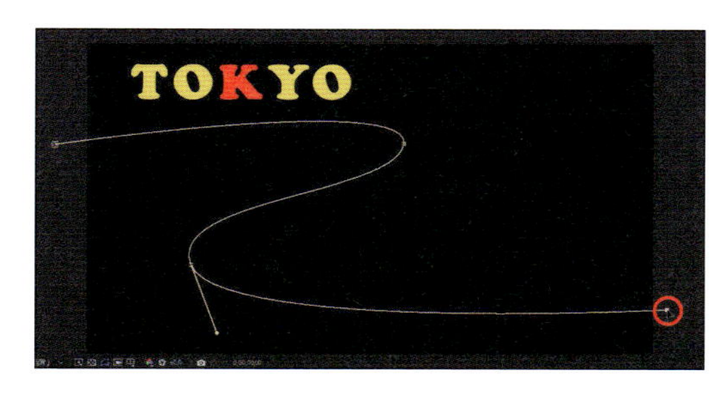

6 パスの終了点を作成する

最後に、フレームの外をクリックして終了点のハンドルを作成します。これで、テキストが移動するパスを設定できました。

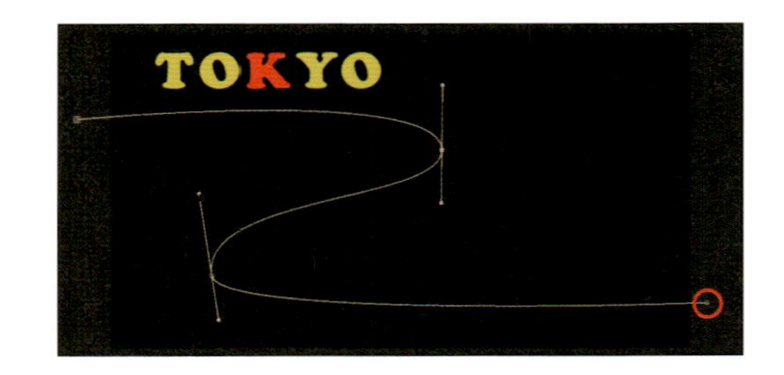

7 ハンドルと方向線でパスを修正する

作成したハンドルは、ドラッグによって位置を変更できます。また方向線をドラッグして、曲線を滑らかなカーブに変更することもできます。このようにして、テキストが移動するパスを設定します。

▶ パスとテキストを結合する

パスの設定ができたら、テキストとパスを結合させます。これによって、パスに沿ってテキストをアニメーションさせる準備ができます。

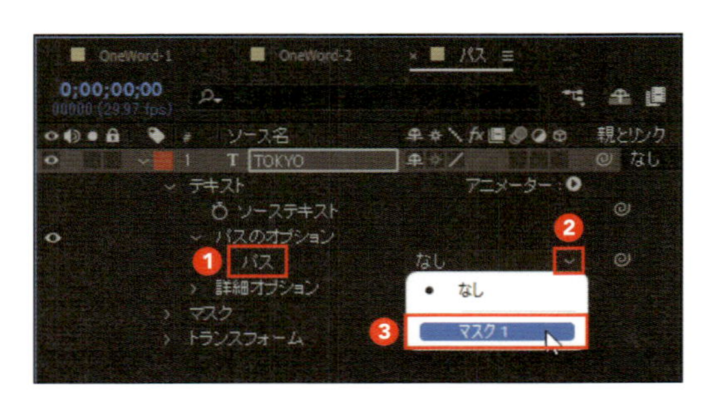

1 「マスク1」を選択する

「タイムライン」パネルで、文字を入力したテキストレイヤーのオプションを開き、「テキスト」→「パスのオプション」→「パス」を選択し❶、右側の「∨」をクリックします❷。表示されたメニューから「マスク1」を選択します❸。

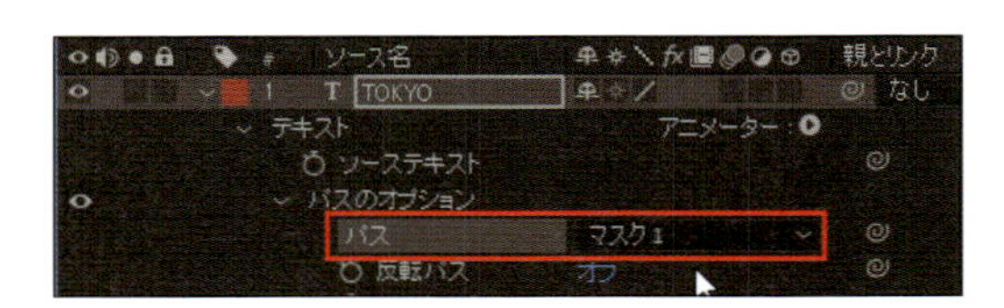

2 パスが「マスク1」として表示される

パスが「マスク1」として表示されるので、これを選択します。

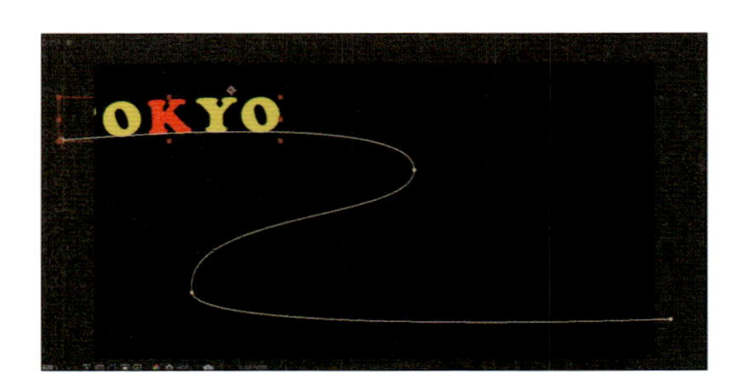

3 テキストとパスを結合する

テキストとパスが結合され、パス上に文字が表示されます。

POINT テキストが逆さまに表示されたら向きを変更する

文字が逆さまに表示されてしまった場合は、オプションの「反転パス」を「オン」にしてください。文字が正しく表示されます。

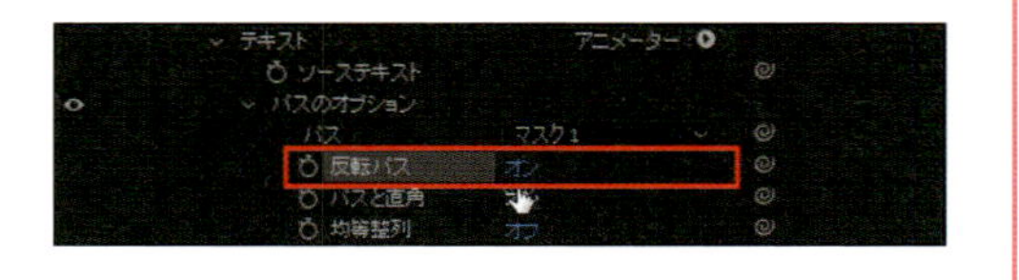

▶ キーフレームを設定する

テキストとパスの結合ができたら、テキストがパス上を移動するようにキーフレームを設定します。キーフレームは、「パスのオプション」にある「最初のマージン」に設定します。

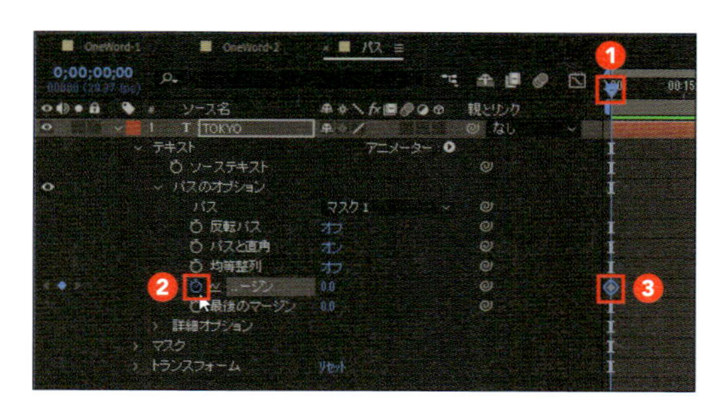

1 アニメーションの開始点にキーフレームを設定する

「タイムライン」パネルで、タイムラインの時間インジケーターを左端に移動します❶。この状態で、「パスのオプション」にある「最初のマージン」のストップウォッチをクリックします❷。タイムラインに、キーフレームが設定されます❸。

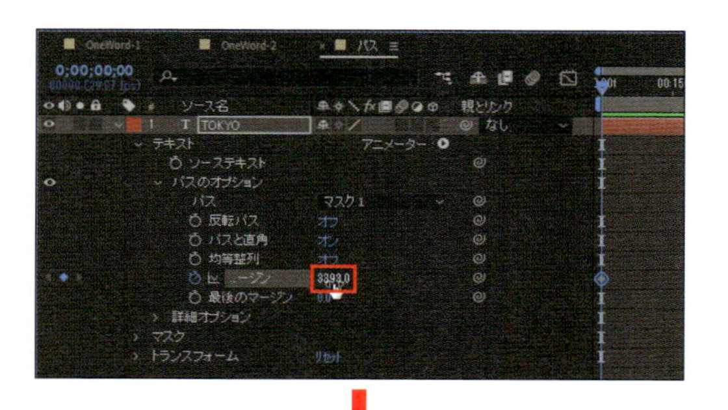

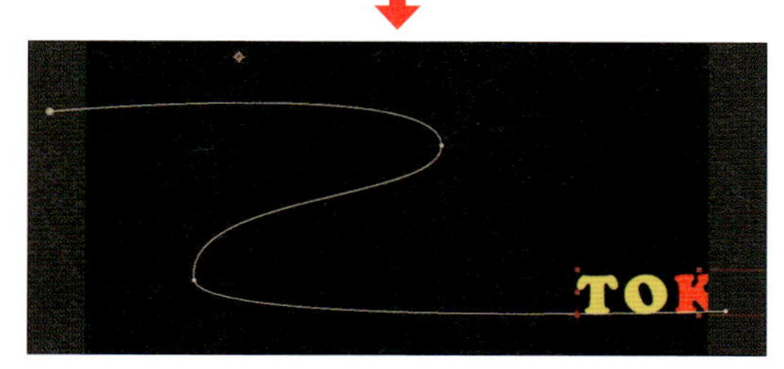

2 開始位置を設定する

「最初のマージン」の数値にマウスポインターを合わせ、スクラブしてテキストの最初の位置を設定します。スクラブすると、それに合わせてテキストも移動します。ここでは、テキストをパスの右端に移動させます。なお、テキストがフレーム内にまったく見えない状態からアニメーションを開始したい場合は、テキストを完全にフレームの外に配置します。

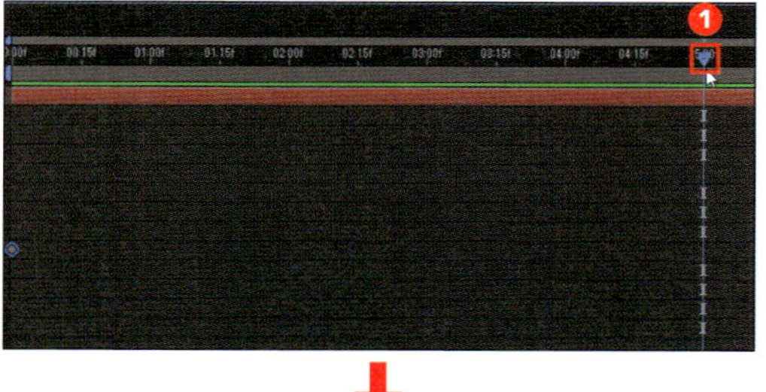

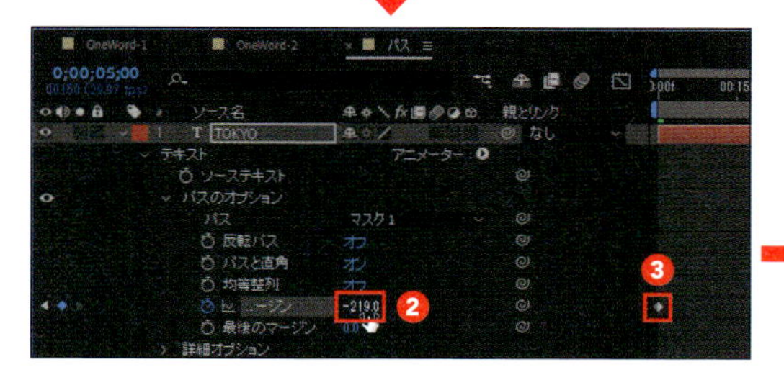

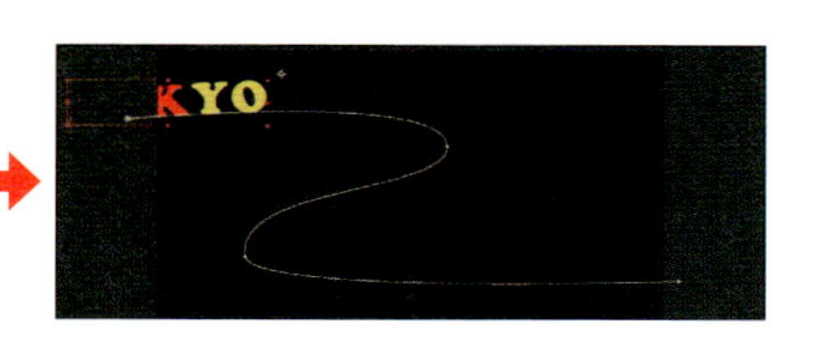

3 終了位置を設定する

時間インジケーターを、アニメーションが終了する位置（画面では５秒）にドラッグします❶。この状態で、オプションの「最初のマージン」の数値をスクラブし、テキストが最終的に表示される左端の位置に合わせます❷。数値を変更すると、同時にキーフレームが設定されます❸。「プレビュー」パネルの「再生」をクリックし、アニメーションを確認します。

コンポジションを操作する

プロジェクト内で新規にコンポジションを作成すると、徐々にコンポジションが増えてきます。このコンポジションを閉じたり開いたり、あるいは不要になったら削除するといった管理が必要になります。

▶ コンポジションの切り替え

編集のために開いたコンポジションは、閉じない限りタイムラインに複数展開されています。このコンポジションは、タブをクリックして切り替えることができます。

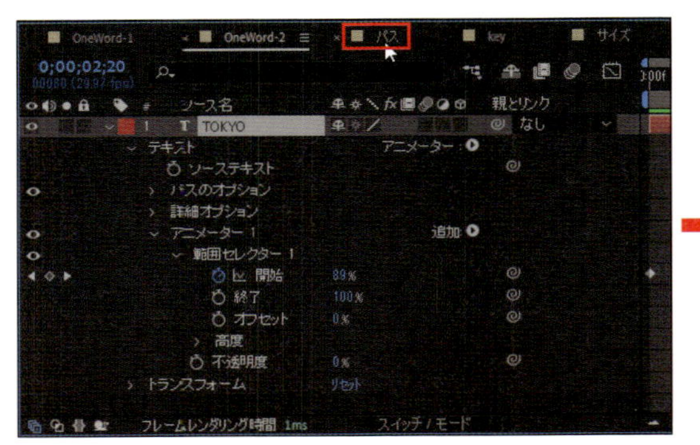

タブをクリックすると…

コンポジションが切り替わる。

▶ コンポジションを閉じる

開いたコンポジションは、閉じない限り開いたままになります。開いているとメモリを消費しますので、不要な場合は閉じておきましょう。タブにマウスを合わせると閉じるボタン「×」が表示されるので、これをクリックします。

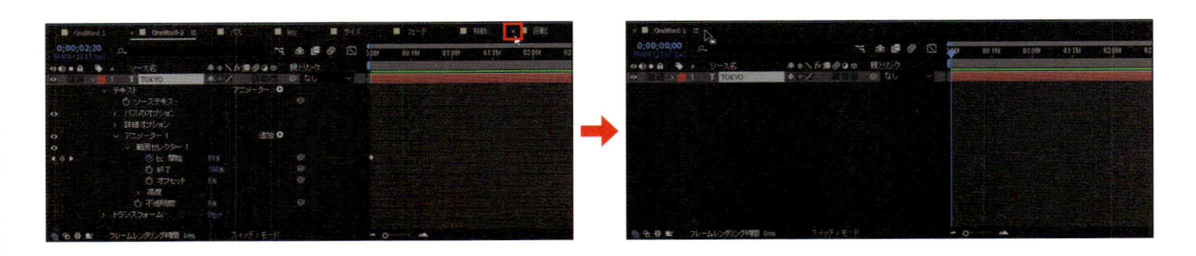

▶ コンポジションを開く

コンポジションを開くときには、「プロジェクト」パネルでコンポジションをダブルクリックします。

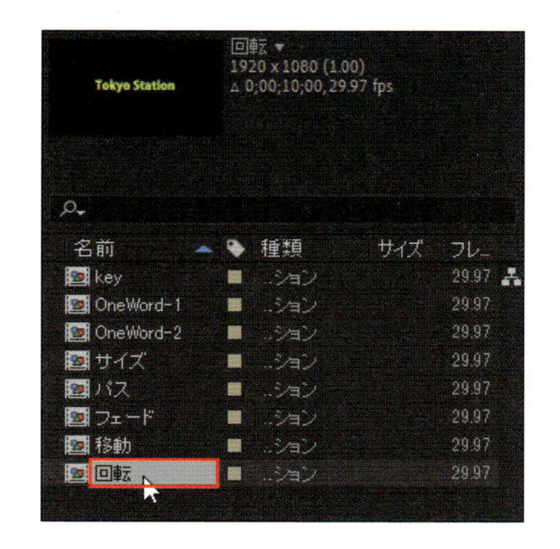

▶ コンポジションを複製する

コンポジションを複製するには、「プロジェクト」パネルでコンポジションを選択し、Ctrl（Mac：command）＋Dキーを押します。

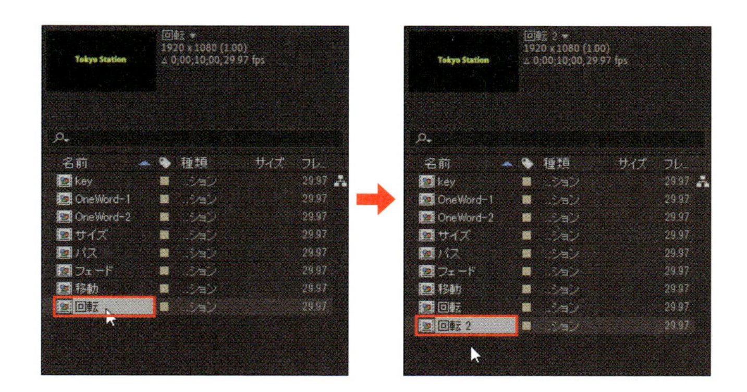

▶ コンポジションを削除する

不要になったコンポジションは、「プロジェクト」パネルで選択❶し、パネル下部にある「選択したアイテムを削除」アイコンをクリックすると❷、削除することができます。

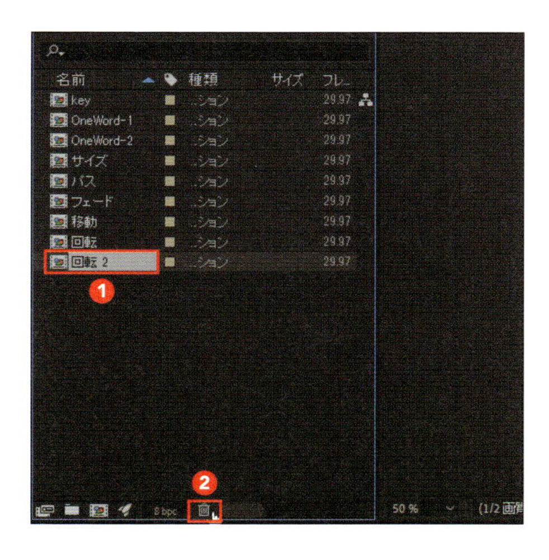

イージーイーズを設定する

After Effectsのアニメーション、たとえば「位置」の移動のスピードは一定で、機械的な印象を受けます。それを自然な動きに設定してくれるのが「イージーイーズ」です。

▶ 自然な動きを再現する「イージーイーズ」

「自然な動き」とは、どのようなものでしょう。たとえば物が動き始めて移動し、そして止まるまでは、次のように動作します。

- **動き始め**：スピードが徐々に加速される
- **移動中**：スピードが最速に達する
- **止まる**：ブレーキがかかり、徐々に減速する

これが一般的な自然の動きです。この「徐々に」という動きを実現し、リアルな自然の動きを再現する機能が「イージーイーズ」です。日本語的には「緩急をつける」ということですね。

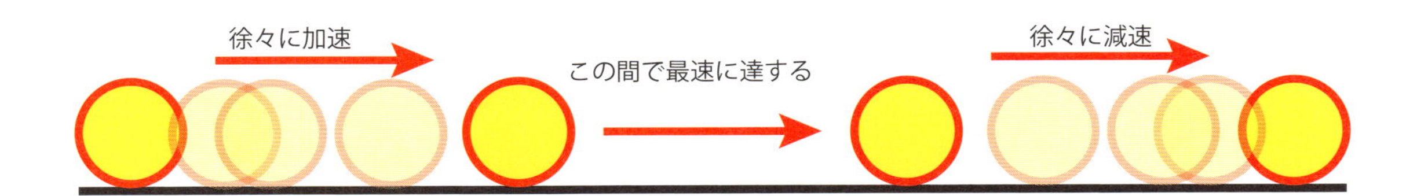

▶ イージーイーズを設定する

図形が左から右へ移動するアニメーションを設定し、その動きに「イージーイーズ」を設定します。

1 シェイプを設定する

動きを設定するための図形を、シェイプレイヤーに作成します。

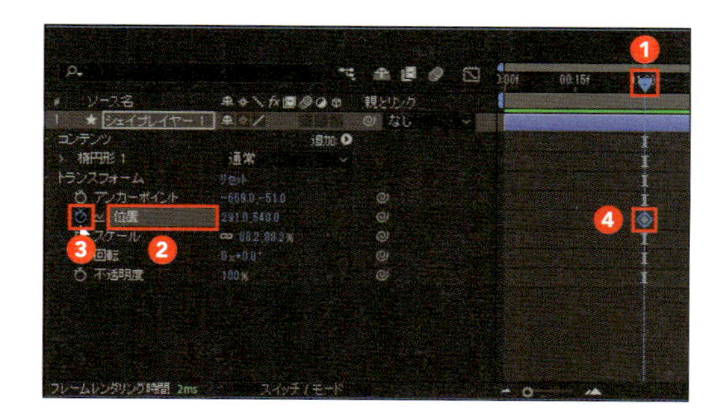

2 開始の時間と位置を設定する

1秒の位置に、「位置」のアニメーションを開始する設定を行います。

❶ 時間インジケーターを1秒の位置に合わせる
❷ シェイプレイヤー：「トランスフォーム」→「位置」を表示
❸ アニメーションをオンにする
❹ キーフレームが設定される

3 終了の時間と位置を設定する

ここでは、5秒の位置でアニメーションを止めます。時間インジケーターを5秒の位置に移動し❶、図形を止める位置までシェイプを移動します❷。

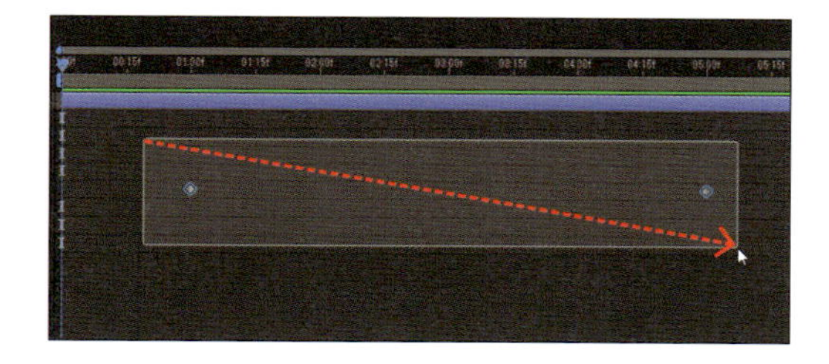

4 キーフレームを選択する

タイムラインに設定されたキーフレームを、ドラッグしてすべて選択します。

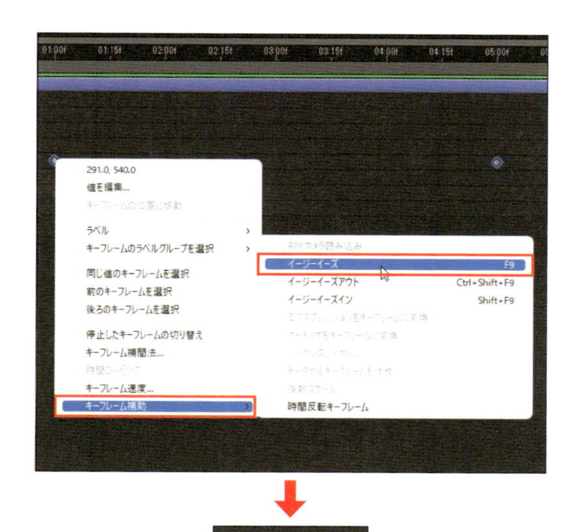

5 イージーイーズを設定する

選択されたキーフレームを右クリックし、「キーフレーム補助」→「イージーイーズ」をクリックします。すると、キーフレームの形が変わります。移動時間を短くすると、効果がはっきりとわかります。

POINT ショートカットキーが便利

キーフレームを選択してファンクションキーの F9 キーを押すと、キーフレームにイージーイーズが設定できます。

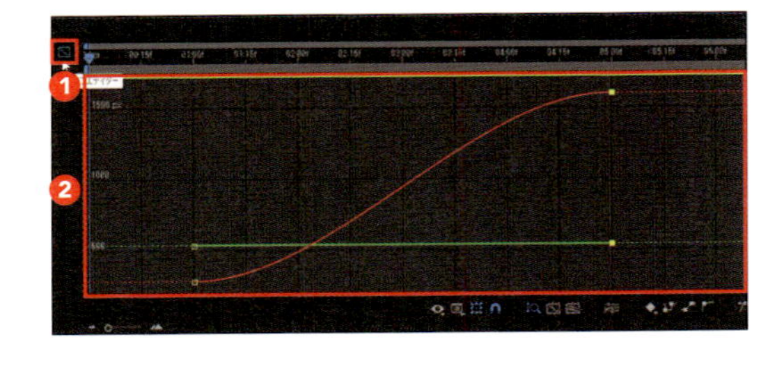

6 グラフエディターを表示する

「グラフエディター」ボタンをクリックし❶、タイムラインの表示をグラフ表示に切り替えます。アニメーションの移動がグラフで表示されます❷。

7 速度グラフに切り替える

デフォルトでは「値グラフ」という、移動速度の数値を表示するグラフが表示されています。これを「速度グラフ」に変更します。「グラフの種類とオプションを選択」ボタンをクリックし❶、「速度グラフを編集」をクリックします❷。

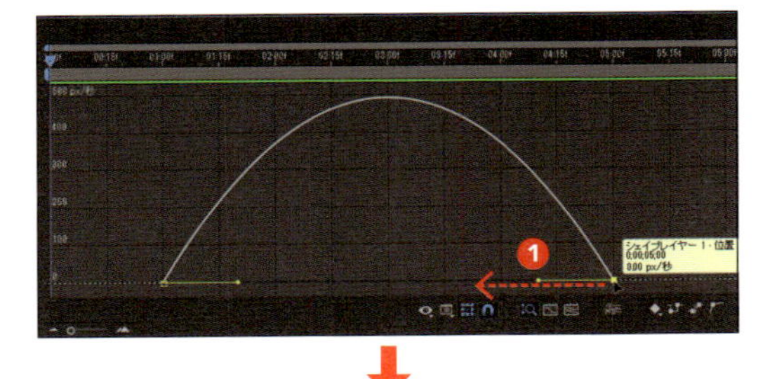

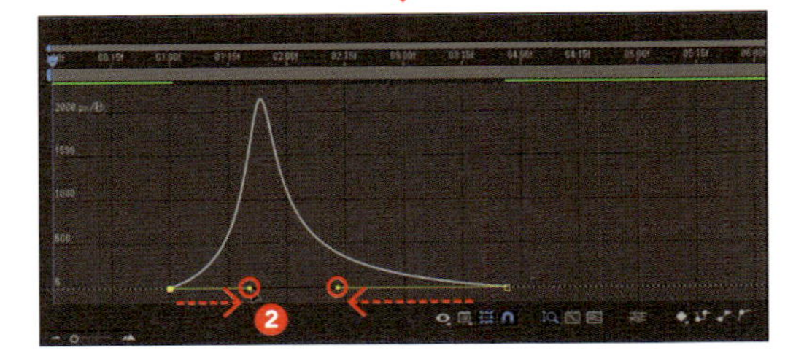

8 速度グラフを編集する

「速度グラフ」では、速度の変化が2次曲線のような形で表現されています。これを編集して、一気に加速し、一気に減速するグラフに変更します。グラフの2つのポイントをドラッグして❶、形状を変形します。

ポイントを移動すると、ベジェ曲線の方向線が表示されます。この方向線の●（方向点）をドラッグして❷、画面のように変形します。変更したら、もう一度「グラフエディター」ボタンをクリックします。

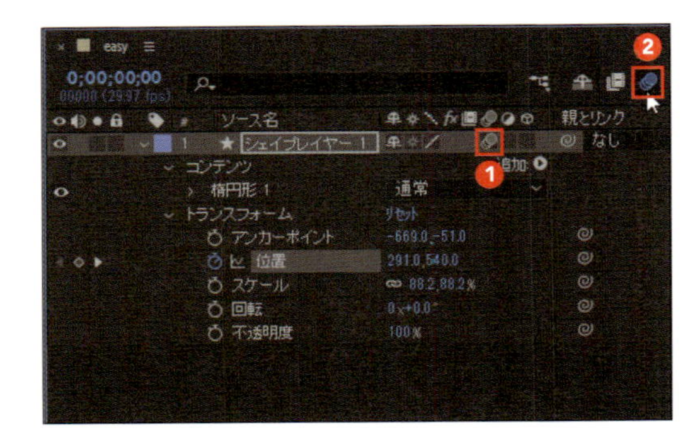

9 モーションブラーを設定する

「モーションブラー」を設定すると、移動中のシェイプに対して、ブラー効果が設定されます。これによって、さらにリアリティがアップします。設定は、シェイプレイヤーに対して、「モーションブラー」をオンにします❶。さらに、モーションブラーの「適用」をクリックして、青色表示にします❷。モーションブラーについては、P.238を参照してください。

テキストアニメーションにイージーイーズを加える

ここではテキストアニメーションにイージーイーズを設定して、自然な動きを設定してみます。

▶ テキストアニメーションにイージーイーズを適用する

テキストが大きくなるアニメーションに、自然な動きのイージーイーズを設定してみましょう。イージーイーズに加えて、最初にアニメーションの終了時間を決めてからアニメーションを設定するという、ちょっとしたポイントもあります。

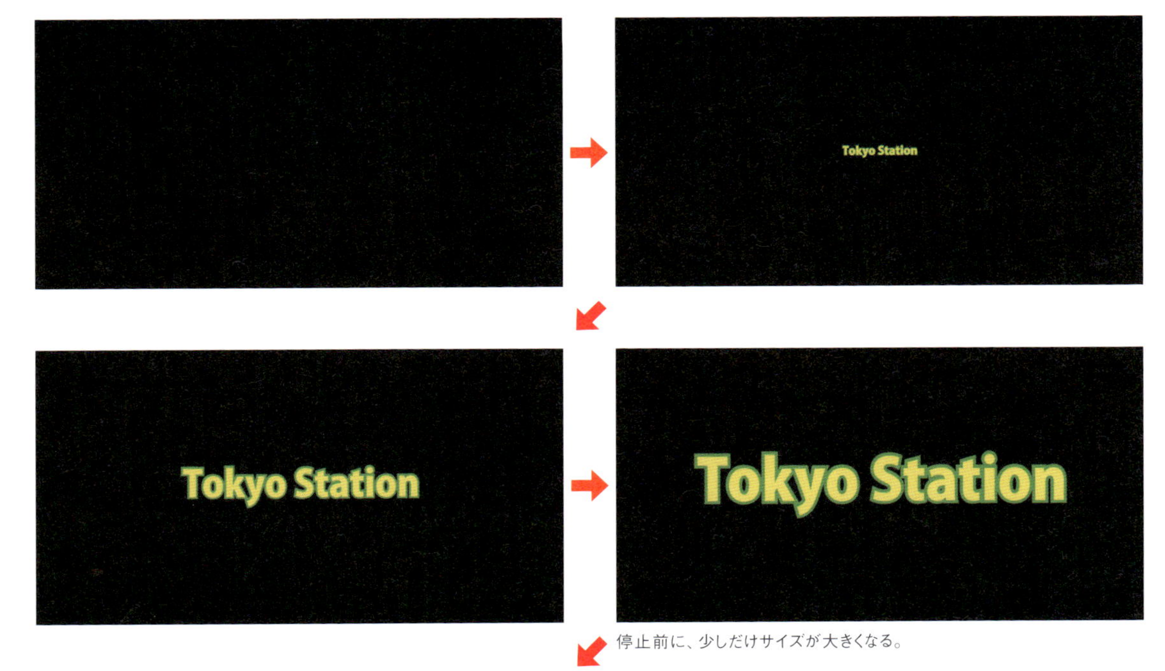

停止前に、少しだけサイズが大きくなる。

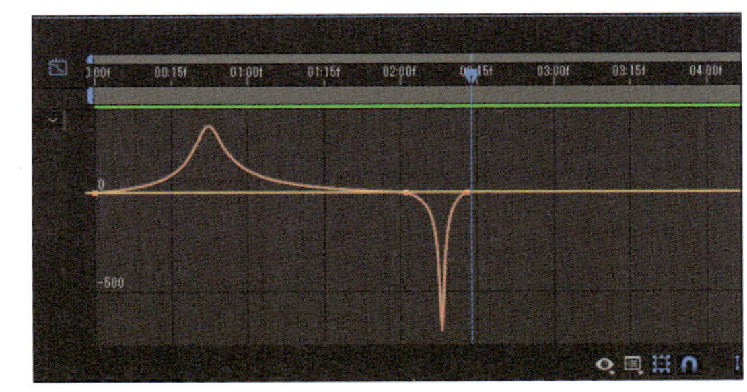

テキストにイージーイーズを設定する。

▶ アンカーポイントを移動する

アニメーションの準備として新規コンポジションを設定したら、テキストを作成し、アンカーポイントをテキストの中心に合わせます。

1 テキストを入力する

コンポジションを設定し、テキストを入力します。

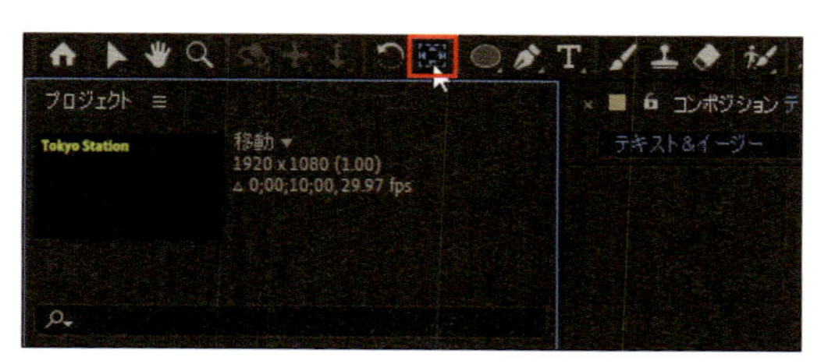

2 「アンカーポイント」ツールを選択する

テキストのアンカーポイントを、テキストの中央に配置します。「ツール」パネルの「アンカーポイント」ツールを、Ctrl キーを押しながらダブルクリックします。

3 アンカーポイントが移動する

テキストの左下にあったアンカーポイントが、中央に移動します。

▶ サイズが変わるアニメーションを設定する

P.210と同じように、「スケール」で文字サイズが変化するアニメーションを設定します。

1 基準となるサイズを決める

テキストを、最終的に表示したいサイズに変更します。同時に、「整列」パネルにある「水平方向に配列」と「垂直方向に整列」をクリックして、中央に配置します。

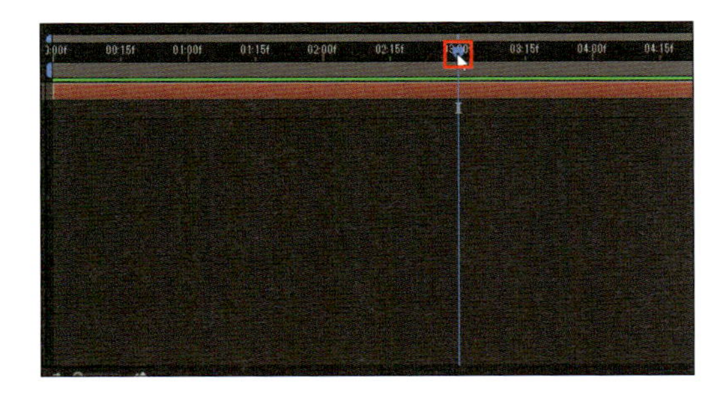

2 アニメーションの終了時間を決める

時間インジケーターを、タイムラインの3秒の位置に移動します。0秒からアニメーションが開始され、3秒で終了します。

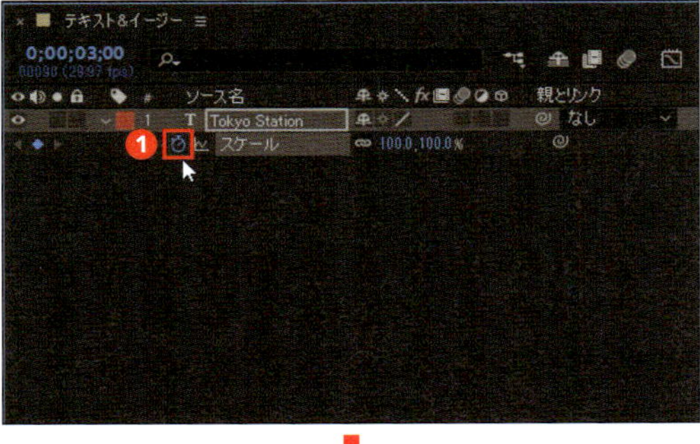

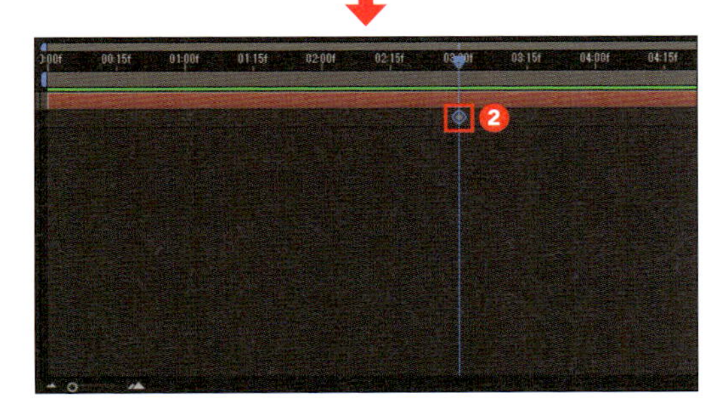

3 アニメーションをオンにする

テキストレイヤーの「トランスフォーム」にある「スケール」を表示し、ストップウォッチをクリックして、アニメーションをオンにします❶。時間インジケーターの位置に、キーフレームが設定されます❷。P.198で紹介しているショートカットキーの S キーを押すと、オプションの「スケール」だけが表示されます。

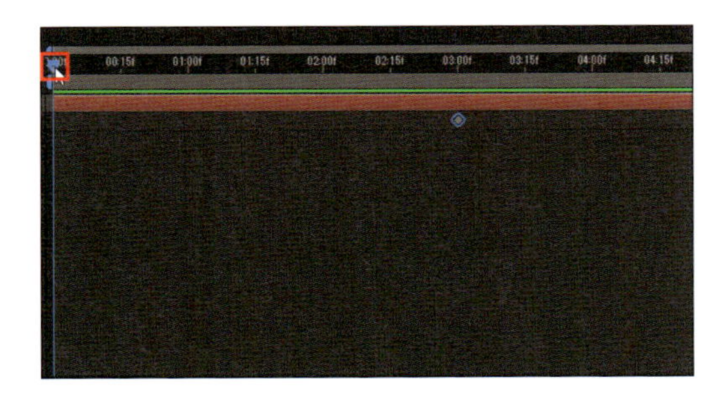

4 時間インジケーターを先頭に配置する

時間インジケーターをドラッグし、一番左端の「0秒」の位置に配置します。

5 文字サイズを「0%」に設定する

「スケール」のサイズを、「0%」に設定します。タイムラインには、キーフレームが自動設定されます。

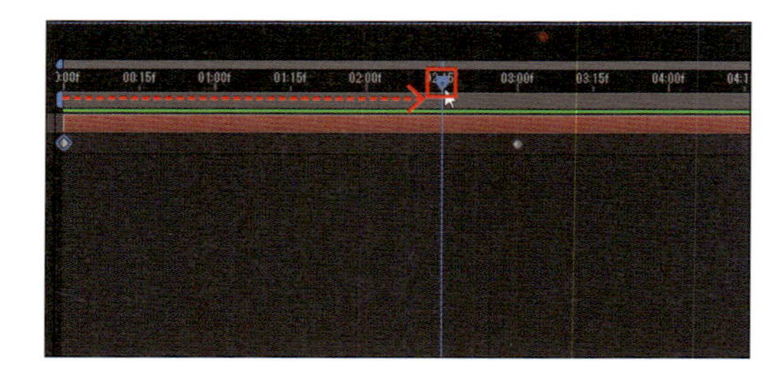

6 時間インジケーターを「02:15f」に合わせる

時間インジケーターをドラッグし、「02:15f」の2秒15フレームに合わせます。

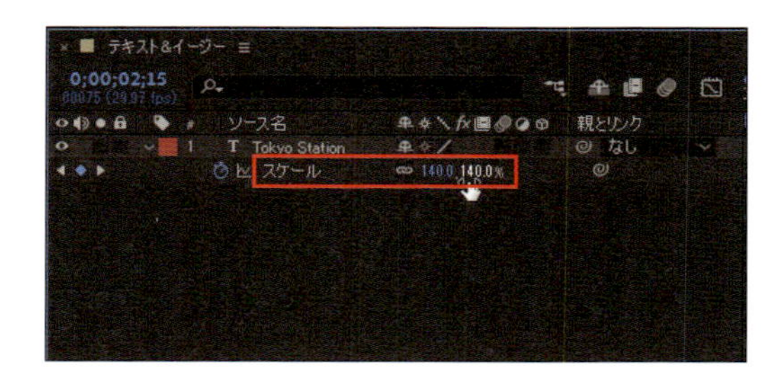

7 サイズを140%に設定する

「スケール」のサイズを「140%」に設定します。100%よりも少し大きめに設定することで、徐々に大きくなってきたテキストが3秒の前に少し大きくなり、3秒で100%に戻ります。これは小さな演出ですが、勢いがついて大きくなったものの、ちょっと行きすぎ、少し戻るという感じの動作が実現します。

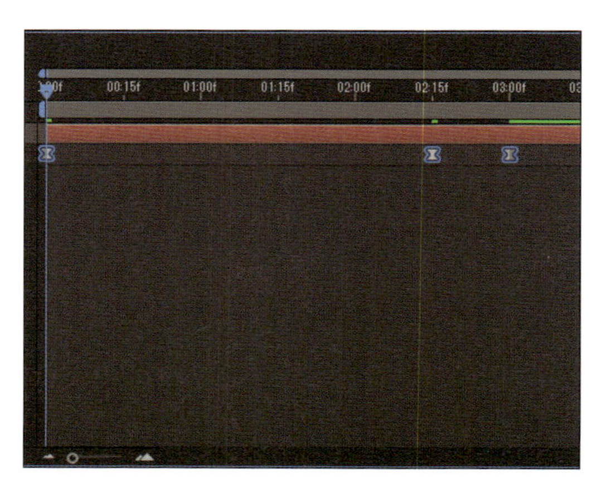

8 イージーイーズを設定する

キーフレームをすべて選択し、ファンクションキーの F9 キーを押してイージーイーズを設定します。

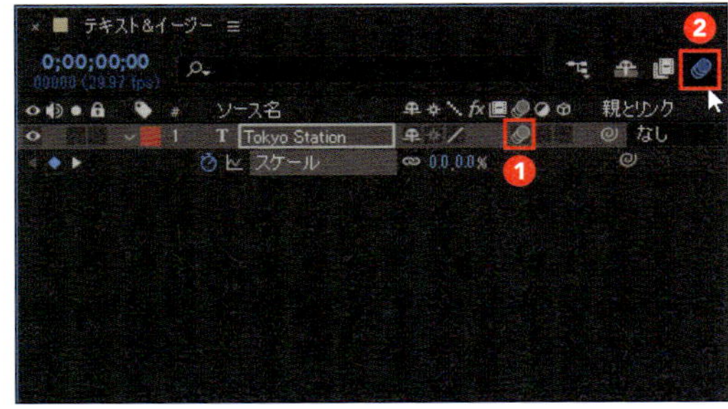

9 モーションブラーを設定する

レイヤーの「モーションブラー」をクリックしてオンにし❶、さらにモーションブラーの「適用」をクリックしてオンにします❷。これによって動きにブラー効果が加えられ、リアリティがアップします。

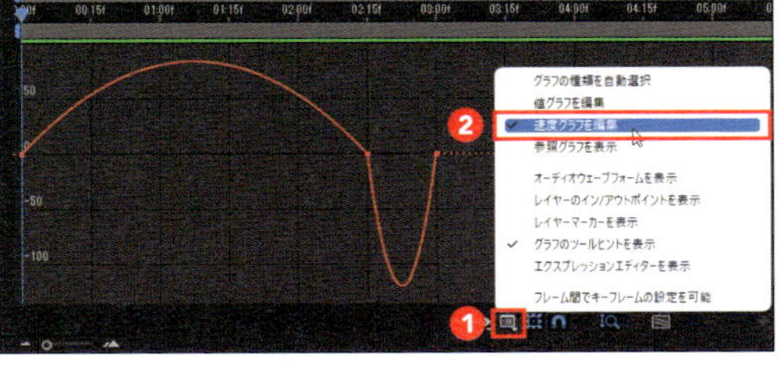

10 速度グラフを表示する

「グラフの種類とオプションを選択」ボタンをクリックして❶、「速度グラフを編集」をクリックします❷。

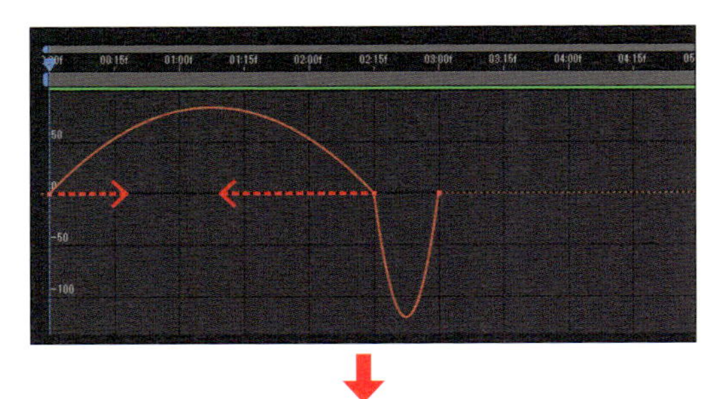

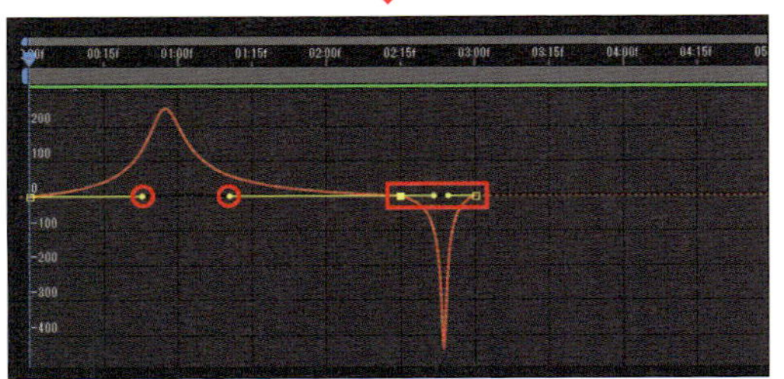

11 速度グラフを編集する

「速度グラフ」では、速度の変化が2次曲線のような形になっています。これを編集して、一気に加速し、一気に減速するグラフに変更します。グラフのポイントをクリックして表示される方向線をドラッグして、変形させます。設定が終了したら、「グラフエディター」をクリックして、グラフを閉じます。

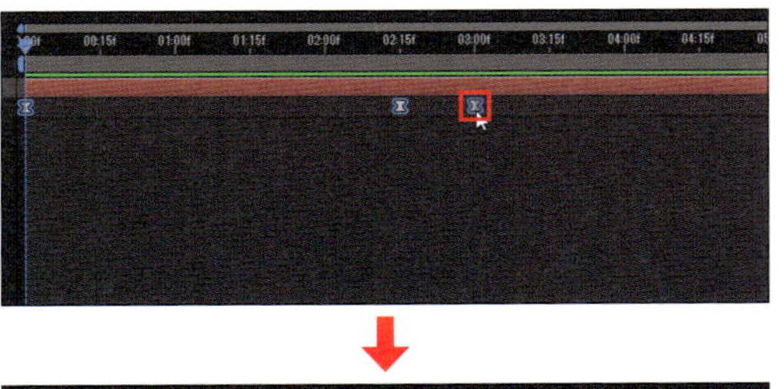

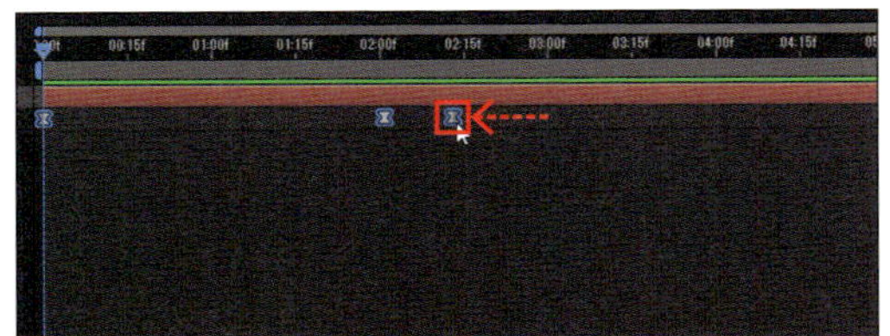

12 キーフレームの間隔を調整する

プレビューを実行します。アニメーション速度が遅いようなら、すべてのキーフレームを選択し、3秒の位置にあるキーフレームを Alt キー（macOSは option キー）を押しながら左にドラッグして間隔を調整します。

POINT モーションブラーの効果

イージーイーズにモーションブラーを組み合わせると、より自然な感じの動きを演出できます。人間の目は、動いているものを見る場合、輪郭がボケているような状態で見ています。その状態を、ブラーで再現しているのです。

2 時間インジケーターを開始位置に合わせる

タイムラインの時間インジケーターを、アニメーションを開始する位置に合わせます。画面では、プロジェクトの先頭から1秒の位置に合わせています。

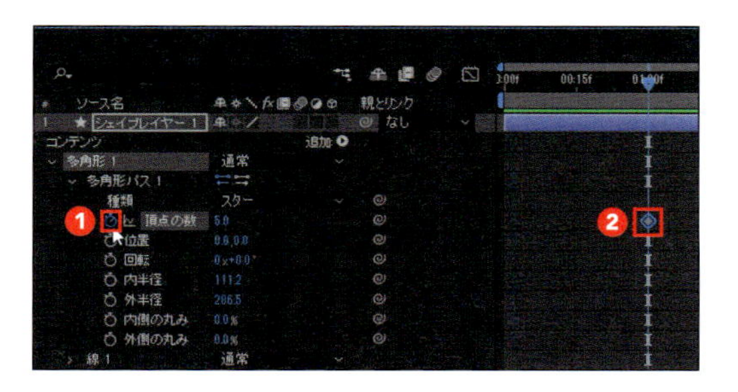

3 アニメーションをオンにする

オプション「頂点の数」の先頭にあるストップウォッチをクリック❶して、アニメーションをオンにします。タイムラインに、キーフレームが設定されます❷。

4 時間インジケーターを終了時間に移動する

時間インジケーターをドラッグし、アニメーションを終了する時間に合わせます。画面では、5秒の位置に合わせています。

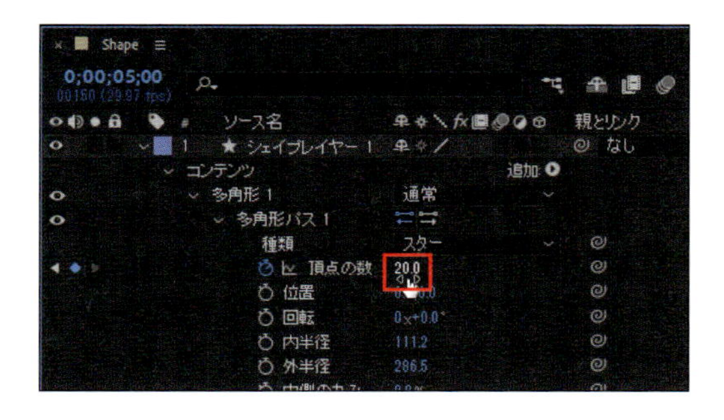

5 頂点の数を変更する

「スター」の場合、デフォルトの頂点の数は「5」です。この数値を、左の画面では「20」に変更しています。この時、タイムラインにはキーフレームが自動的に設定されます。

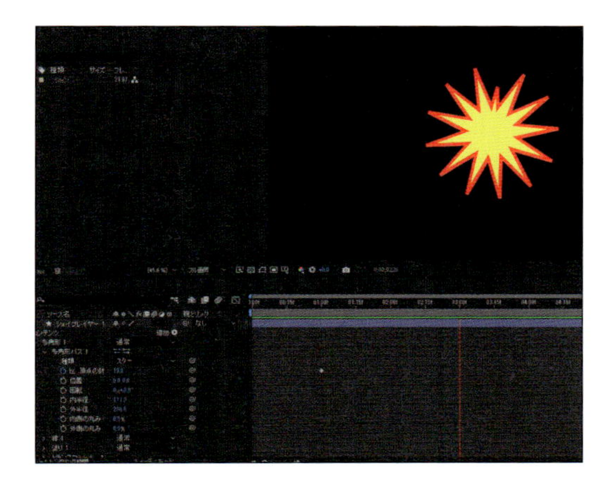

6 アニメーションを確認する

時間インジケーターをドラッグして、アニメーションを確認します。「プレビュー」パネルの「再生」をクリックすると、実際の速度でアニメーションをプレビューできます。

追加オプションで図形をアニメーションさせる

シェイプレイヤーの図形に対して、「追加」メニューから追加したオプションとキーフレームを利用して、図形のアニメーションを作成することができます。

▶ 追加オプションで実現するアニメーション

シェイプレイヤーには、P.242で解説した「追加」というオプション機能があります。このオプションは、キーフレームを利用することでアニメーションさせることができます。

「パンク・膨張」によるアニメーション。

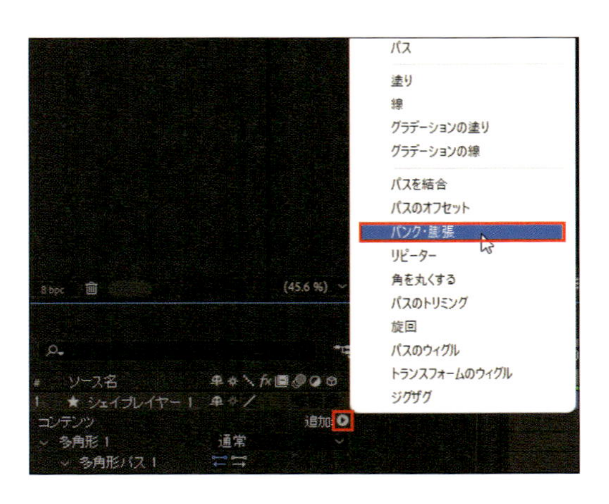

1 追加オプションを設定する

シェイプレイヤーを設定してスターを描いたら、シェイプレイヤーのオプションを展開し、「コンテンツ」にある「追加」ボタンをクリックします。メニューから「パンク・膨張」を選択します。

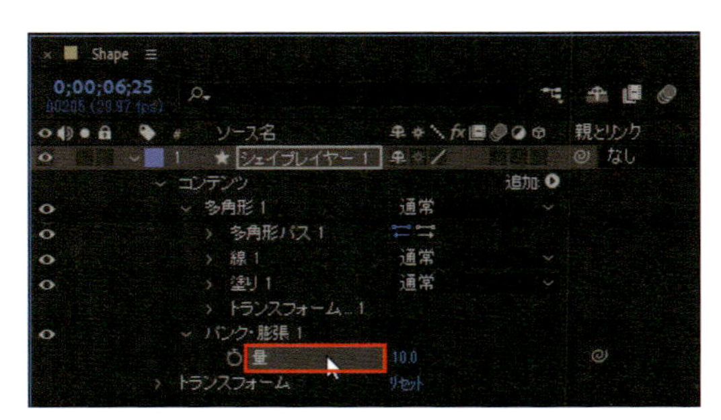

2 オプションを選択する

設定した追加オプションを表示／選択します。画面では、「パンク・膨張1」というオプションを開き、「量」を選択しています。

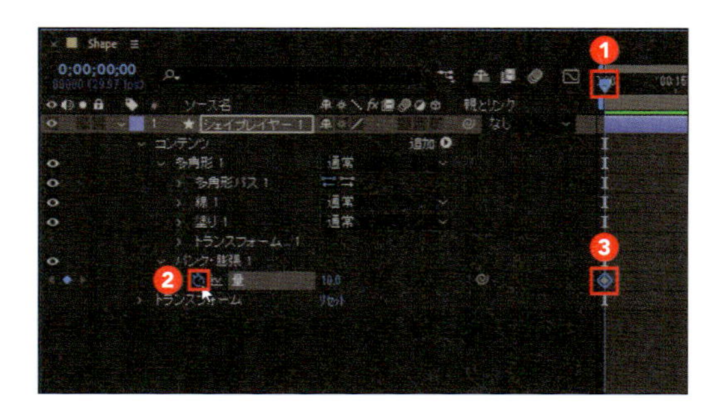

3 アニメーションをオンにする

タイムラインの時間インジケーターを、アニメーションを開始する位置に合わせます❶。オプション「量」の先頭にあるストップウォッチをクリックして、アニメーションをオンにします❷。タイムラインにキーフレームが設定されます❸。

4 時間インジケーターを移動する

時間インジケーターをドラッグし、先頭から5秒の位置に合わせます。

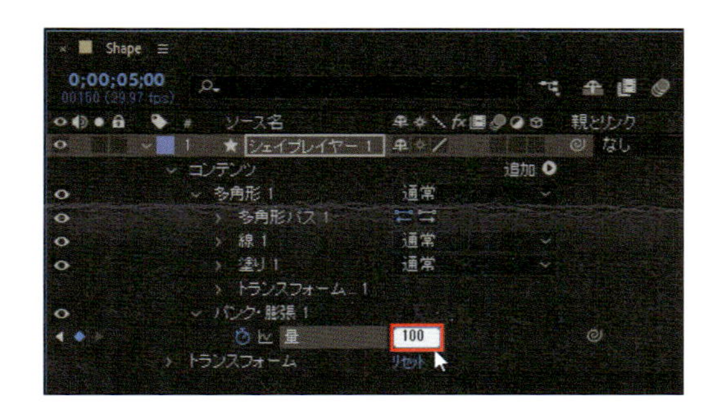

5 開始位置の「量」を変更する

「パンク・膨張 1」のパラメーター「量」の値を、「100」に変更します。この時、タイムラインには同時にキーフレームも設定されます。

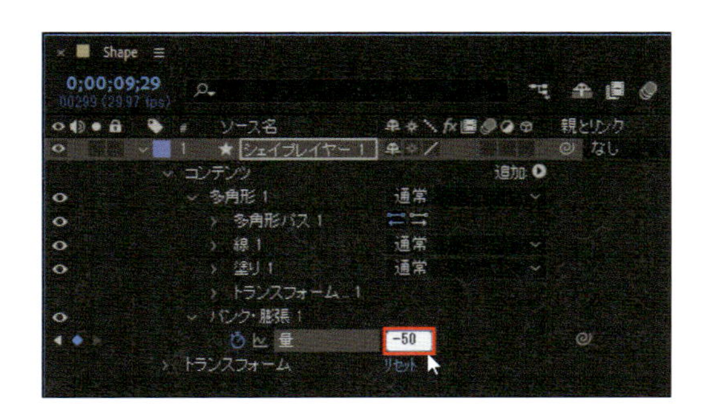

6 終了位置の「量」を変更する

時間インジケーターをタイムラインの最後（10秒）まで移動し、「パンク・膨張 1」のパラメーター「量」の値を、「100」から「-50」に変更します。この時、タイムラインには同時にキーフレームも設定されます。

7 アニメーションを確認する

時間インジケーターをドラッグして、アニメーションを確認します。プレビューを利用すると、実際の速度でプレビューを確認できます。

動画にマスクを設定してマスクの基本を覚える

マスク機能を利用すると、動画の特定の範囲に効果を設定することができます。また、マスク自体をアニメーションさせることができます。ここでは、最初にマスクの基本的な使い方を解説します。

▶ マスクを作成する

マスクを作成すると、フッテージの特定の場所のみ表示できるようになります。

マスク設定前

マスク設定後

1 フッテージを配置する

新規コンポジションを作成して、動画のフッテージを読み込みます。読み込んだフッテージは、タイムラインに配置します。

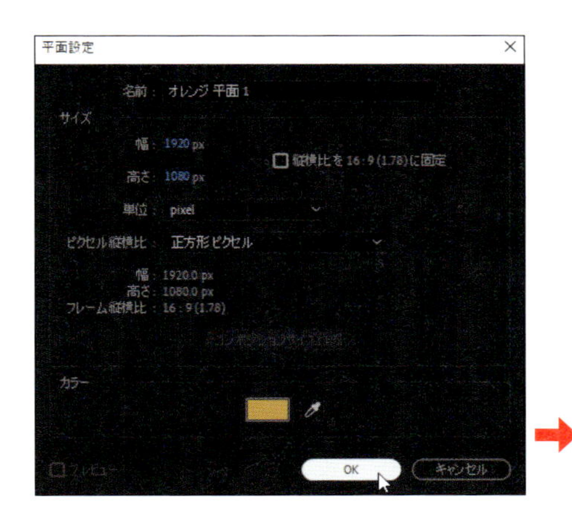

2 平面レイヤーを配置する

タイムラインを右クリックするか、メニューバーから「レイヤー」→「新規」→「平面」を選択します。「カラー」で色を決めた平面レイヤーを設定し、タイムラインに配置します。このとき、平面レイヤーはフッテージの上に配置します。

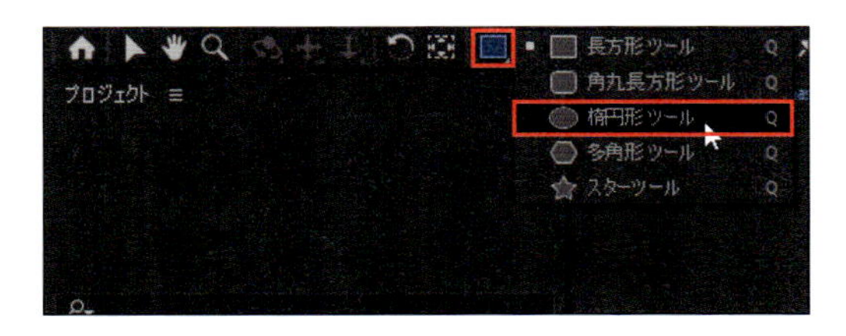

3 「楕円形」ツールを選択する

「ツール」パネルから、「楕円形」ツールを選択します。

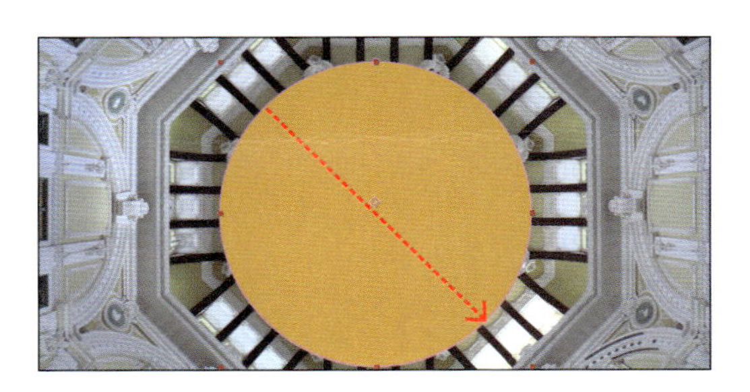

4 正円を描く

平面レイヤーを選択し、Shift キーを押しながらドラッグすると、正円が描けます。この円がマスクになり、マスク以外の部分が透明化されます。

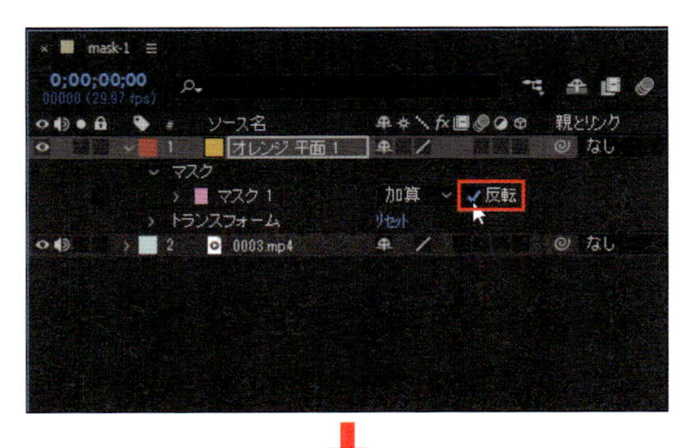

5 マスク範囲を反転させる

タイムラインの平面レイヤーには、「マスク」→「マスク 1」が表示されています。右に「反転」のチェックボックスがあるので、このチェックをオンにします。これで、マスク範囲が反転します。次ページから、このマスクを使ったアニメーションを作成します。

マスクの拡張でアニメーションさせる

After Effectsでは、マスクもアニメーションの対象になります。マスクのアニメーションではさまざまなオプションを利用できますが、ここでは「マスクの拡張」を利用する方法を解説します。

▶「マスクの拡張」でマスクをアニメーションさせる

マスクには、数種類のオプションがあります。ここでは、オプションの1つである「マスクの拡張」を利用してマスクをアニメーションさせる方法について解説します。

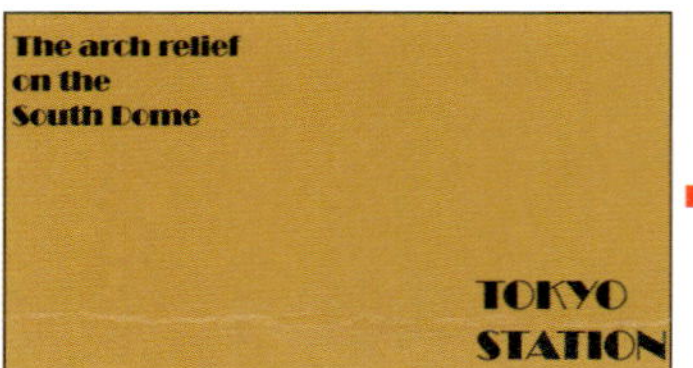

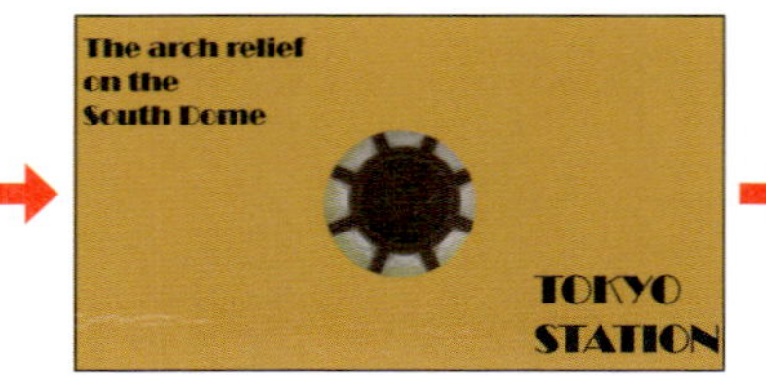

マスクをアニメーションさせる。

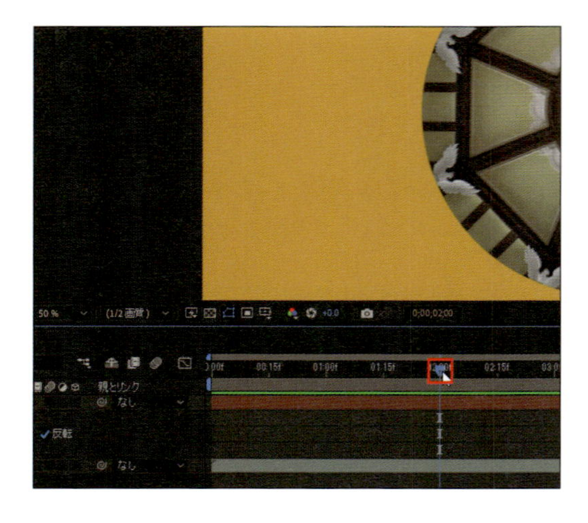

1 時間インジケーターを合わせる

P.248の方法で、あらかじめマスクを作成しておきます。タイムラインの時間インジケーターを、2秒の位置に合わせます。ここがアニメーションの終了位置で、完成した状態となります。これで、アニメーションが終了する位置と時間を設定したことになります。

2 「マスクの拡張」のアニメをオンにする

「マスク1」のオプションを展開し、「マスクの拡張」のストップウォッチをクリックしてアニメーションをオンにします❶。時間インジケーターの位置に、キーフレームが設定されます❷。

3 時間インジケーターを0秒に合わせる

時間インジケーターを、タイムライン左端の0秒に合わせます。

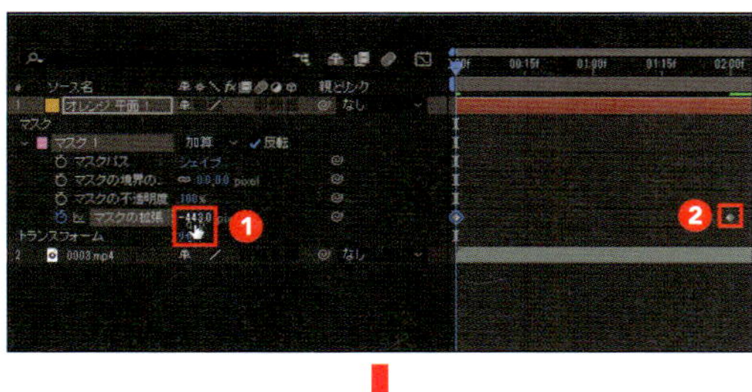

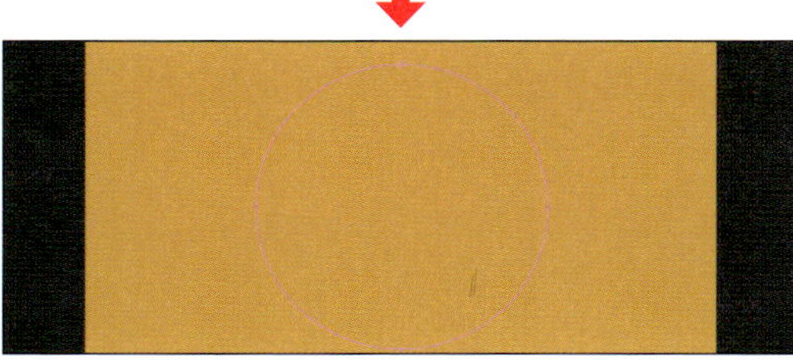

4 「マスクの拡張」のパラメーターをマイナスにする

「マスク1」の「マスクの拡張」のパラメーターを、マイナス側にスクラブします❶。同時に、キーフレームが設定されます❷。なお、パラメーターはコンポジション画面でマスクの映像が消える値に設定します。

5 アニメーションを確認する

タイムラインの時間インジケーターをドラッグし、アニメーションを確認します。

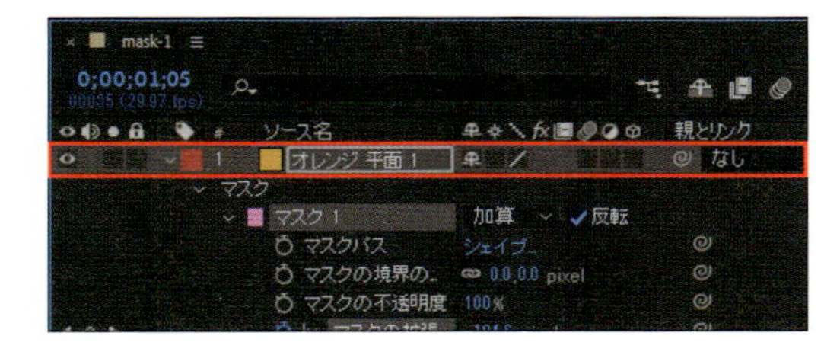

6 テキストレイヤーを追加する

タイムラインに、テキストレイヤーを追加します。テキストレイヤーは、レイヤーの一番上に配置します。

7 テキストを入力する

テキストレイヤーにテキストを入力します。ここではテキストにアニメーションを設定していませんが、必要に応じてアニメーションを設定するとよいでしょう。

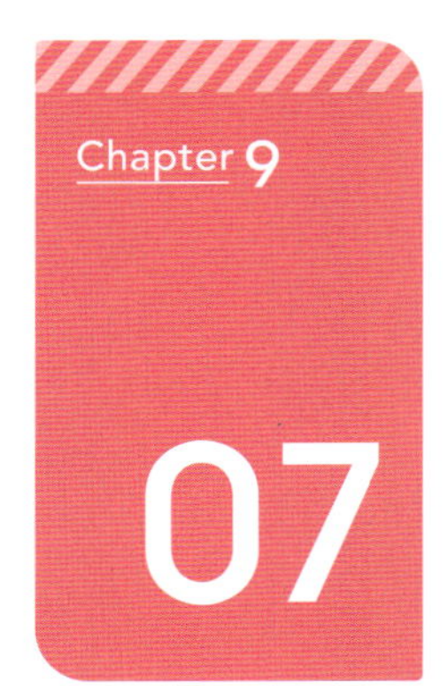

マスクパスでアニメーションさせる

マスクをアニメーションさせる方法には、「マスクの拡張」のほかに「マスクパス」を利用する方法もあります。ここでは、「マスクパス」を利用したアニメーションについて解説します。

▶「マスクパス」でマスクをアニメーションさせる

「マスク」には、数種類のオプションがあります。ここでは、オプションの１つである「マスクパス」を利用して、マスクをアニメーションさせる方法について解説します。

「マスクパス」でアニメーションさせる。

1 フッテージを配置する

デュレーションが10秒の新規コンポジションを作成し、動画フッテージを読み込みます。タイムラインに、その動画のフッテージを配置します。

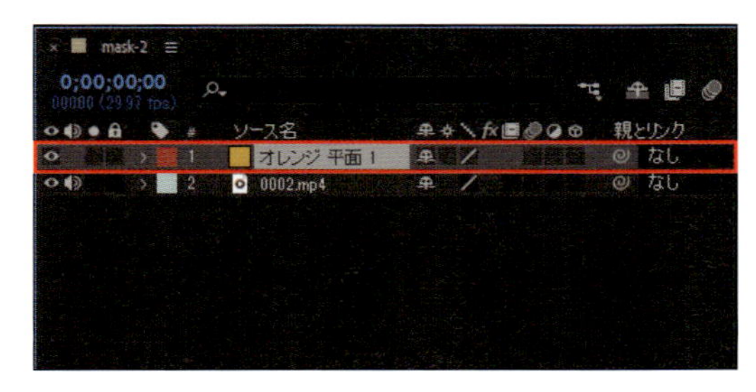

2 平面レイヤーを設定する

タイムラインを右クリックするか、メニューバーから「レイヤー」→「新規」→「平面」を選択します。好きな色で平面レイヤーを設定し、タイムラインに配置します。

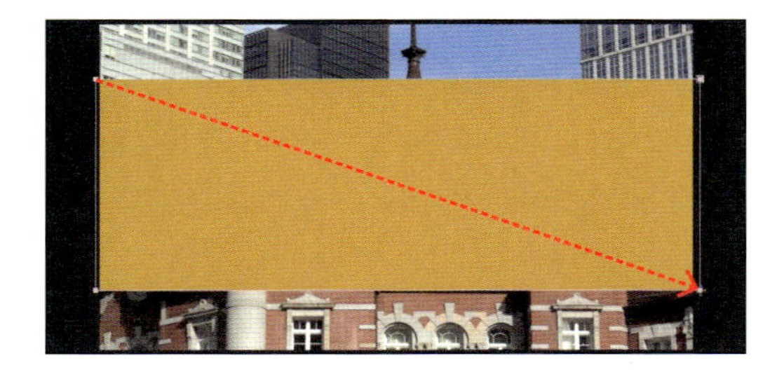

3 長方形のマスクを設定する

平面レイヤーを選択した状態で、「長方形」ツールを利用して長方形のマスクを作成します。マスクは、フレームの外側から外側まで掛かるように作成します。

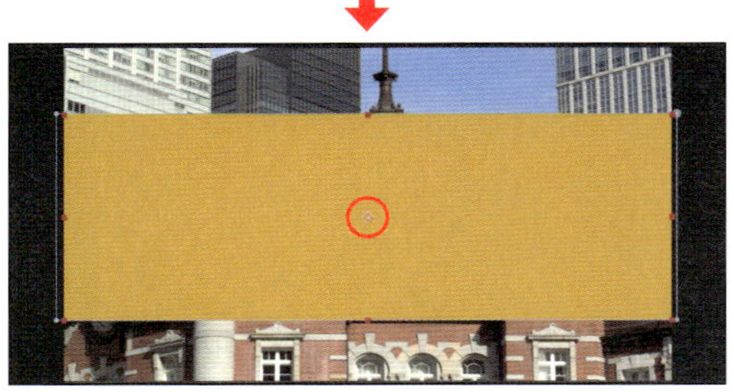

4 アンカーポイントを修正する

タイムラインの平面レイヤーを選択し、「ツール」パネルの「アンカーポイント」ツールを選択します。アンカーポイントを、マスクの中央に移動します。この時、アンカーポイントを Ctrl キー（macOS は Command キー）を押しながらダブルクリックすると、自動的にマスクの中央にアンカーポイントが配置されます。

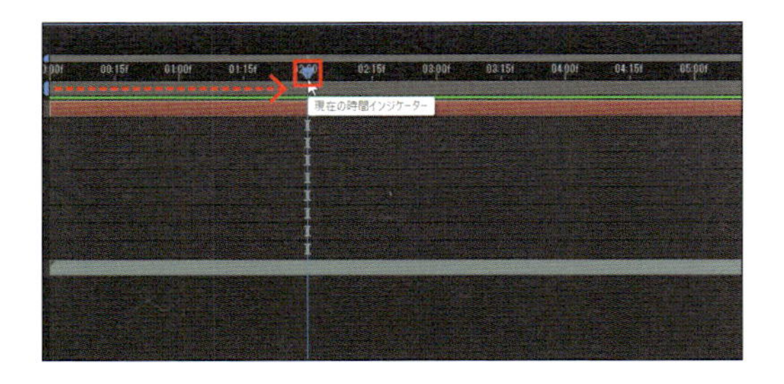

5 時間インジケーターを合わせる

タイムラインの時間インジケーターを、2秒の位置に合わせます。ここがアニメーションの終了位置で、完成した状態となります。

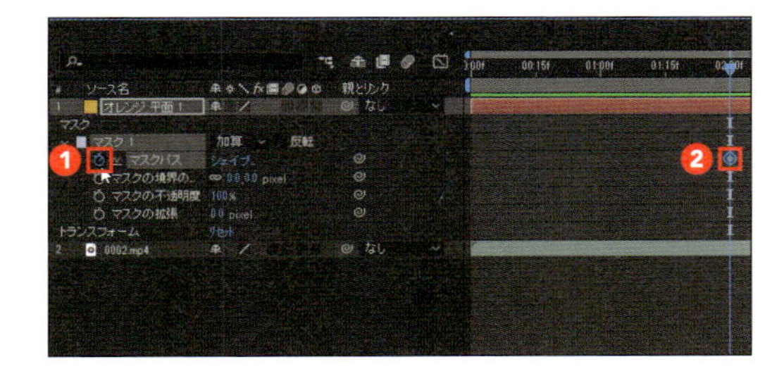

6 「マスクパス」のアニメーションをオンにする

「マスク1」のオプションを展開し、「マスクパス」のストップウォッチをクリックしてアニメーションをオンにします❶。時間インジケーターの位置に、キーフレームが設定されます❷。

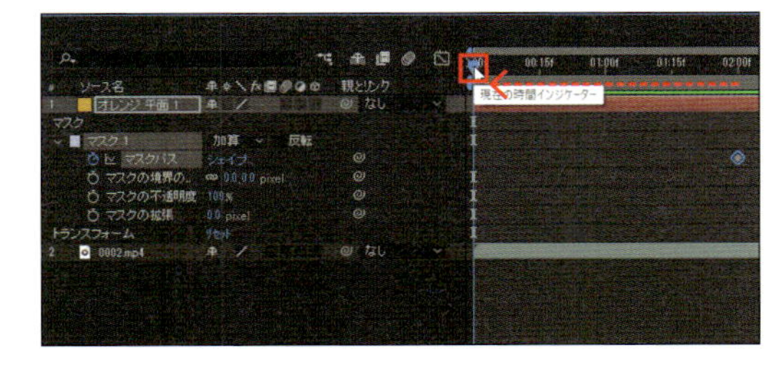

7 時間インジケーターを0秒に合わせる

時間インジケーターを、タイムライン左端の0秒に合わせます。

8 マスクを選択する

「選択」ツールに持ち替えて、作成したマスクの外枠部分をダブルクリックします。これで、マスクが選択状態になります。「選択」ツールに持ち替えないと、マスクを選択状態にできません。

9 マスクの形を変更する

選択状態のマスクの右端にマウスポインターを合わせ、右から左にドラッグします。この時、マスクが消える位置までドラッグします。時間インジケーターの位置に、キーフレームが設定されます。

10 マスクを反転させる

「マスク1」の右にある「反転」のチェックボックスをオンにすると、マスク範囲が反転します。

11 アニメーションを確認する

タイムラインの時間インジケーターをドラッグし、アニメーションを確認します。

12 テキストを入力する

テキストレイヤーを設定して、テキストを入力します。ここではテキストにアニメーションを設定していませんが、必要に応じてChapter8を参照してアニメーションを設定するとよいでしょう。

POINT 正円のマスクパスアニメーションも設定は同じ

ここでは「マスクパス」を使って長方形をアニメーションしましたが、長方形ではなく、楕円（正円）でもマスクパスアニメーションは可能です。設定方法は長方形と同じです。

❶長方形の場合と同じように、フッテージを配置したコンポジションにテキストレイヤーと平面レイヤーを配置する。

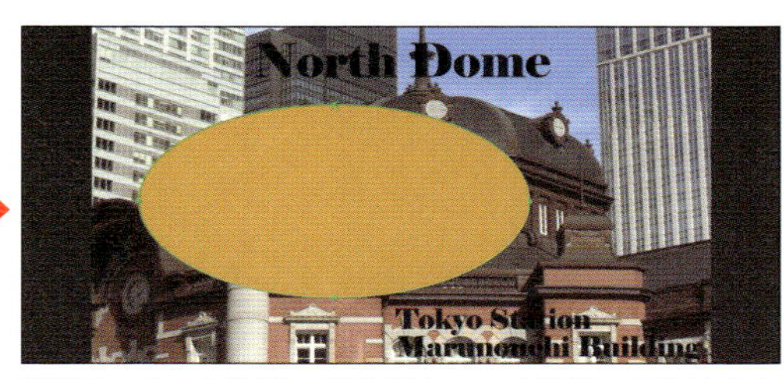

❷平面レイヤーを選択し、「楕円形」ツールを選択して正円を描く。 Shift キーを押しながら楕円を描くと、正円が描ける。

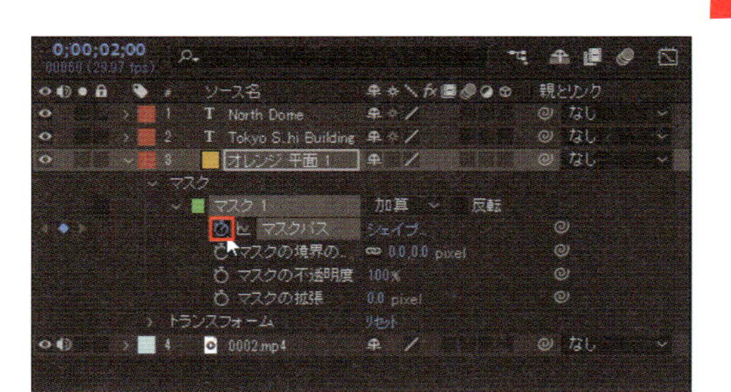

❸「マスクパス」のアニメーションを有効にして、キーフレームを設定する。

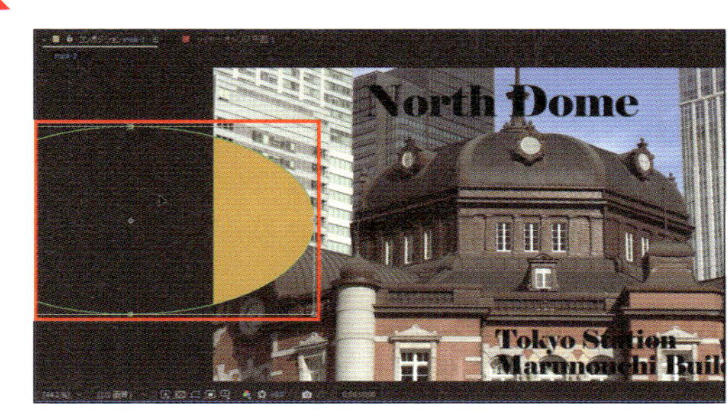

❹時間インジケーターを0秒に移動する。正円のマスクをダブルクリックして選択し、左端に隠れるように移動する。

❺マスクを反転して、アニメーションをプレビューする。

手書き風のアニメーションを作成する

テキストの手書き風アニメーション作成として、ここでは「ブラシアニメーション」のキーフレームを利用した方法を解説します。

▶ キーフレームを利用した手書き風アニメーションを作る

キーフレームを利用して、手書き風のテキストアニメーションが作成できます。基本はマスクを使っているのですが、そのマスクをキーフレームでコントロールする方法です。アニメーションに緩急をつけることも可能です。ここでは「Tokyo」というテキストを作成し、手書き風アニメーションで表示してみましょう。

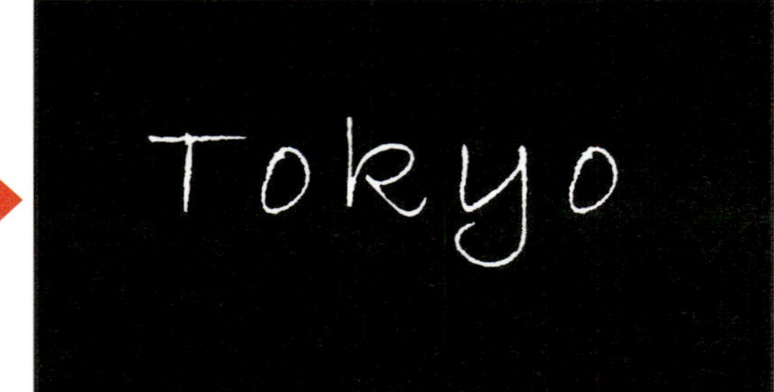

テキストの手書き風のアニメーションを作成する。

POINT Premiere Proでも作成可能

ここで解説したエフェクトの「ブラシアニメーション」は、Premiere Proでも利用できます。Premiere Proのビデオエフェクトに「旧バージョン」カテゴリーがあり、そこに「ブラシアニメーション」があります。利用方法はまったく同じです。

▶ テキストを入力する

最初に「Tokyo」と入力し、これをカスタマイズしていきます。

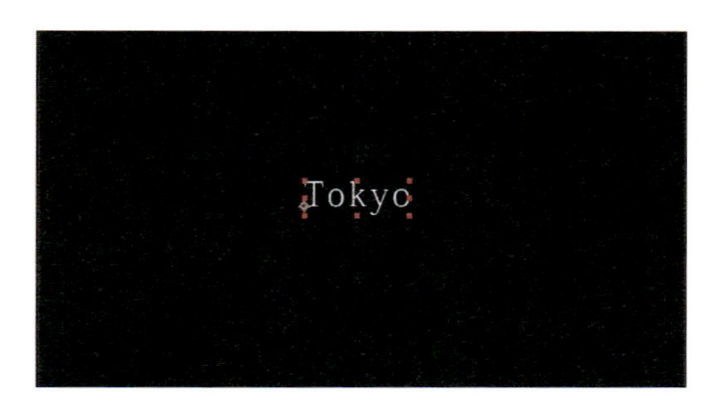

1 テキストを入力する

新規コンポジションを作成し、テキストを入力します。ここでも、Chapter-9-08と同様のコンポジション設定でテキストを入力しました。

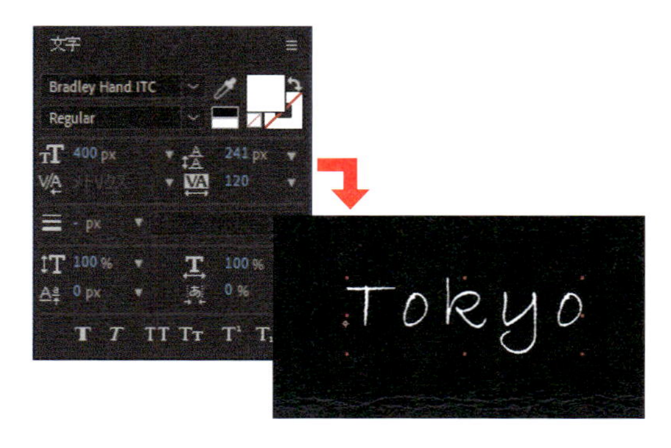

2 テキストをカスタマイズする

入力したテキストを、以下の設定でカスタマイズします。

フォント：Bladly Hand ITC
文字色：白
線のカラー：なし
フォントサイズ：400px
文字のトラッキング：120

▶ エフェクトを設定する

「エフェクト&プリセット」から、エフェクトを設定します。

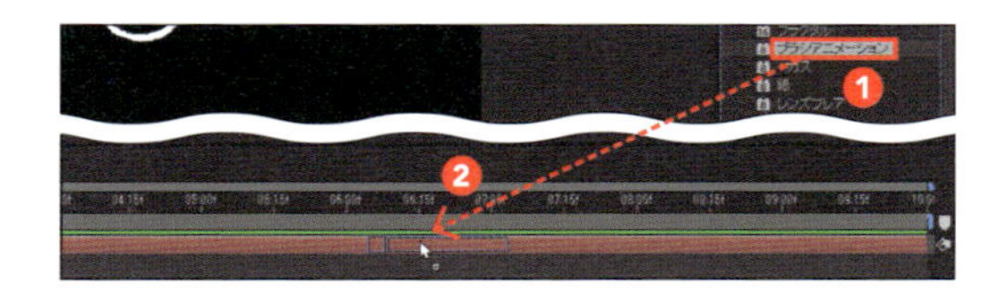

1 エフェクトを選択する

「エフェクト&プリセット」→「描画」→「ブラシアニメーション」❶を選択し、レイヤーにドラッグ&ドロップします❷。

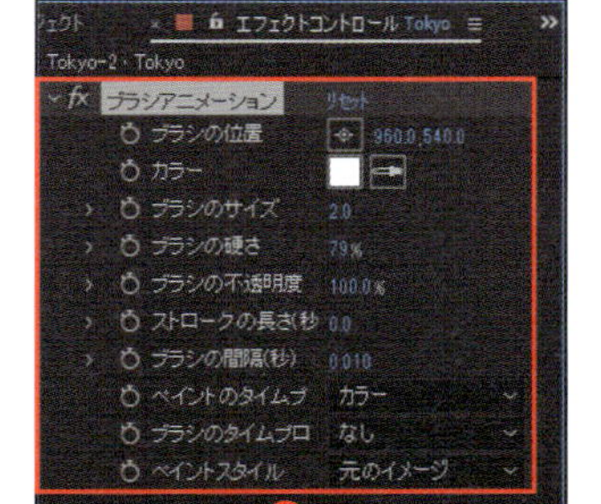

2 パラメーターが表示される

エフェクトが設定され、「エフェクトコントロール」に設定パネルが表示されます❶。同じ設定が、レイヤーにも追加されています❷。

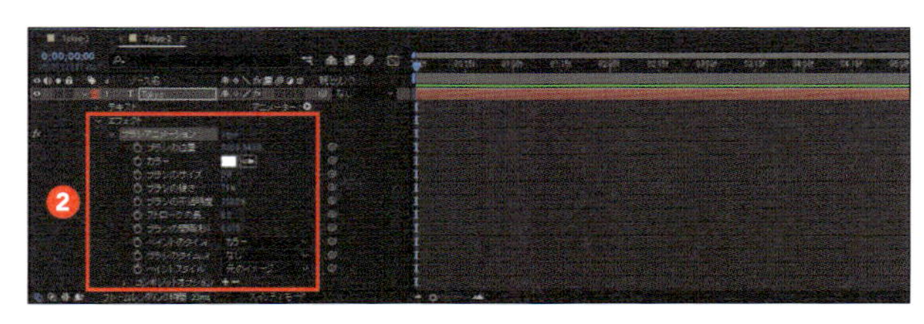

▶ キーフレームを設定する

「ブラシの位置」のアニメーションを、キーフレームを利用して設定します。

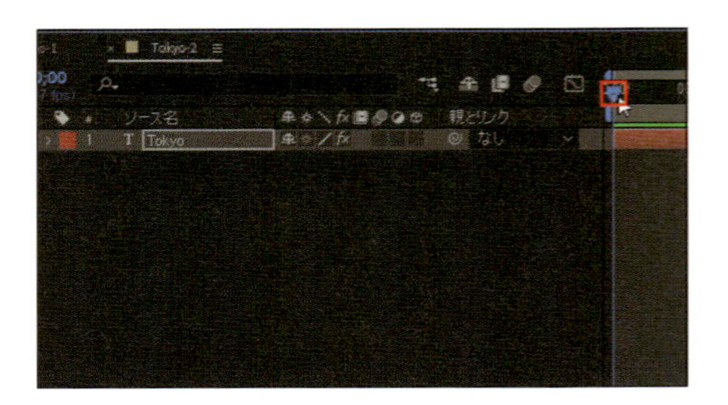

1 時間インジケーター位置をスタート位置に合わせる

時間インジケーターを、タイムラインの左端に合わせます。

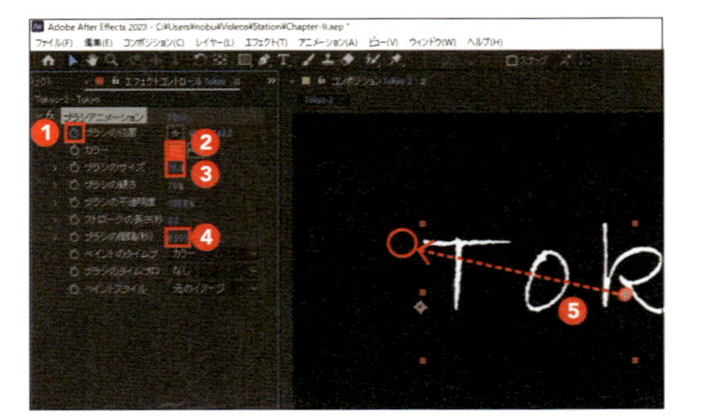

2 アニメーションをオンにする

「エフェクトコントロール」パネルで、「ブラシの位置」のアニメーションをオンにします❶。「カラー」を赤（色は自由）❷、「ブラシのサイズ」を「25.0」（テキストに合わせる）❸、「ブラシの間隔」を「0.001」❹に設定します。そして、ブラシを書き始める位置にブラシの位置をドラッグします❺。

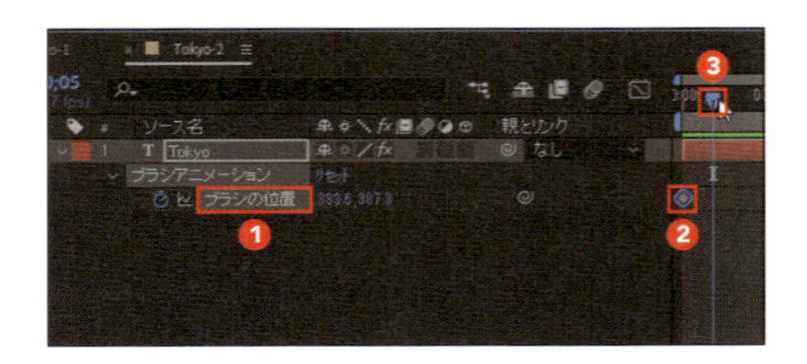

3 再生ヘッドを少し移動する

「タイムライン」パネルで U キーを押して「ブラシの位置」レイヤーだけを開くと❶、キーフレーム❷が設定されています。この状態で、時間インジケーターを少し右に移動します❸。5フレームほどでよいでしょう。

4 ブラシ位置を少し移動する

「コンポジション」パネルで、ブラシ位置を少し移動します❶。移動すると、赤いラインが表示されます。このとき、タイムラインにはキーフレームが自動的に設定されます❷。

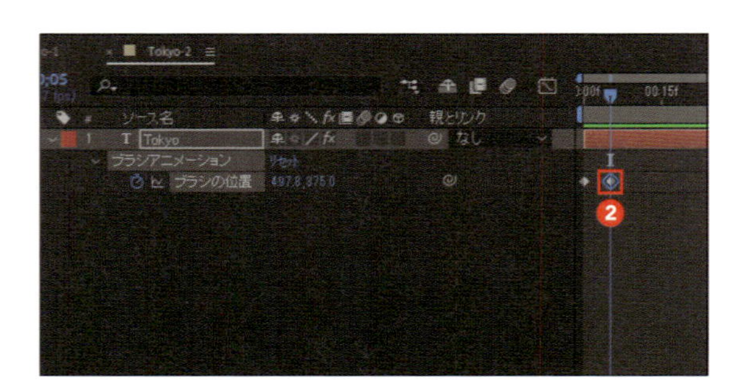

5 操作を繰り返す

「時間インジケータを移動」→「ブラシを移動」→「キーフレーム設定を確認」を、テキストをなぞるように少しずつ繰り返します。このとき、隣り合うキーフレームの間隔が狭いと速いスピード、間隔が広いとゆっくりとしたスピードでテキストが表示されます。この作業を地道に続けます。

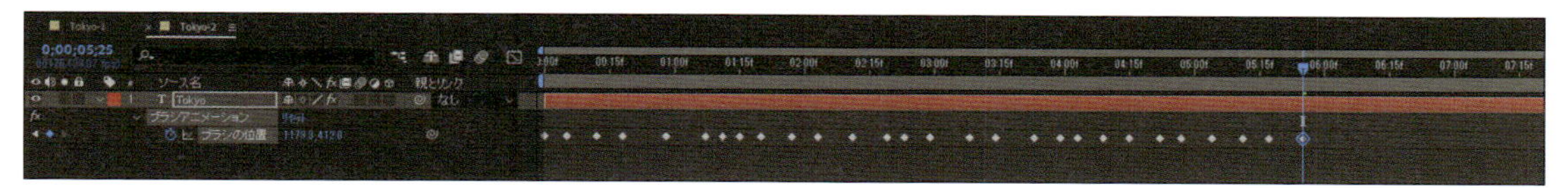

6 キーフレーム設定が終了する

ブラシの移動とキーフレームの設定が終了します。なお、キーフレームの間隔は自由に調整してください。

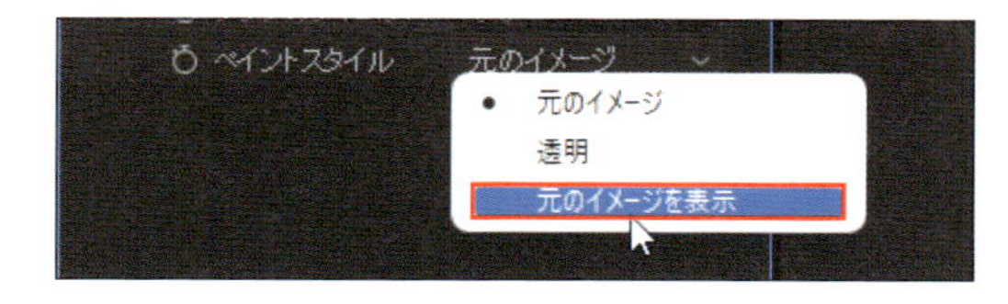

7 ペイントスタイルを変更する

「エフェクトコントロール」パネルの「ペイントスタイル」の「V」をクリックし、「元のイメージを表示」を選択します。

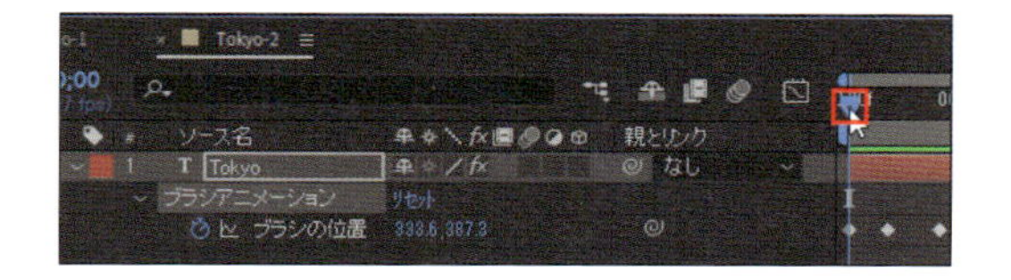

8 アニメーションをプレビューする

時間インジケーターを左端に戻し、再生を実行してアニメーションを確認します。

シェイプとテキストマスクでコールアウトタイトルを作成する

製品の紹介などによく利用されるのが、「コールアウトタイトル」と呼ばれるモーショングラフィックスです。トラッキングと併用すると、移動するオブジェクトを追尾するコールアウトタイトルが作成できます。

▶ コールアウトタイトル

ここでは、コールアウトタイトルと呼ばれるモーショングラフィックスの作成方法について解説します。なお、このタイトル作成にはいくつものTIPSが利用されています。このタイトルの作り方を覚えることで、さまざまなモーショングラフィックスを学ぶ基礎ができあがります。

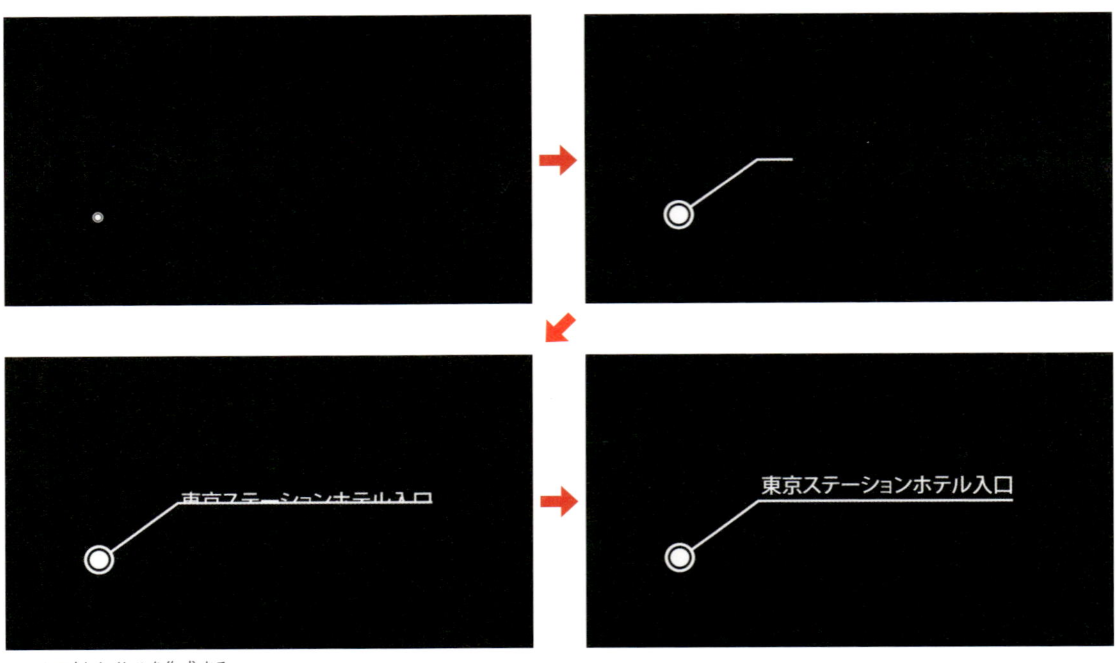

コールアウトタイトルを作成する。

▶ シェイプのアニメーション

ここでは「楕円形ツール」を利用して、◯のポイントが点から少しずつ大きくなるアニメーションを作成します。

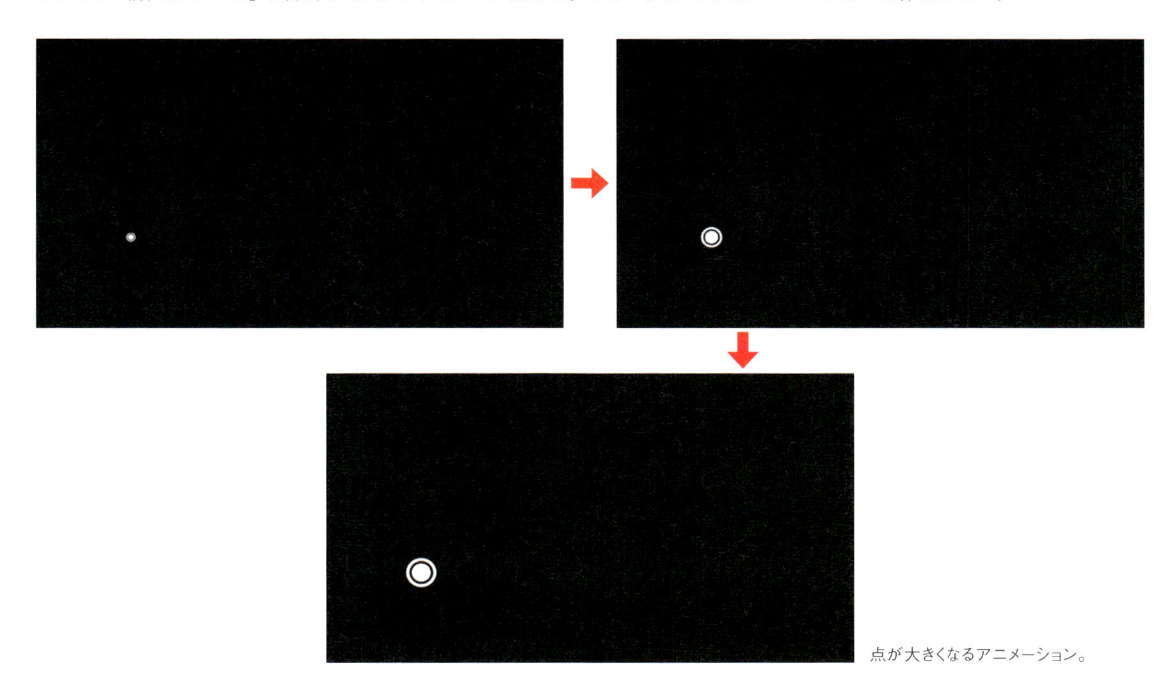

点が大きくなるアニメーション。

▶ ラインのアニメーション

「楕円形ツール」を使ったアニメーションが完成したら、そのポイントから引き出し線が伸びるラインアニメーションを作成します。

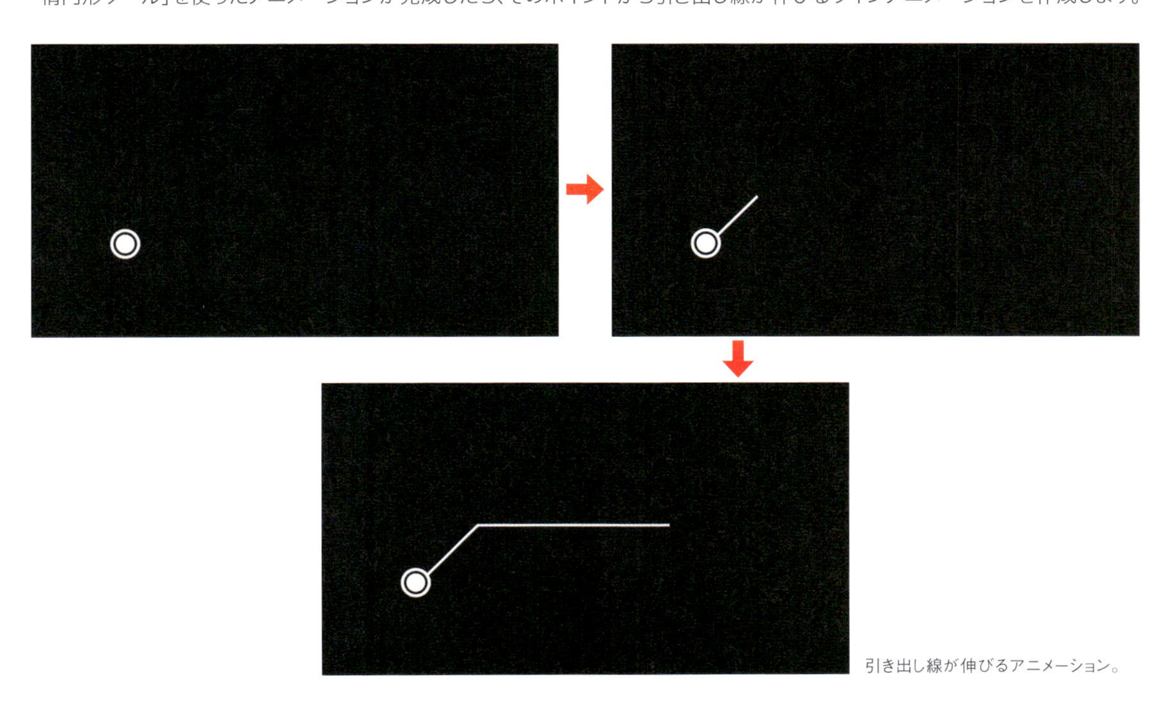

引き出し線が伸びるアニメーション。

▶ テキストのアニメーション

ここでは、ラインの中からテキストが出てくるという、マスクを利用したアニメーションを作成します。

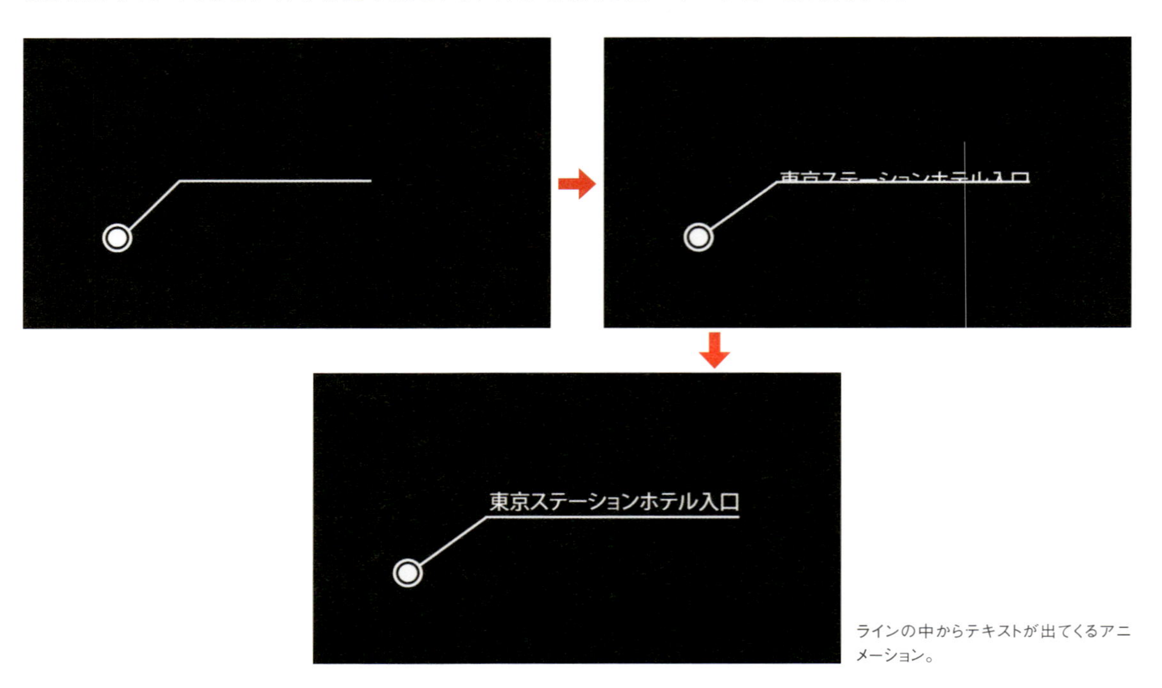

ラインの中からテキストが出てくるアニメーション。

▶ コールアウトタイトルが消えるアニメーション

最後に、表示したコールアウトタイトルを消すアニメーションを作成します。

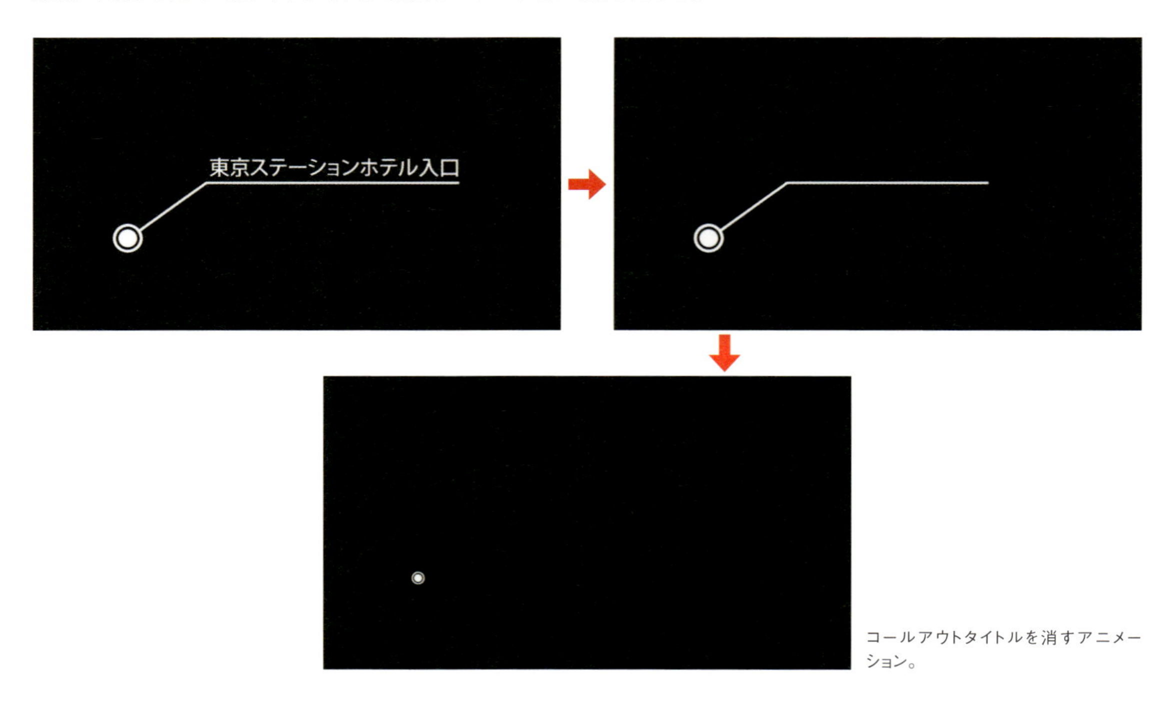

コールアウトタイトルを消すアニメーション。

▶ コールアウトタイトルをフッテージに合成する

作成したコールアウトタイトルのアニメーションを、映像と合成します。トラッキング機能を利用して、タイトルが映像のターゲットを追尾しながらアニメーションするように設定します。

トラッキング機能によってタイトルがターゲットを追尾するアニメーション。

POINT コンポジションを流用する

作成したコールアウトタイトルのコンポジションは、他のプロジェクトの他のフッテージにも再利用可能です。この場合、次の２点を修正してください。

- テキストの修正
- トラッキングの再設定

シェイプアニメーションを作成する

コールアウトタイトルの最初は、シェイプアニメの作成です。ここでは、コールアウトタイトルがポイントするときのポイントマークを、シェイプの楕円を利用したアニメーションによって作成します。

▶ 作成するシェイプアニメ

ここでは、コールアウトタイトルの◯で構成されるポイント部分を作成します。この部分は、「楕円形ツール」を利用してアニメーションを設定します。

● この部分を作成

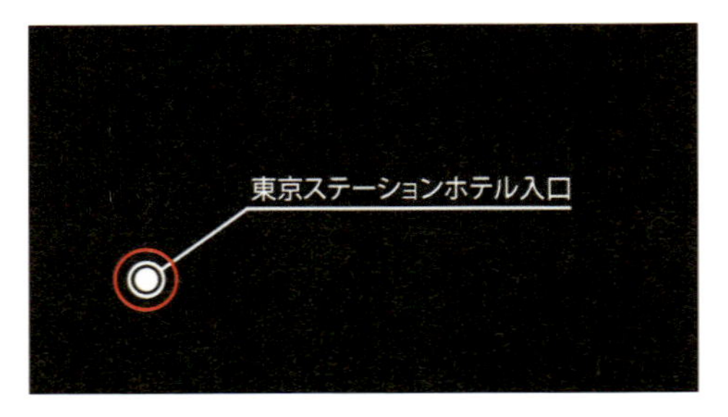

● シェイプのアニメーション

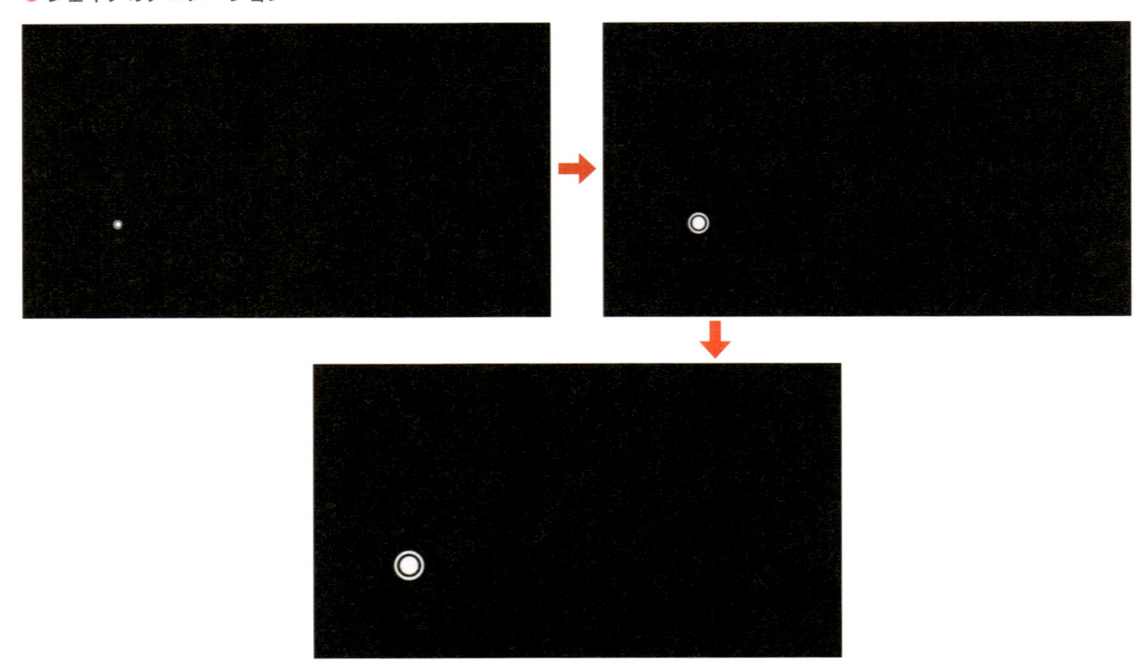

▶ シェイプアニメーションを1個作成する

コールアウトタイトルのポイント部分の作成方法は複数ありますが、ここでは楕円形ツールを利用して作成する方法を解説します。最初に、2つの円のうち、内側の●のアニメーションを作成します。アニメーションは、完成形から作り始めます。

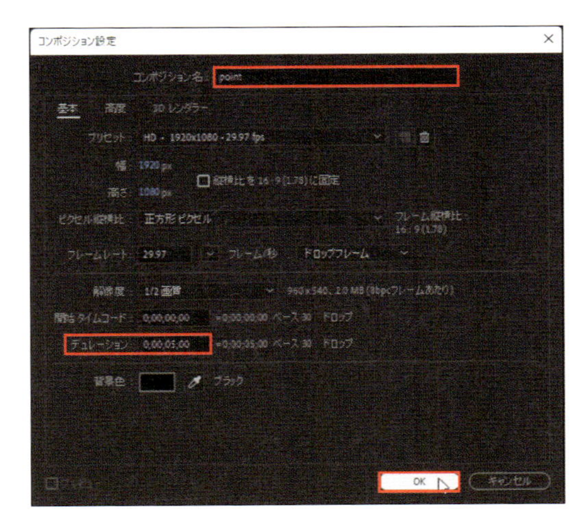

1 新規コンポジションを作成する

最初に新規プロジェクトを作成し、「編集」画面が表示されたら新規コンポジションを作成します。コンポジション名は「point」とし、5秒のデュレーションで作成します。

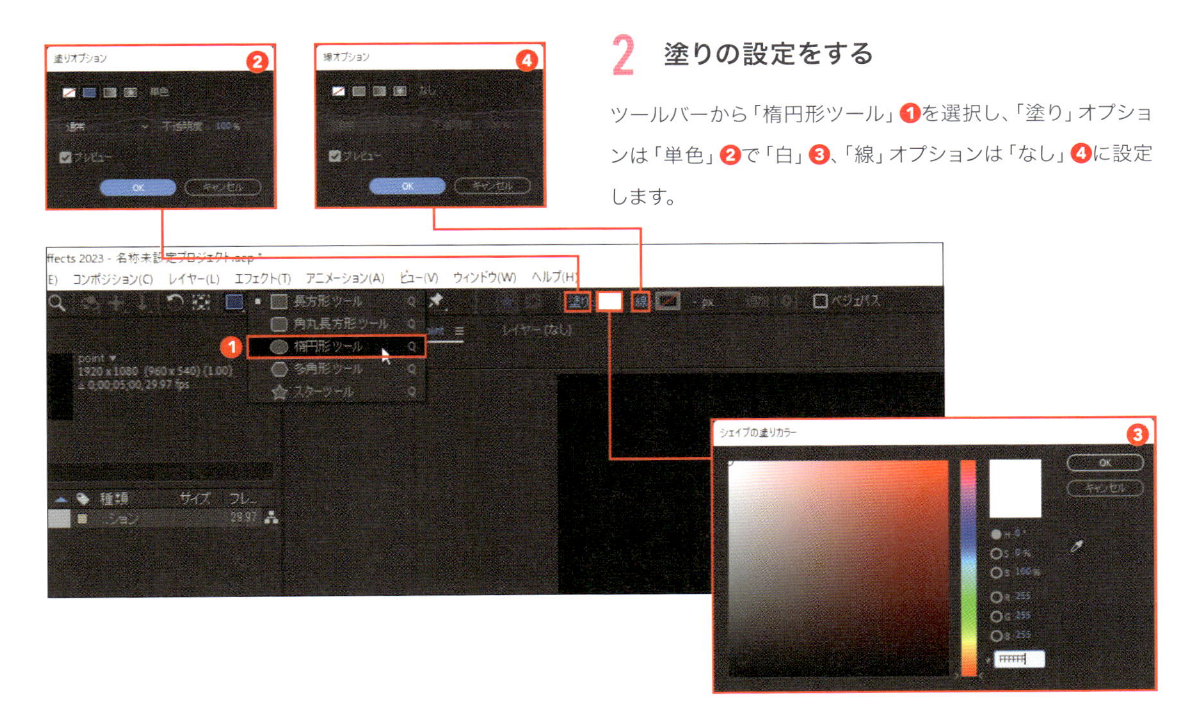

2 塗りの設定をする

ツールバーから「楕円形ツール」❶を選択し、「塗り」オプションは「単色」❷で「白」❸、「線」オプションは「なし」❹に設定します。

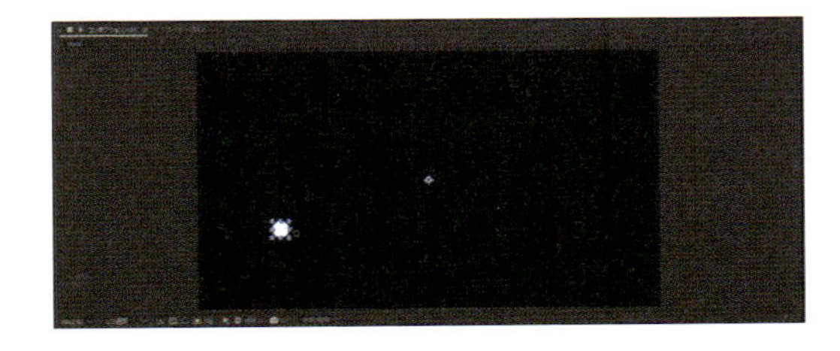

3 正円を1個描く

「コンポジション」パネル上で Shift キーを押しながらドラッグし、小さな正円を1個描きます。左の画面程度の大きさでOKです。

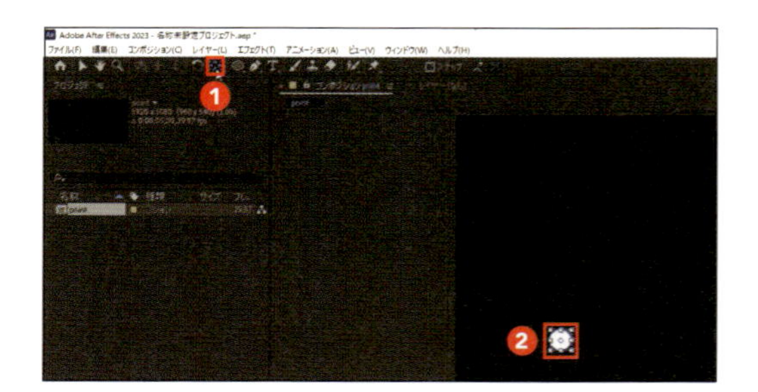

4 アンカーポイントを円の中心に合わせる

Ctrl (Mac：command) キーを押しながらアンカーポイントツールをダブルクリックし❶、円の中心にアンカーポイントを合わせます❷。

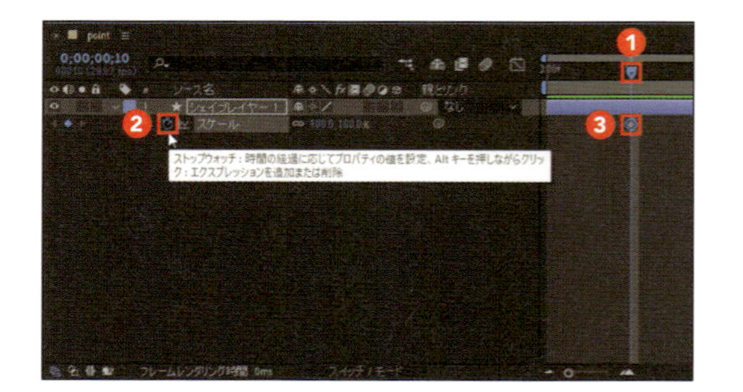

5 スケールのアニメーションの終了状態から設定する

時間インジケーターを10f（10フレーム）❶に合わせ、S キーを押して「スケール」のレイヤー設定を表示します。ストップウォッチをオン❷にすると、タイムラインにキーフレームが設定されます❸。これで、アニメーションの完成形が設定できました。アニメーションが開始されて10フレーム目にこの形になります。

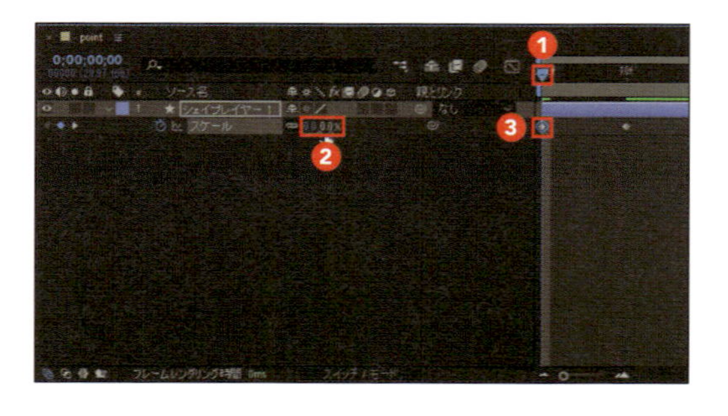

6 アニメーションのスタート状態を設定する

時間インジケーターをタイムラインの左端の「0.00f」（0秒）❶に合わせ、「スケール」を「0%」❷に変更します。これで、タイムラインにキーフレームが設定されます❸。

POINT 必要なレイヤーのオプションのみ表示する

レイヤーの設定では、必要なオプションのみを開いておきます。不要なオプションが開いている場合は U キーを押して一度閉じ、必要なオプションだけを開き直します。右の画面では、スケールのオプションだけを開いています。

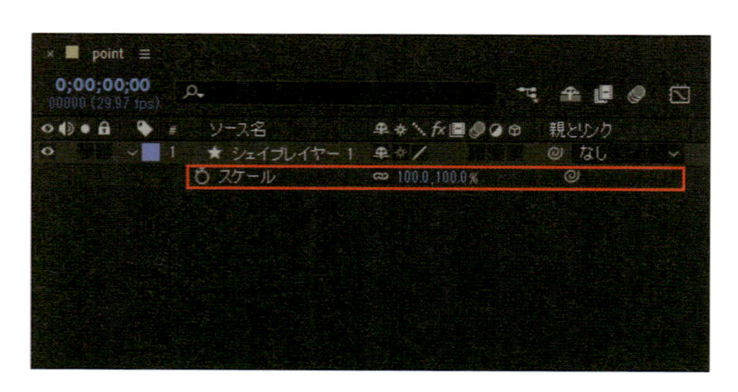

7 アニメーションを確認する

時間インジケーターをドラッグして、アニメーションを確認します。

POINT 縦横が連動

スケールの数値は、2個あります。これは、縦のY軸、横のX軸の数値です。先頭の鎖マークがオンになっている状態では連動しており、どちらか一方を変更すれば、もう一方も変更されます。

▶ 2つ目の円アニメーションを作る

1つ目の楕円アニメーションを利用して、2つ目の○のアニメーションを作成します。

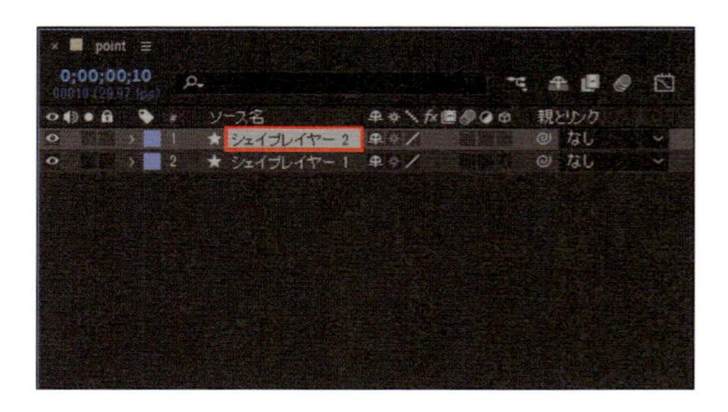

1 レイヤーをコピーする

「シェイプレイヤー1」のレイヤーを選択し、Ctrl（Mac：command）＋Dキーを押してコピーします。「シェイプレイヤー2」が作成されます。

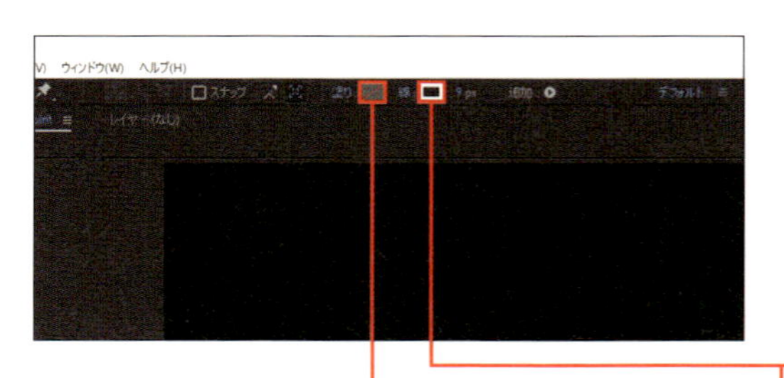

2 塗りを設定する

「シェイプレイヤー2」を選択し、ツールバーで塗りを設定します。「塗り」オプションは「なし」❶、「線」オプションは「単色」❷、「白」❸に設定します。

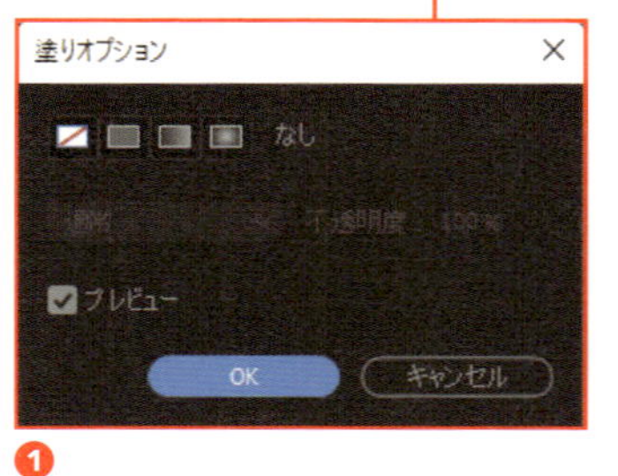

❶

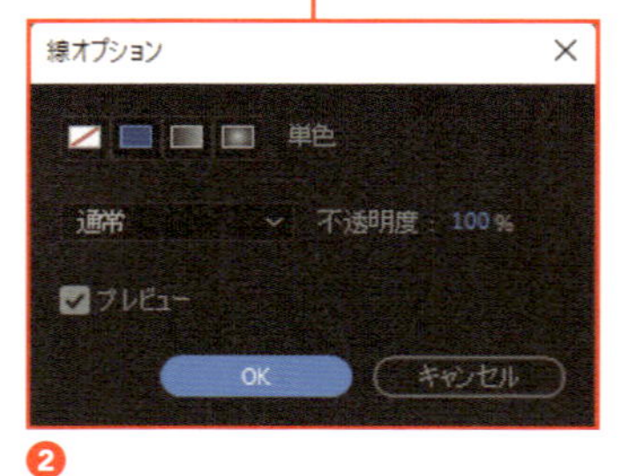

❷

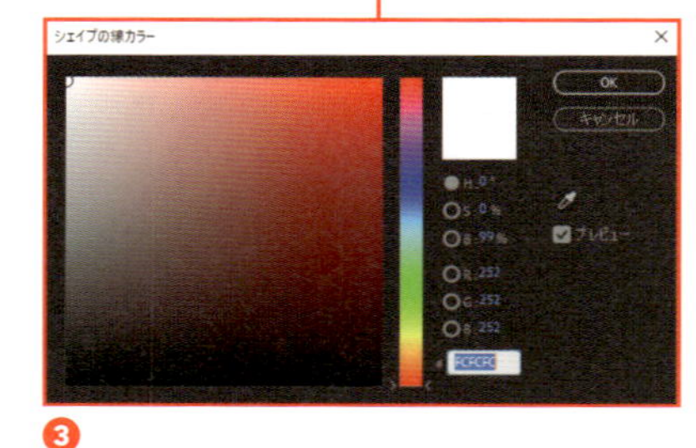

❸

POINT 「塗り」が表示されない！

ツールバーに「塗り」の設定が表示されない場合は、「選択」ツールが選ばれているかどうか確認してください。アンカーポイントなどを選んでいると表示されません。

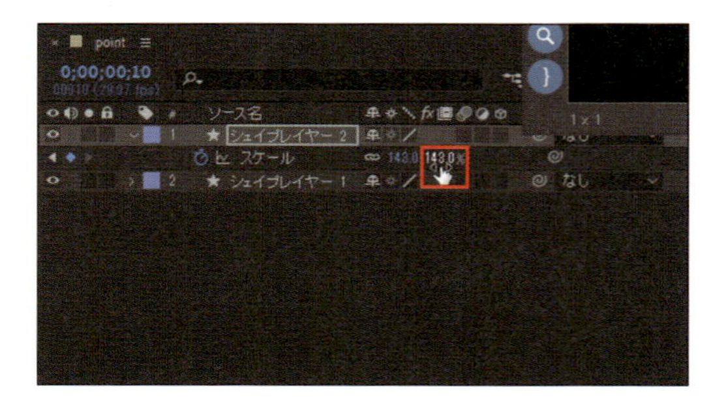

3 「スケール」を拡大する

「シェイプレイヤー2」を選択してSキーを押し、スケールのレイヤーを表示します。サイズを130～140%と大きくします。

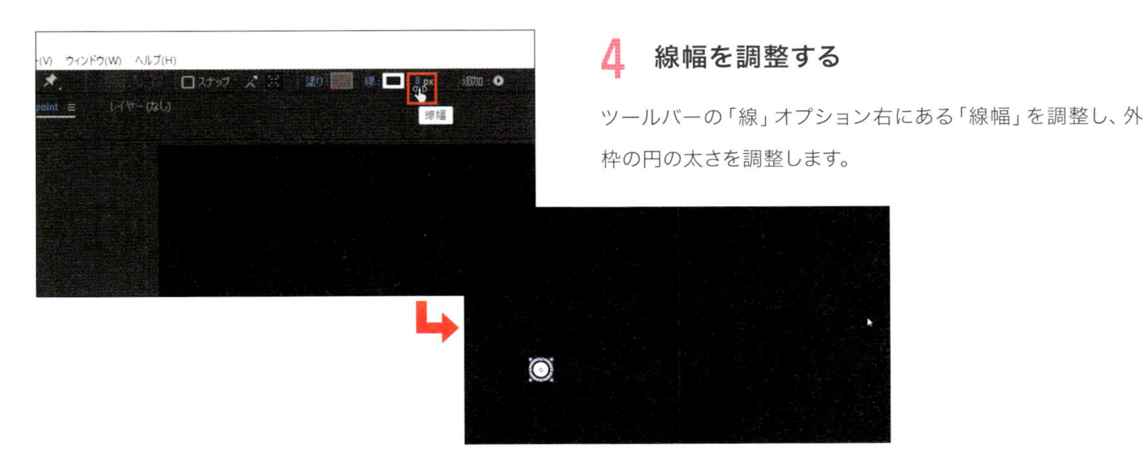

4 線幅を調整する

ツールバーの「線」オプション右にある「線幅」を調整し、外枠の円の太さを調整します。

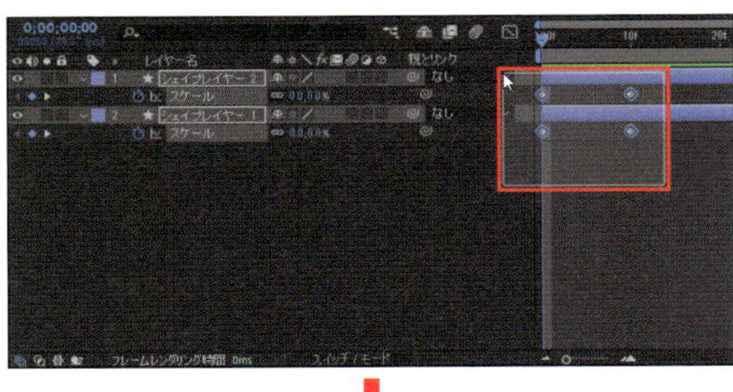

5 イージーイーズを設定する

設定されたキーフレームをすべて選択し、キーボードの F9 キーを押してイージーイーズを設定します。

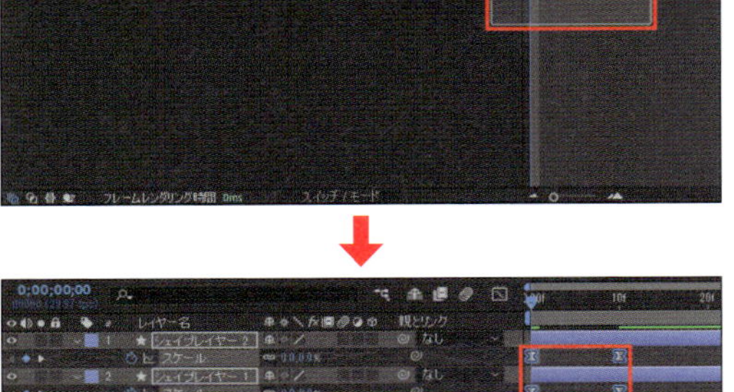

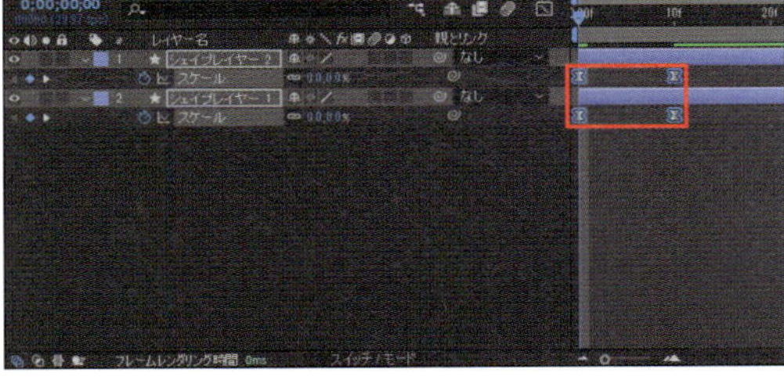

6 アニメーションを確認する

時間インジケーターをドラッグして、アニメーションを確認します。アニメーション設定は「シェイプレイヤー 1」の設定を引き継いでいるので、そのまま利用します。

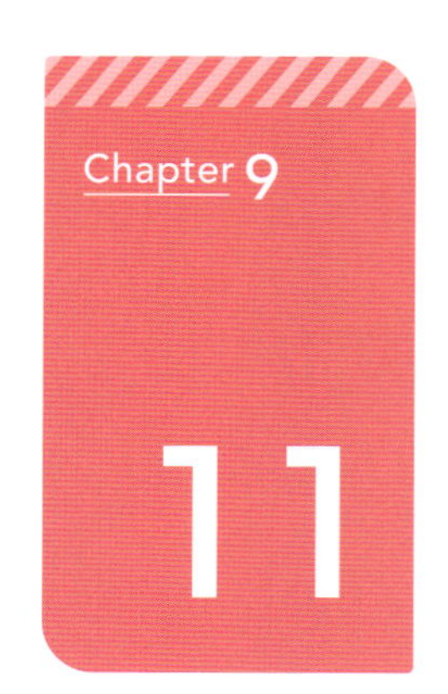

ラインのアニメーションを作成する

コールアウトタイトルのシェイプアニメが作成できたら、次のアニメーションを作成します。ポイントからラインが伸びて、そこからテキストが表示されるアニメーションを作成します。

▶ 作成するラインアニメーション

ここでは、円のアニメーションが終了すると、その円の外枠からラインが伸びるアニメーションを設定します。

● この部分を作成

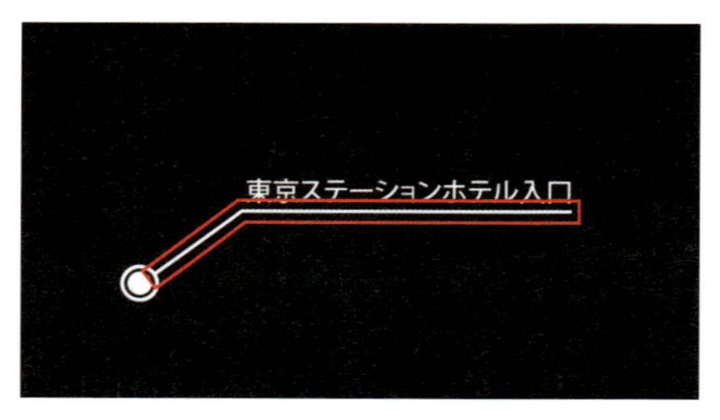

● ラインのアニメーション

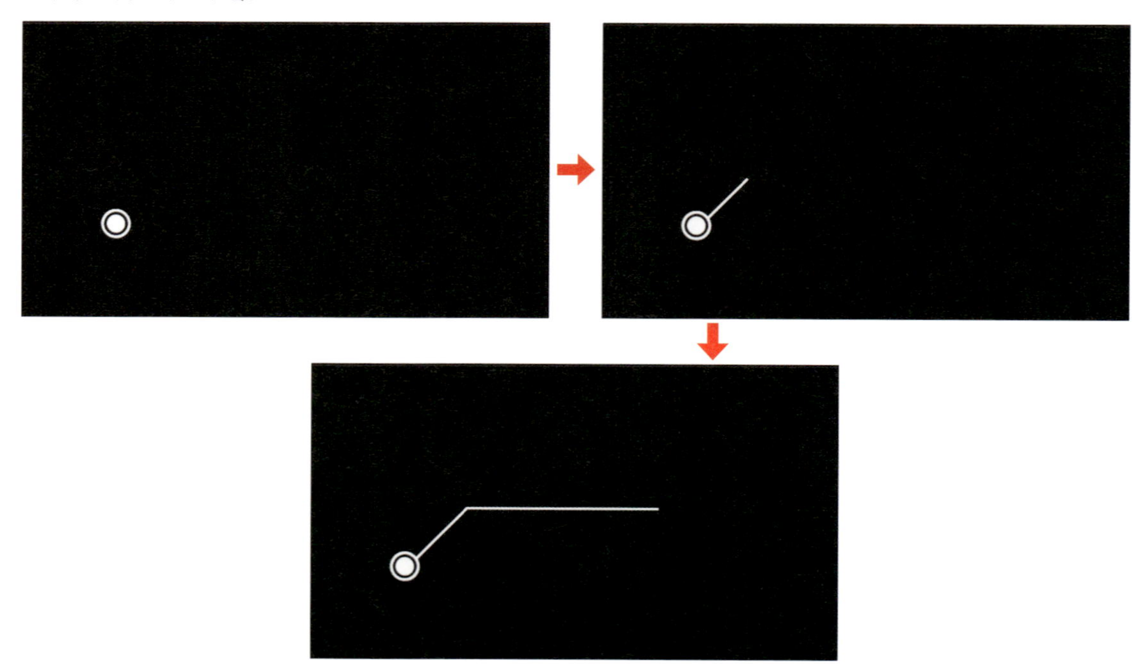

▶ ラインを作成する

ラインアニメーションの作成方法も複数ありますが、ここでは、もっとも基本的な「ペンツール」と「パスのトリミング」を使った方法で作成します。最初に、ラインを描きましょう。

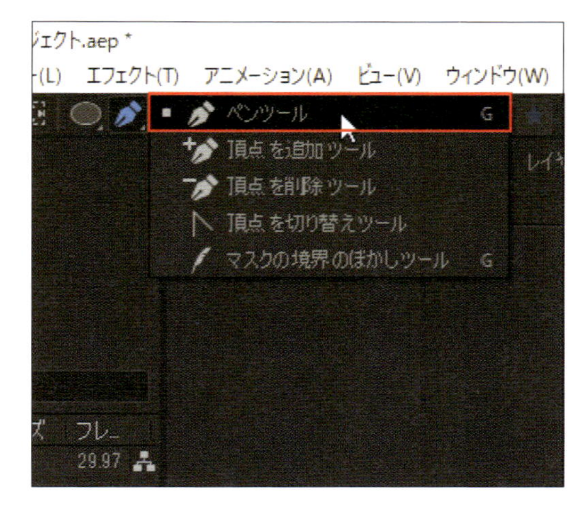

1 「ペン」ツールを選択する

ツールバーからペンのアイコンを長押しし、「ペンツール」を選択します。

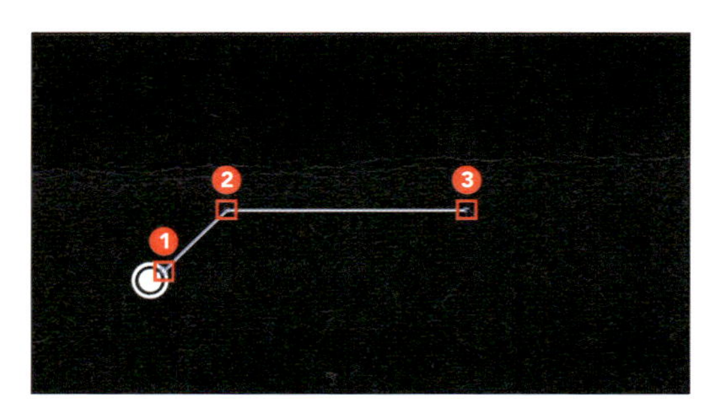

2 ラインを描く

外側の円の上からラインが伸びる位置を３箇所クリックして、ラインを描きます。このとき、外側の円から画面の番号順に描くようにします。

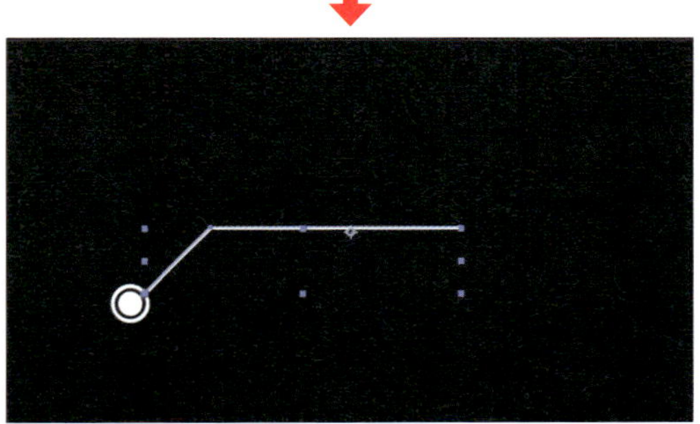

3 ラインの太さを調整する

ツールバーの「線」オプション右側にある「線幅」で、ラインの幅を調整します。

▶ ラインにアニメーションを設定する

ラインが描けたら、ポイント部分からラインが伸びるアニメーションを設定します。

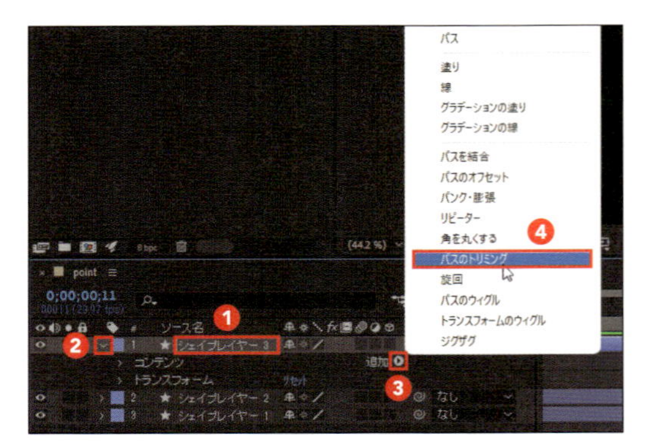

1 「パスのトリミング」を選択する

描いたラインは「シェイプレイヤー3」❶として登録されています。「V」❷をクリックしてオプションを展開し、「コンテンツ」の右にある「追加」の▼❸をクリックします。表示されたメニューから、「パスのトリミング」❹を選択します。

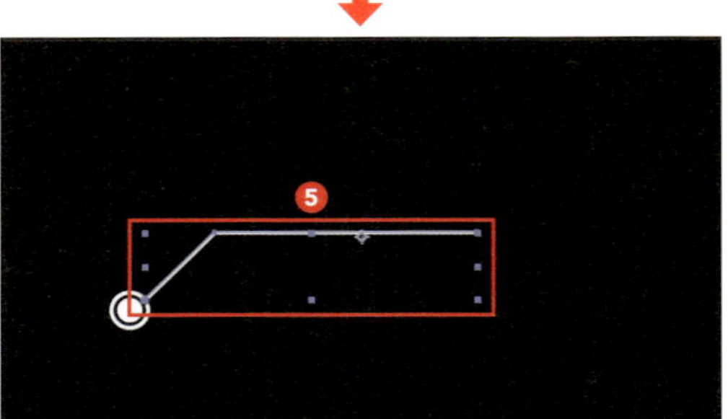

2 アニメーションの終了状態を設定する

時間インジケーターを20f（20フレーム）❶に合わせ、設定された「パスのトリミング1」のオプションを展開❷します。ここで、「終了点」のストップウォッチをクリックしてアニメーションをオン❸にします。このとき、タイムラインにはキーフレームが設定されます❹。これで、20フレーム目で完成した形に表示される❺ことになります。

3 アニメーションのスタート状態を設定する

時間インジケーターを10f❶に戻します。10fは、円のアニメーションが完了した位置です。さらに、「終了点」のパラメーターを「0%」❷に変更します。これで、タイムラインにキーフレームが設定されました❸。

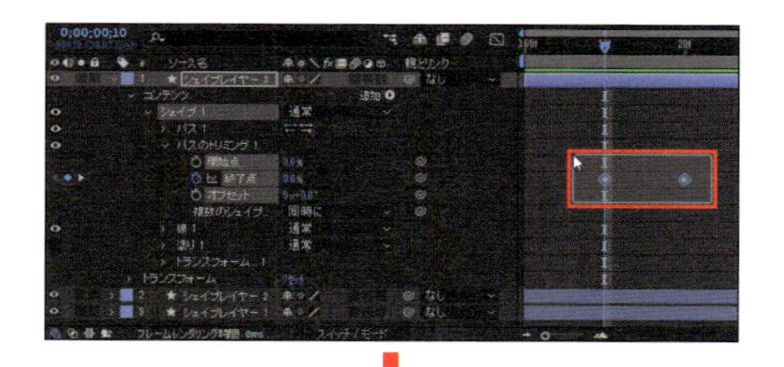

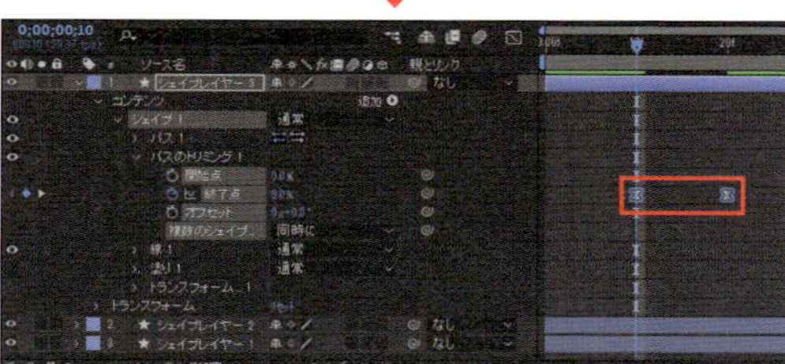

4 イージーイーズを設定する

設定されたキーフレームを２個とも選択し、F9 キーを押してイージーイーズを設定します。また、必要に応じて速度グラフで緩急を目立つように設定しておくとよいでしょう（P.230）。

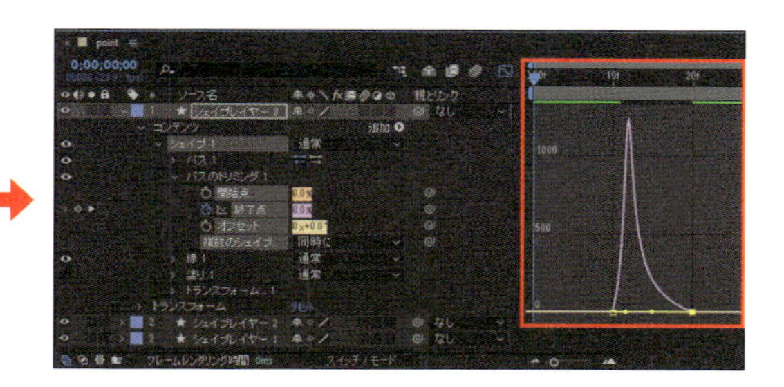

5 アニメーションを確認する

時間インジケーターをドラッグして、アニメーションを確認します。

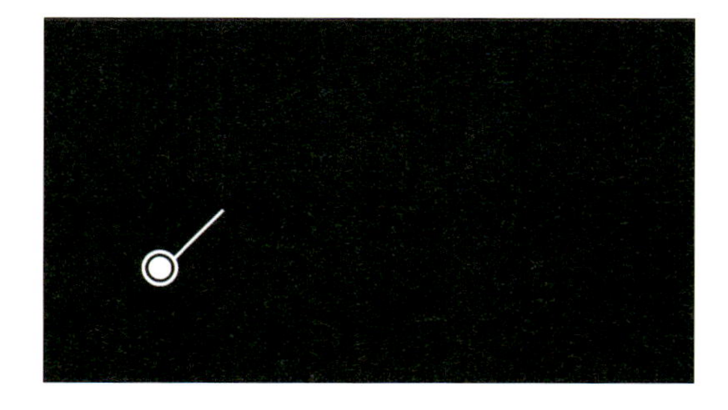

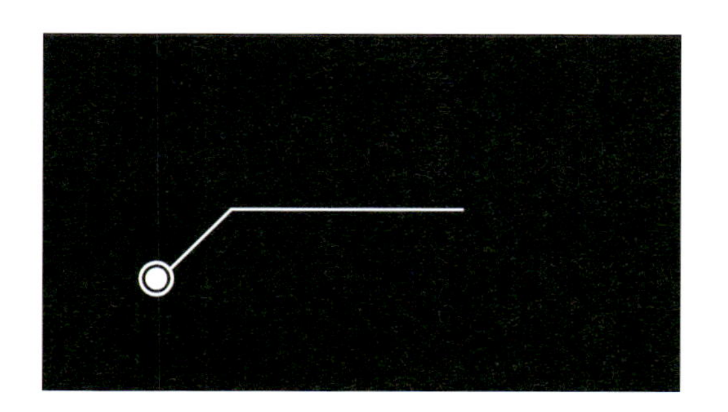

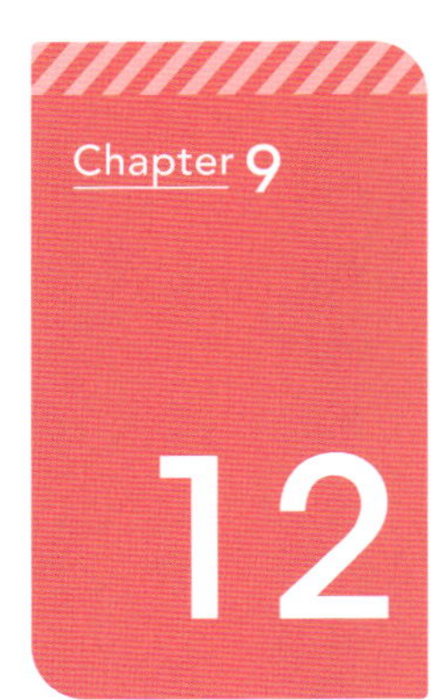

マスクを使ってテキストのアニメーションを作成する

コールアウトタイトルのテキストアニメーションを作成しましょう。ここでは、ラインの中からテキストが出てくるイメージのアニメーションを、マスクを利用して作成します。

▶ 作成するテキストアニメーション

ここでは、ラインがアニメーションで描かれたら、そのラインからテキストが出現するアニメーションを設定します。

● この部分を作成

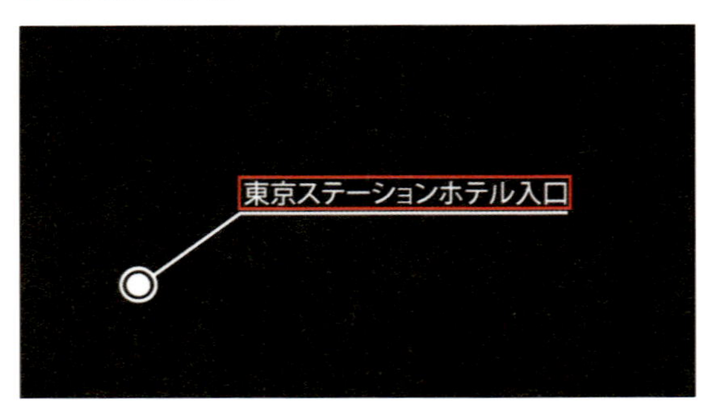

● テキストのアニメーション

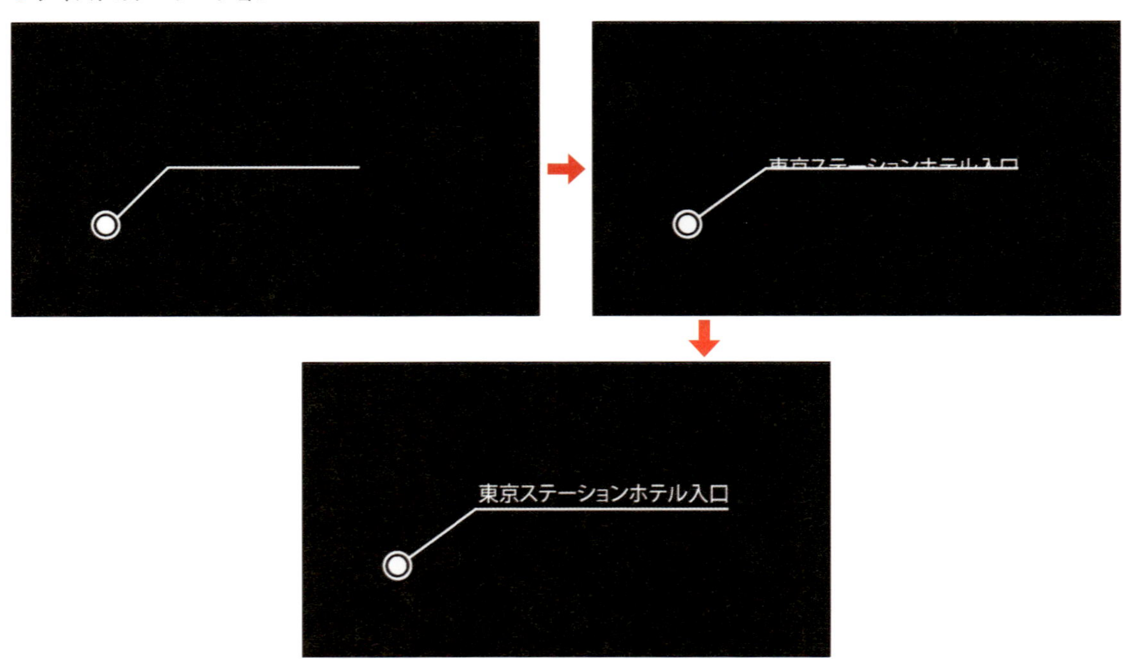

▶ テキストを入力する

ラインが伸びるアニメーションを作成できたら、ラインに合わせてテキストを入力します。

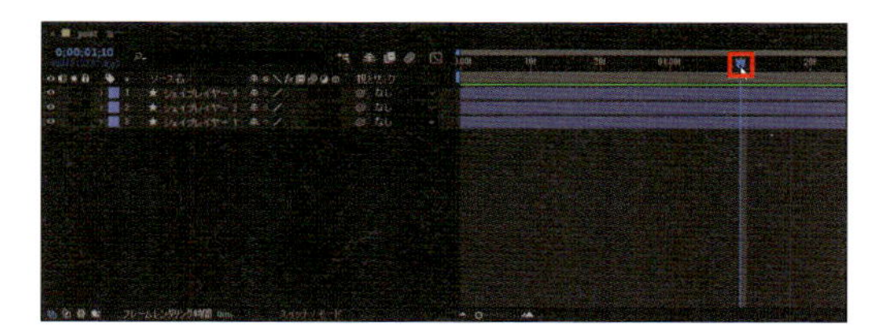

1 時間インジケーターを合わせる

時間インジケーターを、1秒10フレームの位置に合わせます。

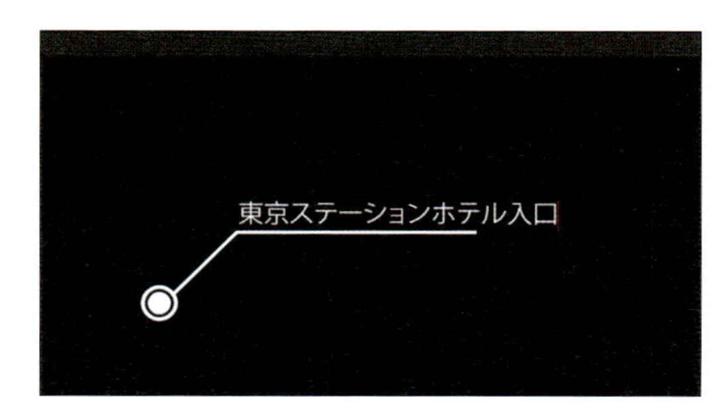

2 テキストを入力する

ツールバーから横書き文字ツールを選択し、テキストを入力します。テキストは、なるべくラインに近づけて配置します。

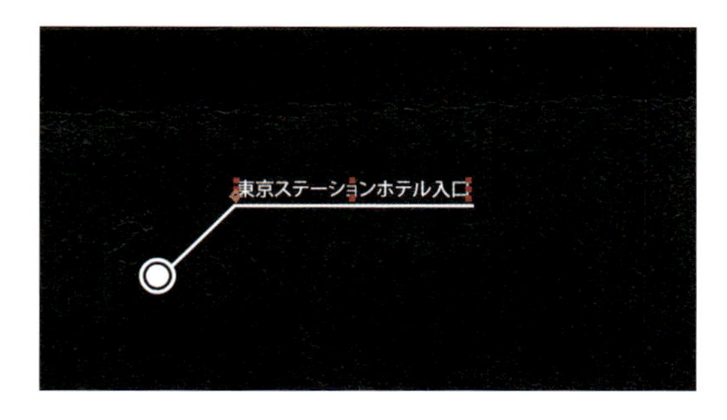

3 テキストをカスタマイズする

必要に応じて、フォントやサイズ、文字色などを調整します。

▶ ラインを編集する

テキストを入力できたら、テキストの長さに合わせてラインの長さを調整します。この場合、レイヤーのオプションで調整します。

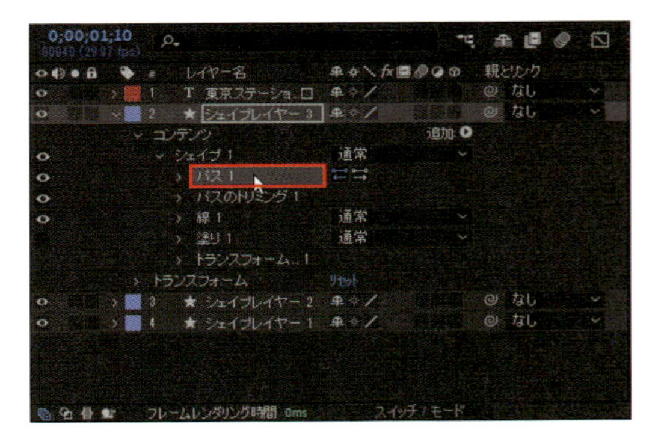

1 オプションを表示する

ラインのレイヤー「シェイプレイヤー3」を展開し、「コンテンツ」→「シェイプ1」→「パス1」を選択します。

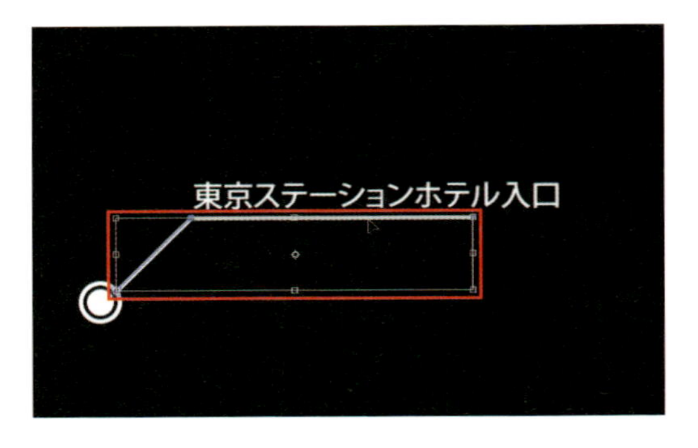

2 ラインをダブルクリックする

ラインをダブルクリックして、選択状態にします。

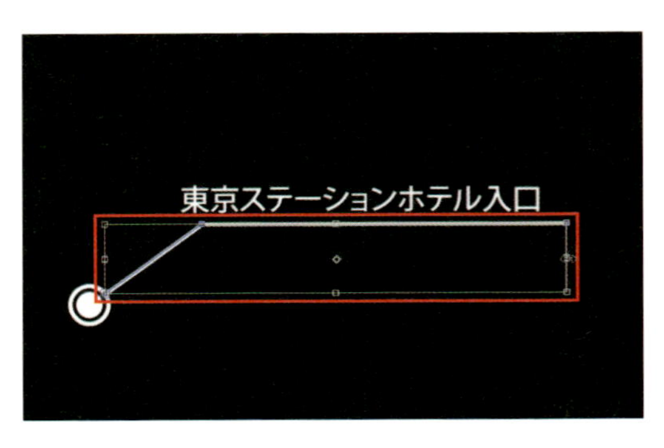

3 ハンドルを調整する

□のハンドルをドラッグして、サイズを調整します。

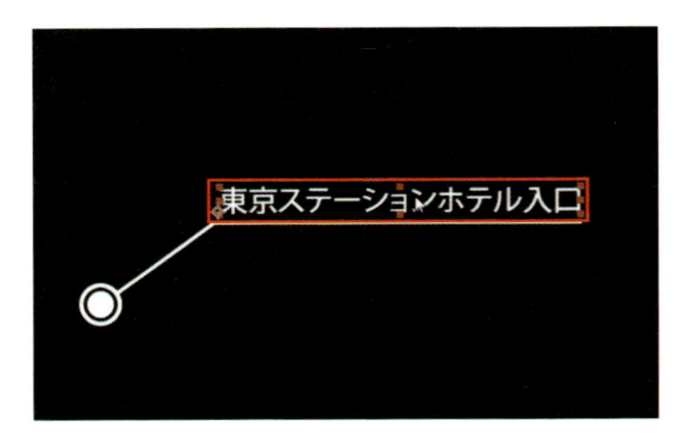

4 テキストを調整する

調整後、テキストの位置を調整します。

▶ マスクを設定する

テキストにマスクを設定します。マスクは、「長方形ツール」を利用して作成します。

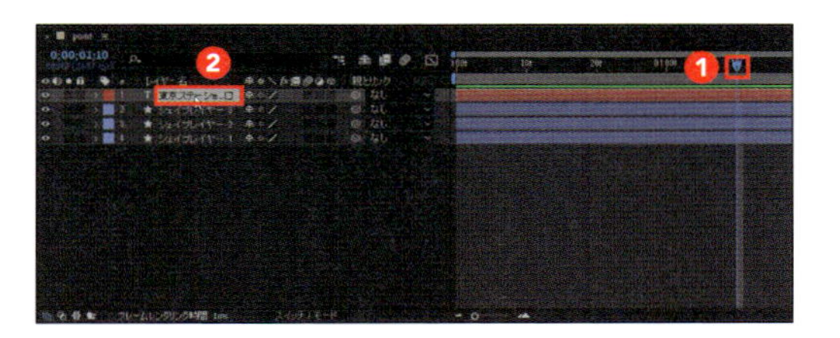

1 テキストレイヤーを選択する

時間インジケーターが、テキストのアニメーションが完了する1秒10フレーム目にあることを確認❶します。確認できたら、テキストレイヤーをクリックして選択❷します。

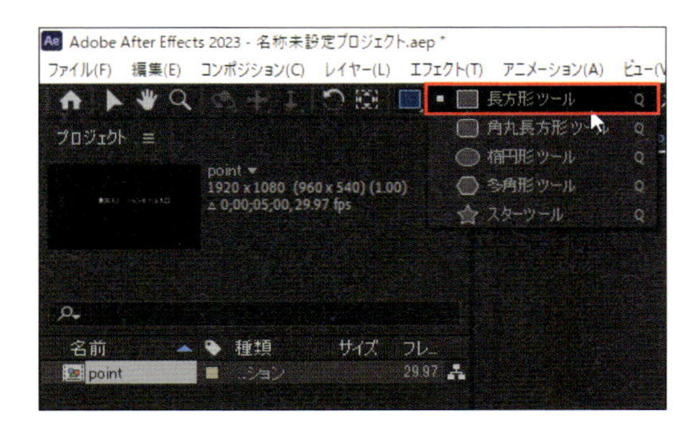

2 長方形ツールを選択する

ツールバーから、「長方形ツール」を選択します。

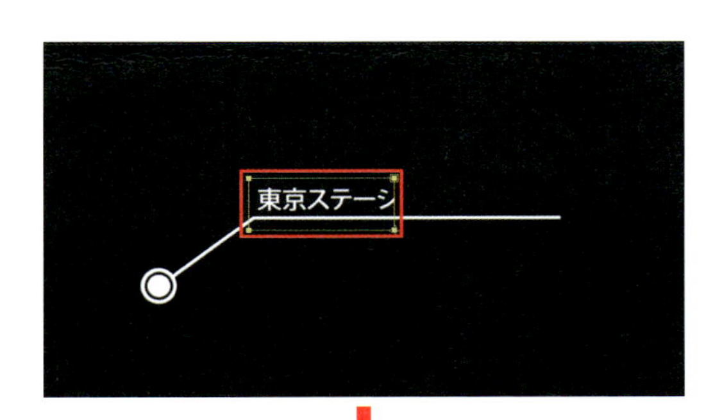

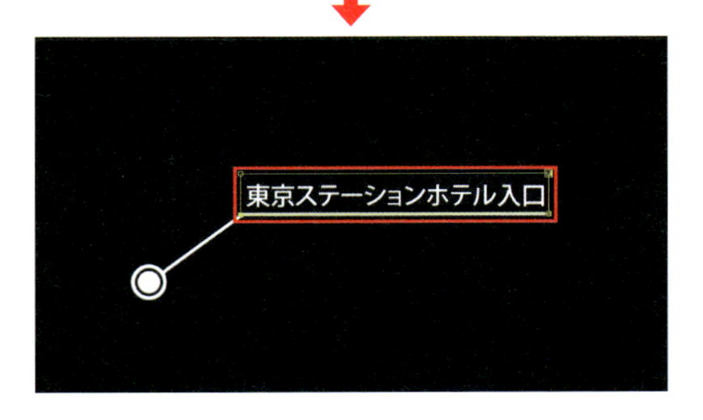

3 マスクを設定する

テキストを囲むようにして四角形を描きます。このとき、四角形の中にあるテキストは表示されますが、外にあるテキストは表示されません。また、四角形の底辺がラインと重なるように作成します。

▶ アニメーションを設定する

マスクを作成できたら、マスクの外から中にテキストが移動するようにアニメーションを設定します。

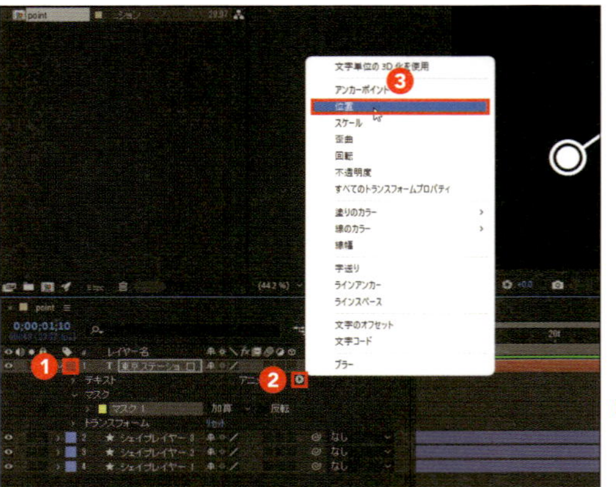

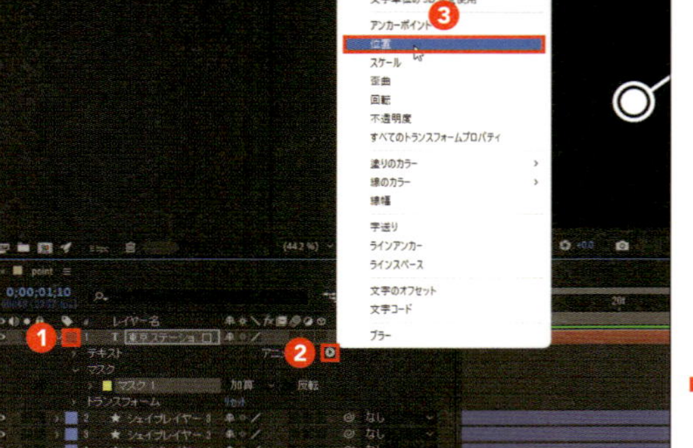

1 「位置」を選択する

テキストのレイヤーを展開し、「テキスト」❶オプションの右にある「アニメーター」の▼❷をクリックし、「位置」❸を選択します。レイヤーには、「アニメーター1」→「範囲セレクター1」→「位置」❹が追加されています。

2 アニメーションの終了状態を設定する

時間インジケーターが1秒10フレーム❶にある状態が、テキストがアニメーションによって表示された最終状態です。この位置に時間インジケーターがあることを確認し、テキストレイヤーの「テキスト」→「アニメーター1」→「位置」のストップウォッチをクリック❷して、アニメーションをオンにします。このとき、タイムラインにはキーフレーム❸が設定されます。

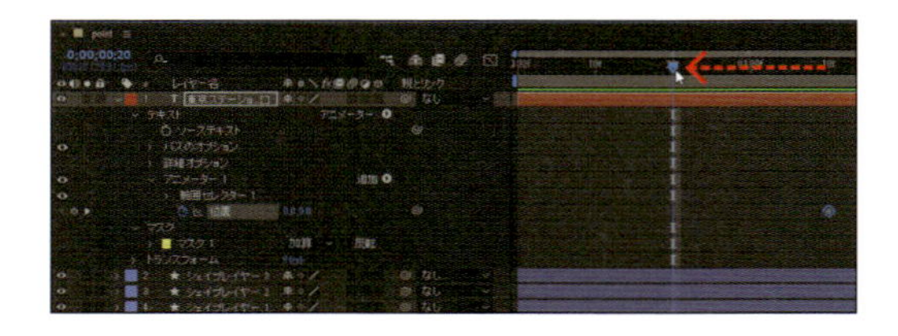

3 時間インジケーターを移動する

時間インジケーターを、ラインアニメーションが終了する20フレームに合わせます。ここから、テキストアニメーションが開始されます。

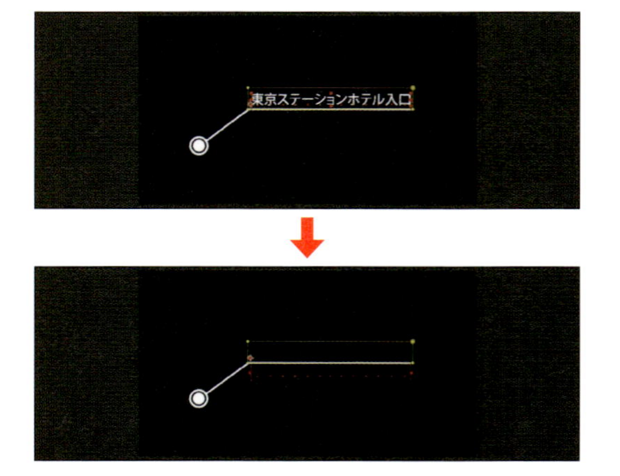

4 「位置」のパラメーターを変更する

「位置」の2つあるパラメーターのうち、右側のY軸の座標値をスクラブなどで変更し、テキストがマスクの下に隠れるように変更します。

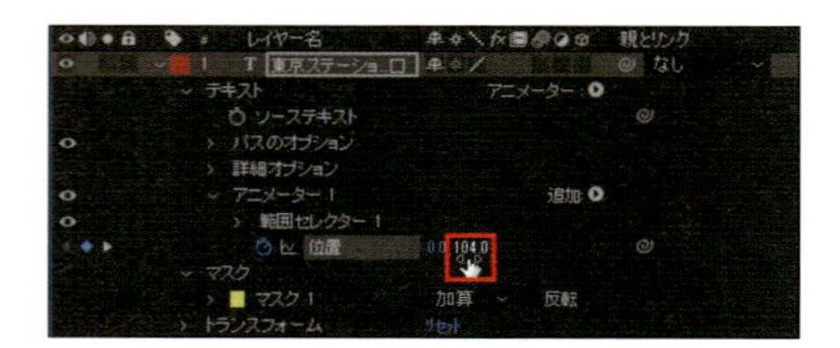

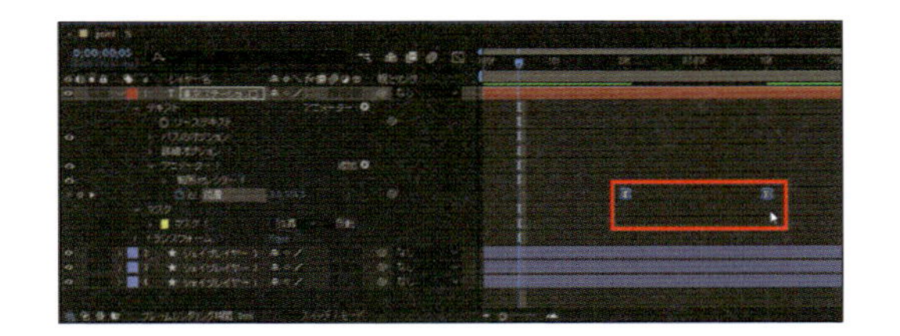

5 イージーイーズを設定する

「位置」のタイムラインに設定した2つのキーフレームを選択して F9 キーを押し、イージーイーズを設定します。

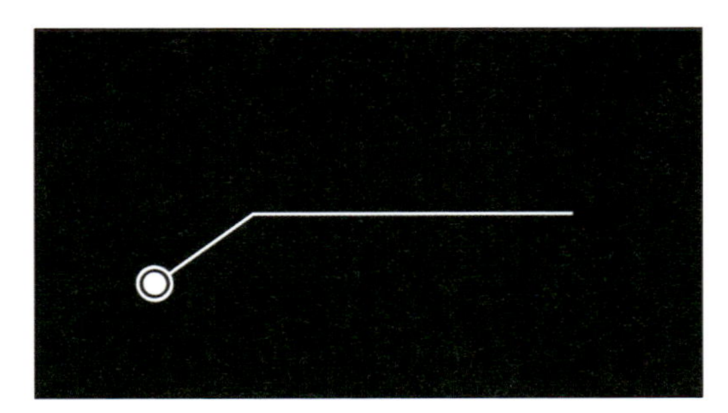

6 アニメーションを確認する

時間インジケーターをドラッグして、アニメーションを確認します。

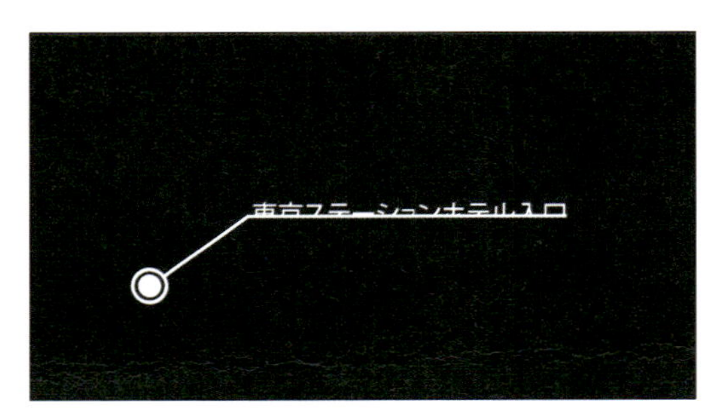

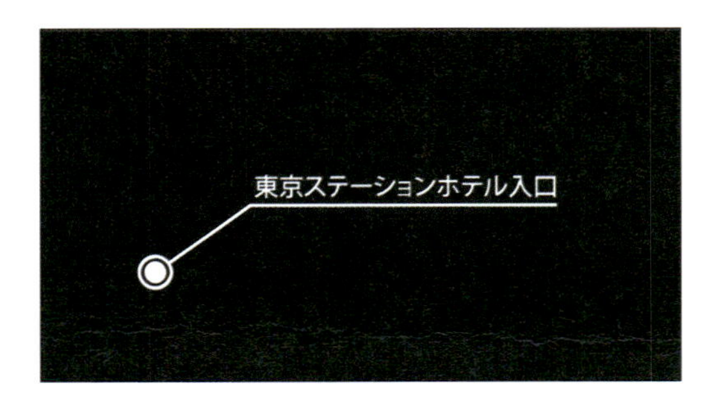

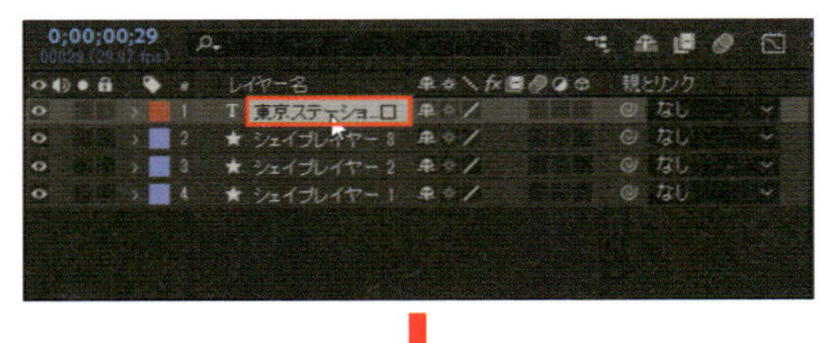

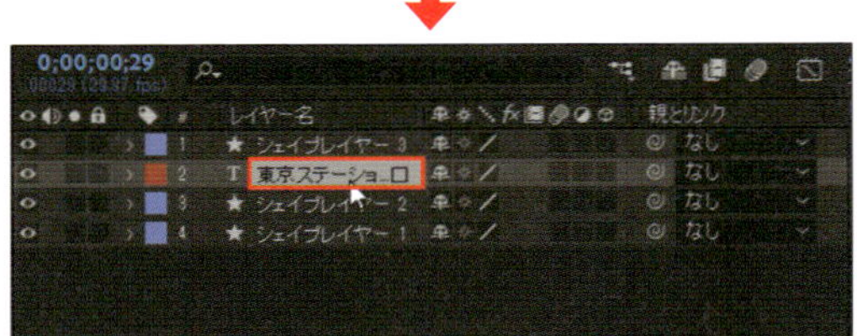

7 レイヤーの位置を変更する

ラインとテキストが同じ白色なのでわかりずらいですが、アニメーションを再生すると、テキストがラインの上に重なった状態で出現します。これを、テキストがラインの下になって出現させるには、テキストのレイヤーをラインレイヤーの下に移動します。

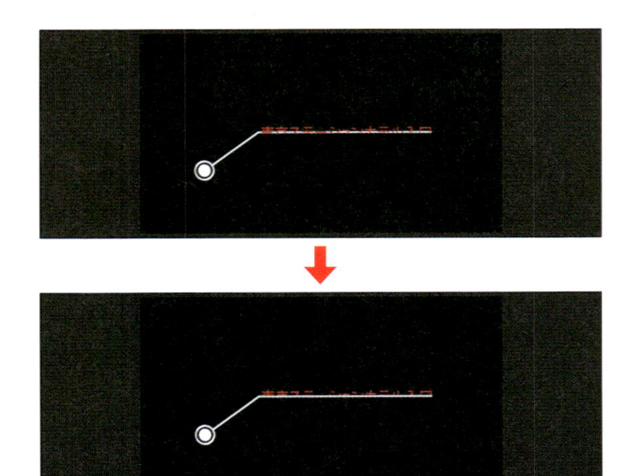

Chapter 9

13

テキストとラインが消えるアニメーションを作成する

アニメーションによって表示させたコールアウトタイトルを、今度はアニメーションによって消します。キーフレーム設定やパラメーター変更を手動で行う作業が多いので、注意して設定してください。

▶ 表示したタイトルをアニメーションで消す

アニメーションで表示したコールアウトタイトルを、今度はアニメーションで消します。キーフレームやパラメーターの設定を、表示するときとは真逆に設定します。

1 キーフレームだけを表示する

レイヤーのオプションをすべて閉じた状態にします。このとき、レイヤーは選択しないでください。この状態でUキーを押すと、キーフレームのあるオプションだけが表示されます。

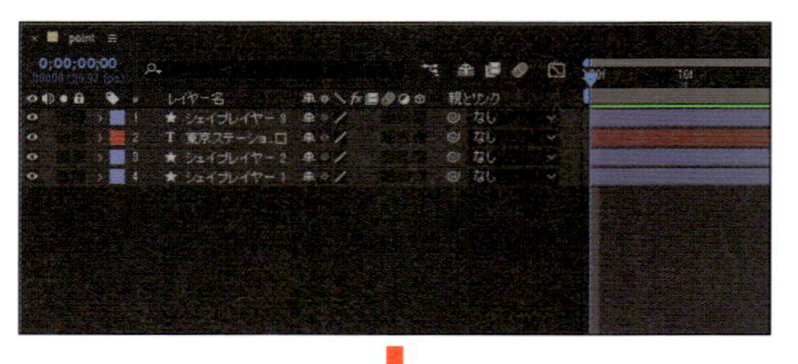

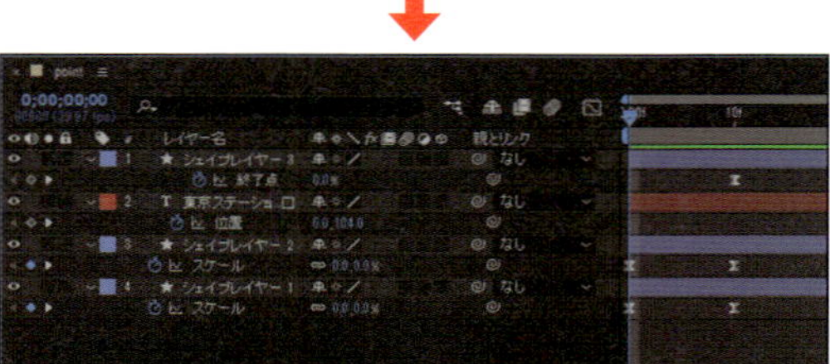

2 手動でキーフレームを設定する

テキストレイヤーの2つ目のキーフレームに対応させるため、3秒20フレームに時間インジケーターを合わせ❶、「キーフレーム追加」❷をクリックします。これで、時間インジケーターの位置にキーフレームが設定されます❸。

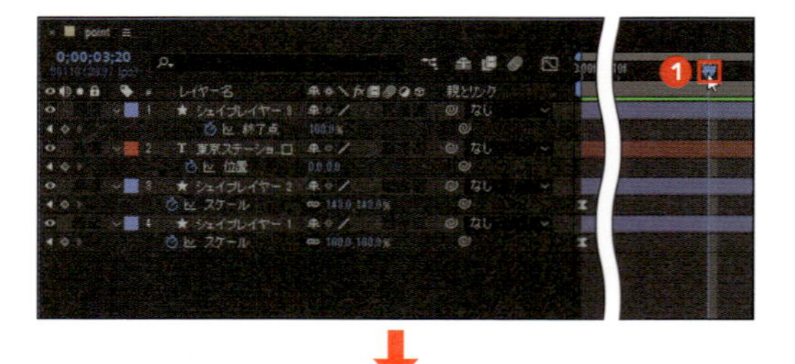

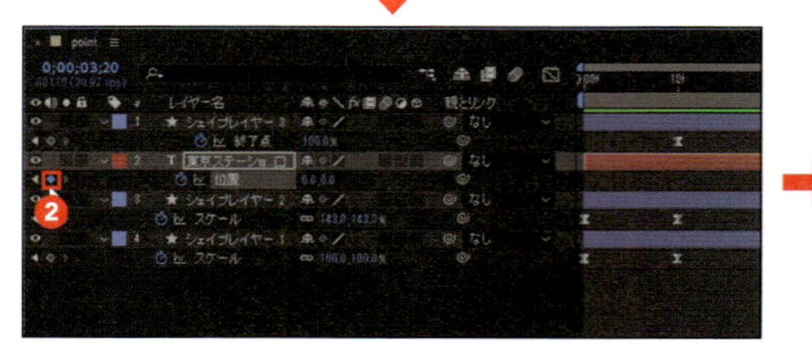

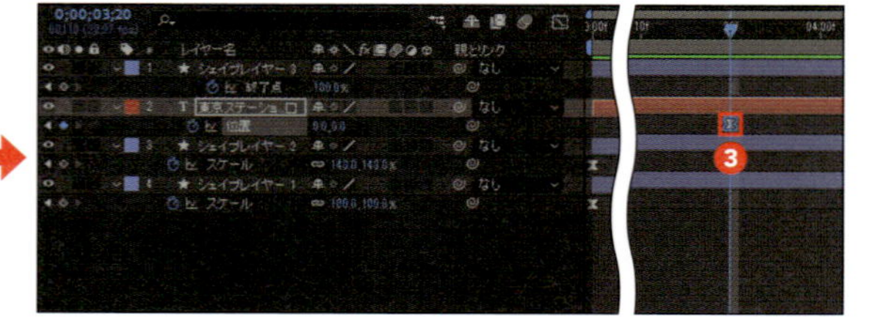

3 キーフレームのパラメーターを手動で変更する

表示したときの設定とは逆になるように、パラメーターを設定します。たとえば、画面では表示のアニメーションのパラメーターを、消えるパラメーターでは逆に設定しています。

● スタート時の設定

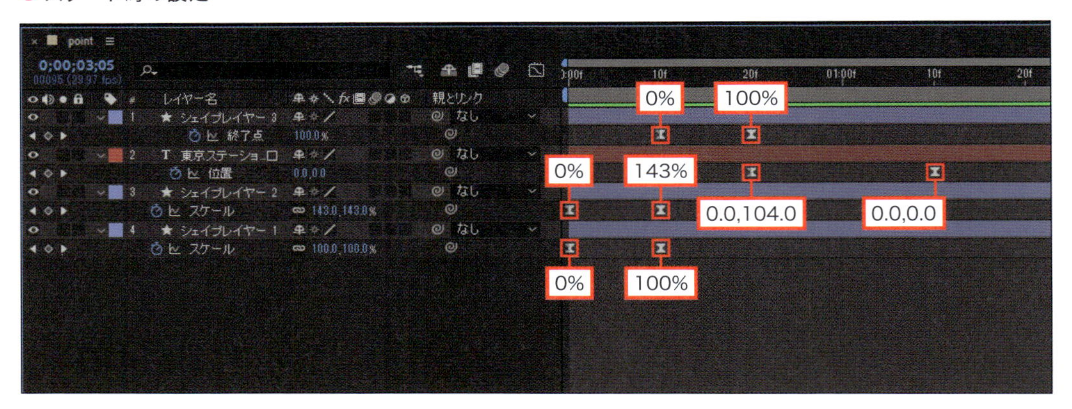

● 消えるときの設定

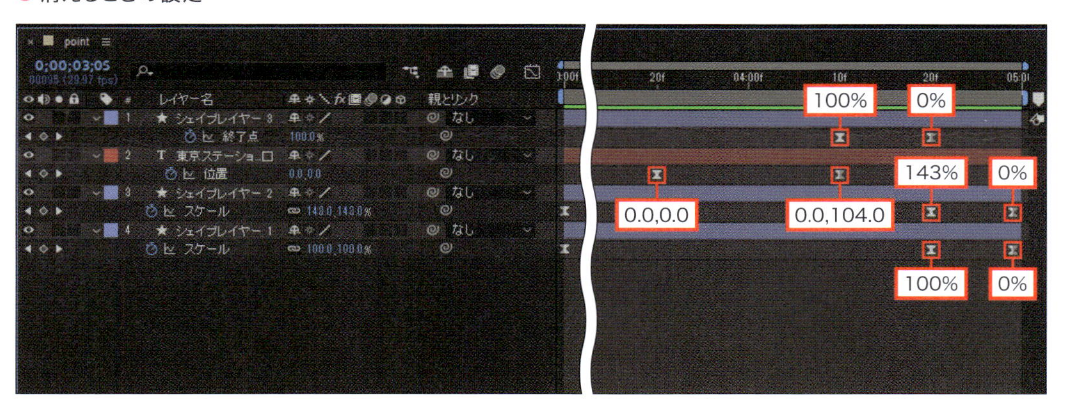

4 アニメーションを確認する

時間インジケーターをドラッグして、アニメーションを確認します。

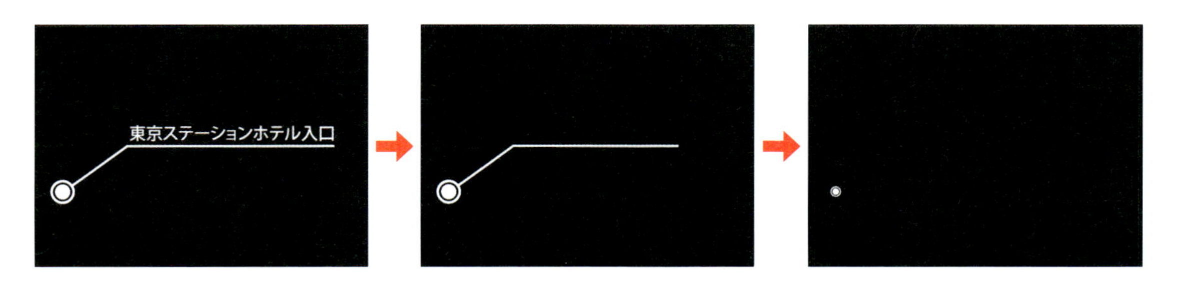

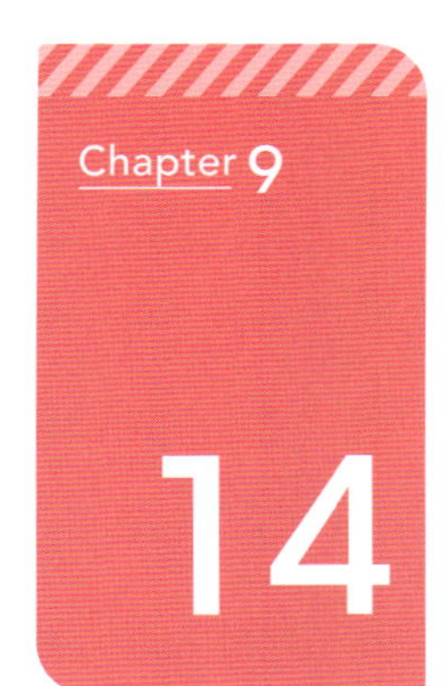

トラッキングで映像と合成する

作成したコールアウトタイトルを、After Effects上で動画データと合成します。合成したデータは、Premiere Proの素材としても利用できます。

フッテージと合成する

作成したコールアウトタイトルを動画のフッテージと合成するため、新規コンポジションを作成しましょう。P.336では、作成したコンポジションをPremiere Proにクリップとして取り込んで利用する方法を解説しています。

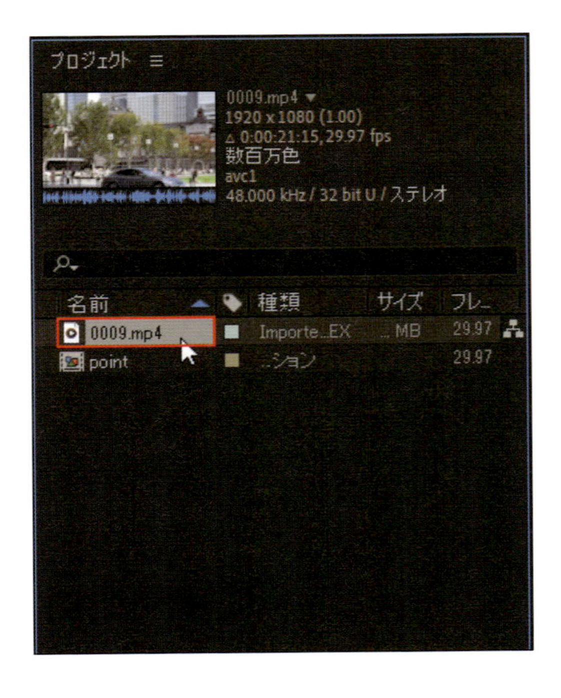

1 フッテージを読み込む

コールアウトタイトルを編集中のプロジェクトに、動画ファイルをフッテージとして読み込みます。

POINT プロジェクトを保存する

プロジェクトの保存を行っていない場合は、保存しておきましょう。どこにどのような名前で保存したかは、Premiere Proで利用する場合に必要になります。ここでは、「Calol_out」というファイル名で保存しました。

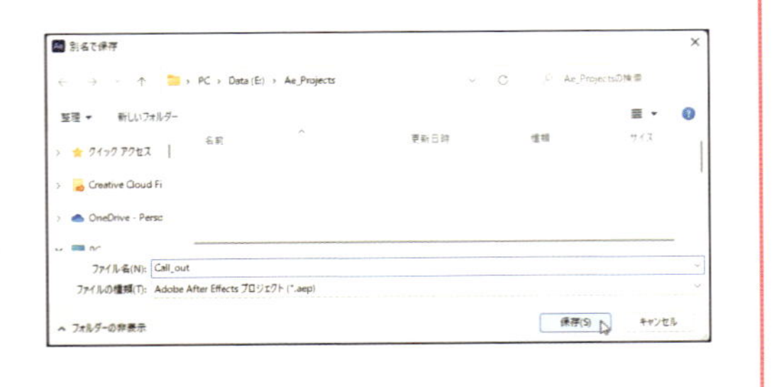

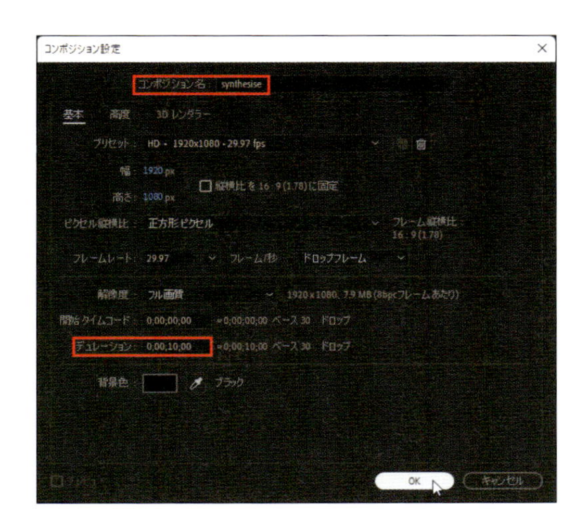

2 新規コンポジションを作成する

動画データと合成するための新規コンポジションを作成します。ここでは、コンポジション名を「合成」という意味の「synthesise」に設定し、10秒のデュレーションで作成します。その他の設定は、フルハイビジョンの動画ファイルの設定を基本にしています。

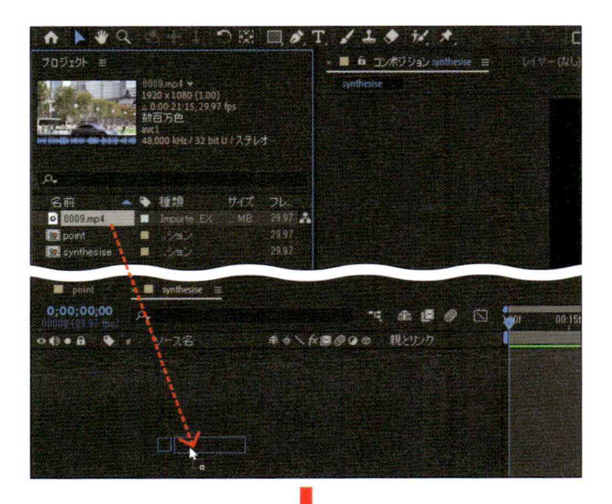

3 フッテージを配置する

作成したコンポジションに、フッテージを配置します。「タイムライン」パネルのレイヤー部分にフッテージをドラッグ＆ドロップして配置します。

4 映像の利用範囲を決める

動画のデュレーションが10秒より長い場合、タイムラインのデュレーションバーをドラッグして利用する範囲を決めます。再生ヘッドを左端に合わせ❶、デュレーションバーをドラッグして、スタート位置のフレーム❷を決めます。

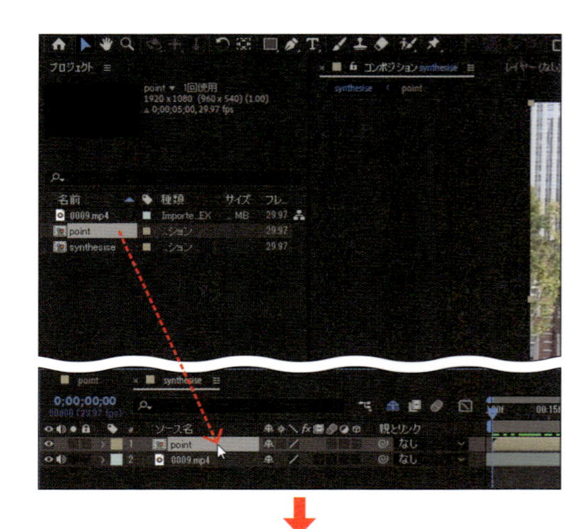

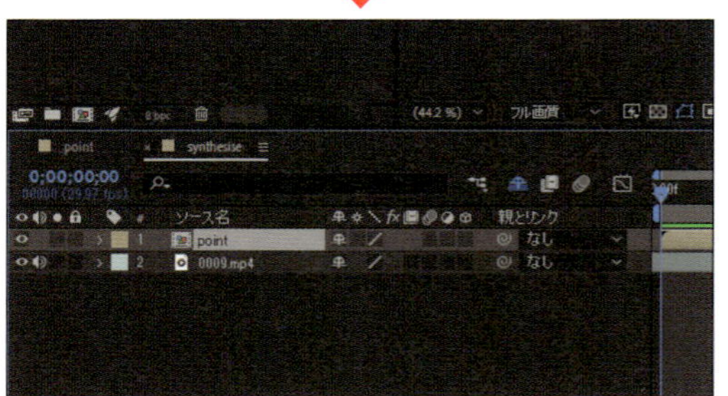

5 コンポジションを フッテージの上に配置する

フッテージを配置したタイムラインに、コールアウトタイトルを作成したコンポジションをドラッグ＆ドロップして配置します。このとき、コンポジションはフッテージの上に配置してください。下に配置すると、コールアウトタイトルが表示されません。

6 コールアウトタイトルを確認する

時間インジケーターをドラッグして、コールアウトタイトルを確認します。サイズが適切ではありませんが、この後調整します。

▶ トラッキングを実行する

配置したコールアウトタイトルを、映像の必要な部分をポイントさせ、オブジェクトが移動しても一緒に移動するようにトラッキングを実行します。

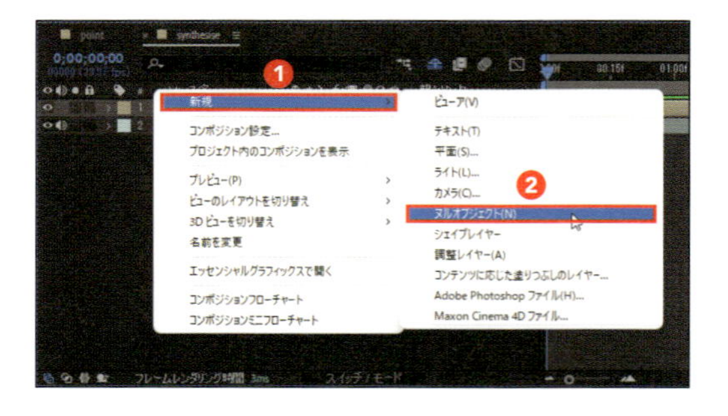

1 ヌルオブジェクトを設定する

タイムラインのレイヤー部分で右クリック❶し、「新規」→「ヌルオブジェクト」❷を選択します。

POINT ヌルオブジェクトについて

ヌルオブジェクトはレイヤーなのですが、レンダリングして動画ファイルとして出力しても表示されない、特殊なレイヤーです。デフォルトのサイズは100px×100pxで、サイズ調整ができます。動きのパラメーターをヌルオブジェクトに設定し、テキストやシェイプなど他のレイヤーとの間に親子関係を設定することで、動きを一括して制御できるようになります。ここでも、その方法で利用します。ちなみに、名前の「Null」には、「何もない」という意味があります。

2 フッテージを選択する

「タイムライン」パネルでフッテージを選択します。

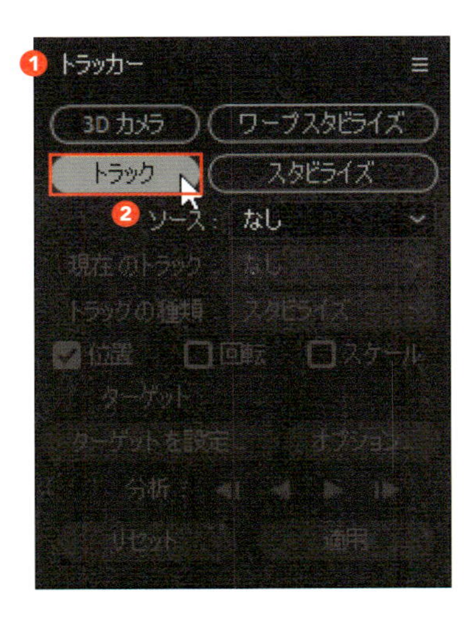

3 トラックを選択する

パネルグループで「トラッカー」❶の「トラック」❷をクリックします。

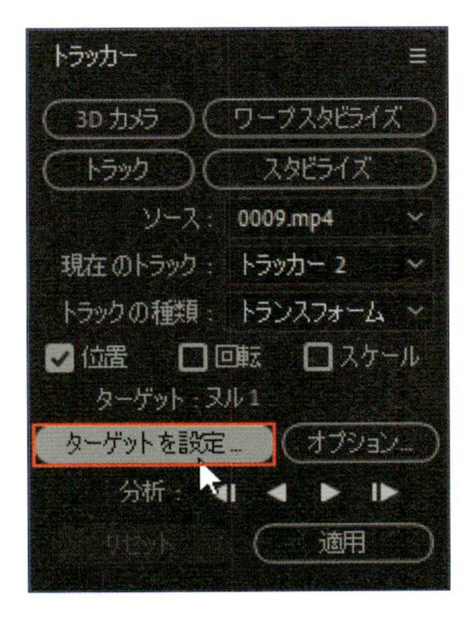

4 トラッキングを設定する

設定項目が表示されるので、「ターゲットを設定」をクリックします。

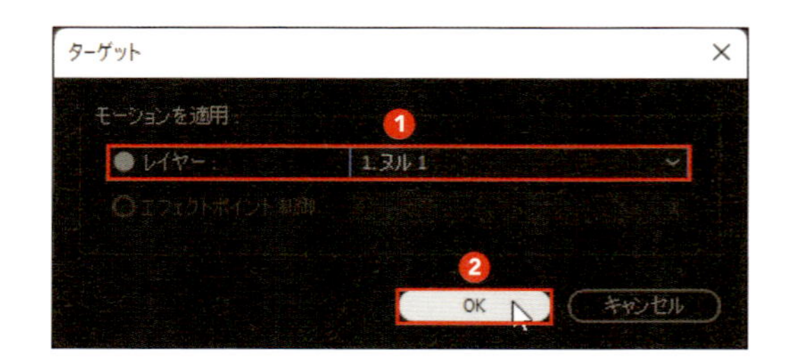

5 ターゲットを設定する

表示されたダイアログボックスの「レイヤー」で「ヌル 1」を選択し❶、「OK」をクリックします❷。

6 トラックポイントを設定する

「レイヤー」パネル中央に、「トラックポイント 1」と表示されているトラックポイントがあります。このポイントを、追尾したいポイントに合わせます。画面では、赤○の部分にトラックポイントを合わせます。

7 トラックポイントを調整する

トラックポイントは、2つの枠で構成されています。枠は、それぞれサイズを変更できます。外枠❶で動きを検出する範囲を、中枠❷で追尾するポイントを指定します。

8 ポイントを指定する

追尾するポイントは、コントラストがはっきりしている部分がベストです。トラックポイントの中心をドラッグして、追尾したいポイントに合わせます。このとき、追尾したいポイントにトラックポイントを合わせやすいように、中央部分が拡大表示されます。

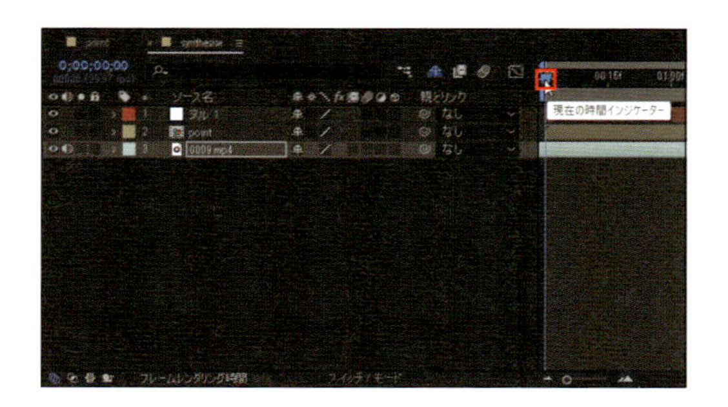

9 時間インジケーターを左端に合わせる

タイムラインの時間インジケーターを左端に合わせます。

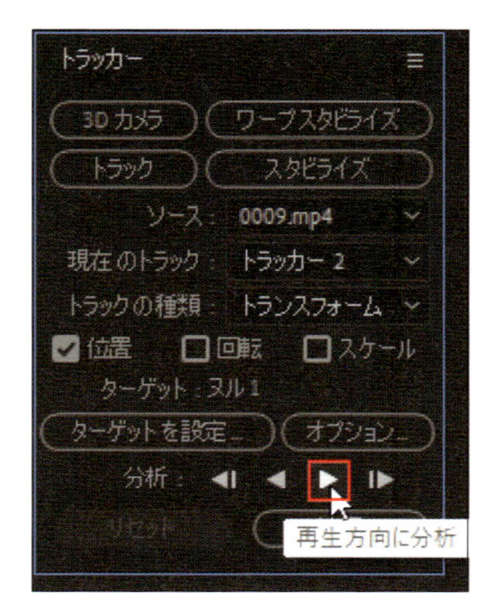

10 トラッキングを開始する

トラッカーの「再生方向に分析」をクリックします。

11 トラッキングが実行される

トラッキングが開始されると、トラックポイントがトラックポイントを追尾して一緒に移動します。

12 トラッキングが終了する

トラッキングが終了すると、追尾した形跡がキーフレームとして表示されます。

13 トラッキングを「適用」する

トラッキングが終了したら、トラッカーにある「適用」をクリックします。

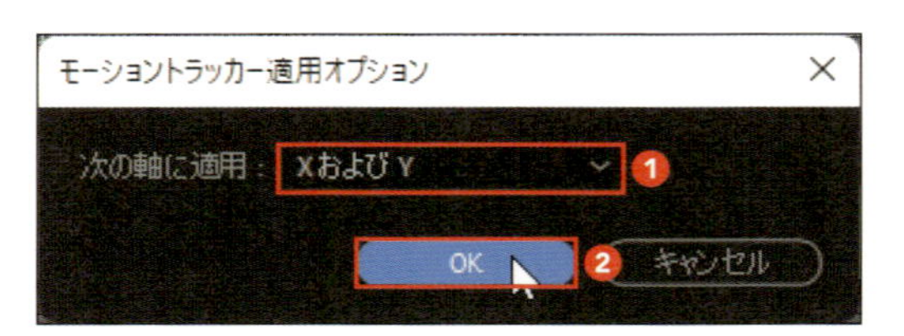

14 「OK」をクリックする

適用オプションが表示されるので、「XおよびY」を選択して❶「OK」をクリックします❷。このオプションによって、上下、左右の動きに対応できるようになります。

15 ヌルオブジェクトを確認する

ヌルオブジェクトは、指定したポイント部分に左上部分が重なっています。時間インジケーターをドラッグすると、ヌルオブジェクトとポイントが一緒に移動します。なお、ヌルオブジェクトの場合、アンカーポイントが左上にあります。

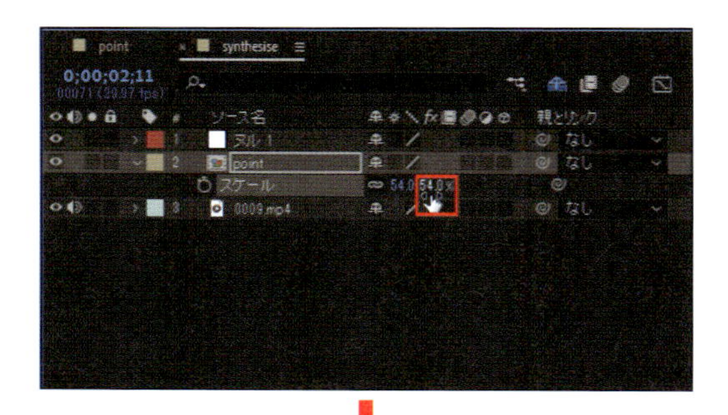

16 タイトルのサイズを変更する

タイトルのサイズを調整します。配置したコンポジションを選択してSキーを押し、「スケール」を表示します。ここでサイズを調整します。

17 親子関係を設定する

ヌルオブジェクトとタイトルのレイヤーに、親子関係を設定します。ヌルオブジェクトを「親」とし、タイトルのレイヤーを「子」にします。設定は、タイトルレイヤーの「ピックウィップ」❶を「ヌル 1」という名前の上にドラッグ&ドロップ❷します。これで、親の名前が表示されます❸。

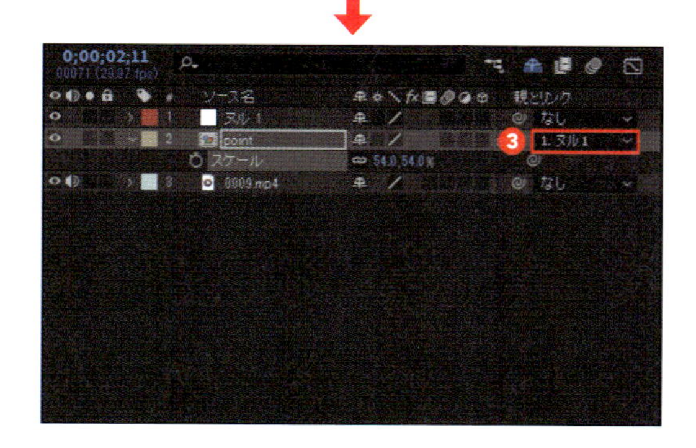

18 タイトル位置を変更する

タイトルの○のポイント部分を、映像のポイント部分に重ねます。これで設定が終了です。

19 アニメーションを確認する

再生すると、コールアウトタイトルがアニメーションしながら移動するのが確認できます。

POINT

コンポジションがプリコンポーズされている

コンポジションを別のコンポジションにレイヤーとして配置すると、「プリコンポーズ」といって、複数のレイヤーを1本にまとめることができます。手動でも設定できますが（P.322）、この方法がかんたんです。

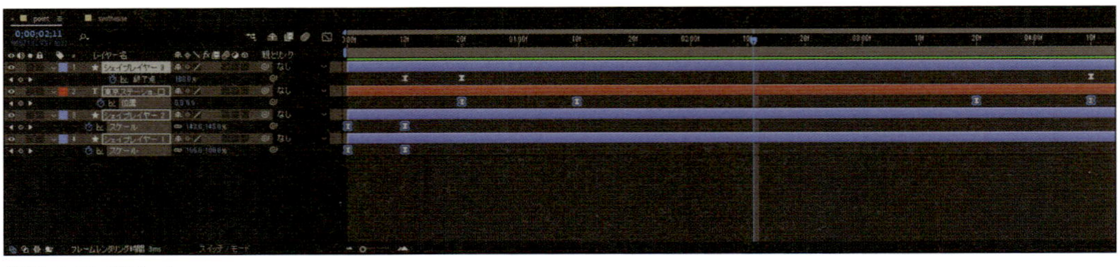

作成したコンポジション。

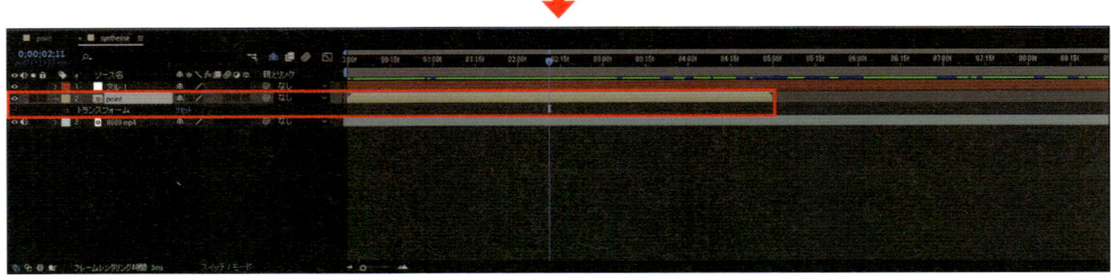

プリコンポーズされたコンポジション。

After Effects 編

Chapter 10

レイヤー・エフェクトを活用する

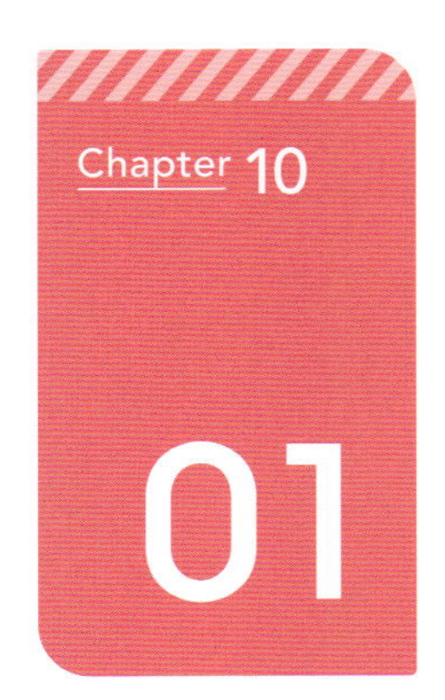

カメラレイヤーで 3D空間を利用する

After Effectsには「3Dレイヤー」という機能があり、3D空間を活用したエフェクトや効果が利用できます。ここでは、その中から「カメラレイヤー」の基本的な使い方について解説します。

▶ 3Dレイヤーを有効にする

After Effectsは、基本的には2Dの世界でデータを作成していますが、3Dを利用できるようにするための「3Dレイヤー」という機能がすべてのレイヤーに備えられています。この機能をオンにすると、そのレイヤーで3D空間を利用できるようになります。また、3D空間を移動するための「総合カメラ」ツールも利用できるようになります。

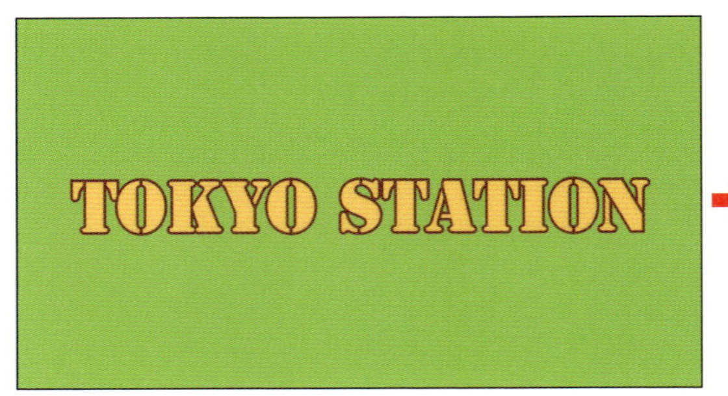

2Dの世界のデータ。

3D空間を利用できる。

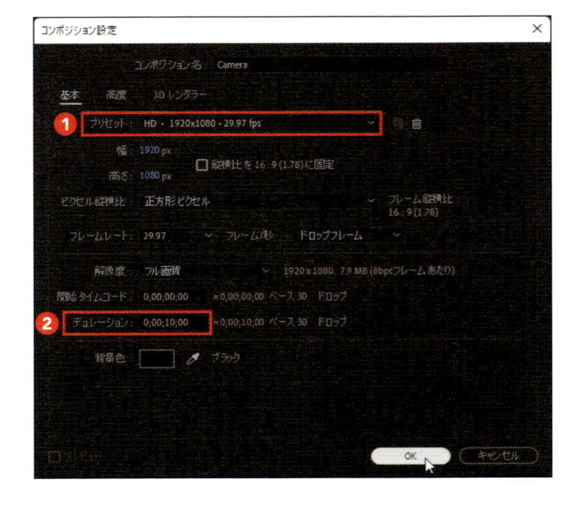

1 新規コンポジションを設定する

3Dレイヤーを利用するための、新規コンポジションを設定します。ここでは、フルハイビジョンフォーマットに準拠した❶、デュレーション10秒❷のコンポジションを設定しました。

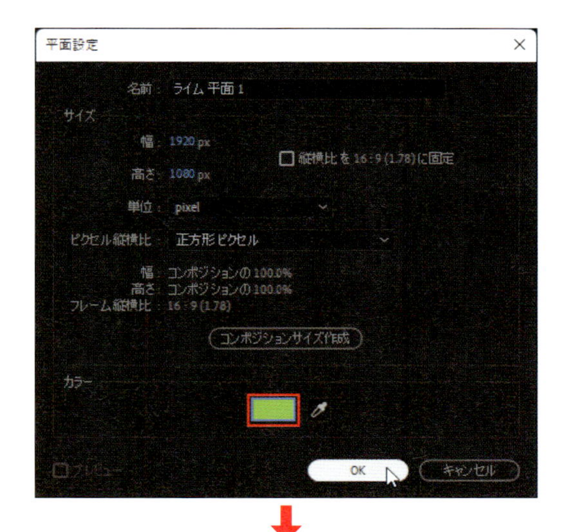

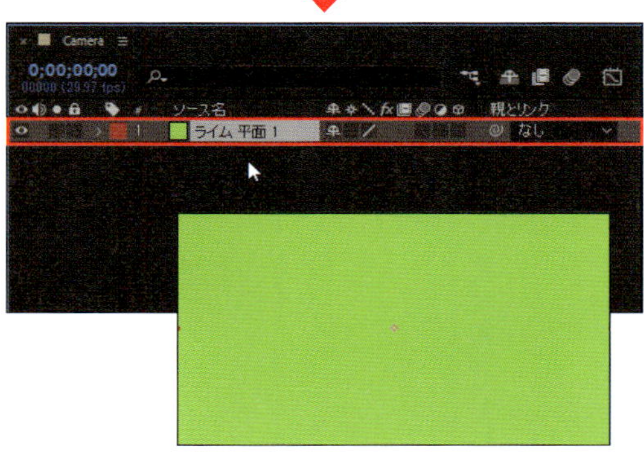

2 平面レイヤーを設定する

「タイムライン」パネルで右クリックして「新規」→「平面」を選択するか、メニューバーから「レイヤー」→「新規」→「平面」を選択して、平面レイヤーを設定します。背景には、好みの色を設定してください。この平面レイヤーは、この後、背景として利用します。

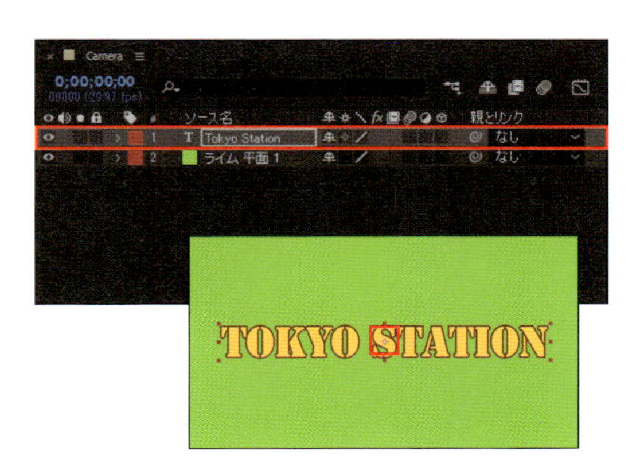

3 テキストレイヤーにテキストを入力する

続いてテキストレイヤーを設定し、文字を入力します。テキストレイヤーも、平面レイヤーと同様「タイムライン」パネルの右クリックかメニューバーの「レイヤー」メニューで設定します。Ctrl（macOS：command）キーを押しながらアンカーポイントツールをダブルクリックし、アンカーポイントをテキストの中央に移動しておきます。

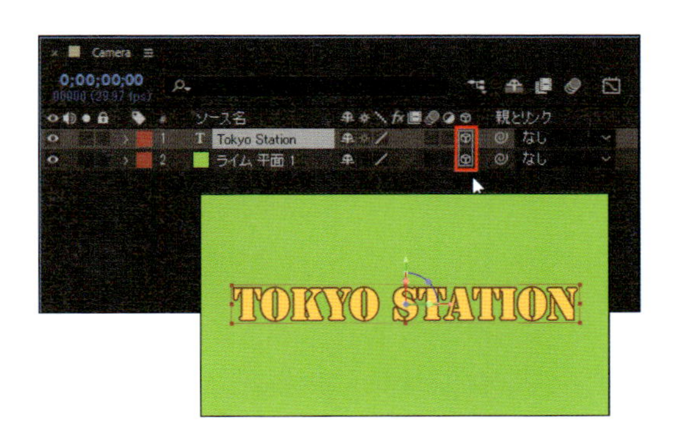

4 「3Dレイヤー」を有効にする

平面レイヤー、テキストレイヤー、それぞれの「3Dレイヤー」のスイッチをクリックしてオンにします。オンにすると、3Dのアイコンが表示されます。

カメラレイヤーを追加する

各レイヤーが3Dレイヤーとして利用できるようになったら、続いてカメラレイヤーを追加します。カメラレイヤーは、カメラの視点で映像表現ができるレイヤーです。たとえば、絞りの調整や被写界深度を利用したフォーカス機能など、カメラのファインダーを通して表現したかのようなエフェクトを演出できます。

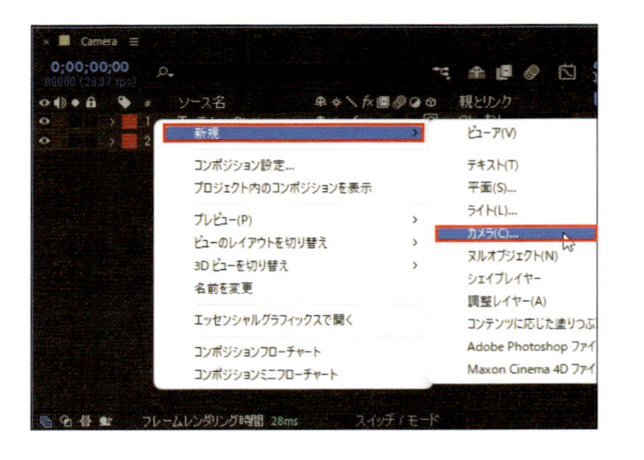

1 「カメラ」を選択する

「タイムライン」パネルを右クリックして「新規」→「カメラ」を選択するか、メニューバーから「レイヤー」→「新規」→「カメラ」を選択します。

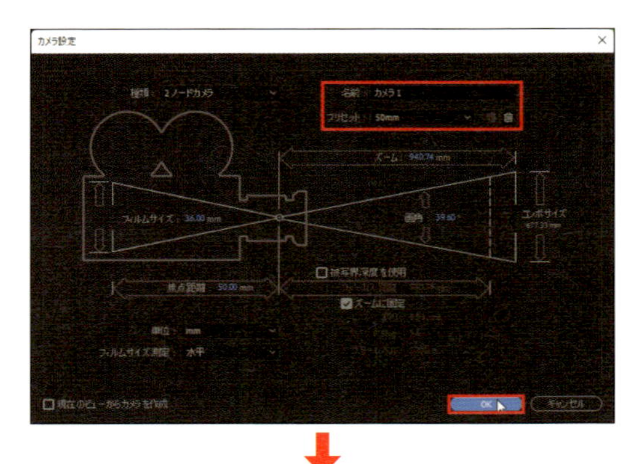

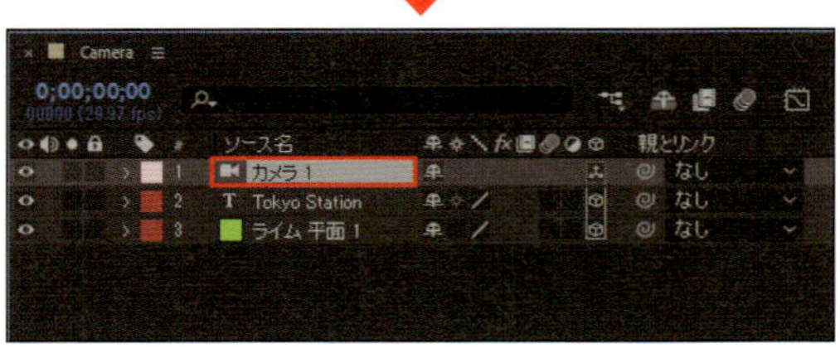

2 カメラのプリセットを選択する

「カメラ設定」パネルが表示されるので、必要な設定を行い、「OK」をクリックします。ここでは、「プリセット」で「50mm」を選択しています。これによって、50mmのレンズを利用したような効果が表現されます。なお、カメラレイヤーの名前はデフォルトで「カメラ1」です。

3 3D変形ギズモを確認する

3D空間でナビゲーションを行うための、3D変形ギズモ（オブジェクトを動かす）の内容を確認します。詳しくは、右ページで確認してください。カメラでのギズモ（カメラのアングルを変更する）については、この後の「10-02 カメラレイヤーをアニメーションさせる」で解説しています。

POINT 3D空間でのナビゲーション

3D空間というのは、縦（Y軸）と横（X軸）で表現する2次元に、奥行きを表現する「Z軸」を追加することで、立体的な表現を実現したものです。立体的な空間をイメージできることは、3D表現には重要な要素です。たとえばシェイプの3Dレイヤーをオンにしてレイヤーを選択すると、オブジェクトに対して3D空間でのパン、回転、拡大・縮小するためのギズモが利用できるようになります。なお、ギズモとは3D軸や3D平面に沿って、オブジェクトを移動、回転するためのアイコンです。本書では、概要のみをお伝えします。

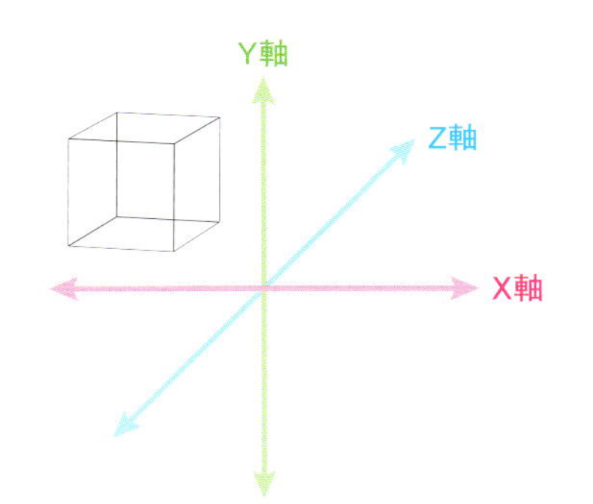

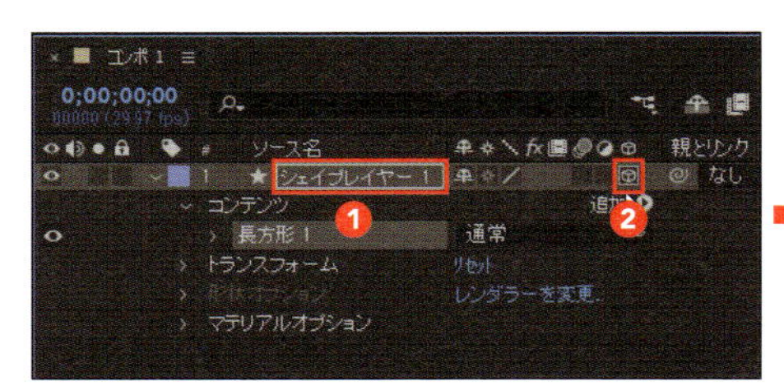

❶ シェイプレイヤーを選択
❷ 3Dをオン

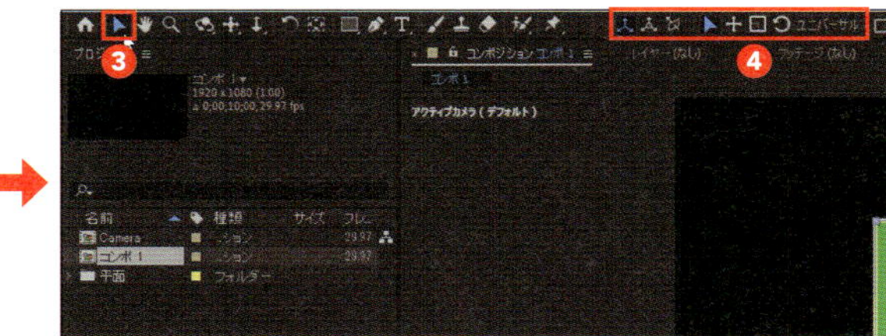

❸「選択」ツールをクリック
❹ ギズモが表示される

3D空間でのオブジェクトの位置やスケール、回転などの操作変更は、ギズモによっても選択できます。各軸のモード（❶❷❸）と操作目的のギズモ（❹❺❻❼）を選択後、コンポジション画面で上記の操作を行います。

❶ ローカル軸モード
❷ ワールド軸モード
❸ ビュー軸モード
❹ ユニバーサル
❺ 位置
❻ スケール
❼ 回転

たとえば❹の「ユニバーサル」をクリックすると、「コンポジション」パネルに表示されている「トランスフォームギズモ」の赤、青、緑の●や矢印をドラッグして、オブジェクトを操作することができます。

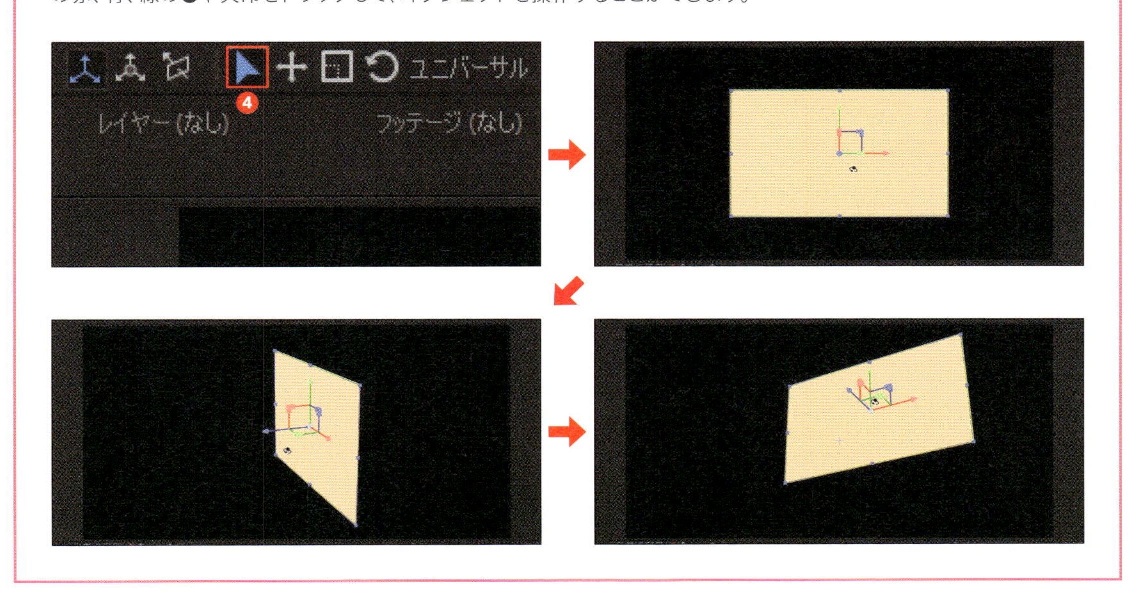

カメラレイヤーをアニメーションさせる

カメラの動きは、キーフレームを利用することでアニメーションとして動かすことができます。前節で作成したコンポジションを利用し、カメラからの視点をアニメーションさせてみましょう。

▶ カメラワークをアニメーションさせる

カメラナビゲーション用の3Dギズモを利用してカメラアングルを変えると、その状態をアニメーションさせることができます。またテキストレイヤーなどの動きも、アニメーションできます。ここでは、カメラを右側に振り、さらにテキストを背景から離すことで立体的に見せるといったアニメーションを作成してみましょう。

カメラワークを利用したアニメーション。

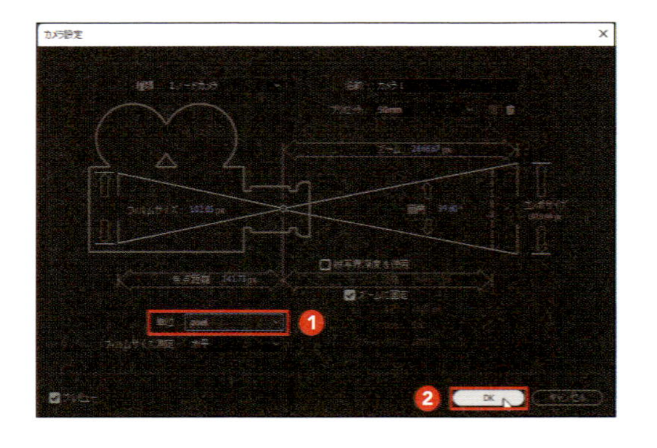

1 カメラ設定の「単位」を変更する

作業を行う前に、作業がしやすいように「単位」の設定をmmからpixelに変更しましょう。カメラレイヤーをダブルクリックすると「カメラ設定」パネルが表示されるので、「単位」の「∨」をクリックして「pixel」を選択し❶、「OK」をクリックします❷。

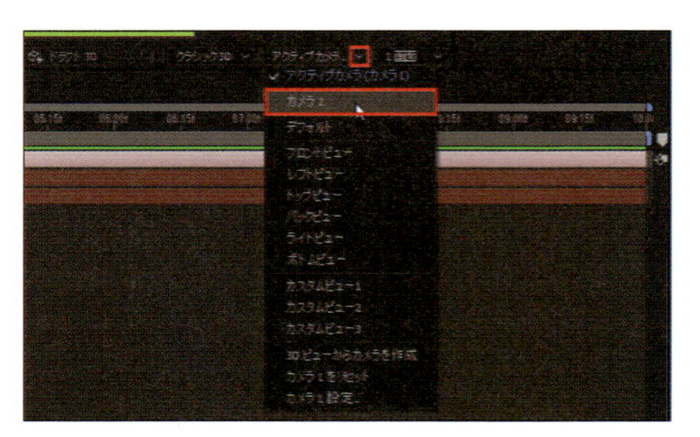

2 カメラを切り替える

「コンポジション」パネルの「アクティブカメラ」にある「∨」をクリックし、表示されたメニューから「カメラ1」を選択します。これで、手順1で設定したカメラが選択されます。

3 開始用キーフレームを設定する

タイムラインにある時間インジケーターを左端に合わせ❶、カメラレイヤーのオプションを展開して「トランスフォーム」→「位置」のストップウォッチをクリックします❷。タイムラインにキーフレームが設定され❸、ここがアニメーションの開始位置になります。

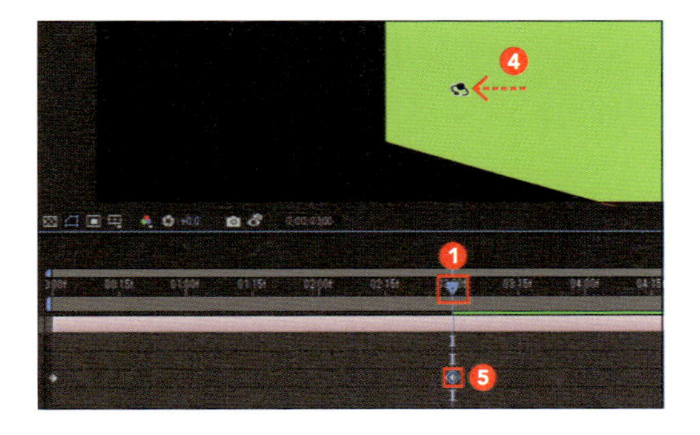

4 時間インジケーターを移動して カメラを右に振る

タイムラインの時間インジケーターを3秒の位置に移動します❶。「ツール」パネルで「カーソルのまわりを周回」ツール❷、ツールのオプション「水平方向に制約する」❸をクリックし、「コンポジション」パネルで左にドラッグします❹。これでカメラが移動し、「位置」のタイムラインにキーフレームが自動的に設定されます❺。

5 テキストの「位置」アニメーションを オンにする

時間インジケーターが3秒の位置で、テキストレイヤーの「トランスフォーム」を展開します❶。「位置」のストップウォッチをクリックしてアニメーションをオンにし❷、キーフレームを設定します❸。

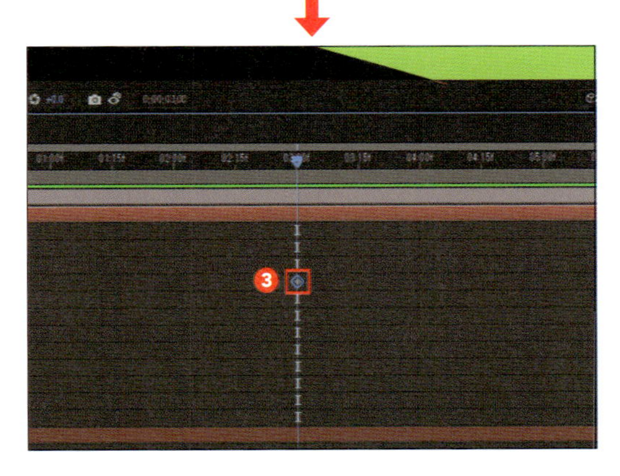

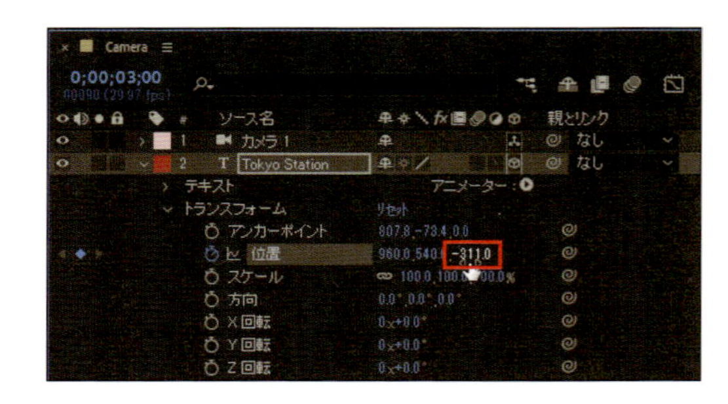

6 テキスト「位置」のZ値を変更する

時間インジケーターを6秒の位置に移動し、テキストの位置を変更します。テキストの移動は、オプションの「位置」にあるZ軸方向の値を、マイナスの数値が大きくなるように変更します。なお、プラス方向に変更すると背景の後ろに隠れてしまうので注意してください。

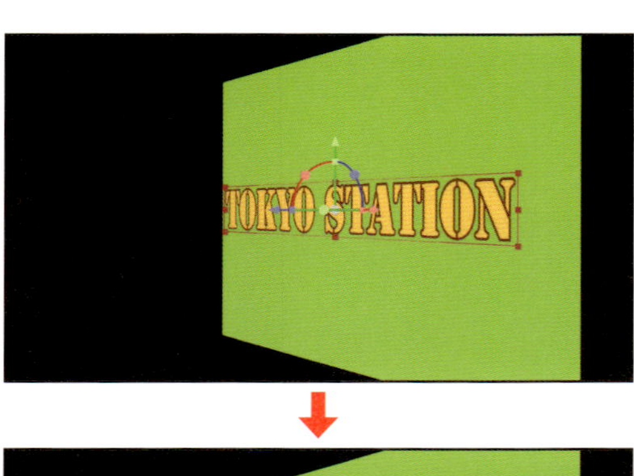

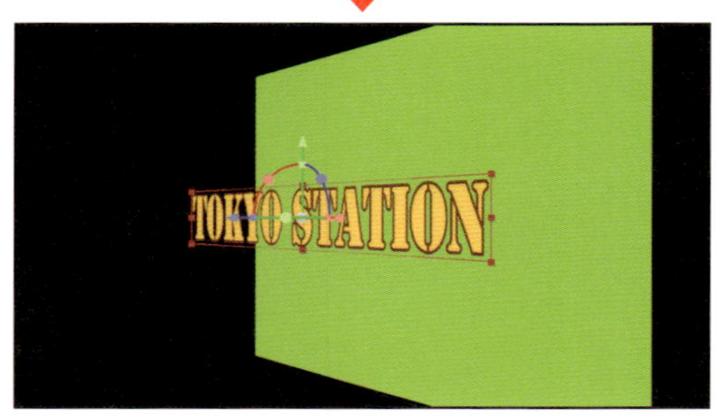

7 プレビューで確認する

プレビューでアニメーションを確認します。2Dから3Dの世界に変わっています。

POINT 「カメラ設定」パネルについて

「カメラ設定」パネルには、以下のような機能が備えられています。

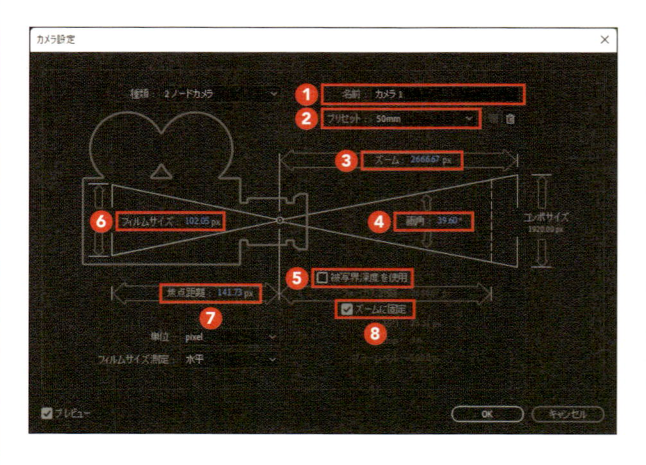

❶ **カメラ名**
レイヤーに表示される名前。

❷ **プリセット**
焦点距離、ズーム、画角などがセットされたもの。15mmの広角から200mmの望遠まで用意されています。

❸ **ズーム**
レンズからフレームまでの距離。

❹ **画角**
レンズの画角。

❺ **被写界深度を使用**
ピントを合わせる範囲。被写界深度が深いとパンフォーカス（前から後ろまでピントが合う）になり、浅いと前後がボケます。

❻ **フィルムサイズ**
フィルムのサイズ。通常は変更しないで利用します。

❼ **焦点距離**
フィルムからレンズまでの距離。

❽ **ズームに固定**
焦点距離（ピントの合う距離）をズームの距離と同じに固定します。

POINT カメラナビゲーション用の3Dギズモ

3D空間でのカメラナビゲーションは、ツールバーに2カ所に分かれて表示されます。左側には各ツールが表示され(❶❷❸)、右側には「カーソルのまわりを周回」ツールのオプションが表示されます(❹❺❻)。なお、カメラナビゲーションでオプションがあるのは、「カーソルのまわりを周回」ツールだけです。

❶ カーソルのまわりを周回ツール
❷ カーソルの下でパンツール
❸ カーソルに向かってドリーツール

❹ フリーフォーム
❺ 水平方向に制約する
❻ 垂直方向に制約する

また、各ツールのギズモを長押しすると、ツールタイプの選択メニューが表示されます。

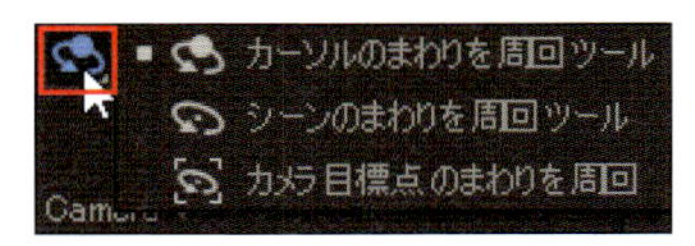

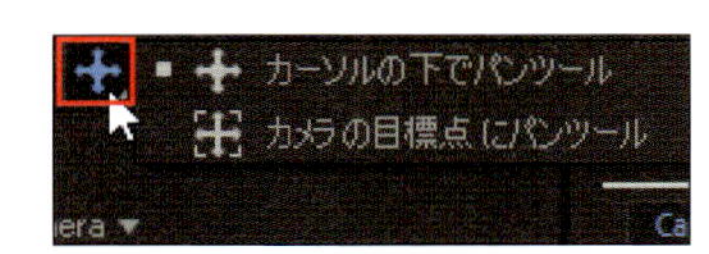

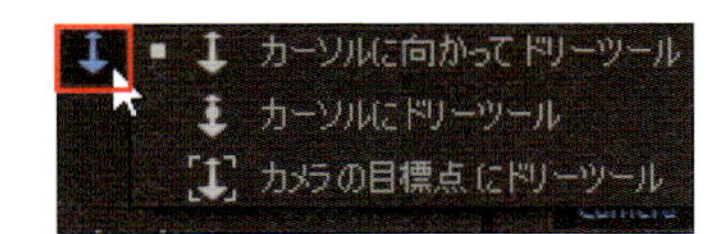

❶カーソルのまわりを周回ツール（フリーフォーム）

カメラを回転させて、表示するアングルを自由に変更できます。

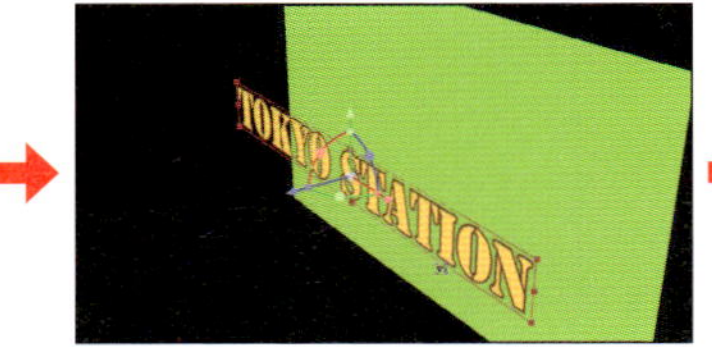
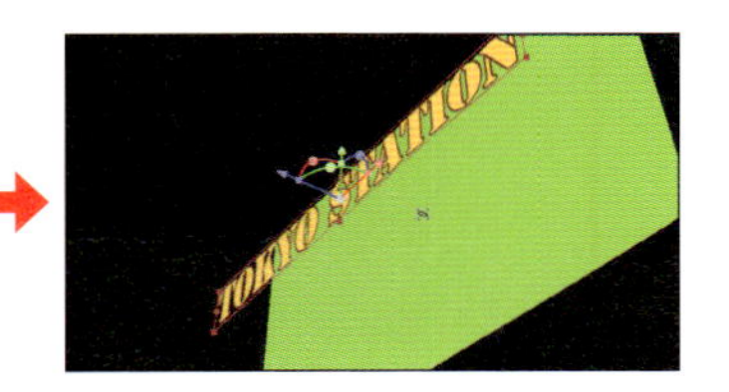

❷カーソルの下でパンツール

カメラを、左右、上下に移動できます。

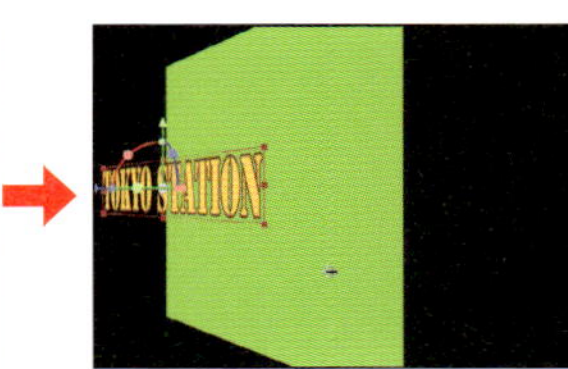

❸カーソルに向かってドリーツール

カメラを被写体に近づけたり遠ざけたりでき、拡大／縮小が表現できます。

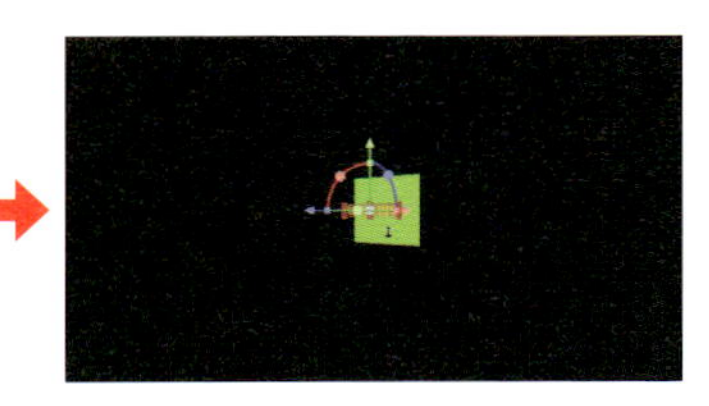

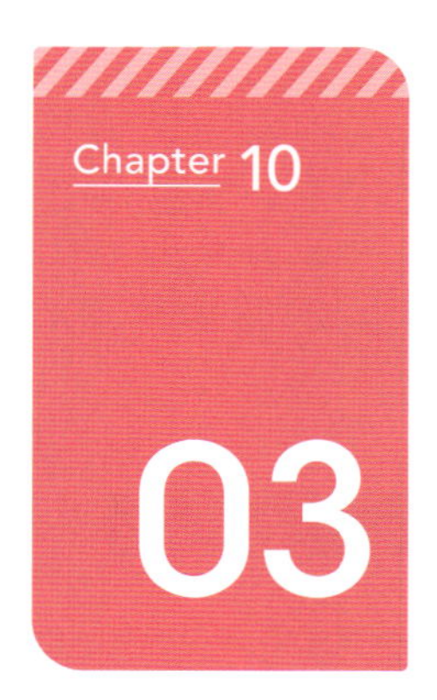

ライトレイヤーを利用したアニメーション

After Effectsでは、ライトをレイヤーとして利用できます。P.296で作成したコンポジションを利用し、ライトレイヤーを利用したアニメーションを作成してみましょう。

▶ コンポジションをコピーする

すでに作成してあるコンポジションをアレンジして利用したい場合は、コンポジションを複製すると便利です。

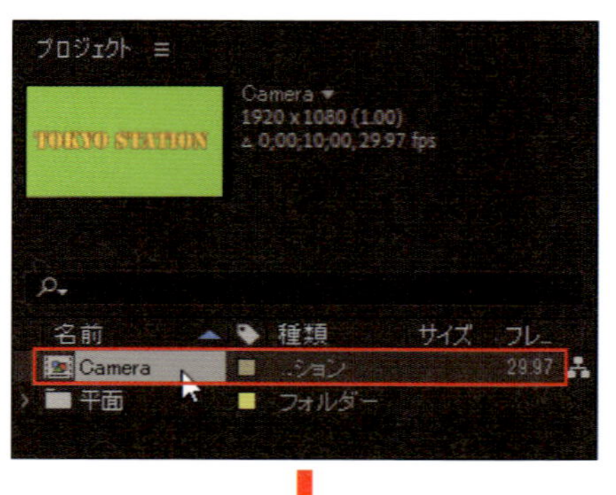

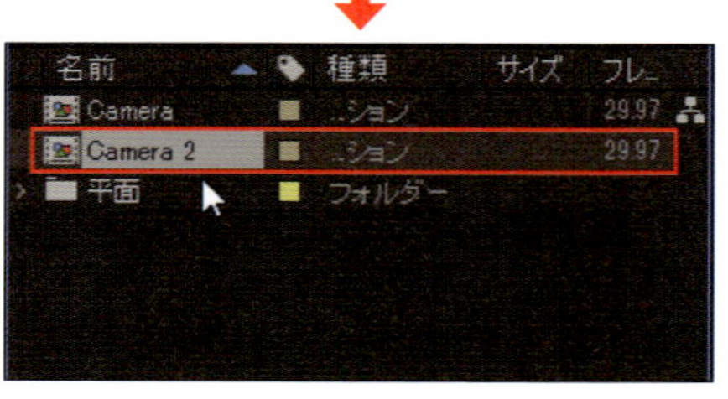

1 コンポジションを複製する

「プロジェクト」パネルで複製したいコンポジションを選択し、Ctrl＋Dキーを押すと、コンポジションが複製されます。コンポジションに番号が付加されている場合は、その番号も変更されます。画面では「Camera」を複製しましたが、この場合、「Camera 2」という名前と番号が自動的に振られます。

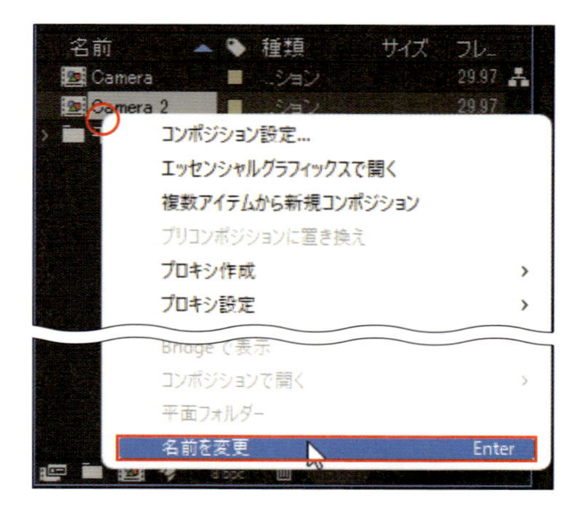

2 コンポジション名を変更する

複製したコンポジションの名前は、コンポジションを右クリックして「名前を変更」を選択すると変更できます。「Light」などの名前に変更しておきましょう。

ライトのレイヤーを設定する

コピーしたコンポジションにライトのレイヤーを追加し、アニメーションを作成する準備をしましょう。

1 テキストの位置を変更する

コピーしたコンポジションは、背景（平面レイヤー）の上にテキストが貼り付けられている状態です。ここで、テキストの位置が背景から前面に浮き上がって見える位置に変更します。P.298の手順6と同様に、テキストレイヤーの「トランスフォーム」→「位置」のZ値を「-100」程度に設定します。なお、テキストはアニメーションさせないので、アニメーションのストップウォッチはオフにします。

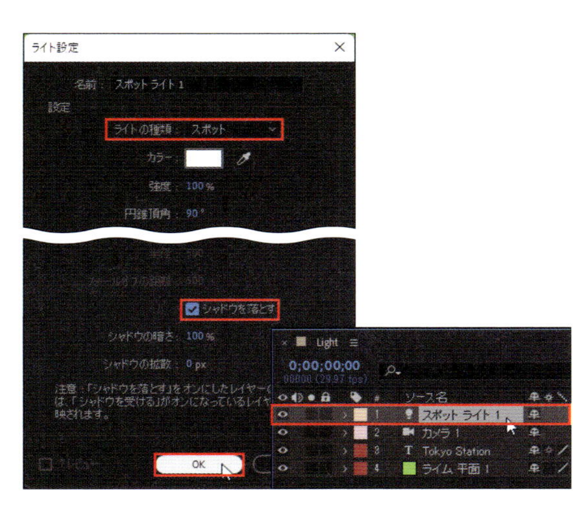

2 ライトレイヤーを設定する

「タイムライン」パネルを右クリックして「新規」→「ライト」を選択するか、メニューバーから「レイヤー」→「新規」→「ライト」を選択します。「ライト設定」ダイアログボックスが表示されるので、左のように「ライトの種類」を「スポット」に設定し、「シャドウを落とす」を有効に設定して「OK」をクリックします。ライトレイヤー「スポットライト1」が追加されます。

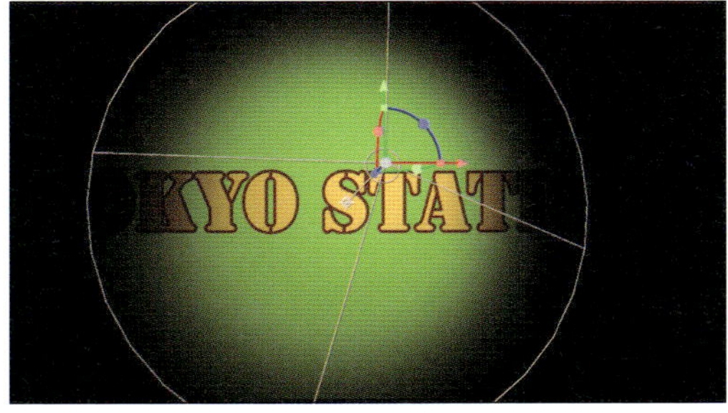

3 ライトが適用される

時間インジケーターを6秒の位置に移動し、テキストオプションの「位置」のZ軸方向の値を、マイナスの数値が大きくなるように変更します。なお、プラス方向に変更すると背景の後ろに隠れてしまうので注意してください。

4 影を表示する

テキストレイヤーのオプションを開き、「マテリアルオプション」を展開します。「シャドウを落とす」オプションをクリックしてオンにします。

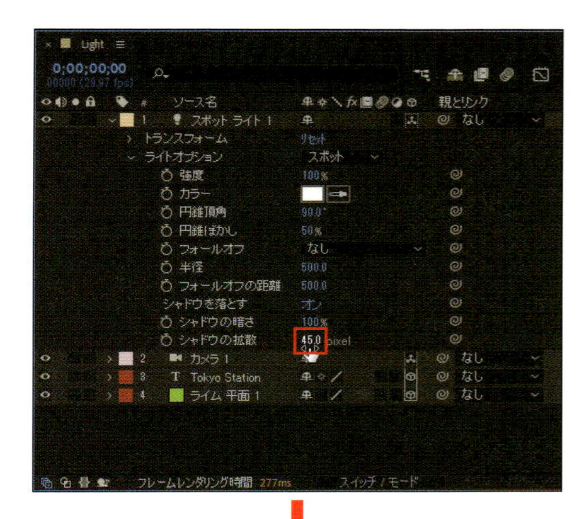

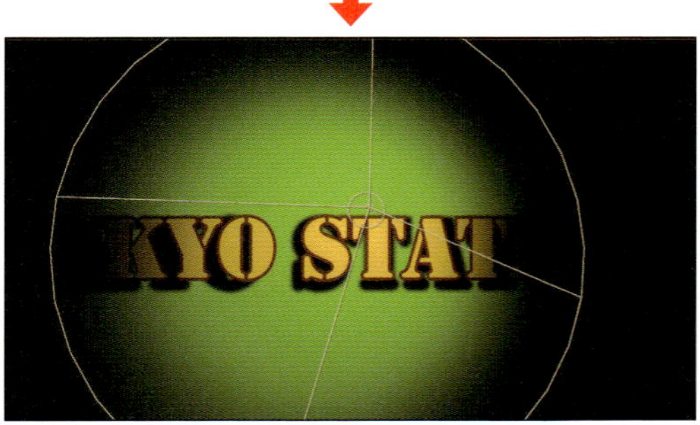

5 影をアレンジする

テキストの背後に影が表示されます。影のエッジが強いので、これを和らげます。ライトレイヤーのオプション「ライトオプション」を展開し、「シャドウの拡散」を「0.0」より大きな数値に変更します。数値が大きいほど、影が拡散します。ここでは「45pixel」に変更しました。なお、背景とテキストとの距離によって、影の具合や設定が変わります。

ライトの方向をアニメーションする

ライトレイヤーの「トランスフォーム」や「ライトオプション」には、さまざまなオプションが備えられています。ここでは「トランスフォーム」の「方向」を利用して、左→右→左の順番に文字を照らすアニメーションを作成してみましょう。

文字を照らすアニメーションを作成する。

1 ライトレイヤーの「トランスフォーム」を展開する

タイムラインでライトレイヤーのオプションを展開し、「トランスフォーム」を表示します。

2 開始位置にキーフレームを設定する

タイムラインの時間インジケーターを左端に移動し❶、オプション「方向」のストップウォッチをクリックして❷、キーフレームを設定します❸。ここがアニメーションの開始位置になります。

3 Y方向のパラメーターを変更する

「方向」のパラメーターには「0.0°,0.0°,0.0°」の3種類があり、左から「X方向」「Y方向」「Z方向」になります。このうちの「Y方向」のパラメーターを変更し、ライトがテキストの左端を照らすように変更します。

4 中間位置の設定を行う

タイムラインの時間インジケーターを5秒の位置に移動し❶、「Y方向」の値を、テキストの右端がライトで照らされるように変更します❷。値を変更すると、自動的にキーフレームが設定されます❸。

カメラレイヤーの「トランスフォーム」→「位置」にアニメーションとキーフレームが設定されている場合は、アニメーションをオフにして、キーフレームを削除しておきます。

5 終了位置の設定を行う

時間インジケーターをタイムラインの右端に移動し、ライトでテキストの左端が照らされるように「Y方向」の値を変更します。値を変更すると、自動的にキーフレームが設定されます。必要に応じて、キーフレームの間隔調整、コピー&ペーストを行って、アニメーションをアレンジします。

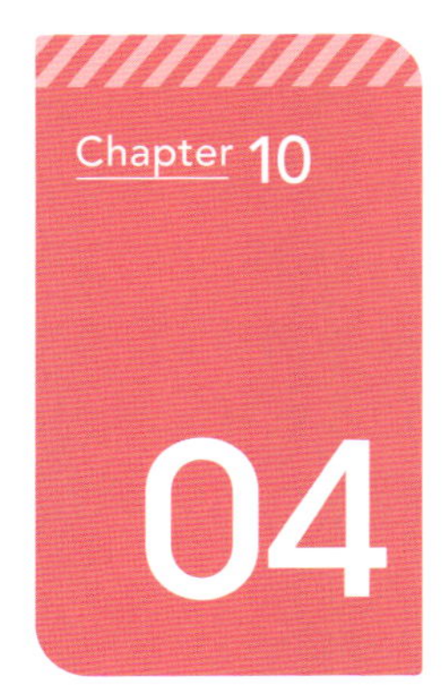

「ロトブラシ」で切り抜き&合成する

映像の合成は、フレームの数が多いほど大変な作業になります。これをかんたんに処理してくれるのが、「ロトブラシ」ツールです。映像から目的の部分をきれいに切り抜き、他の映像に合成できます。

▶ フッテージを「ロトブラシ」ツールで合成する

After Effectsの「ロトブラシ」ツールを利用すると、動画データから目的の部分を切り抜き、他の映像に合成することができます。たとえば下の画面では、「映像A」から東京駅のドームの部分を切り抜き、「単色の平面レイヤー」と合成して「映像B」を作成しています。なお、平面レイヤーではなく通常の動画を利用すれば、動画との合成映像が完成します。

映像A(0002.mp4)

平面レイヤー

映像B

POINT フレームレートは59.94fps

ロトブラシを利用する時は、フレームレートを「59.94fps」に設定してください。29.97fpsだと、注意を促すメッセージが表示されます。ロトブラシの処理が終了したら、29.97fpsに設定を戻します。フレームレートの変更は、「コンポジション」→「コンポジション設定」で行います。

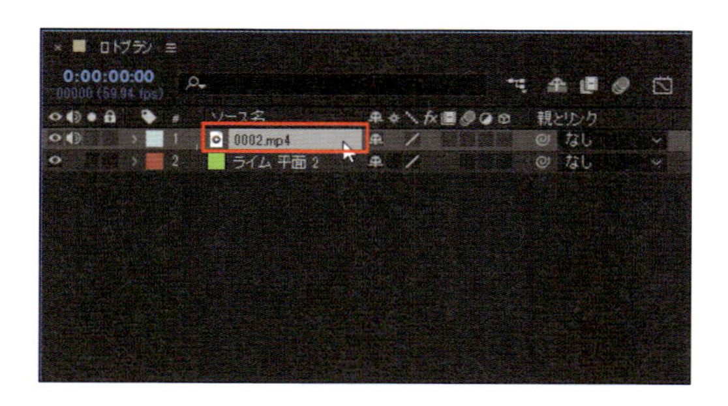

1 フッテージを配置する

新規コンポジションを設定し、タイムラインにフッテージを2つ配置します。この時、上に「映像A」、下に「平面」というようにフッテージのレイヤーを配置します。また、「映像A」のレイヤー名をダブルクリックして、「レイヤー」パネルを表示します。

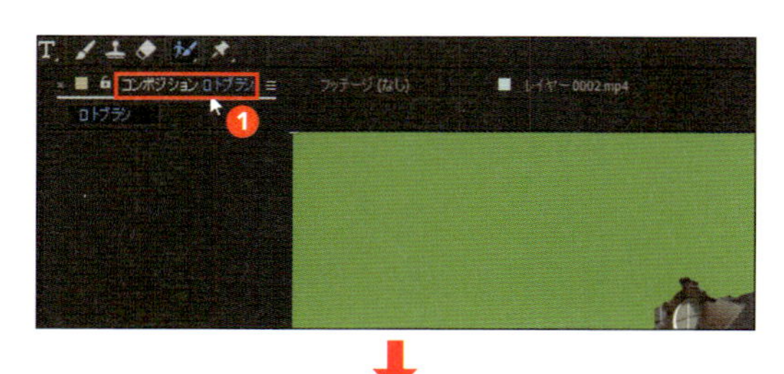

2 「レイヤー」パネルで切り抜きを指定する

メニューバーから「ビュー」→「解像度」→「フル画質」を選択します。続いて、「ツール」パネルから「ロトブラシ」ツールを選択し❶、切り抜いて使用したい部分をドラッグして範囲を指定します❷。ドラッグすると緑のラインが表示され、マウスのボタンを放すと、選択した範囲がピンクのラインで囲まれます。選択した範囲の修正方法（範囲の追加と削除）は、下記を参照してください。なお、画面の表示倍率を変更すると、作業がしやすくなります❸。

- **範囲の追加**
  別の箇所をドラッグすると、範囲を追加できる
- **範囲の削除**
  Alt キー（macOSは option キー）を押しながらドラッグすると、選択した範囲を削除できる

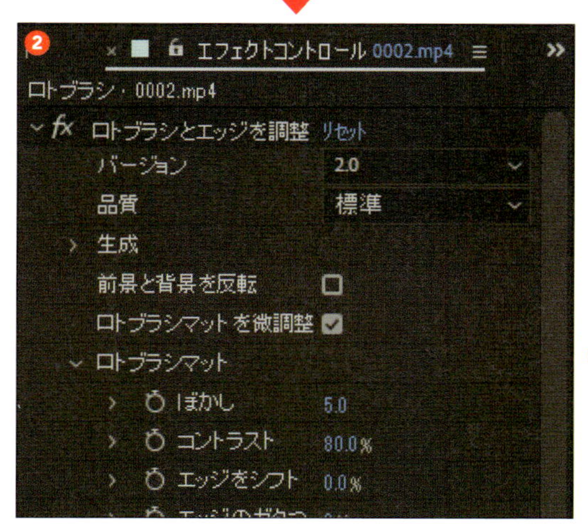

3 コンポジションを表示する

「コンポジション」タブ❶をクリックすると、合成結果を確認できます。フッテージのハンドルをドラッグすると、表示位置やサイズを調整できます。また、画面左の「エフェクトコントロール」パネルでロトブラシのパラメーターを使うことで、エッジの調整などができます❷。フッテージの「トランスフォーム」❸では、サイズや位置なども調整できます。

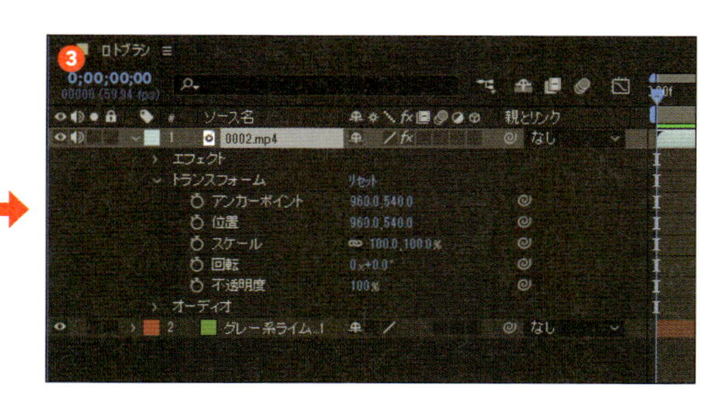

「白黒」で セピアカラーを実現する

エフェクトの「カラー補正」にある「白黒」を利用すると、グレースケール映像のほかに、セピアなどグレースケールに着色した映像が作成できます。

▶ 映像をグレースケールに変換し着色する

ここでは、エフェクトの「白黒」を利用してカラーのフッテージを白黒に変換し、さらに着色する方法を解説します。

映像のグレースケール化、着色を行った。

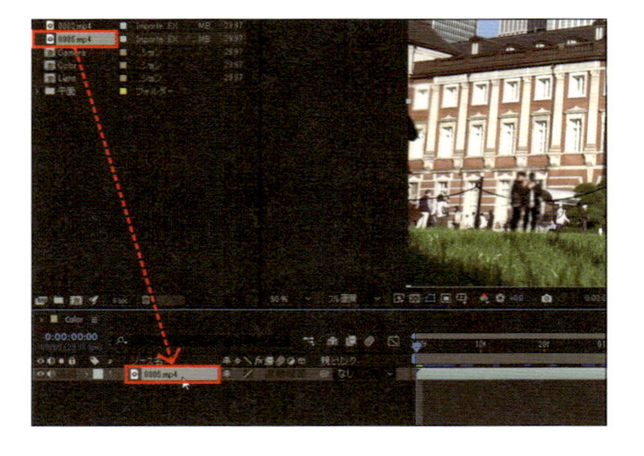

1 フッテージを配置する

新規コンポジションを設定し、カラーのフッテージを読み込みます。読み込んだフッテージは、タイムラインに配置します。

2 エフェクトを設定する

「エフェクト&プリセット」パネルから「カラー補正」→「白黒」を選択し、タイムラインのレイヤーにドラッグ&ドロップします。または、タイムラインでフッテージのレイヤーを選択し、メニューバーから「エフェクト」→「カラー補正」→「白黒」を選択します。

3 モノクロに変換される

カラーのフッテージが、モノクロに変換されます。

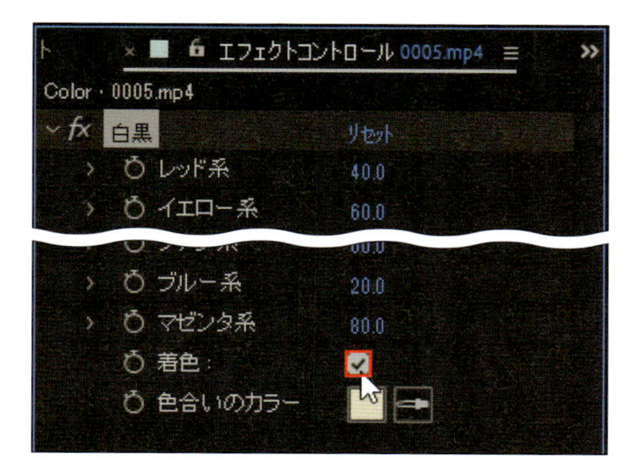

4 着色設定を行う

「エフェクトコントロール」パネルを表示し、オプションの「着色」のチェックボックスをクリックしてオンにします。

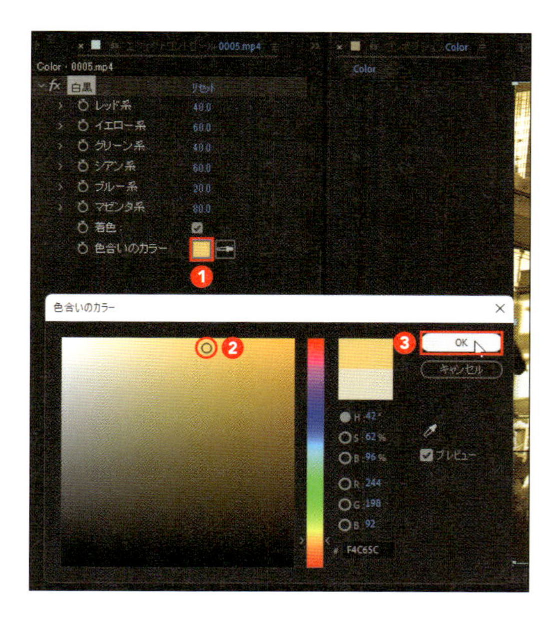

5 色を選択する

「色合いのカラー」のカラーボックスをクリックすると❶、カラーピッカーが表示されます。色を選択し❷、「OK」をクリックします❸。

6 セピアカラーに変更される

白黒のフッテージ画像が、選択した色で着色されます。

「CC Particle SystemsⅡ」でパーティクルを作成する

「CC Particle Systems II」を利用すると、パーティクルのエフェクト、いわゆる「粒子」のエフェクトをかんたんに実現することができます。パーティクルは応用の利くエフェクトなので、基本的な使い方を覚えておきましょう。

▶ パーティクルでビルから星を降らせる

ここでは、エフェクト「CC Particle Systems II」を利用し、ビルから星を降らしているようなエフェクトを実現してみましょう。

星のパーティクルが降るアニメーション。

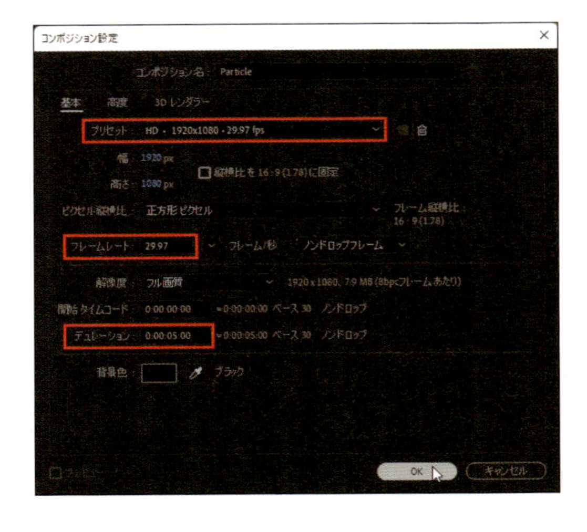

1 「新規コンポジション」を設定する

After Effectsのメニューバーから、「コンポジション」→「新規コンポジション」を選択します。プリセットは「HD・1920x1080・29.97fps」を選択し、フレームレートは「29.97」を選択します。デュレーションは「5秒」に設定しました。

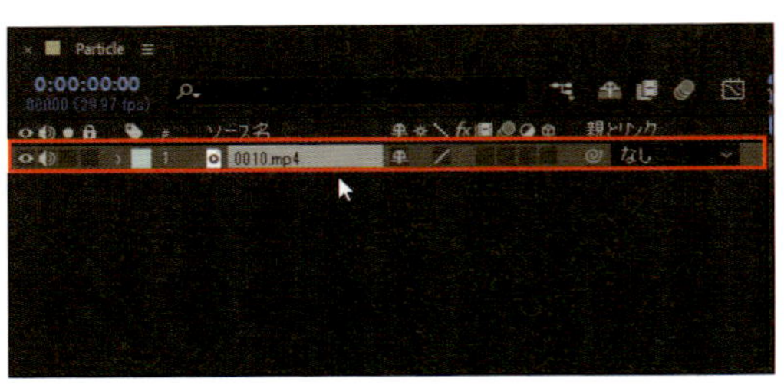

2 フッテージを配置する

新規コンポジションが設定できたら、フッテージを読み込み、タイムラインに配置します。

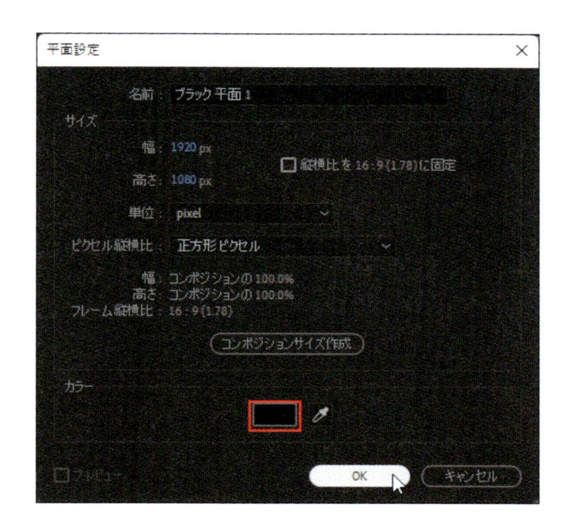

3 平面レイヤーを設定する

「タイムライン」パネルを右クリックして「新規」→「平面」を選択するか、メニューバーから「レイヤー」→「新規」→「平面」を選択します。「平面設定」パネルが表示されるので、左のように設定して「OK」をクリックします。すると、平面レイヤーが追加されます。「カラー」は「黒」に設定します。

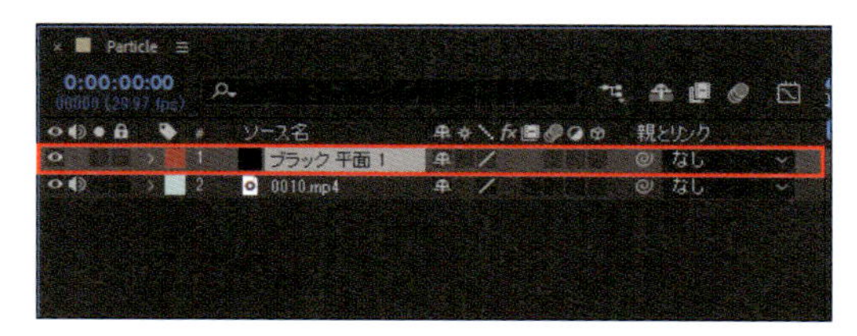

4 平面レイヤーを配置する

平面レイヤーは、映像のフッテージの上に配置します。映像の下に配置された場合は、ドラッグして表示位置を変更します。

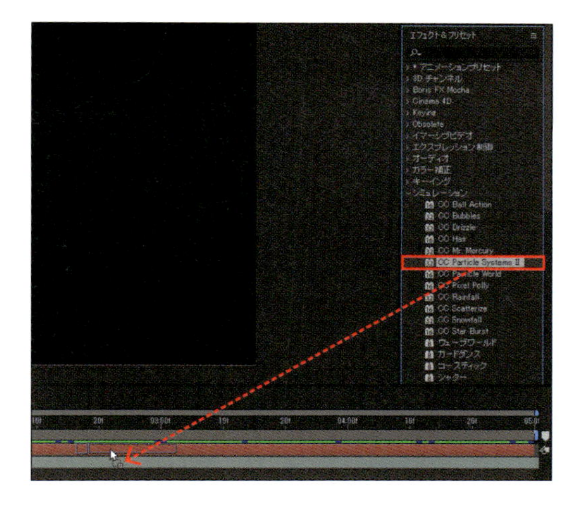

5 エフェクトを設定する

「エフェクト＆プリセット」パネルから「シミュレーション」→「CC Particle Systems II」を選択し、タイムラインの平面レイヤーにドラッグ＆ドロップします。または、タイムラインで平面レイヤーを選択し、メニューバーから「エフェクト」→「シミュレーション」→「CC Particle Systems II」を選択します。

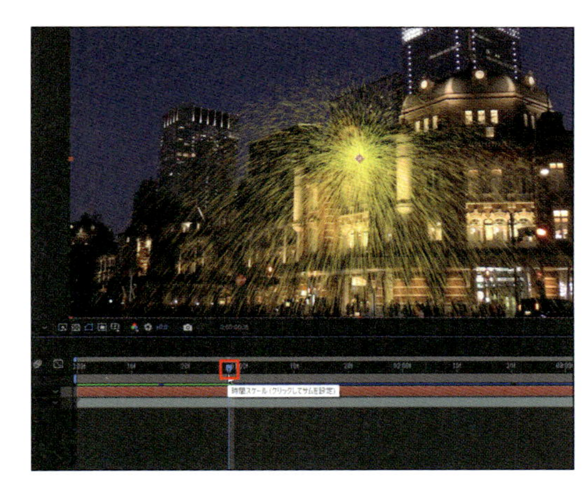

6 パーティクルを確認する

タイムラインの時間インジケーターをドラッグすると、パーティクルのアニメーションが確認できます。

▶ パーティクルのタイプを変更する

続いて、パーティクルのタイプを変更してみましょう。また、パーティクルが吹き出す方向も変更します。

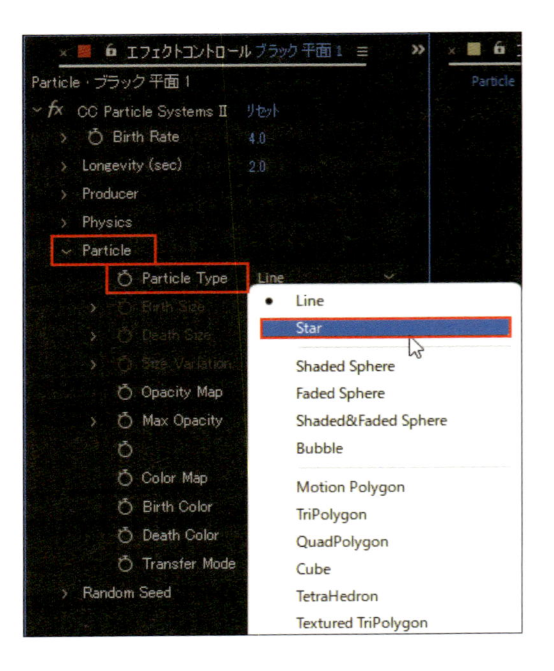

1 パーティクルのタイプを選択する

「エフェクトコントロール」パネルのオプションを表示し、「Particle」にある「Particle Type」で、「Star」というパーティクルのタイプを選択します。

2 パーティクルのタイプが変更される

パーティクルのタイプが変わります。ラインのパーティクル（デフォルト）が、星のパーティクルに変わります。

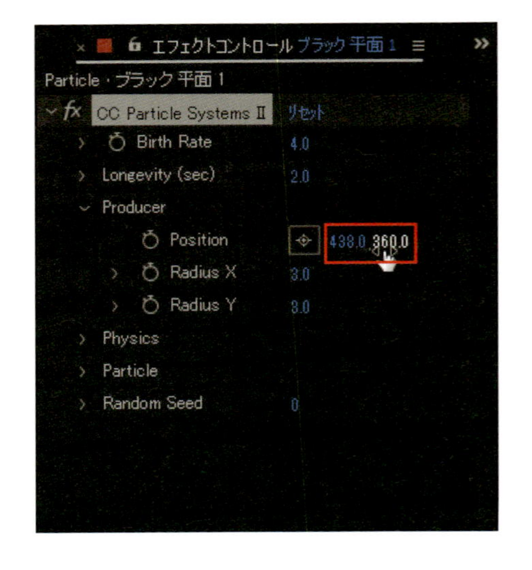

3 吹き出す位置を修正する

次に、パーティクルが吹き出す位置を変更します。位置の変更は、「Producer」オプションにある「Position」の値を変更して行います。X軸の座標変更で左右の位置、Y軸の座標変更で上下の位置を調整できます。

4 パーティクルの位置が変更された

パーティクルの吹き出す位置が変更されました。

▶ パーティクルの表示時間を調整する

コンポジションの設定でデュレーションを10秒に設定したため、パーティクルは10秒間表示されます。この表示時間を調整する場合は、タイムラインをトリミングします。

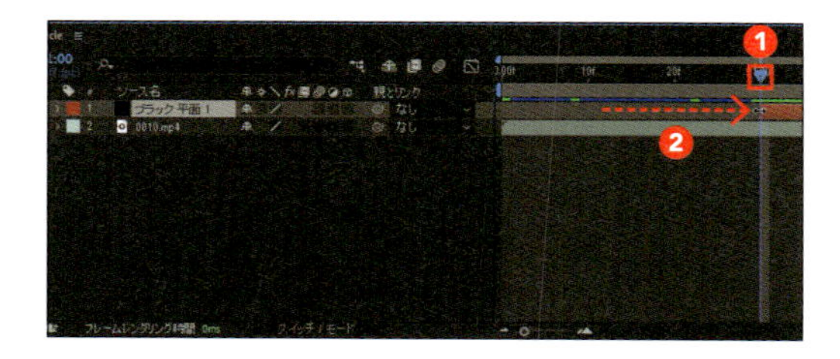

1 タイムラインの始点をトリミングする

1秒後の位置に時間インジケータを配置し❶、平面レイヤーのタイムラインの先端をそこまでドラッグします❷。これで、パーティクルの開始時間を調整できます。

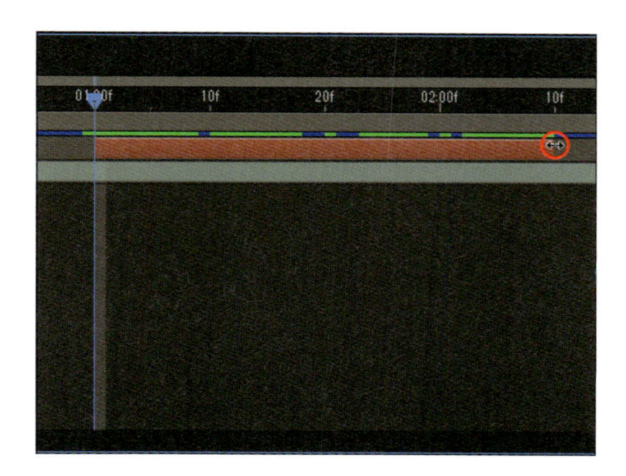

2 タイムラインの終端をトリミングする

先端と同様の方法で、タイムラインの終端をドラッグしてトリミングします。

POINT パーティクルの寿命

パーティクルが発生してから消えるまでの時間（寿命）は、左ページの手順1や手順3の「エフェクトコントロール」パネルにある「Longevity (sec)」オプションで設定できます。単位は「秒」です。

「CC Pixel Polly」で映像を飛び散らせる

「CC Pixel Polly」は、レイヤーを破裂させて破片を飛び散らせることができるエフェクトです。破片が飛び散る様子は、自動的にアニメーションが作成されます。

▶ レイヤーのフッテージが破片になって飛び散る

「シミュレーション」カテゴリーにある「CC Pixel Polly」は、レイヤーが破裂して破片が飛び散るエフェクトを利用できます。このエフェクトは、フッテージ本体に設定して利用します。

映像が飛び散るアニメーション。

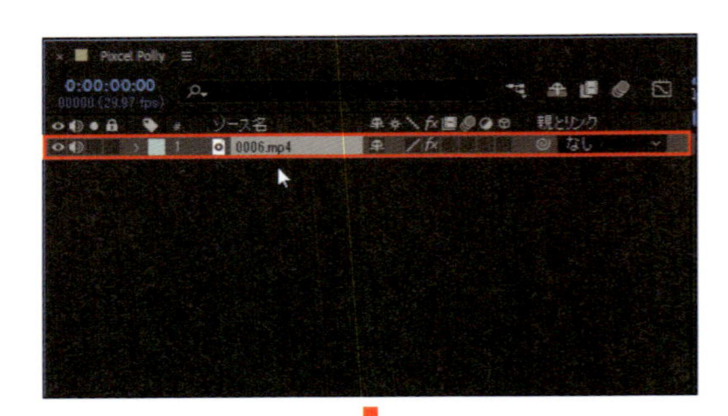

1 フッテージを配置する

新規コンポジションを設定し、フッテージを読み込みます。読み込んだフッテージは、タイムラインに配置します。

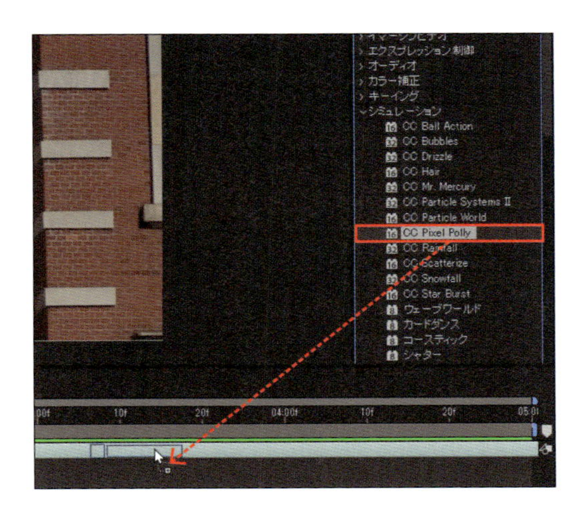

2 エフェクトを設定する

「エフェクト＆プリセット」パネルから「シミュレーション」→「CC Pixel Polly」を選択し、タイムラインのフッテージレイヤーにドラッグ＆ドロップします。または、タイムラインでフッテージレイヤーを選択し、メニューバーから「エフェクト」→「シミュレーション」→「CC Pixel Polly」を選択します。

3 エフェクトのスタート時間を設定する

「エフェクトコントロール」パネルを開き、オプションの「Start Time (sec)」のストップウォッチをクリックしてオンにします❶。また、パラメーターの数値を「1.00」と1秒に設定します❷。これによって、再生を開始して1秒後にアニメーションが開始されます。すなわち、1秒後にレイヤーが飛び散ります。

4 レイヤーが飛び散る

時間インジケーターを1秒後に合わせてドラッグすると、レイヤーが飛び散るアニメーションを確認できます。

POINT 三角形の破片を四角形に変える

「CC Pixel Polly」では飛び散る破片が三角形ですが、四角形に変更することもできます。パラメーターの「Object」の「V」をクリックし、「Textured Square」か「Square」を選択してください。破片を四角形に変更できます。

「CC Snowfall」で雪を降らせる

「CC Snowfall」は、映像に雪を降らせることのできるエフェクトです。ここでは、「モード」の設定を変更して効果を表示する方法について解説します。

▶ エフェクトで雪を降らせる

ここでは「CC Snowfall」を利用して、夜の駅に雪が降るという効果を設定してみます。降る雪の表示は、平面レイヤーの「スイッチ／モード」を「スクリーン」モードに設定することで行います。

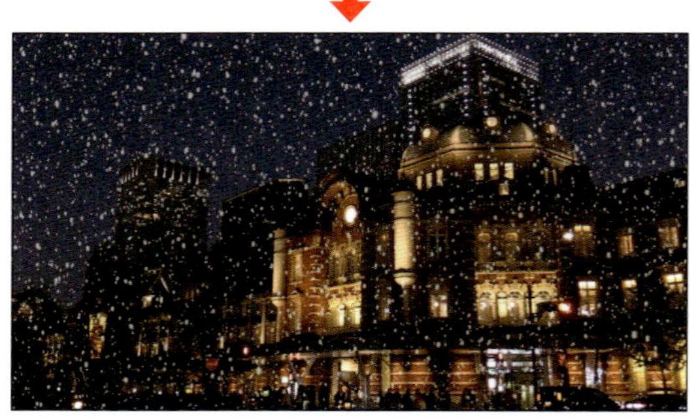

雪を降らせるアニメーション。

POINT 「スクリーン」モード

平面レイヤーの「モード」では、描画モードを選択できます。描画モードとは、上のレイヤーが、下にあるレイヤーに対してどのように合成するかを設定する機能のことです。ここで利用する「スクリーン」は、下の画像の色に上のレイヤーの色をかけ合わせて明るくするモードです。そして、上のレイヤーの暗い部分には下の映像が表示されます。これによって、雪の部分は白く、雪以外の部分には下の映像が表示されるようになります。

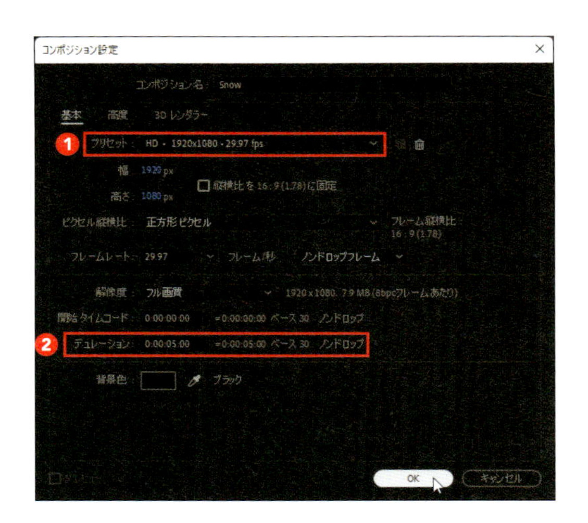

1 「新規コンポジション」を設定する

メニューバーから「コンポジション」→「新規コンポジション」を選択し、新規コンポジションを設定します。ここでは、プリセットに「HD・1920x1080・29.97fps」を選択し❶、ハイビジョンに対応した5秒のデュレーション❷を持つコンポジションを設定しました。

2 フッテージを配置する

新規コンポジションが設定できたら、フッテージを読み込みます。読み込んだフッテージは、タイムラインに配置します。

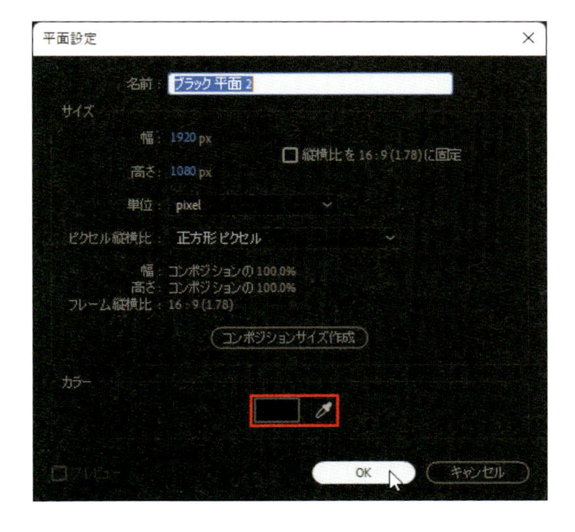

3 平面レイヤーを設定する

「タイムライン」パネルを右クリックして「新規」→「平面」を選択するか、メニューバーから「レイヤー」→「新規」→「平面」を選択します。「平面設定」ダイアログボックスが表示されるので、左のように設定して「OK」をクリックします。「カラー」は「黒」に設定します。すると、平面レイヤーが追加されます。

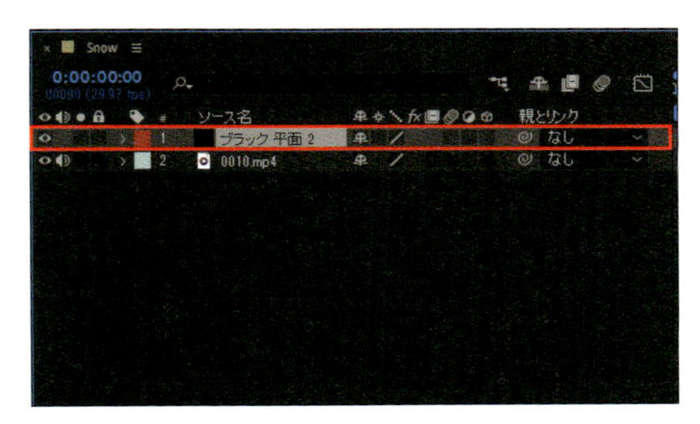

4 平面レイヤーを配置する

平面レイヤーは、映像のフッテージの上に配置します。映像の下に配置された場合は、ドラッグして表示位置を変更します。

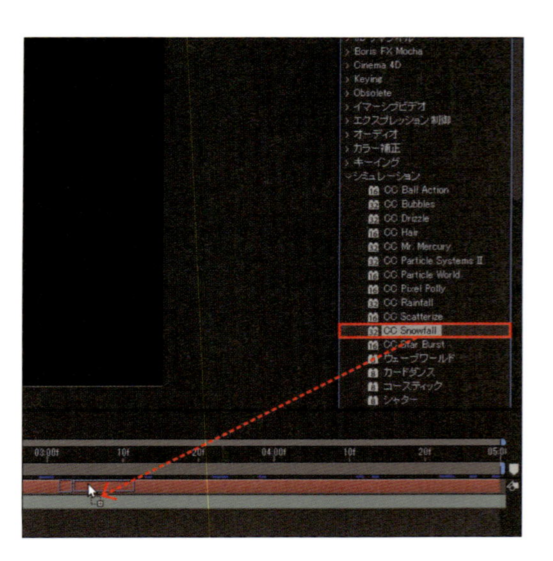

5 エフェクトを設定する

「エフェクト＆プリセット」パネルから「シミュレーション」→「CC Snowfall」を選択し、タイムラインの平面レイヤーにドラッグ＆ドロップします。または、タイムラインで平面レイヤーを選択し、メニューバーから「エフェクト」→「シミュレーション」→「CC Snowfall」を選択します。

▶ エフェクトのオプションを設定する

平面レイヤーにエフェクトの「CC Snowfall」を設定したら、雪を降らせるための設定を行います。

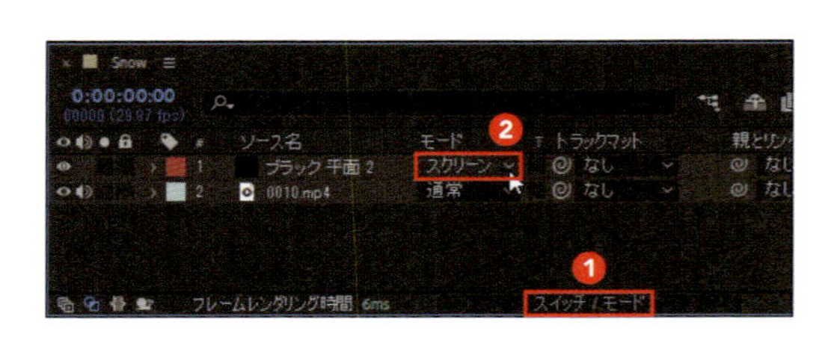

1 「モード」を「スクリーン」に設定する

パネル下にある「スイッチ／モード」❶をクリックして、平面レイヤーのモードを「スクリーン」❷に設定します。

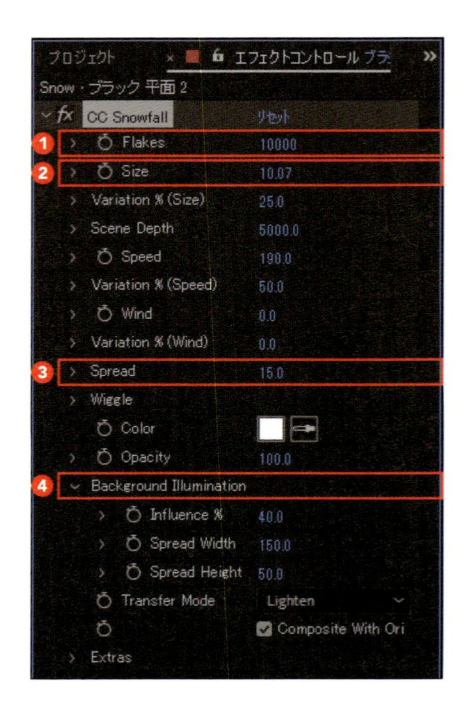

2 パラメーターを設定する

「エフェクトコントロール」パネルに、「CC Snowfall」のオプションが表示されています。ここではキーフレームを利用しないので、「エフェクトコントロール」パネルで設定を行います。主に利用するオプションは、以下の４つになります。この他、「Wind」や「Variation」による風の影響、「Spread」で雪の粒子に角度をつける、「Wiggle」で雪の振幅や頻度を設定するなど、リアリティを高めるためのオプションがあります。雪が目立たない場合は、「Background Illumination」の「Influence」（背景の屈折度）を調整してみてください。

❶Flakes：雪の量を設定する
❷Size：雪の大きさを設定する
❸Spread：雪が降る速度を設定する
❹Background Illumination：
雪への背景の反射を設定する

3 プレビューで確認する

設定できたら、プレビューで雪の降る状況を確認し、オプションのパラメーターを調整して仕上げます。

よりリアリティを増すために

雪のリアリティをアップさせるには、もう1つ平面レイヤーを一番上に追加し、これにも「CC Snowfall」を設定します。このレイヤーには、「手前に降る雪」としてのオプションを設定します。なお、このレイヤーも「モード」は「スクリーン」にします。

雪の場合、目の前の雪はサイズが大きく、落ちるスピードも速く感じられます。この違いをイメージしながら、2つの平面レイヤーに設定した「CC Snowfall」のオプションを調整します。

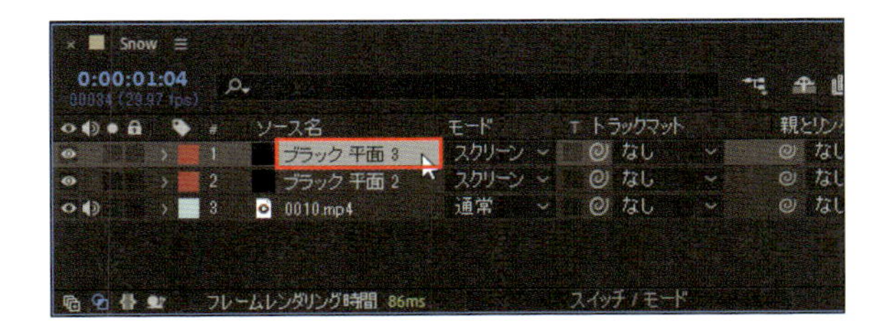

POINT 雨を降らせるエフェクト「CC Rainfall」

「CC Snowfall」は雪を降らせるエフェクトですが、雨を降らせる「CC Rainfall」もあります。利用方法は「CC Snowfall」と基本的に変わりません。

2Dデータを作成する

ここでは、「10-09」から「10-12」まで連続で、1つの球体アニメーションを作成する手順を解説します。最初に、2Dデータの作成から始めます。

▶ 球体アニメーション作成の流れ

ここでは、4回連続で球体アニメーションの作成を行います。以下のような流れで、制作を進めていきます。

❶10-09：2Dデータを作成する
❷10-10：レイヤーをプリコンポーズする
❸10-11：球体を作成する
❹10-12：球体を回転させる

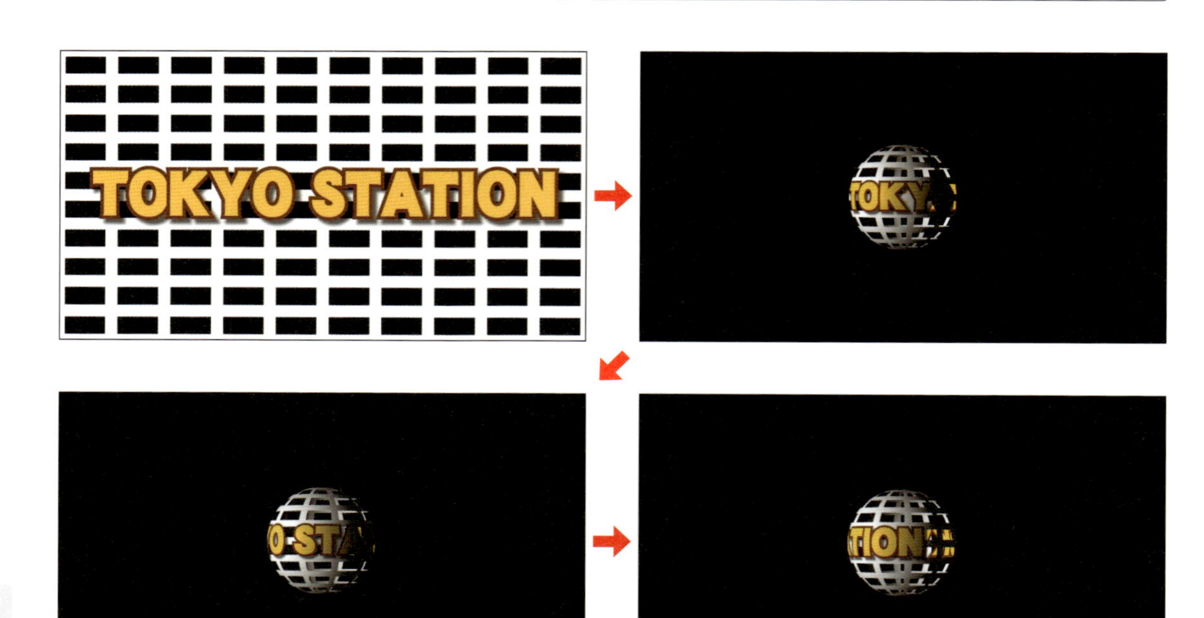

2Dデータから作成した3Dの球体を回転させる。

▶ グリッドを作成して文字を配置する

最初にエフェクトを利用してグリッドを作成し、その上に文字を配置します。

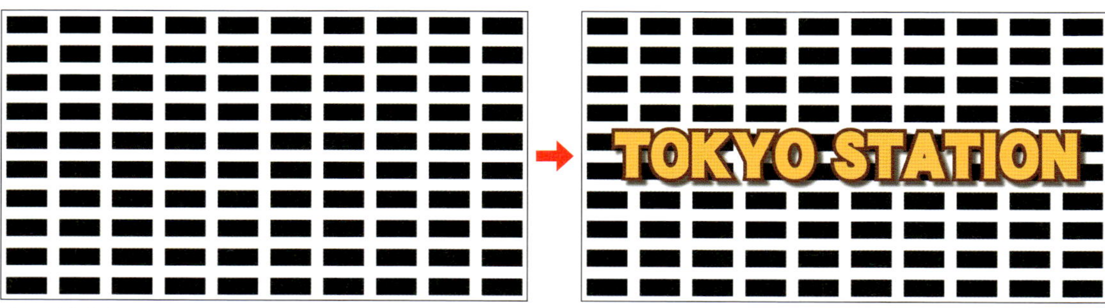

グリッドを作成する。　　テキストを配置する。

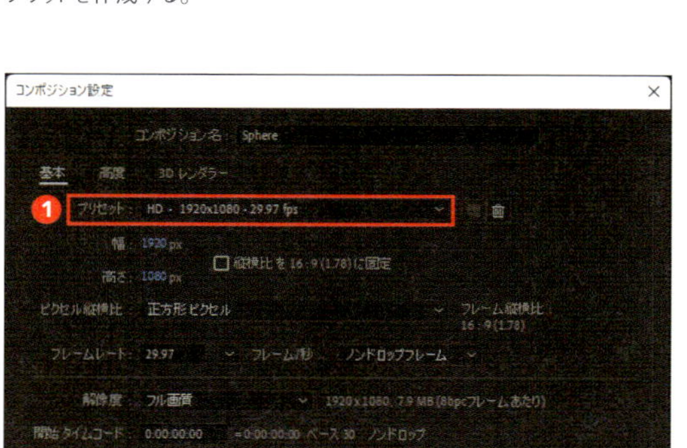

1 「新規コンポジション」を設定する

メニューバーから「コンポジション」→「新規コンポジション」を選択し、新規コンポジションを設定します。ここでは、プリセットに「HD・1920x1080・29.97fps」を選択し❶、ハイビジョンに対応した5秒のデュレーション❷を持つコンポジションを設定します。

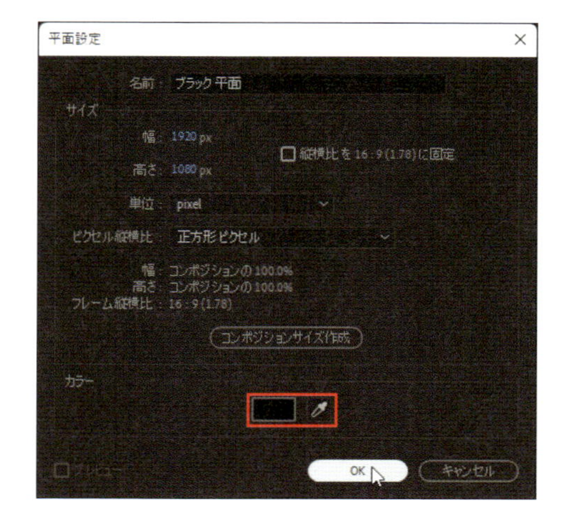

2 平面レイヤーを設定する

「タイムライン」パネルを右クリックして「新規」→「平面」を選択するか、メニューバーから「レイヤー」→「新規」→「平面」を選択します。「平面設定」ダイアログボックスが表示されるので、左のように設定して「OK」をクリックします。「カラー」は「黒」に設定します。

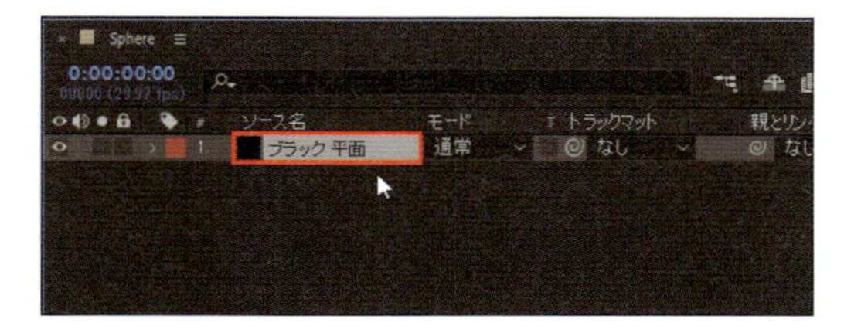

3 平面レイヤーが配置される

平面レイヤーが、「タイムライン」パネルに配置されます。

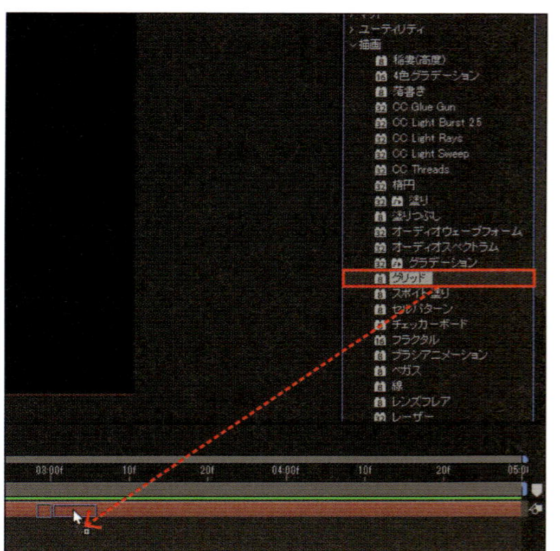

4 エフェクトを設定する

平面レイヤーに、エフェクトの「グリッド」を設定します。「エフェクト&プリセット」パネルから「描画」→「グリッド」を選択してタイムラインの平面レイヤーにドラッグ&ドロップするか、タイムラインで平面レイヤーを選択し、メニューバーから「エフェクト」→「描画」→「グリッド」を選択します。

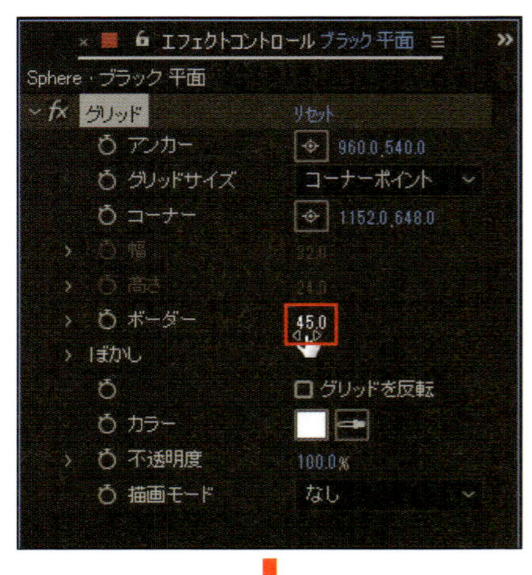

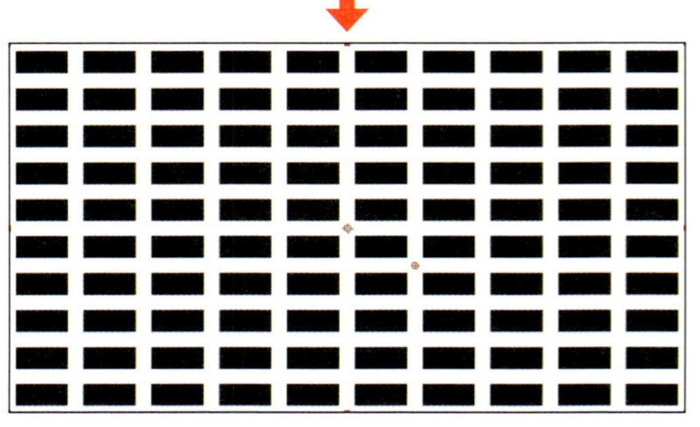

5 グリッドの幅を調整する

グリッドの幅は、「エフェクトコントロール」パネルの「グリッド」のオプションにある「ボーダー」で調整します。

6 テキストを配置する

テキストレイヤーを追加して、文字を入力します。なお、「線の上に塗り」オプションを利用すると、線の太さによって塗りが細くなることを防げます。

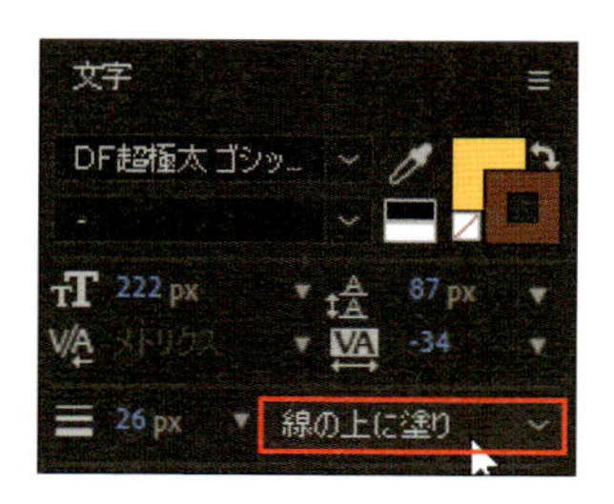

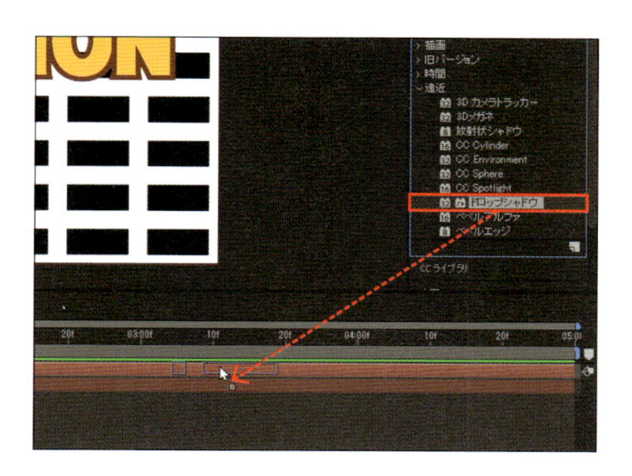

7 テキストに影を付ける

テキストにドロップシャドウで「影」を設定します。「エフェクト&プリセット」パネルから「遠近」→「ドロップシャドウ」を選択してタイムラインのテキストレイヤーにドラッグ&ドロップするか、タイムラインでテキストレイヤーを選択し、メニューバーから「エフェクト」→「遠近」→「ドロップシャドウ」を選択します。

8 影を調整する

影は、「エフェクトコントロール」パネルのオプションを利用してカスタマイズします。

レイヤーをプリコンポーズする

テキストレイヤーと平面レイヤーを１つのレイヤーにまとめ、「入れ子」にします。これを「プリコンポーズ」といい、複数のレイヤーをまとめてアニメーションさせる時に利用します。

▶ プリコンポーズを設定する

平面レイヤーに平面的に作成していた図形は、球体の状態に変更するとともに、回転させたり傾けたりといった設定を行います。この時、回転などを各レイヤーごとに個別に設定するのではなく、まとめて設定するために、現在利用している複数のレイヤーを１つのレイヤーにまとめます。いわば、複数のレイヤーをグループ化し、ネスト（入れ子）された状態にするわけです。After Effectsには、レイヤーをグループ化するための機能として「プリコンポーズ」という機能があります。これを利用してみましょう。

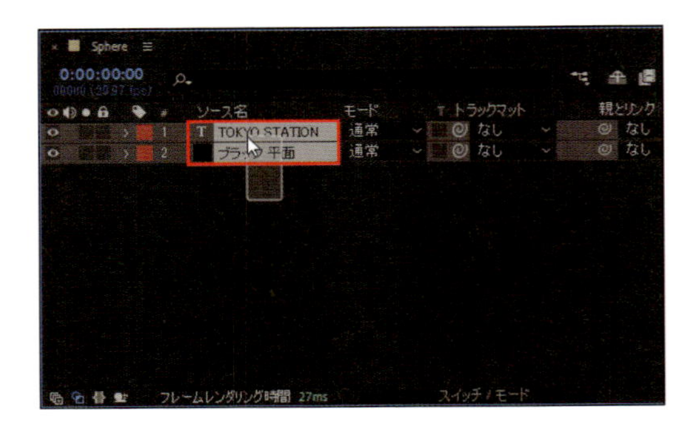

1 ネスト化するレイヤーを選択する

最初に、ネスト化したいレイヤーをドラッグして囲み、すべて選択します。ここでは、「10-09」で設定したテキストレイヤーと平面レイヤーの２つのレイヤーを選択しています。

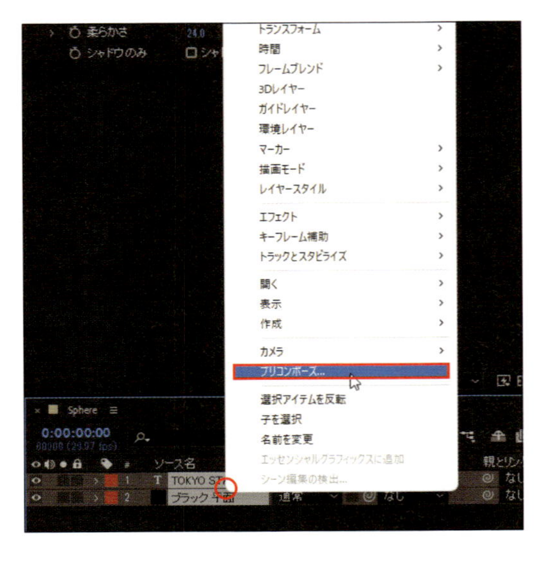

2 「プリコンポーズ」を選択する

選択したレイヤー上で右クリックし、「プリコンポーズ」をクリックします。

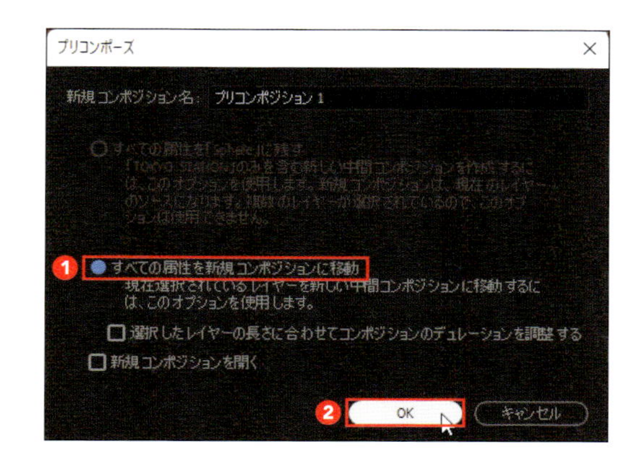

3 「プリコンポーズ」を設定する

「プリコンポーズ」ダイアログボックスが表示されるので、「すべての属性を新規コンポジションに移動」を選択し❶、「OK」をクリックします❷。コンポジション名は、必要に応じて変更してください。画面では、デフォルトのままです。

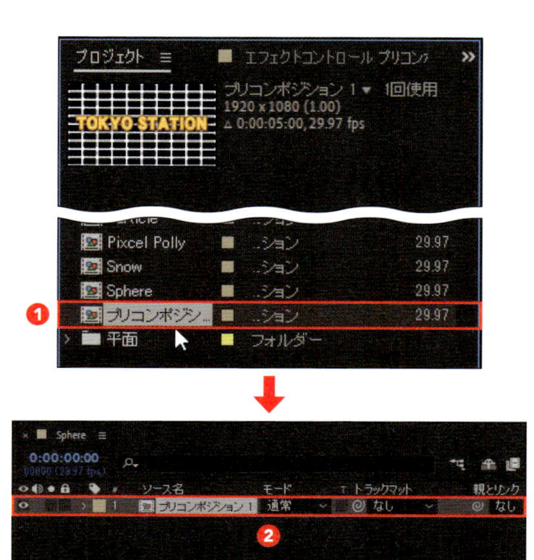

4 レイヤーとして登録される

「プロジェクト」パネルに、新しく「プリコンポジション 1」というコンポジションが追加されます❶。また「タイムライン」パネルには、「プリコンポジション 1」というレイヤーが追加されます❷。「レイヤー」パネルには、コンポジションがレイヤーとして配置されています。

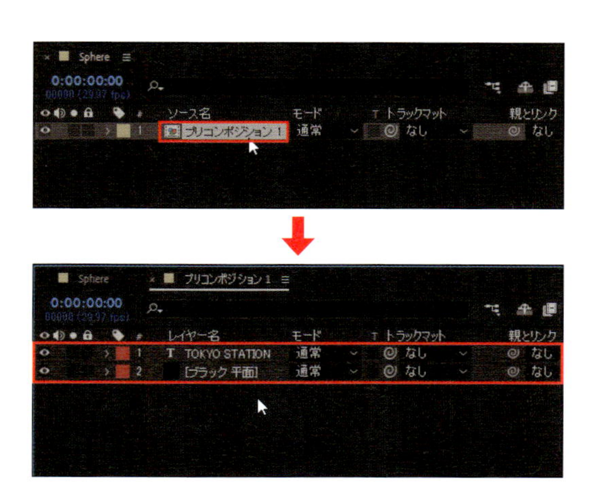

5 レイヤーを展開する

「タイムライン」パネルの「プリコンポジション 1」レイヤーは、複数のレイヤーをネストしたレイヤーです。このレイヤーをダブルクリックするとレイヤーが展開されて、グループ化されているレイヤーを確認できます。

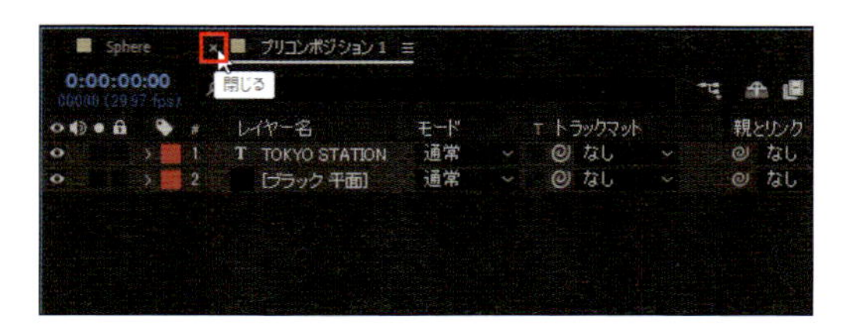

6 コンポジションを閉じる

「タイムライン」パネルで展開したコンポジションは、タブ名の左端にある「×」をクリックすると、閉じることができます。

「CC Sphere」で球体を作成する

プリコンポーズで１つのレイヤーにグループ化されたコンポジションに対して、ここでは球体にマッピングするエフェクトを設定します。ここで利用するのが、「CC Sphere」というエフェクトです。

▶ レイヤーに「CC Sphere」を設定する

プリコンポーズで複数のレイヤーを１つにまとめたレイヤー「プリコンポジション１」に対して、レイヤーを球状にマッピングする「CC Sphere」を適用します。

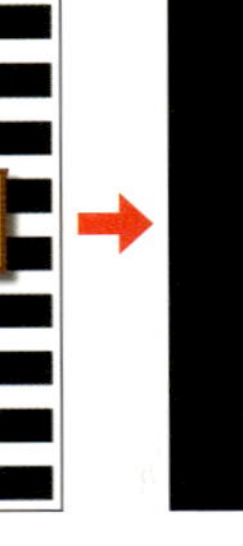

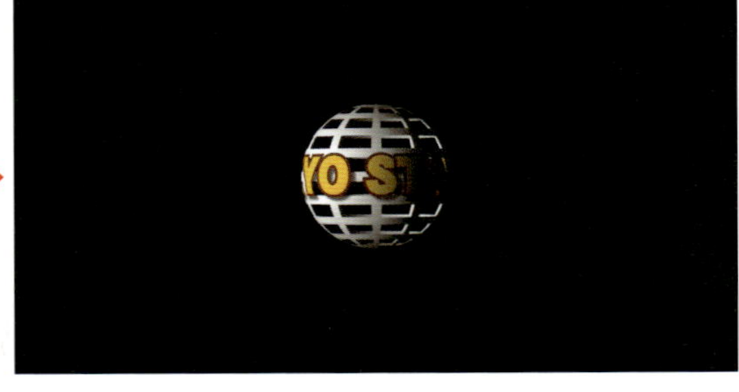

2Dデータを球体に変形させる。

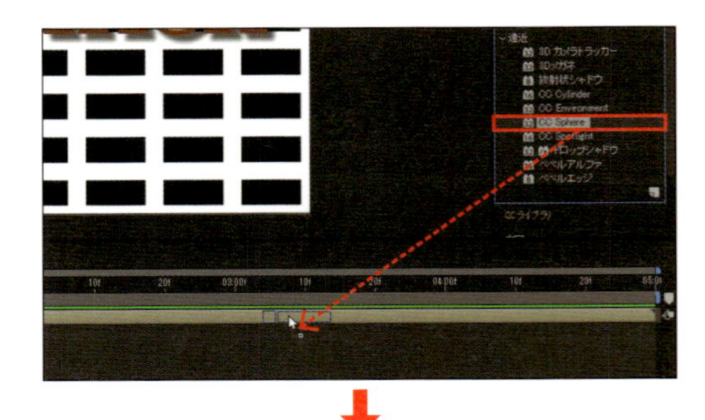

1 「CC Sphere」を適用する

「エフェクト＆プリセット」パネルから「遠近」→「CC Sphere」を選択し、タイムラインのコンポジションレイヤーにドラッグ＆ドロップするか、タイムラインでコンポジションレイヤーを選択し、メニューバーから「エフェクト」→「遠近」→「CC Sphere」を選択します。

2 レイヤーが球体に変わる

マッピングされたレイヤーが、球体で表示されます。この場合、レイヤーは3D空間でコントロールできるようになります。

球体を回転させる

「CC Sphere」で球体にマッピングしたレイヤーは、3D空間に展開されています。ここでは、この球体を回転させます。ポイントは回転方向の変換です。

▶ 球体を回転させる

前節で作成した球体を、Y軸を中心として地球のように回転させてみましょう。この場合はキーフレームを利用するので、タイムラインで作業を行います。

球体を右回りに回転させる。

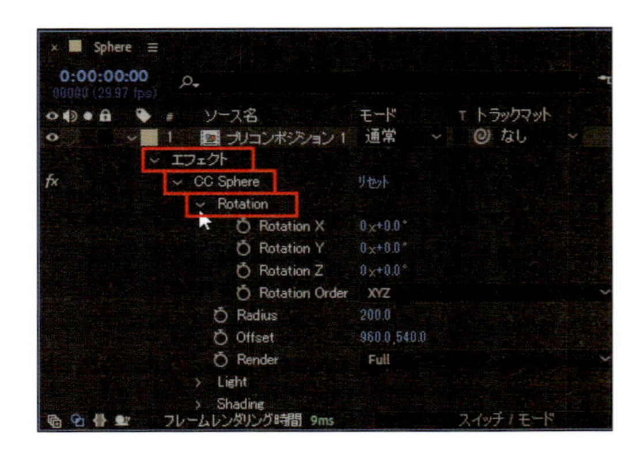

1 オプションを展開する

レイヤー「プリコンポジション1」のオプションを、「エフェクト」→「CC Sphere」→「Rotation」と展開します。同じオプションは「エフェクトコントロール」パネルにも表示されていますが、キーフレームを利用するので「タイムライン」パネルの方が使いやすいです。

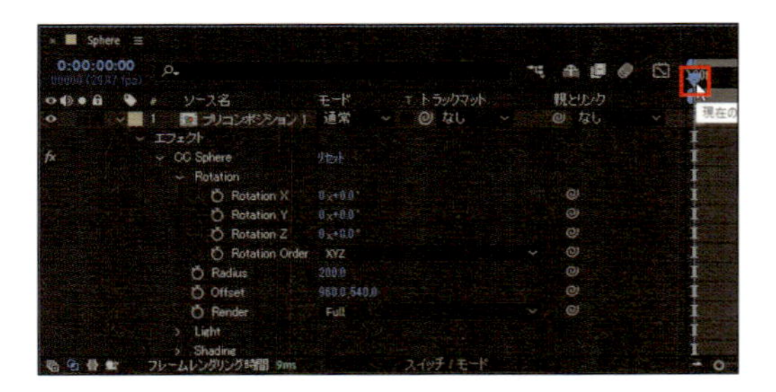

2 時間インジケーターを開始位置に合わせる

タイムラインの時間インジケーターを、タイムラインの一番左端に合わせます。ここがアニメーションの開始点になります。

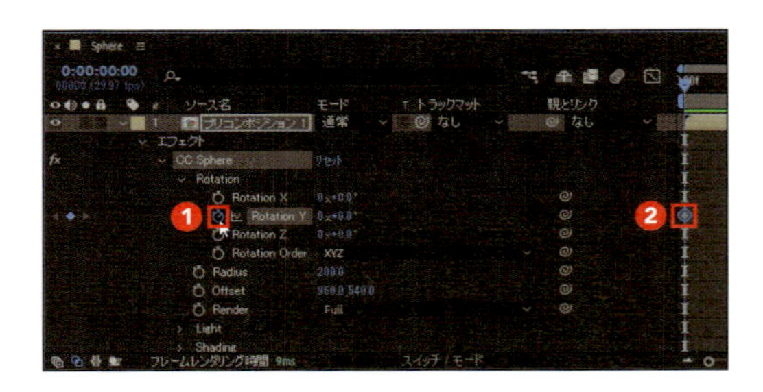

3 Y軸のキーフレームを設定する

パラメーター「Rotation」にある「Rotation Y」の先頭にあるストップウォッチをクリックして、アニメーションをオンにします❶。時間インジケーターの位置に、キーフレームが設定されます❷。

4 時間インジケーターを終了位置に合わせる

タイムラインの時間インジケーターを、タイムラインの一番右端に合わせます。ここがアニメーションの終了点になります。

5 回転数を設定する

球体を2回転させてみます。時間インジケーターがタイムラインの右端にある状態で、「CC Sphere」のオプション、「Rotation Y」のパラメーターで、次のように回転数を設定します。回転数を入力すると、キーフレームも自動的に設定されます。「2x」で2回転という意味になります。

「0x＋0.0°」→「2x＋0.0°」

6 反対方向に回転させる

続いて、「Rotation Y」の回転数を「-2」に変更します。これで、回転方向が右回りになります。

「2x＋0.0°」→「-2x＋0.0°」

POINT 球体に当たる光の色を設定する

球体に色を設定する方法としては、球体化するシェイプに色を設定する方法もありますが、「CC Sphere」のオプション「Light」の「Light Color」で球体に当たる光の色を変更することで、自然な色を表現できます。デフォルトでは「白」が設定されています。

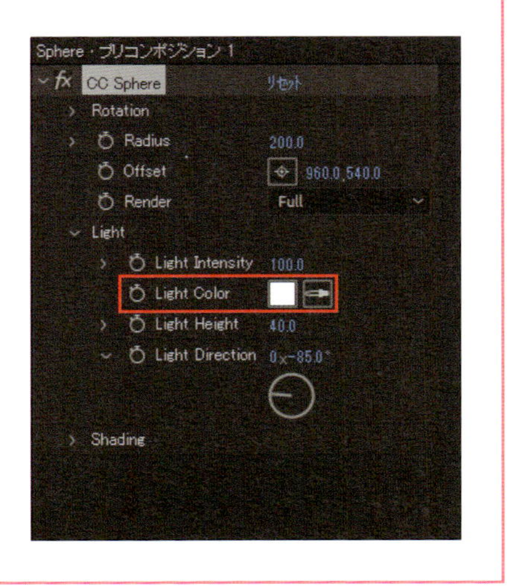

POINT 地球儀を作る

「CC Sphere」を利用すれば、地球儀も作れます。この場合、地球の平面画像が必要になりますが、ネットからダウンロードするのが一番かんたんです。以下の画面は、「Wallpaper Abyss」というサイトで配布されているデータを利用して作成したものです。いろいろなサイトでも世界地図が配布されているので、著作権に注意しながらセレクトして利用してください。

「Wallpaper Abyss」で地球の平面図を入手する。
(https://wall.alphacoders.com/wallpaper.php?i=590923)

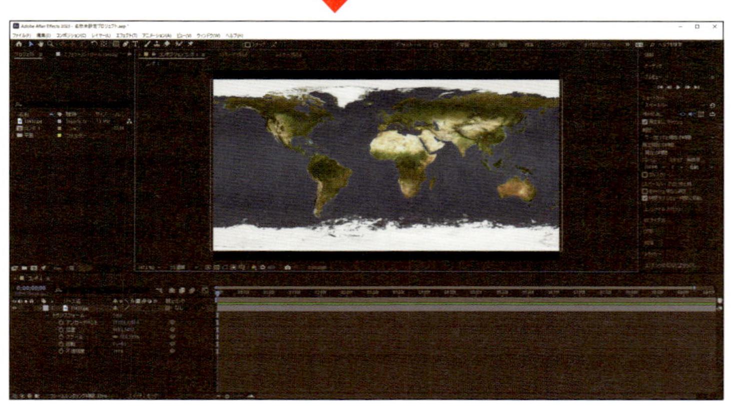

After Effectsにフッテージとして取り込む。

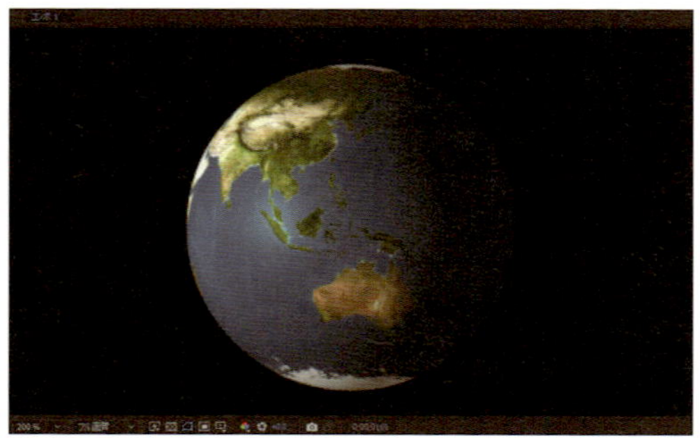

取り込んだフッテージに「CC Sphere」を適用して、地球を作成する。ここで解説している「球体を回転させる」の方法で回転させれば、地球儀の完成。

After Effects編

Chapter 11

After Effectsから出力する

Media Encoderに転送して動画を出力する

After Effectsで作成したプロジェクトデータは、Premiere Proから出力するケースがほとんどです。しかし、After Effectsから直接、動画として出力することも可能です。

▶ Media Encoderで出力する

After Effectsから直接出力する方法にはいくつかの種類がありますが、ここでは「Media Encoder」を利用して出力する方法について解説します。「Media Encoder」は、Creative Cloudで提供されているAdobeの動画ファイル出力専用プログラムです。After EffectsやPremiere Proから、ビデオファイルやオーディオファイルを出力（トランスコードおよびレンダリング）することができます。Media Encoderは、After EffectsやPremiere Proをインストールすると、同時にインストールされます。

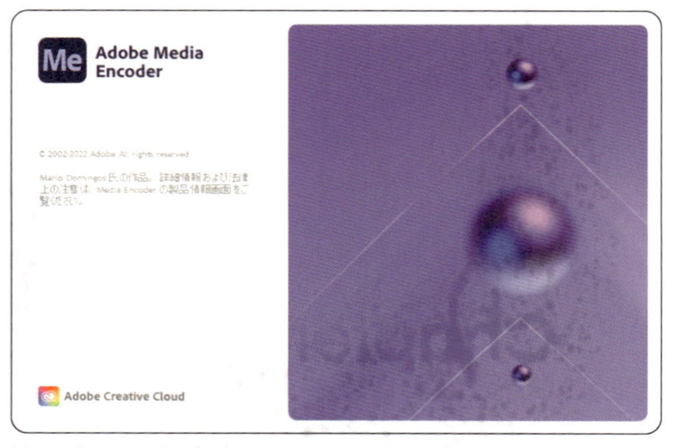

Media Encoderのスタートメニュー。

1 コンポジションを選択する

動画ファイルとして出力したいコンポジションを選択します。

2 Media Encoderを選択する

メニューバーから「ファイル」→「書き出し」→「Adobe Media Encoderキューに追加」を選択します。

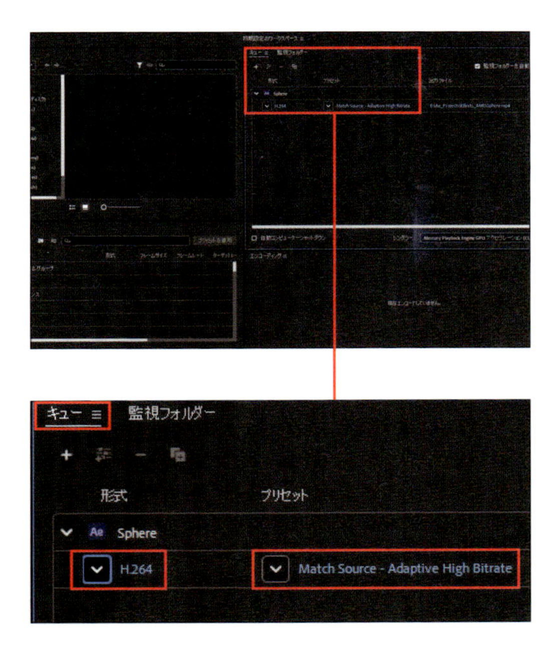

3 Media Encoderが起動する

Media Encoderが起動し、編集画面が表示されます。画面の右上に「キュー」タブがあり、ここに、手順1で開いたコンポジションが登録されています。登録されているコンポジションは、出力されるファイル形式として「H.264」がデフォルトで設定されています。

また、画質は「Match Source - Adaptive High Bitrate」が選択されていますが、「V」をクリックして画質を選択することができます。

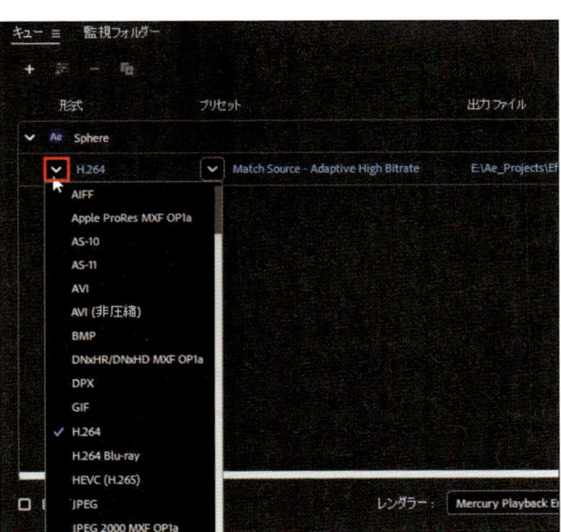

4 ファイル形式を変更する

表示されている「H.264」の先頭にある「V」をクリックすると、ファイル形式を選択するプルダウンメニューが表示されます。また、名前の「H.264」をクリックすると、詳細な設定ができる設定パネルが表示できます。これらを利用して変更してください。

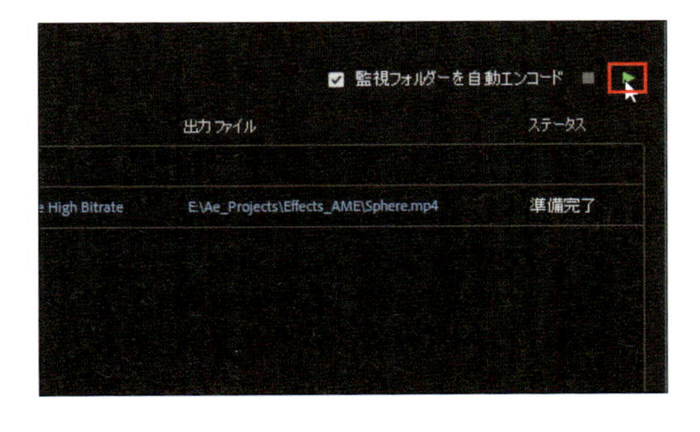

5 「キューを開始」をクリックする

必要なプリセットをすべて設定できたら、「キュー」タブにある「キューを開始」をクリックします。ファイルの出力が開始されます。出力先は、「出力ファイル」にある出力ファイル名をクリックして変更できます。

6 エンコードが開始される

それぞれのファイルのエンコード状態は「エンコーディング」タブに表示され、各ファイルの進行状況が確認できます。

「レンダーキューに追加」から動画を出力する

「Media Encoder」を利用する以外にも、After Effectsから動画を出力する方法はあります。ここでは「レンダーキューに追加」を見てみましょう。

▶「レンダーキューに追加」で出力する

After Effectsから動画ファイルを出力する場合、After Effectsから出力できる動画のファイル形式が限られているため、基本的には先に解説した「Media Encoder」を利用します。しかし、3Dアプリケーションやアニメーション作成ソフトで利用する、動画のフレームを1枚ずつの画像データとして出力するシーケンシャル系の動画ファイルは、「レンダーキューに追加」でかんたんに出力することができます。

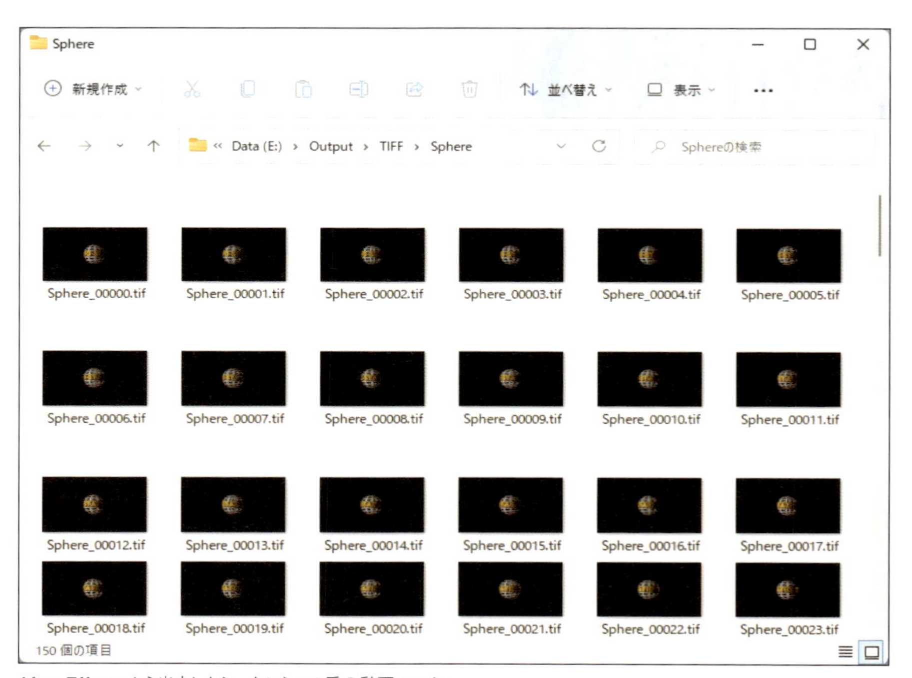

After Effectsから出力したシーケンシャル系の動画ファイル。

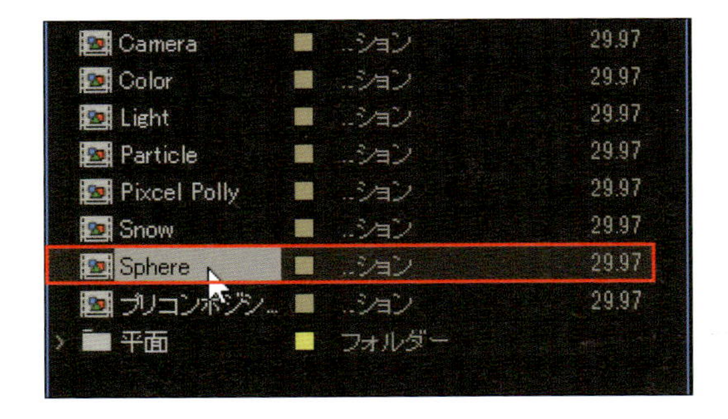

1 コンポジションを表示する

出力したいコンポジションをダブルクリックして表示します。

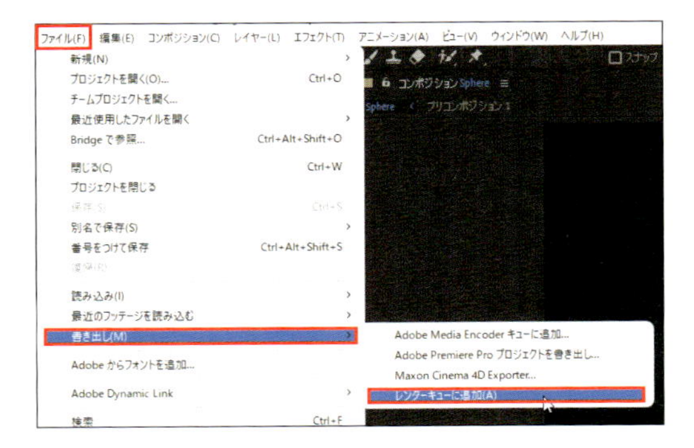

2 「レンダーキューに追加」を選択する

メニューバーから「ファイル」→「書き出し」→「レンダーキューに追加」を選択します。なお、出力したいコンポジションを開いていないと、「レンダーキューに追加」が選択できません。

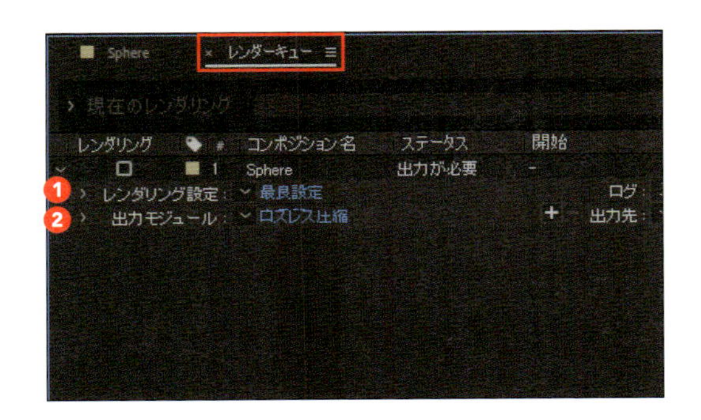

3 「レンダリング設定」を設定する

「タイムライン」パネルに「レンダーキュー」が表示されます。ここでは、「レンダリング設定」❶と「出力モジュール」❷という2つのオプションがあります。このうち、「レンダリング設定」は「最良設定」のままでOKです。「出力モジュール」の「V」をクリックして、表示されたメニューから「ロスレス圧縮」を選択します。

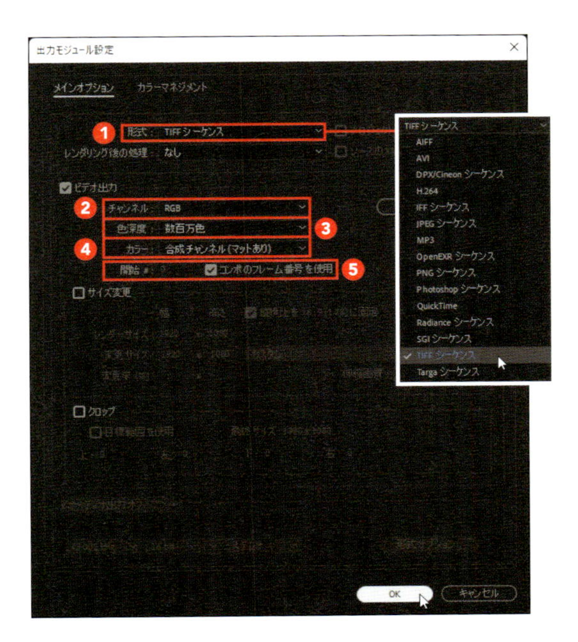

4 「出力モジュール」を設定する

「出力モジュール」に表示されている名前をクリックすると、「出力モジュール設定」が表示されます。ここでは、多くの3Dアプリケーションで利用できる汎用性の高い形式を設定することができます。なお、デフォルトで「形式」は「AVI」形式が設定されていますが、ここをクリックして形式を変更できます。たとえばTIFFシーケンス形式で出力することも可能です。

❶ 形式：TIFFシーケンス
❷ チャンネル：RGB
❸ 色深度：数百万色
❹ カラー：合成チャンネル（マットあり）
❺ 開始：コンポのフレーム番号を使用（オン）

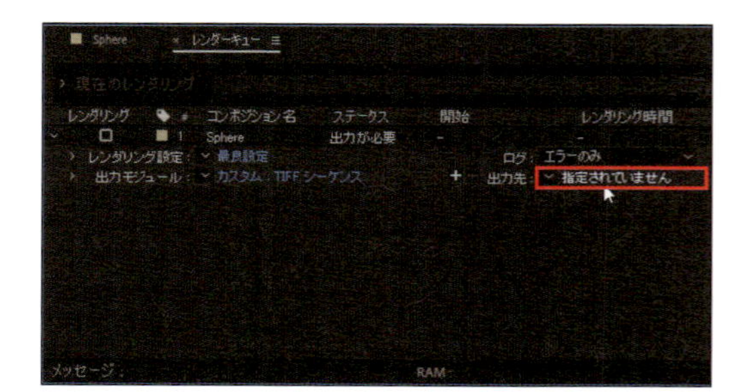

5 出力先を指定する

デフォルト設定以外の場所に出力したい場合は、「出力先」をクリックして保存先を設定します。

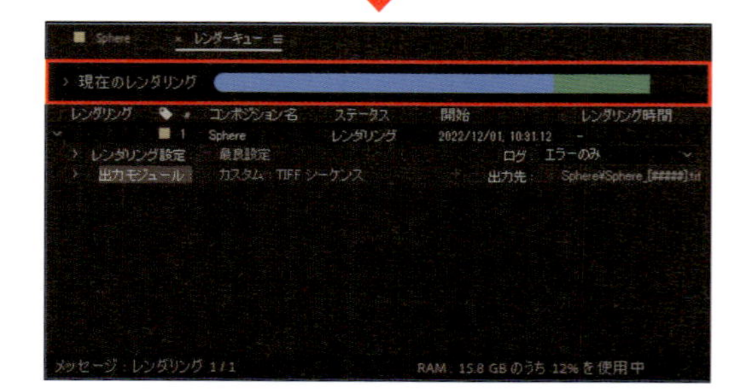

6 出力を実行する

「タイムライン」パネルの右上にある「レンダリング」をクリックすると、ファイルが出力されます。出力状況は、パネルの上部に青いバーで表示されます。なお「AMEでキュー」をクリックすると、Media Encoderへ出力情報を転送し、Media Encoderから出力できるようになります。

Premiere Pro &
After Effects連携編

Chapter 12

Premiere Pro と After Effectsを連携させる

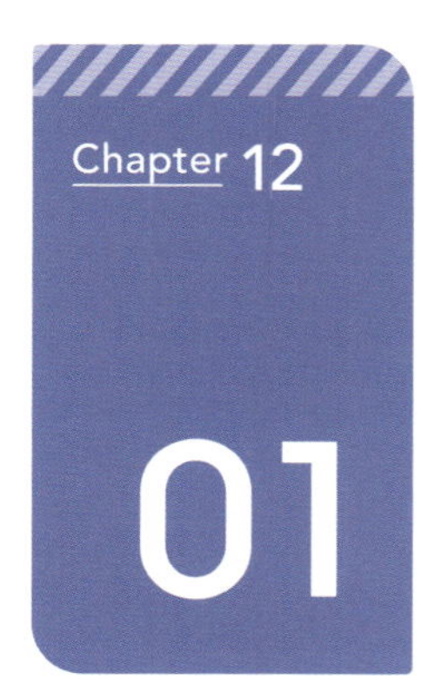

Premiere Proに After Effectsの コンポジションを読み込む

ここでは、After EffectsのコンポジションをPremiere Proに読み込み、Premiere Proのクリップとして利用する方法を解説します。

▶ After EffectsのコンポジションをPremiere Proの素材として利用する

After Effectsでモーショングラフィックスなどを作成したコンポジションがある場合、そのコンポジションをPremiere Proに読み込んで、クリップとして利用できます。これによって、映像とモーショングラフィックスをかんたんに合成できます。

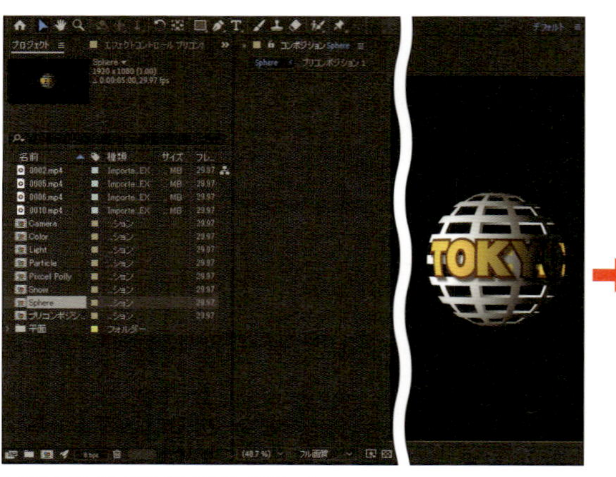

After Effectsで作成したコンポジション。

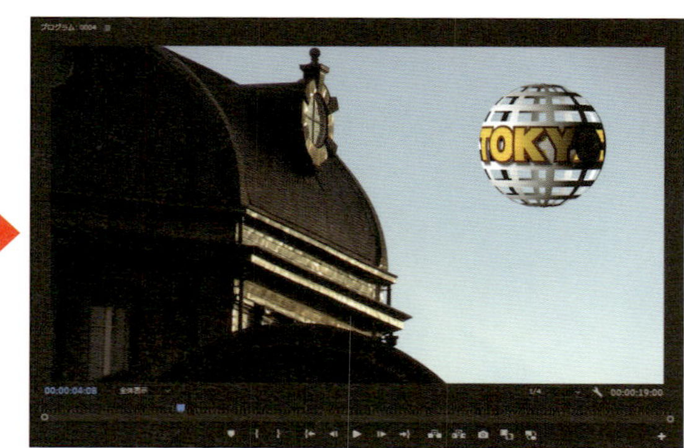

Premiere Proに読み込んでクリップとして利用する。

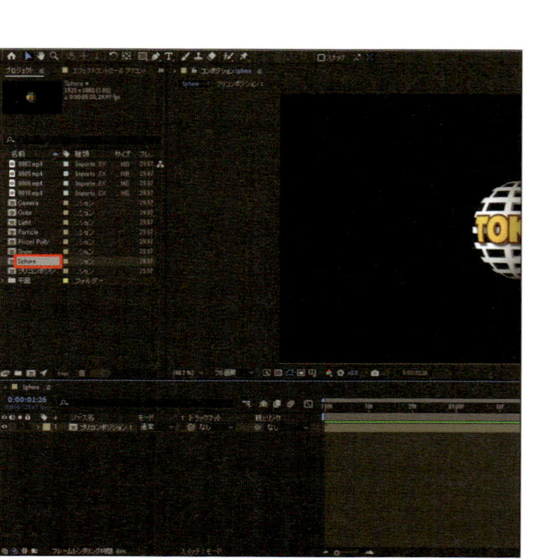

1 After Effectsで アニメーションを作成する

After Effectsで、モーショングラフィックスなどのアニメーションを作成しておきます。左の画面は、Chapter 10で作成した球体を回転させるアニメーションです。コンポジション名は「Sphere」と設定しています。

2 プロジェクトを保存する

After Effectsで作成したアニメーションのプロジェクトを、ファイル名を設定して保存します。プロジェクト名は「Effects」としています。

3 Premiere Proで編集を行う

Premiere Proでシーケンスを編集します。ここに、After Effectsのコンポジションを取り込みます。

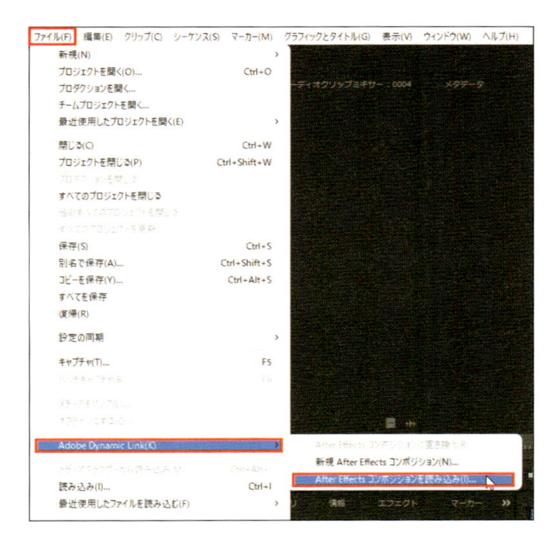

4 読み込み方法を選択する

Premiere Proのメニューバーから、「ファイル」→「Adobe Dynamic Link」→「After Effectsコンポジションを読み込み」を選択します。

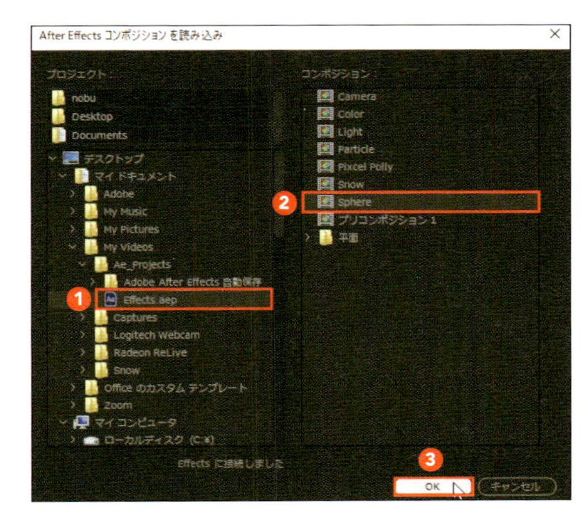

5 コンポジションを選択する

「After Effectsコンポジションを読み込み」ダイアログボックスが表示されるので、手順2で保存したプロジェクトファイル（「球体アニメーション」）を選択します❶。右側の「コンポジション」には、プロジェクト内にあるコンポジション名が表示されます。利用したいコンポジション（「Sphere」）を選択して❷、「OK」をクリックします❸。

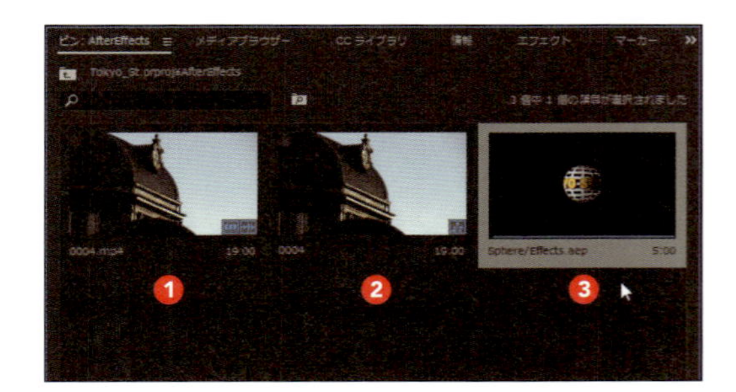

6 コンポジションが読み込まれる

Premiere Proの「プロジェクト」パネルに、選択したコンポジションがクリップとして読み込まれて登録されます。左からビデオクリップ❶、シーケンス❷、コンポジション❸です。

▶ Premiere Proのシーケンスに配置する

「プロジェクト」パネルに読み込んだAfter Effectsのコンポジションを、シーケンスのトラックに配置します。

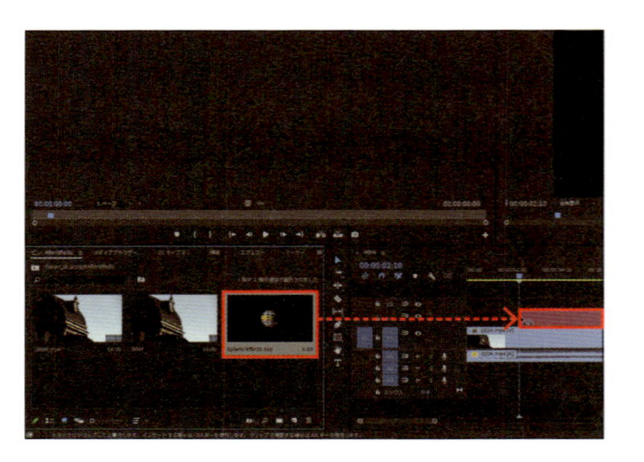

1 ビデオトラックに配置する

「プロジェクト」パネルに読み込んだAfter Effectsのコンポジションは、After Effectsで作成したデュレーションの設定でクリップとして読み込まれています。このクリップを、シーケンスのビデオトラックにドラッグ&ドロップで配置します。なおコンポジションのクリップは、ビデオクリップが配置されているビデオトラックよりも上のトラックに配置します。

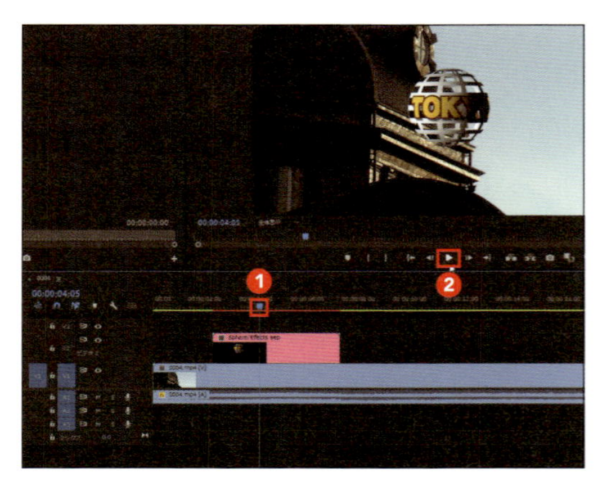

2 アニメーションを確認する

ビデオトラックに配置したクリップに再生ヘッドを合わせると❶、アニメーションが表示されます。「プログラム」モニターの「再生」をクリックし❷、アニメーションを確認します。

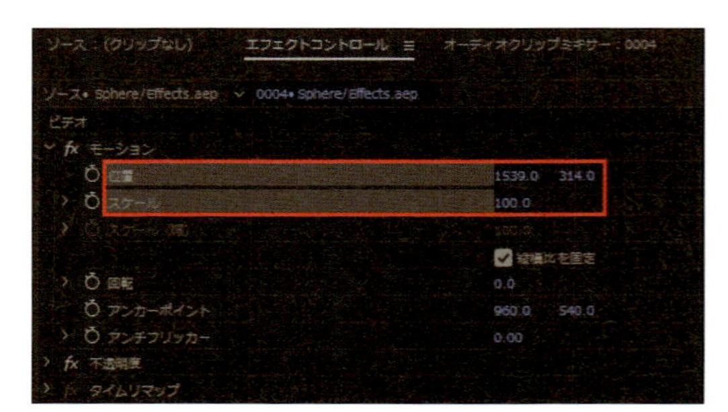

3 表示位置やサイズを変更する

アニメーションの表示位置やサイズは、配置したクリップを選択して「エフェクトコントロール」パネルで調整します。「モーション」のオプションを利用し、表示位置は「位置」で、サイズは「スケール」で調整します。

▶ After Effectsでの変更をダイレクトに反映させる

After Effectsで作成したコンポジションをPremiere Proにクリップとして読み込んで配置した場合、After Effects側で再編集すると、その変更がダイレクトにPremiere Proのコンポジションに反映されます。なお、「プロジェクト」パネルに登録されているコンポジションを右クリックして「オリジナルを編集」を選択しても、After Effectsを起動して再編集できます。

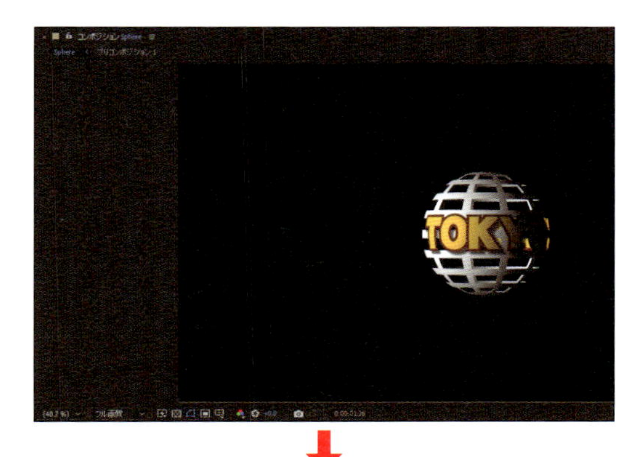

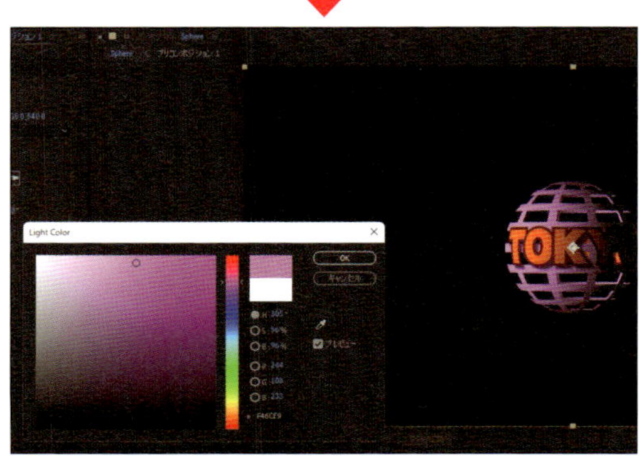

1 After Effectsで再編集する

After Effectsで、Premiere Proに読み込ませたコンポジションを再編集します。ここでは、ライトの色を変更してみました。

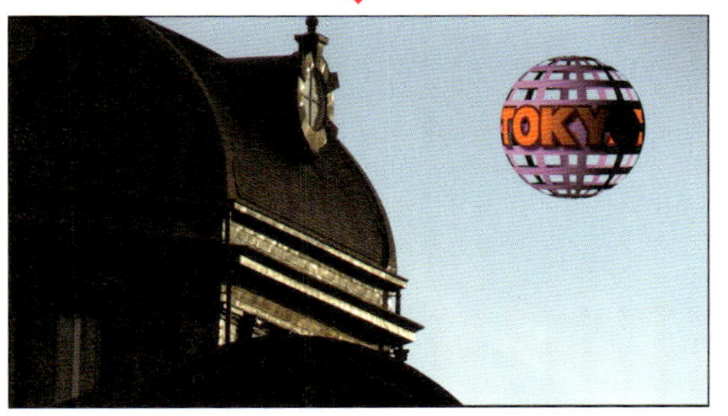

2 Premiere Proに反映される

After Effects側でコンポジションを変更すると、変更内容がPremiere Proのクリップにも反映されます。After Effects側で保存操作を行わなくても反映されますが、終了する時には、After Effectsで保存を実行してください。

Premiere Proで「After Effects コンポジションに置き換え」を利用する

Premiere Proには、シーケンスに配置したクリップをAfter Effectsのコンポジションに変更し、After Effectsでのモーションや効果を設定できる「置き換え」機能があります。

▶ クリップがコンポジションに変換される

Premiere Proには、「After Effectsコンポジションに置き換え」という、少し特殊な機能があります。この機能を利用すると、シーケンスに配置したクリップをAfter Effectsにいったん転送し、さまざまな効果を設定できるフッテージとしてAfter Effectsの「タイムライン」パネルに配置することができます。

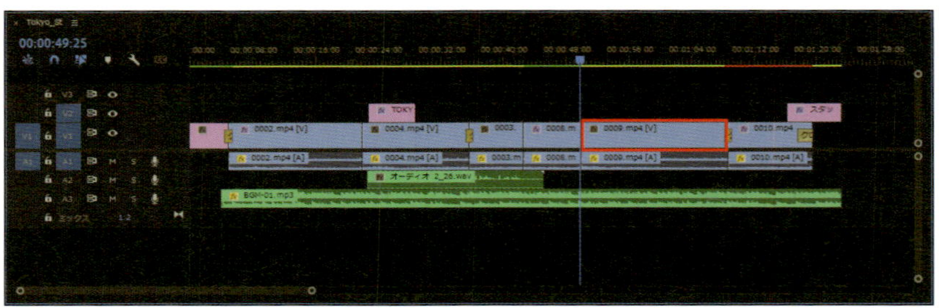

置き換え前。

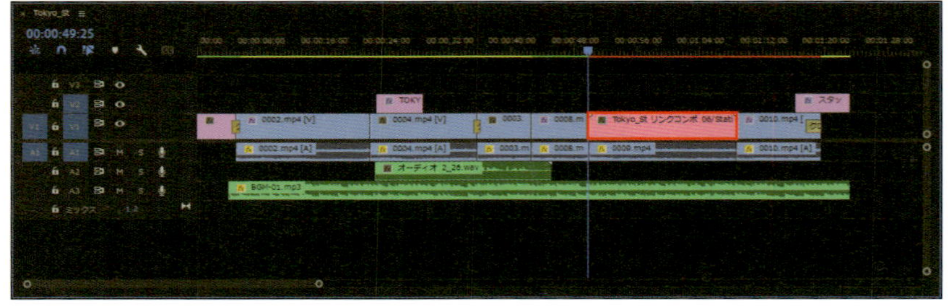

置き換え後。

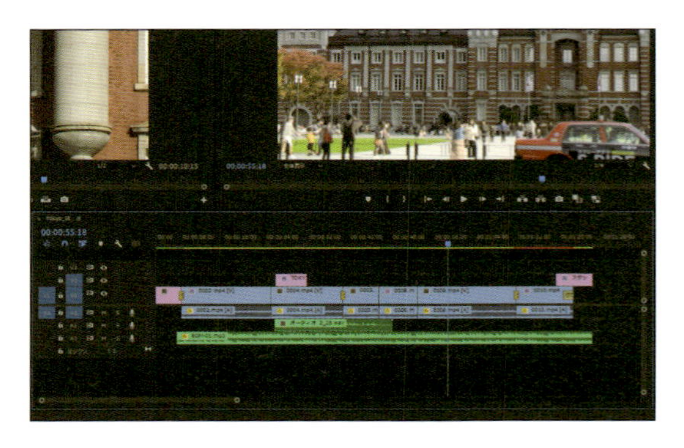

1 Premiere Proで編集する

Premiere Proで、通常通りプロジェクトを編集します。特別にAfter Effects向けに何かをするということはありません。

2 「After Effectsコンポジションに置き換え」を選択する

シーケンスに配置したクリップのうち、After Effectsで加工したり効果を使ったりしたいクリップを選択して右クリックし❶、「After Effectsコンポジションに置き換え」❷を選択します。なお、Premiere Proで「ファイル」→「Adobe Dynamic Link」を選択しても、「After Effectsコンポジションに置き換え」を選択できます。ただし、事前にクリップを選択しておかないと、このコマンドはアクティブになりません。

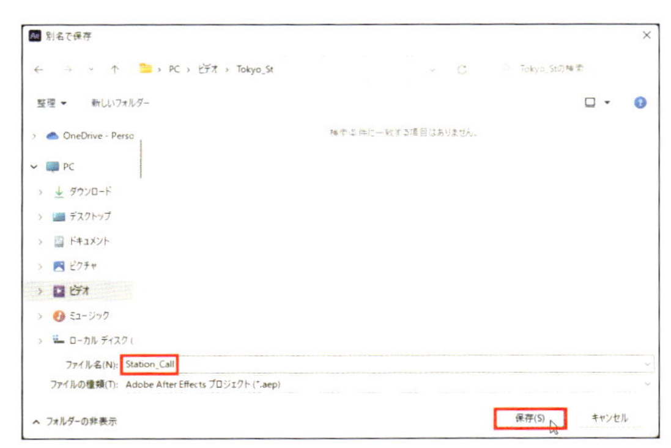

3 After Effectsのプロジェクトを保存する

After Effectsが起動していない場合は、自動的にAfter Effectsが起動してプロジェクトの保存ウィンドウが表示されます。After Effectsのプロジェクト名を入力して、「保存」をクリックします。

4 After Effectsが起動する

After Effectsが起動すると、Premiere Proで右クリックした動画クリップがAfter Effectsに転送され、「タイムライン」パネルにフッテージとして配置されています。

POINT After Effectsが起動している場合

すでにAfter Effectsが起動している場合は、表示されているコンポジションのタイムラインに、新しいフッテージとして配置されます。

▶ After Effectsで演出やモーションを追加する

フッテージとして配置されたクリップに対して、After Effectsでエフェクトやモーションを設定します。

1 コールアウトタイトルを設定する

ここではP.260で作成したコールアウトタイトルを、タイムラインに配置されたフッテージに対して設定します。画面では、5秒のコンポジションとして作成しています。

2 トラッキングを設定する

5秒のコールアウトタイトル用コンポジションと同じデュレーションで、トラッキングを設定します。トラッキングの設定も、P.282と同じです。ヌルオブジェクトを設定して親にします。

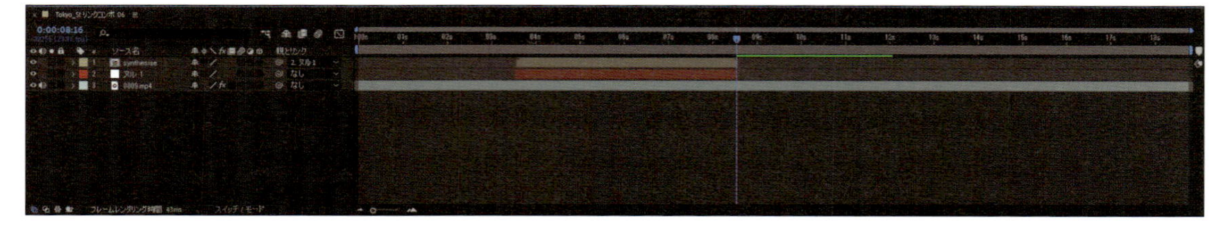

3 モーショングラフィックスを確認する

After Effectsで設定した効果を確認します。

▶ Premiere Proに切り替える

After Effectsでの設定が終わったら、Premiere Proに切り替えます。Premiere ProのクリップがAfter Effectsのコンポジションに置き替わり、モーションなどもきちんと反映されています。

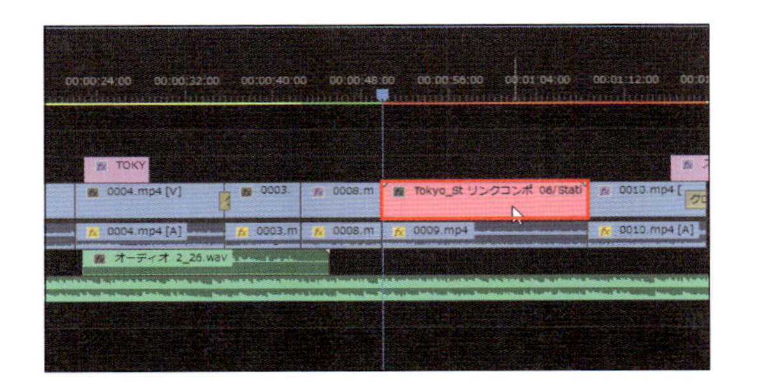

1 Premiere Proを表示する

Premiere Proに画面を切り替えると、右クリックして「After Effectsコンポジションに置き換え」を選択したクリップが、After Effectsのコンポジションに置き替わっています。

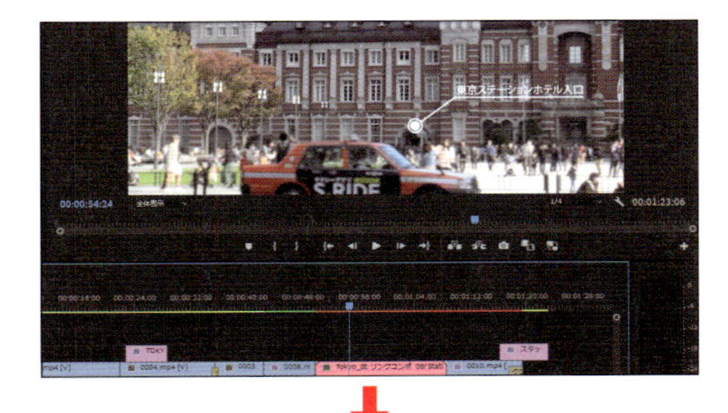

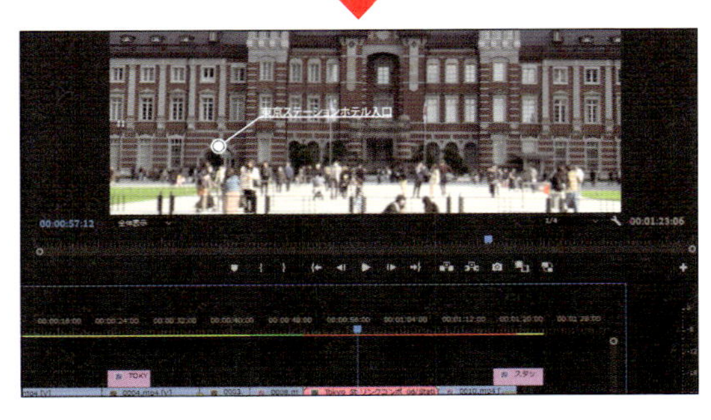

2 モーションも反映されている

After Effectsで設定したコールアウトタイトルも、きちんと反映されています。なお、トランジションなどは無効になってしまうので、再度設定してください。

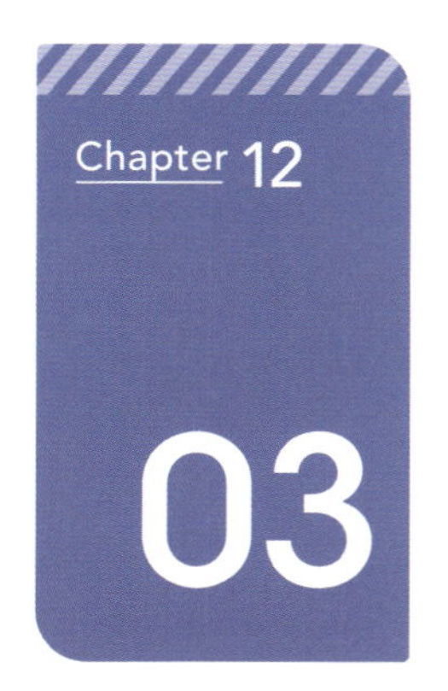

Premiere ProからAfter Effectsのコンポジションを作成する

「After Effectsコンポジションに置き換え」とよく似た機能に、「新規After Effectsコンポジション」があります。こちらは、After Effectsのコンポジションを Premiere Proのシーケンス上に作成します。

▶ Premiere ProからAfter Effectsの新規コンポジション作成を指定する

Premiere Proでは、Premiere ProからAfter Effects用の新規コンポジション作成を指定し、After Effectsでアニメーションなどを作成することができます。作成されたコンポジションは、Premiere Proに素材クリップとして登録されます。

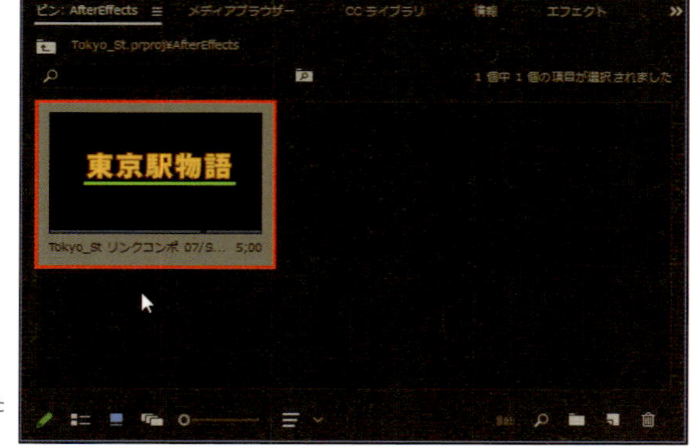

Premiere Proのプロジェクトに登録されたAfter Effectsのコンポジション。

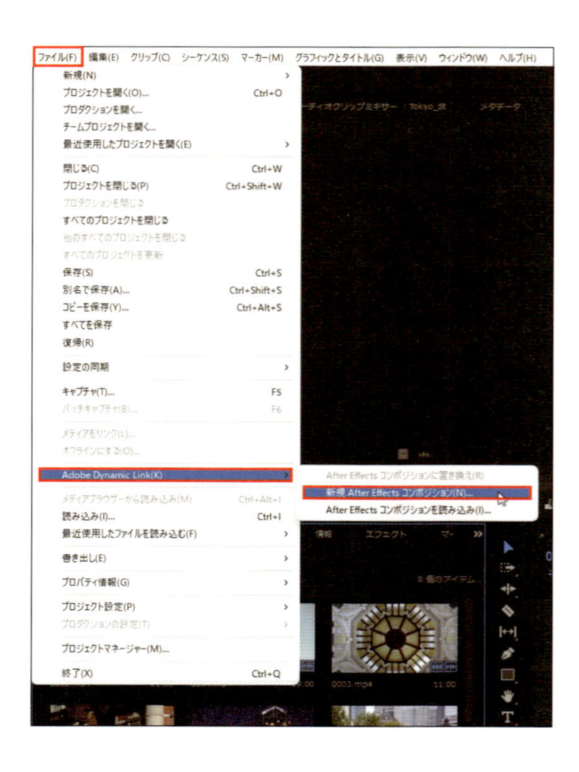

1 「新規After Effectsコンポジション」を選択する

Premiere Proで編集中のプロジェクトのメニューバーから、「ファイル」→「Adobe Dynamic Link」→「新規After Effectsコンポジション」を選択します。このとき、必ずしもAfter Effectsが起動している必要はありません。

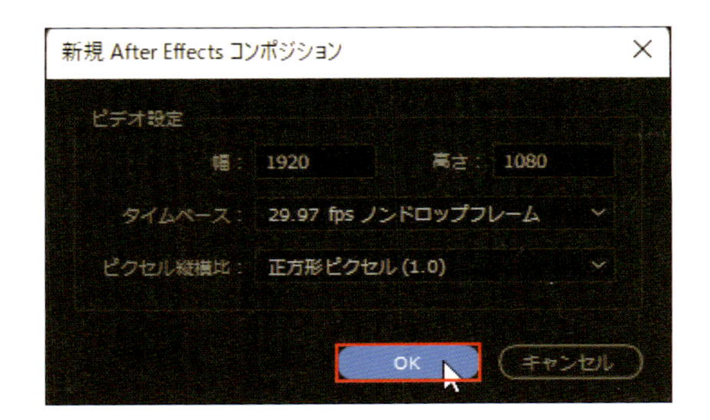

2 設定内容を確認する

「新規After Effectsコンポジション」ダイアログボックスに、Premiere Proで編集中のシーケンス設定が表示されます。設定内容を確認して、「OK」をクリックします。

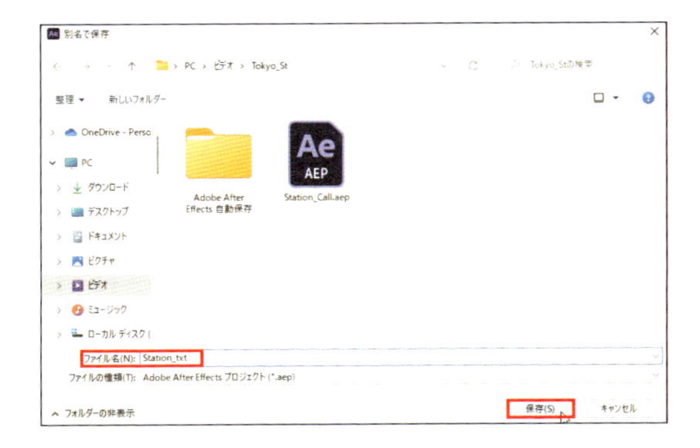

3 プロジェクト名を入力する

After Effectsが起動し、「別名で保存」ダイアログボックスが表示されます。ここでAfter Effectsのプロジェクト名を入力し、「保存」をクリックします。

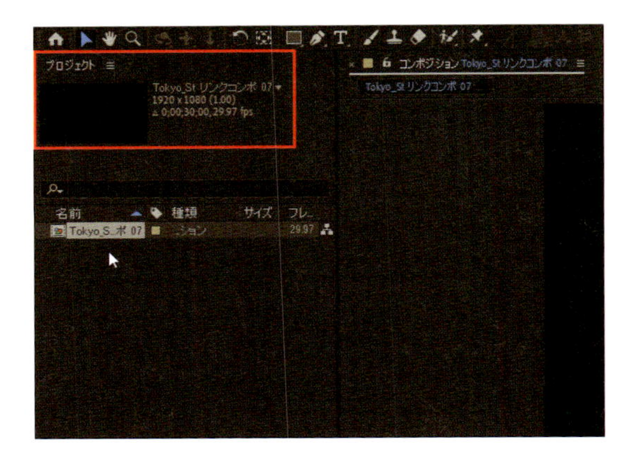

4 After Effectsの編集画面が表示される

After Effectsが表示され、「プロジェクト」パネルにコンポジションが1つ登録されています。画面では、「Tokyo_St リンクコンポ 01」と、Premiere Proのプロジェクト名を使ったコンポジション名が設定されています。

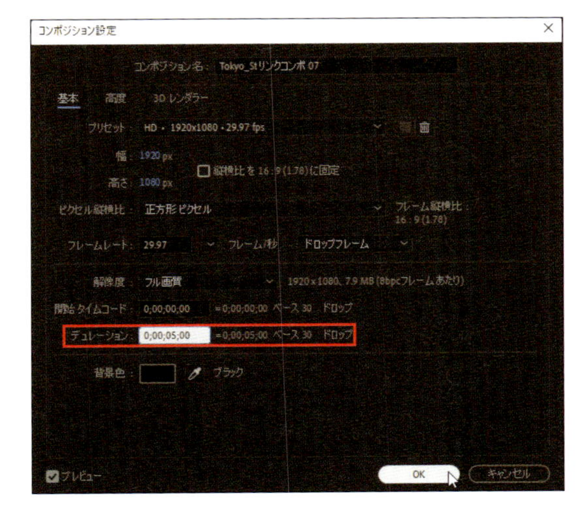

5 デュレーションを変更する

作成されるコンポジションのデュレーションはデフォルトで30秒なので、これを5秒に変更します。After Effectsで「コンポジション」→「コンポジションの設定」を選択し、「コンポジション設定」ダイアログボックスを表示します。「デュレーション」を5秒に変更します。

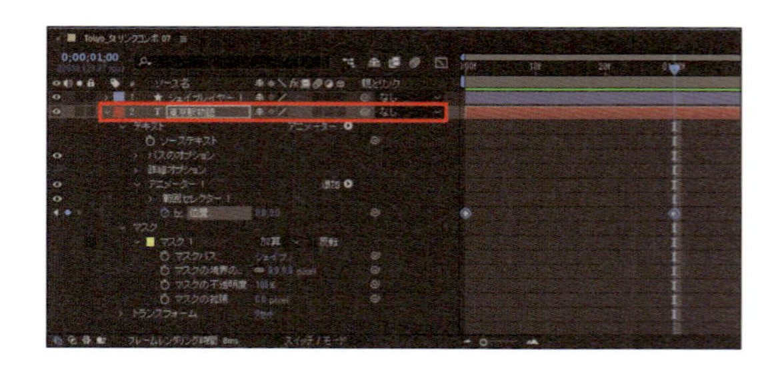

6 アニメーションを作成する

レイヤーを登録して、利用したいアニメーションなどを作成します。ここでは、「アニメーター」の「位置」とマスクを利用してテキストがせり上がってくるテキストアニメーションを作成しました(P.274)。

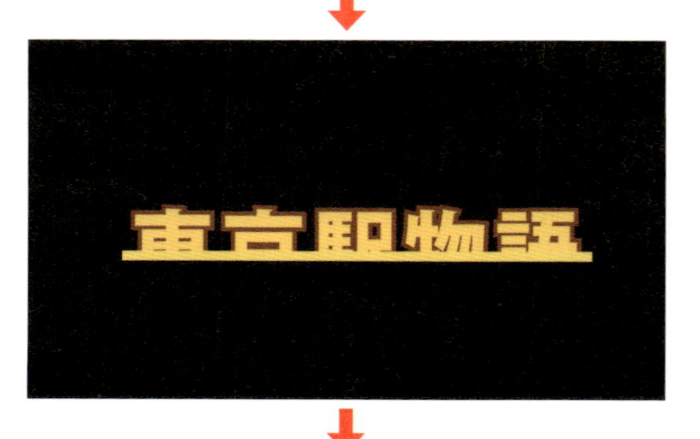

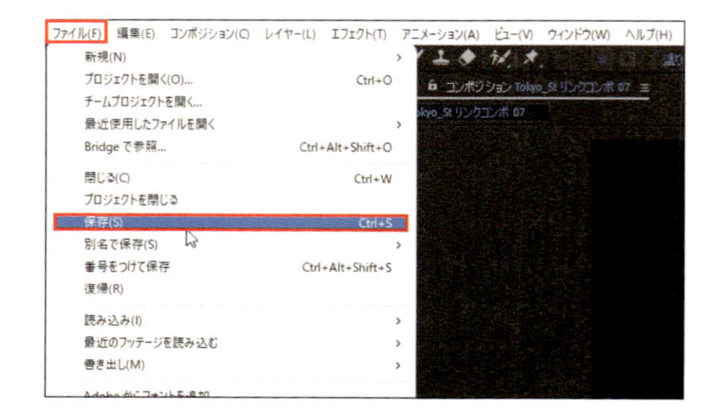

7 プロジェクトを保存する

After Effectsのメニューバーから「ファイル」→「保存」を選択して、プロジェクトを保存します。

8 Premiere Proに戻る

画面をPremiere Proに切り替えると、「プロジェクト」パネルにコンポジションがクリップとして登録されています。

9 クリップをトラックに配置する

コンポジションのクリップを、シーケンスのトラックに配置します。これで、After Effectsで作成したアニメーションをPremiere Proで利用できるようになります。

After Effectsで変更。

Premiere Proに反映される。

10 変更がダイレクトに反映される

この方法で登録されたコンポジションは、After Effectsで行った修正が自動でPremiere Proに反映されます。たとえばAfter Effectsで文字色を変更して保存を実行すると、ダイレクトにPremiere Pro側に反映されます。

Index 索引

数字

英字

あ行

か行

さ行

た行

な行

は行

Index

ま行

や行

ら行

わ行

■著者略歴

阿部 信行（あべ のぶゆき）
千葉県生まれ。日本大学文理学部独文学科卒業

肩書きは、自給自足ライター。主に書籍を中心に執筆活動を展開。
自著に必要な素材はできる限り自分で制作することから、自給自足ライターと自称。
原稿の執筆はもちろん、図版、イラストの作成、写真の撮影やレタッチ、
そして動画の撮影・ビデオ編集、アニメーション制作、さらにDTP も行う。
制作した作品は、出版だけでなくWebサイト等でも公開。Webサイトが必要なら
Web サイトも自作する。
自給自足で養ったスキルは、書籍だけではなく、動画講座などさまざまなリアル講座、
オンライン講座でお伝えしている。

介護職員初任者研修（旧ホームヘルパー2級）取得済み
株式会社スタック代表取締役
All About「動画撮影・動画編集」「デジタルビデオカメラ」ガイド

● **Webサイト**
https://stack.co.jp

● **最近の著書**
『YouTuberのための動画編集逆引きレシピ DaVinci Resolve 18対応』（インプレス）
『Premiere Pro デジタル映像編集 パーフェクトマニュアル』（ソーテック社）
『Movie Studio Platinum かんたんビデオ編集入門』（ラトルズ）
『Thinkfree Office NEO 7 実践入門』（ラトルズ）
『EDIUS X Pro パーフェクトガイド』（技術評論社）
『DaVinci Resolve 17 デジタル映像編集パーフェクトマニュアル』（ソーテック社）
『Premiere Pro＆After Effects いますぐ作れる! ムービー制作の教科書 改定３版』（技術評論社）

ブックデザイン●小口翔平＋阿部早紀子（tobufune）
レイアウト・本文デザイン●リンクアップ
編集●大和田洋平
技術評論社Webページ●https://book.gihyo.jp/116

■お問い合わせについて
本書の内容に関するご質問は、下記の宛先までFAXまたは書面にてお送りください。なお電話によるご質問、および本書に記載されている内容以外の事柄に関するご質問にはお答えできかねます。あらかじめご了承ください。

〒162-0846
新宿区市谷左内町21-13
株式会社技術評論社　書籍編集部
「Premiere Pro & After Effects いますぐ作れる!ムービー制作の教科書［改訂４版］」質問係
FAX番号　03-3513-6167

なお、ご質問の際に記載いただいた個人情報は、ご質問の返答以外の目的には使用いたしません。また、ご質問の返答後は速やかに破棄させていただきます。

Premiere Pro & After Effects いますぐ作れる! ムービー制作の教科書［改訂４版］

2023年３月21日　初版　第１刷発行

著　者　阿部　信行
発行者　片岡　巌
発行所　株式会社技術評論社
東京都新宿区市谷左内町21-13
電話　03-3513-6150　販売促進部
03-3513-6160　書籍編集部
印刷／製本　株式会社加藤文明社

造本には細心の注意を払っておりますが、万一、乱丁（ページの乱れ）や落丁（ページの抜け）がございましたら、小社販売促進部までお送りください。送料小社負担にてお取り替えいたします。

ISBN 978-4-297-13376-4 C3055
Printed in Japan